Gabriele Wohmann
Ernste Absicht

SERIE PIPER
Band 1698

Zu diesem Buch

»Dieser Roman«, schrieb Rolf Michaelis 1970 in der FAZ, »setzt einen Markstein.« In einer »Lebensrevue vom Grabesrande« (Martin Gregor-Dellin) denkt in einem monumentalen Monolog eine Frau während eines Krankenhausaufenthaltes all den vielen verfehlten und vertanen »ernsten Absichten« ihres bisherigen Lebens nach – eine nüchterne, vielleicht auch verbitterte Schwester der großen Monologistin Molly Bloom aus Joyce' »Ulysses«. Eine gescheiterte Ehe, eine »Restfamilie«, ein schwieriger Geliebter, die widersprüchliche Existenz einer Literatin – die vor den Türen des Krankenzimmers verbliebenen Probleme verbinden sich mit den Ängsten um den eigenen Körper zu einer neuen Sicht des Lebens – als Krankheit zum Tode.

Gabriele Wohmann, geboren 1932 in Darmstadt. Aus ihrem umfangreichen Œuvre sind hervorzuheben: die Romane »Ernste Absicht« (1970), »Paulinchen war allein zu Haus« (1974), »Schönes Gehege« (1975), »Ausflug mit der Mutter« (1976), »Frühherbst in Badenweiler« (1978), »Der Flötenton« (1987) und eine Vielzahl von Erzählungsbänden. Gabriele Wohmann erhielt u. a. 1971 den Bremer Literaturpreis, 1980 das Bundesverdienstkreuz 1. Klasse, 1985 den Stadtschreiber-Literaturpreis des ZDF und der Stadt Mainz und den Hessischen Kulturpreis.

Gabriele Wohmann

Ernste Absicht

Roman

Piper
München Zürich

»Ernste Absicht« erschien erstmals 1970
im Hermann Luchterhand Verlag, Neuwied und Berlin.

Von Gabriele Wohmann liegt in der
Serie Piper außerdem vor:
Plötzlich in Limburg (1051)

ISBN 3-492-11698-1
Oktober 1992
© R. Piper GmbH & Co. KG, München 1992
Umschlag: Federico Luci,
unter Verwendung des Gemäldes »Arlington Hotel,
Hot Springs, Arkansas« (1976) von David Hockney
Foto Umschlagrückseite: Reiner Wohmann, Darmstadt
Satz: Hanseatische Druckanstalt GmbH, Hamburg
Druck und Bindung: Clausen & Bosse, Leck
Printed in Germany

Perfekt und herrlich sind die römischen Kopien von Venus und sterbendem Gallier. Auch die Säle des Konservatorenpalastes wurden reich ausgemalt und nicht mit Ruhebänken versehen. Wo gefällt es dir denn am besten, fragt mein Begleiter. Gestern hat wieder ein Attentat stattgefunden. Wir starren Marmor an. Es ist in allen Sälen ungefähr erwartungsgemäß. Wem ich gnädig bin, dem bin ich gnädig, und wessen ich mich erbarme, dessen erbarme ich mich. Es ist beispielsweise in den Sälen des Museums daher also friedlich. Es ist vergleichsweise friedlicher als in dem Zoologischen Garten. Es ist auch etwas kühler als draußen. BOBBY KENNEDY DIES. Dem Privatgelehrten der Philosophie war der Mord an seiner Ehefrau nicht zu beweisen. Jetzt aber sind die Reliefs, die Stele, die unermeßlich wertvollen Statuen dran. Zwar hat der Privatgelehrte seine Frau in die Möbelkiste gelegt und diese im Garten vergraben. Und was hat dir bis jetzt am besten gefallen, fragt mein Komplize. Pferd springt auf Kombiwagen. Ergebnis: drei verletzte Menschen. Gemeingefährliche Geisteskranke brechen mit vier Geiseln aus. Beatmusik im Vatikansender. HE DIES AND DIES. Aus allen Teilen der Welt reist die weitverzweigte Familie an. Das Ambassador-Hotel, der leicht verstaubte Tatort, geht in die Geschichte ein. Schon treffen aus aller Welt die Teilnahme, Erschütterung, Entsetzen bekundenden Telegramme ein. Vielfach wird in kurzem Kommentar auch zum Attentat selber Stellung genommen. Aber der Dornauszieher ist diesmal keine Kopie. Das Wort Beileid fehlt in den Telegrammtexten vorläufig und wird durch das Wort Mitgefühl ersetzt. Das Pferd wurde bei dem Zusammenprall, welchen es allerdings selbst verschuldete, getötet. Was gefällt dir hier am besten, fragt mein Handlanger. Heute siehst du so mild aus. Dein Gesicht sieht so breit aus. Morgen wissen wir mehr. Das Wort Mitgefühl schließt ein Leben noch nicht ab. Was hat dir bis jetzt am besten gefallen? Der Selbstmord mit der einmotorigen Cessna, aus 300 Metern Höhe auf einen Holzschuppen bei Daytona Beach. Das Museum ist gar nicht so klein. Das Museum ist sogar recht groß. Was werden wir morgen essen? Die Treppenstufen sind noch echt alt. Der Vatikan will eine geistige Brücke zur Jugend schlagen. Als sicherstes Versteck gilt noch immer das Gefängnisbüro. Und was gefällt dir in diesem Stockwerk am besten, fragt mein Mittäter im straf- und zivilrechtlichen Sinn. Die hochgestimmten Touristen, die Marmorbüsten in Viererreihen, die Frau, die sich trotz der quergespannten Goldkordel auf der Barock-Armoire von ihrem Mann fotografieren läßt und was sonst noch alles verboten ist. Die Offiziersfrauen in der US-Siedlung Perlacher Forst verhalten sich dem Attentat gegenüber weitgehend gleichgültig. Bei den Farbigen herrschen Trauer und Ratlosigkeit vor. Immer diese Violenzen, sagt die Verwalterin zum Attentat des 5. 6. 68. Er kommt nicht durch, sagt die Sekretärin, denn sie hat gerade die Telefonnachrichten unter der Nummer 19 befragt. Sie wird das in einer Viertelstunde wieder tun, gemäß dem Prinzip Hoffnung. Und jetzt zu den Sarkophagen. Was gefällt dir denn am besten, fragt mein Teilnehmer an einer Straftat, an einem Museumsbesuch. Der Bruder hat sich von seinem Bruder freiwillig erwürgen lassen, denn sie waren beide davon überzeugt, daß nur durch den Tod des einen Bruders der gute Ruf ihrer Familie vom erwürgenden Bruder durch Erwürgen zu retten sei. Waren nun beide Brüder geisteskrank oder nur einer und welcher denn. Die Frau des vom Gericht außer Verfolgung gesetzten Privatgelehrten hat in Nordafrika eine schwere Krankheit auskurieren wollen. BOB DIES. Das bekannte Wildschweinmotiv oder die Eierstabzierleisten, was gefällt dir am besten, fragt mein Kollaborateur. Epilepsie heute — das Profil einer Krankheit. Oder gefällt dir der Ausblick am besten, fragt mich der, welcher mit dem Feind in verräterischer Weise zusammenarbeitet. Selbstverständlich von allen Fenstern des großen Museums auf einen ganz normalen Sommernachmittag. Gesorgt werden muß für die Rückkehr in ein würdiges Leben. Rehabilitation ist für die meisten Nichtmediziner ein Fremdwort. Es ist für viele Ärzte nur ein vager Begriff. Es ist für den Gesetzgeber die Summe aller Maßnahmen zur Erhaltung, Besserung und Wiederherstellung der Erwerbsfähigkeit. Demnach ist Rehabilitation dringend wünschenswert. Jedoch wird sie noch nicht mit einer Zahnprothese, andern Amputationen oder etwa der Trockenlegung von Alkoholikern erzielt. Kinder steinigen 86jährigen Mann. Eine psychiatrische Untersuchung wurde für alle vier Kinder angeordnet. Der Greis stand vor seinem Haus. Ein Mädchen und drei Knaben im Alter von neun und zehn Jahren bewarfen ihn so lang, bis er zusammenbrach und einen Tag später im Krankenhaus von Milwaukee, Wisconsin, starb. Die Ermittlungen ergaben, daß die Kinder einfach nur den Mann bestehlen wollten. Warum blieb der Greis vor seinem Haus stehen? Viele tierische und menschliche Lebensfunktionen zeigen eine bestimmte Periodik. Man beobachtet jetzt Krabben, die vom Ei an im Laboratorium aufgezogen wurden; Ziel der Untersuchung: der Rhythmus der Krabben. An diesen überaus kunstvollen Reliefs geht man besser einfach mal vorüber, um die

Sehfähigkeit der Augen nicht übermäßig zu belasten. Den Ausdruck Kaltmachen gebrauchte der Wüstling, welcher die 33jährige Angestellte Anna K. überfiel. Nach Aussage der Betroffenen verlangte er Dinge von derselben, die ihr in sieben Jahren Ehe ihr Mann nicht zugemutet hat. Von diesem Mann lebt sie seit anderthalb Jahren in Scheidung. Sie hat jetzt ganz andere Erfahrungen auf dem Sektor Sexualität. Ein Fingerabdruck brachte den Täter auf. Mag die Überfallene rückblickend ihren anspruchsloseren Mann nun sympathischer finden? Wo gefällt es dir denn am besten, fragt mich mein Tatverdächtiger. BOB KENNEDY DIES. Die perfekte Kopie des sterbenden Galliers schon wieder: also haben wir uns verirrt, weil das Museum gar nicht so klein ist. Ich finde diesen Anblick nicht ergreifend. Sein weltberühmtes Marmorsterben regt mich nicht weiter auf. Aber wie viel Heimsport doch beispielsweise eine simple Tür gewährt, wie sie jeder in seinem Heim hat und zumeist sportlich überhaupt nicht auswertet. 1) Hin- und-Herdrücken. 2) Hochstemmen. 3) Wegdrücken. (Diese Übung wird nach Belieben schwerer.) 4) Durchfedern. 5) Fußhochsetzen. Viel zu leicht übersieht der Zeitgenosse wesentliche Bereicherungen des Alltags, zum Beispiel: Das belebende Spiel. Den erlösenden Tapetenwechsel. Und weitere Straftaten. Klug eingeteilt, versäumt man nichts. Überholtes nicht verteidigen. Jung gewohnt, alt getan. Der Mörder mit dem Doppelnamen, dieser Einzelgänger, sitzt schon in der Geheimzelle. Fett macht fett. Hat dir dieser Saal am besten gefallen, fragt mich mein Beteiligter am Komplott. Milch macht dynamischer. Hier haben wir die Porzellanabteilung. Es sind Figuren in solcher Vielzahl vorhanden, daß man leichtfertig berichten würde: es sind zahllose. Jedoch sind sie selbstverständlich zählbar, sind auch archiviert. Keine Zeit? Dann wählen Sie bei den Sozialwahlen brieflich. Auf alle Fälle wählen. Ihr Kreuz entscheidet mit. Wen wählen denn jetzt die armen Weißen und die Neger und. Von Gottes Gnade bin ich was ich bin. Was bin ich? Euer Überfluß diene ihrem Mangel. Die künftige Selbstverwaltung Ihrer Kasse liegt in Ihrer Hand. Johannes K. ist ein besonnener Mann. Das gefährliche Leben des Johannes K., bevor er Kranken-, Lebens-, Sachversicherungen, alles aus einer Hand, abschloß. Er ist ein guter Familienvater. Er ist ein zuverlässiger Angestellter. Aber er hatte bis vor einem halben Jahr keine Ahnung. Man sollte sich die Vitamine als Musiker in einem großen Orchester vorstellen. Casimir Funk war 1912 der erste Vitaminkonzentrator. Wo hat es dir in diesem Stockwerk am besten gefallen, fragt mein Hehler, mein Mittelsmann, mein Ganove, mein Wacheschieber. HANNO SPARATO BOBBY COME SUO FRATELLO! ROBERT F. KENNEDY È

MORTO. Dieses besonders große Museum muß man abgeklappert haben. Es steht ganz oben auf der Liste. Und wo hat es dir am besten gefallen, fragt mich mein zivil- und strafrechtlich Mitverfolgter. Also gut, mir hat ja was gefallen. Mir hatte der Affe aus Granit gefallen, das Puppentheater aus Porzellan, der rostige Draht statt Penis. Wo gehen wir jetzt hin, fragt mich mein Mann. Das sicherste Versteck ist und bleibt ein Gefängnisbüro. Ich schlage ein ganz bestimmtes Lokal vor, in dem sie besonders scharf würzen. Ich bestelle Spaghetti lacrimae, denn auf die weint man sowieso.

Dienstag. Schon mittags ist mein Koffer gepackt. Ich soll morgen nicht zu spät eintreffen. Warum denn das, fragt Rubin mich am Telefon. Man braucht 2 Tage zur Vorbereitung. Ist es überhaupt nötig, fragt Rubin und denkt an Zeitverluste für uns. Im Hintergrund höre ich Martha. Wir haben unsere von ihr genehmigte Sprechdauer überzogen. Machen wir Schluß, sage ich. Ach wo, sagt Rubin, es ist nichts los, sie redet von ihrer eigenen Operation. Auf Wiedersehen, sage ich.
Frau Heinrich sagt: Vor dieser Operation brauchen Sie wirklich keine Angst zu haben. Sie nimmt ganz gern einen Schluck Campari. Ich habe auch keine Angst, sage ich. Das brauchen Sie auch wirklich nicht, sagt Frau Heinrich mit plötzlich unzufriedenem Ausdruck. Frau Heinrich hat schon wieder eine umfangreiche Novelle fertig. Sie schickt Abzüge an diverse Sender. Geht es Ihnen übrigens auch so, mir geht es jedenfalls so, daß mir der Gedanke an Narkose ziemlich unerträglich ist, sie befördern einen doch ganz einfach in so eine Art Jenseits. Frau Heinrich faßte sich, wenn ich es nachträglich bedenke, in der Berichterstattung z. B. über einige Ausschabungen, die an ihr verübt worden sind und über andere operative Eingriffe, Stolz ihrer Biografie, relativ kurz. Kleine Fische, obschon eklige kleine Fische, ruft Frau H., gemessen an Ihrer Operation, die Sie sich nicht wie ein Honiglecken vorstellen sollten, was der Professor Ihnen auch erzählt. Ganz zu schweigen aber von einer Bauchhöhlenschwangerschaft, von der leider ich ein Lied singen kann. Sie war der Meinung, man mache so allerhand mit als Frau und sang Arien aus der langen blutrünstigen Kantate. Der Arzt hat gottlob all das angesammelte Blut gefunden, ich ahne nicht, ob Sie es wissen, es sammelt sich im Douglas'schen Raum. Übrigens hatte Frau Heinrich viele Male bei Operationen wie der, die mir bevorstehe und die sie mir nicht allzu madig machen wolle, als Sprechstundenhilfe zugesehen. Damals herrschte Personalmangel in den Ops, also zogen sie Laien hinzu, die einen Schrecken für ihr

Leben abbekamen. Zu ängstigen brauchen Sie sich wie gesagt wirklich nicht, aber als ich das 1. Mal zusah, hielt ich die Person mit ihrem blutigen vibrierenden Bauch, der weit geöffnet war, für verloren. Sperrangelweit. Passen Sie auf, daß man Ihnen den sogenannten Bikinischnitt säbelt. Frau Heinrich verschwätzt sich jetzt sowieso. Was sie aus dieser Frau rausholten und wieder in sie reinsteckten, verheerend. Machen Sie sich dennoch keine Sorgen. Diese Leute verstehen·ja ihr Handwerk. Obwohl nicht zu leugnen ist: es geht immer um Leben und Tod, bei jeder Operation, vor allem, wenn die Bauchhöhle geöffnet wird. Frau Heinrich verspürt jetzt Heiserkeit und könnte sich ohrfeigen, weil sie das Gefühl nicht los wird, sie falle mir auf die Nerven. Annie Zander hat ebenfalls so allerlei Unterleibskram hinter sich. Was könnte ich noch für Sie tun? Sagen Sies ruhig und frei heraus. Helfen ist sowieso für mich das Schönste. Toitoitoi. Hals- und Beinbruch paßt ja weniger gut. Sie muß wirklich lachen, sie lacht sich mal aus, hat lang nicht mehr so gelacht. Diese Exkursion, zu der mein Mann von seinem Nachfolger eingeladen war, dauert doch länger: 19.15 h, ich packe jetzt meine Tasche. Man hat der Annie Zander vor nun 7 Jahren mit einer Supravaginalamputation geholfen. Sie ist seitdem alle Scherereien los. Soll sie mir die Narbe zeigen? Ihr machts nichts aus. Hüte dich bloß davor, daß man dich mit einer Totalextirpation überrascht. Sie mag lieber Tee. Ed mag lieber ein Schlückchen Bier. Die Gynäkologen mögen Totalextirpationen. Alles ein Kaliber. Überhaupt Chirurgen. Es fällt ihnen schwer, irgendwas in dir drin zu lassen. Angst brauchst du nicht zu haben, aber mach dich auf allerlei gefaßt. Du hast keine Geburtstagsfeier vor dir. Vor allem sieh zu, daß hinterher so rasch wie möglich wieder die Verdauung in Ordnung kommt. Und lutsch mir bloß nicht vor lauter wahnsinnigem Durst am Waschlappen. Es zahlt sich nicht aus. Du kriegst einen Bauch wie drei Weinfässer. Ihr selber ist am 6. Tag der Bauch wie eine reife Erdbeere angeschwollen, aber nicht vom Ablutschen des Waschlappens, dem sie, fast verrückt vor Durst, eisern widerstanden hat. Die Nonnen haben in der Hospitalkapelle gebetet, während in Zimmer 102 Annies Fieber auf 42 Grad anstieg. Mach mir das lieber nicht nach. Fünf Liter Eiter hatten ihren Bauch so übertrieben aufgebläht und wurden kurz vor dem letalen Ausgang dieser Tragödie vom diensttuenden Arzt abgezapft. Es fällt der Annie Z. so leicht keine zweite Erinnerung ein, die sie dermaßen inspiriert. Sie weiß auch nicht genau, wozu die Nonnen beten. Meine Narbe, stimmts Ed, fühlt sich heut noch wie Maschendraht an, gib das mal zu, sagt Annie. Ed erwacht aus seinem Halbschlaf und gibt das mal zu. Er seufzt beleidigt.

Der dt. Embryo ist strafrechtlich ungeschützt, außer gegen Abtreibung. Er heißt vom 3. Monat an Foetus, und ist ab dann, bei vorzeitigem Entschluß, den Mutterleib zu verlassen, als Fehlgeburt meldepflichtig, während der nicht meldepflichtige Embryo in seiner Ungeduld die bürgerrechtlich uninteressante Fehlgeburt hinter sich und die Mutter bringt. Seit Eds Lebensgefährtin mit diesem Maschendraht, der Narbe, das Andenken an ihre Unterleibsmartyrien ehrt, muß er vor den reduzierten, einige Wochenenden des Kalenders markierenden Umarmungen einen Widerstand passieren, außer nach Alkoholabusus, der andererseits die kleine Wucht seines jeweiligen biologischen Rucks beeinträchtigt. Es ist ihm schwer zu helfen. Der dreimal geöffnete, immer wieder als Zugang benutzte ehemalige Kaiserschnittkronensaum scheuert gegen seine amphibischen Lenden. Alle ihre eiligen Nachkommen, die Embryonen und die Foeti, haben, wie es sich schickt, zuerst geträumt und dann gelutscht. Diese Reihenfolge läßt die verschmähten Eltern ganz kalt. Gibt es Schutz vor befohlener brutaler Behandlung? Diese Frage stellen sie sich nicht, diese Frage stellten sich Wissenschaftler an der Yale-Universität. Ihr Experiment erwies, daß die Versuchspersonen durch Autorität zur Grausamkeit verführt werden. Daraufhin sprach man von einem der erschütterndsten wissenschaftlichen Experimente der letzten Jahre. Benötigt wurden dazu jeweils 3 Personen: der Versuchsleiter, sein Helfer und das ahnungslose Opfer. Der Angelpunkt: die Größe eines elektrischen Schocks, den ein Mensch einem andern wissentlich beibringt, wenn ihm befohlen wird, einen Dritten zunehmend strenger zu bestrafen. Dem Opfer wird eine Gebühr von 4 Dollars 50 Cents gezahlt. Die Ergebnisse der Versuchsreihe wurden von den Wissenschaftlern als im höchsten Maße deprimierend beurteilt. Sie fragten sich verzweifelt: Spielt denn das Gewissen keinerlei Rolle? Ed und Annie haben es opferwürdig auf 2 Frühgeburten (verstorben) und mehrere Fehlgeburten gebracht, bei letzteren können sie Embryonen und Foeti noch genau auseinanderhalten.

Mein Mann kommt gegen 21 Uhr, und wir reden sofort über die Zementfabrik, über das Benehmen der Exkursionsteilnehmerinnen, über das Mittagessen, über den Nachfolger, über die Kaffeepause, über die Gipszerkleinerungsmaschine und den Zementsilo, über das Abendessen, über die Zementpackschienen, das Primärluftgebläse und die Mühle zu Mahlung und gleichzeitiger Trocknung der Rohstoffe unter Verwendung der Wärmetauscherabgase und über die Rückfahrt im gemieteten Omnibus mit dem Gesang der arabischen Exkursionsteilnehmerinnen. Der Nachfolger meines Mannes hat alles ordentlich organisiert. Bei einem Schock von 75 Volt beginnt der Lernende zu murren, dann zu stöhnen. Bei 150 Volt verlangt er, aus dem Versuch entlassen zu werden. Bei 180 Volt schreit er, er könne den Schmerz nicht länger ertragen. Er kann aber. Bei 300 Volt weigert er sich, noch irgendeine Antwort zu geben und besteht auf Befreiung. Bietet die Gesellschaft ihren Bürgern Schutz vor brutaler und unmenschlicher Behandlung auf Anweisung einer böswilligen Autorität? So lautet die abschließende Frage des verantwortlichen Wissenschaftlers.

In der Nacht träume ich. Mein Sohn Rock liegt komisch und unbequem in seinem alten Wintermantel auf der Badewannenbrüstung. Es ist das Badezimmer von früher, nicht das enge der Notwohnung. Ich bin lang nicht mehr bei der Familie gewesen und zornig, weil niemand mir vom schlechten Befinden Rocks berichtet hat. Sie stehen herum: meine Schwiegermutter Kitty, mein Mann, meine Schwägerin Helene, die natürlich nichts begreift, aber jammert. Rock will mich beruhigen, er lallt und röchelt, ich beruhige mich nicht. Ich verstehe: sie haben den Arzt schon gerufen. Jetzt ist es Kitty, die über der Badewanne hängt. Es hat sich plötzlich wieder diese Ader verstopft, flüstert sie mir zu, reg dich bitte nicht auf. Was denn für eine Ader? Ich werde wie immer, wenn jemand bedroht ist, unfreundlich. Wir kommen nicht so weit, bis wir klären können, weshalb Kitty so unsinnig da liegt, und ich will es dauernd wissen, sie kann jederzeit von dieser glatten Rampe herunterfallen. Ich finde ebensowenig heraus, was das für eine Ader ist und warum sie verstopft ist und wieso Rock nicht mehr da ist und woher es kommt, daß alle andern sich einverstanden erklärt haben und sich abfinden. Kittys Gesicht und auch ihre Arme sind bläulich gepunktet. Daß Rock inzwischen tot ist, habe ich plötzlich verstanden.

Mittwoch. Ich komme mit Koffer und Tasche um 20 vor 10 an. In der Aufnahme fragt eine schwarzhaarige kräftige Frau Mitte 40 mich aus. Ihre Sprechweise dröhnt rechthaberisch nach Oder-Neiße-Grenze und verlorenen Ostgebieten. In Wahrheit sagt sie anstelle der Fragen über Formulare und mich hinweg: Was haben Sie für eine Ahnung von meiner unnachahmlichen Heimat. 2 Ärzte stöbern in ihren Postfächern. Sie machen Anspielungen, die ich nicht verstehe und die sie komisch finden, sie versuchen, die weibliche Verwaltungsangestellte abzulenken. In Wahrheit sage ich anstelle meiner Auskünfte, im 2. Traum der letzten Nacht suchte mich mein Mann in einem Hotel. Ich habe nicht mehr gewußt, ob wir noch verheiratet sind. In allen Hotelzimmern standen alte Schuhe von Rubin und alte Plastiktragetaschen, die seine Frau, die verworren tüchtige Martha, ihm und mir mit Konserven vollgestopft hatte. Ich erfahre von der Angestellten, daß ich vorauszahlen soll. Ich bekomme ein Formular mit den Krankenhaustarifen. Ich werde die Anzahlung vornehmen. Nein, ich bin nicht auf Spenden angewiesen. Ja, ich begebe mich in die besten Hände. Meine Krankenkasse wird einen Teil der Kosten übernehmen. Gewiß nicht, in der Gruppe der unvorsichtigen Leute, die alles auf sich zukommen lassen, wird man mich nicht finden. Zumindest finanziell ist die Krankenanstalt mit mir abgesichert. Man überreicht mir einen Brief, in dem mich der Leitende Direktor, der Verwaltungsdirektor und ein Stadtrat, zuständig für Krankenhauswesen und Soziales, zwar mit LIEBER PATIENT, aber immerhin in der 2. Pers. Plural anreden. Der Brief ist freundlich. Seine Ermahnungen ergehen an mich in sanftem Ton, seine Hinweise lassen die Möglichkeit aus, daß ich sterbe. Diese 3 fürsorglichen Komplizen wünschen mir vielmehr nämlich schon jetzt Genesung, und zwar nach einem angenehmen Aufenthalt in den Städt. Krankenanstalten. Ich soll den Schwestern die Arbeit nicht erschweren. Die Hotelierpose mir gegenüber wird aber schließlich doch nicht etwa mit der Bitte um eine Wiederholung meines Besuchs übertrieben. Ich wünsche keinen der beiden Ärzte, die sich in der Aufnahme herumdrücken, an mein Krankenbett. Ich fahre mit dem Lift in den 4. Stock. Die Stationsschwester begrüßt mich und zeigt mir mein Zimmer. Wir kennen uns. Ich kenne mich aus. Ich habe vor einigen Jahren schon einmal auf dieser Station gelegen. Weder Schw. Charla noch ich, keine von uns ist in der Lage, die genaue Anzahl der Jahre zu ermitteln, die inzwischen vergangen sind. Sie hat auch gar keine Zeit dazu. Sie kündigt jetzt wie damals an, Magere seien selbstverständlich schmerzempfindlicher, andererseits auch widerstandsfähiger. Alles in allem haben Arzt und Pflegepersonal es mit Mageren leichter. Eine weiße Serviettentasche liegt auf dem weißgedeckten Krankentisch, dessen Platte man später über mich schieben wird. Jetzt kann ich noch aufbleiben. Ich muß mich für einige präoperative Prozeduren bereithalten, also angezogen außerhalb des Bettes, trotzdem soll ich immer ruhiger werden. Es ist ein Zweibettzimmer. Die Verstellbarkeit des Bettes, seines Kopfkeils, seines Fußteils, habe ich in der rechten Hand. Mit einer Sicherheitsnadel ist die Plastikschnur der Klingel ins Laken gesteckt. Ich betrachte die Serviettentasche lieber als die Klingel. Ich habe ein gutes Hotel zum Ausruhen aufgesucht. Ich packe aus. Meine Utensilien passen zu diesen Hotelferien, in einem Krankenzimmer fielen sie, farbig und unseriös, aus dem Rahmen. Auf dem Krankenhaustisch mache ich Unordnung mit zu viel Papier. Ich errichte den Widerstand. Allerdings schimmert unter meinem weißen Laken ein dunkleres Rechteck: die Gummiunterlage. Der Professor tritt wie in Trance ein. Es ist gegen 11. Er sagt, daß er Valium liebe. Wir lächeln, er gibt mir zum Abschied die Hand und behält sie lang, wir lächeln immer weiter, als hätten wir bald was Nettes, auch leicht Anrüchiges, Verschwiegenes miteinander vor. In einem der beiden Besuchersessel heuchle ich Lesen. Schw. Flora stellt sich als Schw. Flora vor. Sie quetscht meine Finger. Sie ist sehr kräftig. Sie wird mich, wenn ich erst ein Pflegefall bin, ohne Anstrengung aus dem Bett und irgendwohin schaffen. Doch doch, sagt sie, ich bin schon 49, leider, ich könnte Ihre Frau Mama sein. Wir beide geben uns damit ab, Zeit zu verschwenden, um uns unsere verschiedenen Lebensalter angeblich nicht zu glauben. Ihre Sonnenbräune ist spanisch. Sie poliert am Waschtisch herum. Ach, was war der Urlaub so schön, und jetzt gehts wieder los. Von dem schwarzgefärbten, naturgekräuselten Haar soll die sehr kleine Haube nicht allzu viel verdecken. Sie sitzt weißgestärkt wie ein Zierstück, das Schw. Flora selbst entworfen zu haben scheint, sitzt wie bei der Kellnerin eines besseren Cafés in der schwarzen Haarpracht. Schw. Flora stammt zu ihrer Befriedigung aus dem Osten. Ich kann nichts dazu, daß sie aus dem Osten rausmußte — ich und alle, wir können was dazu; auch dazu, daß sie im Vergleich zum Osten über den Westen lieber erst gar nichts aussagt, daß sie als Schwester viel Arbeit hat, daß ihr Urlaub zu Ende ist. Sie liebt aber ihren Beruf. Sie legt Wert darauf, ihn nur halbtags und ohne ordensmäßige Bindung auszuüben. Ich bin freie Schwester, sagt sie. Frei muß ich sein, ich bin so der Typ. Sie sagt: Alles Schöne ist vergänglich, nur der Kuhschwanz, der bleibt länglich. Das Schöne ist der Urlaub. Der Kuhschwanz bin ich, samt Operation, ist die Last, die das Zimmer 606 der Schw. Flora demnächst bereiten wird. Das macht ihr nichts. Sie arbeitet nun mal gern. Die kleine Schw. Margarete hat den viel zu kurzen Urlaub noch vor sich. Ihre Haube sitzt auf einer zivilen Mädchenfrisur, die abends immer noch kein Freund verwuschelt.

Schw. Charla hat als Stationsschwester die Übersicht. Sie ordnet alles, was die Vorgänge um mich und meine Operation betrifft. Kurz vor 12 h. Sie bringt eine sehr müde Frau und mich per Lift ins Parterre. Das Wartezimmer ist, vor dem Beginn der Sprechstunde, noch leer. Wir warten auf unsere Untersuchungen. Die Frau muß dauernd gähnen. Ich halte ihren Zustand für postoperativ. Die Frau trägt einen Bademantel, den sie vielfach vergeblich über dem zerknitterten Nachthemd zusammenstopft. Ihre Beine sind weiß mit blauen seichten Aderflußtälern, sie hat rote ausgebeulte Stoffpantoffeln an, die den knubbligen Spann freilassen. Sie nimmt nicht von mir Notiz, es ist ihr auch egal, daß ein Mann hier eindringt. Der Mann ist fett und etwa 60, vermutlich ein Ehemann, dessen Frau eben noch untersucht wird. Sein rotes Gesicht haben Schmisse zerwetzt. Er setzt sich stöhnend, der Bauch ist ein Hindernis, die Schenkel passen nicht in den Sessel; er greift sich ein Aufklärungsheft über allerlei Carcinöses, liest aber unkonzentriert und starrt bald auf mich, bald — häufiger und beinah angewidert — auf die müde Frau; danach muß er immer etwas husten. Der Mann hat den Gedanken nicht gern, seine Frau könne bald ähnlich formlos hier herumsitzen.

Natürlich rede ich nicht mit Elan über eine Beckett-Inszenierung, wenn der Kopf des Professors zwischen meinen Schenkeln zu mir aufschaut. Die Untersuchung wird abgebrochen. Die Sprechstundenschwester ärgert sich in aller Ruhe: wieder der Kreißsaal, in den der Chef abberufen wird. Wieder eine andere, das Wesen der Haube verleugnende Haube. Sie schlägt mir nicht vor, meine der Untersuchung angepaßte unziemliche Stellung zu verändern. Auch sie hat den Urlaub leider schon hinter sich. Sie spricht träge, sie entnimmt vielleicht dem Medikamentenschrank Schmerztabletten und vermittelt daher große Ruhe. Aber sie kanns nicht leiden, wenn Entbindungen während der Sprechzeiten, ihrer Arbeitszeiten, dazwischen kommen und die Sprechzeiten, ihre Arbeitszeiten, verlängern. Der Schwesternberuf könnte besser organisiert werden. Sie opfert sich schrecklich gern auf.

Der Professor wäscht sich noch mal die Hände. Mit einem leichten Druck auf meine nackten Knie deutet er seine Hilfe bei meinem Abstieg vom Untersuchungsstuhl an. Er serviert mir kurz darauf in seinem angenehm ausgepolsterten Sprechzimmer das Untersuchungsergebnis, wie immer liebenswürdig befriedigt. Gewachsene Gewächse. Er sieht mich an als wolle er mich im nächsten Moment zum Tanzen holen. Er zählt mir auf, welche Organe er in Ruhe läßt und was er partiell entfernt. Genaueres, auch über Gutartigkeiten, weiß man selbstverständlich erst nach den Operationen. Auf das schönste weibliche Übel werde ich nicht zu verzichten brauchen. Mit Ihrer Einwilligung entfernen wir auch den Blinddarm. Dem Greifenden ist meist Fortuna hold, Goethe, Faust II, 2. Es ist ratsam. Man schneidet nicht gern beliebig oft die Bauchdecke auf. Eine Operation ist eine Operation. Der Professor empfiehlt mir mit Nachdruck, mich auszuruhen.

Ich gehe in mein Zimmer und will mich nicht ausruhen. Eine freundliche Frau stellt sich vor: sie ist eine Idealistin, sie gehört dem Hausfrauenbund an und darin einer Organisation, die sich der Unterstützung der überlasteten Schwestern verschrieben hat. Sie will mich mit ihrer Kollegin begleiten. Eine medizinisch-technische Assistentin weiß, daß ihre Kollegen sie für witzig halten, für etwas lästig auf Parties, ausgenommen ihre Witzigkeit, für schrullig, für ein notwendiges, ganz brauchbares Übel. Sie bittet mich, oben herum alles auszuziehen und die Strümpfe bis zu den Knöcheln herunterzurollen. Ich habe das nicht gern und ziehe die Strümpfe ganz aus. Liegend auf einer Pritsche, befeuchtet und mit Gummileisten, in welche Löcher gestanzt sind, kreuz und quer beklebt, werde ich an den Stromkreis des Elektrokardiographen angeschlossen. Die Assistentin sagt: das Ergebnis wertet der Arzt aus. Es wird Ihnen morgen mitgeteilt. Es ist ganz unnötig, den Hausfrauen zu sagen, daß der Wind mich stört, weil er mir die Haare aus der Stirn weht.

Morgens ist es unter Umständen etwas langweilig, denn ich wache früher auf als derjenige, der meine Haltung und Wartung übernommen hat. Ich kann aber bereits weitgehend für mich allein sorgen und meine ersten Tagesbedürfnisse selbständig befriedigen. Er und ich, das ist in Rom schon unser ganzer Hausstand. Er ist mit mir längst so weit gediehen — mehr durch seine, als durch meine Geschicklichkeit — daß ich ihm kleinste Dinge zu leisten vermag. So erledige ich beispielsweise . . . (Aufzählen der Dienste.)
Apportieren brauchen wir gar nicht mehr zu üben. Es handelt sich hierbei nicht um herkömmliches Apportieren, ich apportiere ohne Spielcharakter, also wenn derjenige, mit dem ich vertraglich gebunden bin, etwas hingeschmissen hat, apportiere ich. Ich habe es gut. Wie ich das Zeug aufschnappe, ist dem, der mich hält, gleichgültig. Ich muß mit dem apportierten Gegenstand nur rechtzeitig bei seinem jeweiligen Ruhelager eintreffen, das ist schon alles. So relativ vereinfacht leben wir in der Zweimillionenstadt. Es paßt zu mir, daß mit klassischen Stätten bei mir nicht viel zu wollen ist, obwohl ich guten Auslauf, wie die Trümmergelände ihn ja bieten, durchaus würdige. Die Sommerzeit macht seit dem 26. 6. die schönen Sommernächte noch schöner, nämlich länger, und wenn es zwischen uns beiden Partnern unseres kleinen Hausstands einmal zu einem Exzeß kommt, wir also gelegentlich über Mitternacht hinaus im Straßencafé sitzen, bin ich in gewissem Sinne dort einzigartig, man findet meinesgleichen sonst ringsum an den Tischen zu so später Stunde kaum mehr. Wir sind beide zum Steuerzahlen verpflichtet. Er liest mir aus der Zeitung wichtige Meldungen vor, alles übrige bleibt mir erspart. Was unter der Rubrik GEHÖRT, GELESEN, ZITIERT publizistisch beson-

ders weit verbreitet wird, kriege ich stets mit. Kommt Besuch zu uns, zeige ich mich von der netten Seite. Hundebesitzer ziehe ich überhaupt nicht vor. Er informiert mich über Karajans Puls. Vielfach geschieht viel, indem gar nichts geschieht, wie Friedrich Schiller es für die Bühne empfahl, gar nichts einen ganzen Tag lang in drei Zimmern mit Küche, Bad und WC. Aber jeweils: Wetter. (Beschreiben.)

Als Folge verschiedenartiger Dressuren kann ich schon: einfache Mahlzeiten zubereiten, Agaven schön finden, Stimmungen zu erkennen geben, vorzugsweise Freude, Geschirrspülen, Hunger und Durst hinreichend beherrschen, Automarken unterscheiden, unübersichtliche Gerüche einordnen, meinen Pulsschlag beinahe so tief herunterbringen wie Karajan den seinen, Gewaltanwendungen vermeiden, auswärts essen, Erinnerungen ansammeln, etwas, das schön war, nicht vergessen. Ich komme auch zu Fuß bis San Lorenzo am Friedhof. (Näheres darüber.) Ich bin in der Lage, aber erst auf Aufforderungen dessen hin, der mich hält, überall das Kymation zu bestimmen. Ich kann auf dem Beifahrersitz neben ihm durch die gesamte Stadt gefahren werden, alles ohne weiter aufzufallen.

Abends kriege ich natürlich genau wie mein Herr, genau wie er, ich kriege meinen Fraß. Danach schöpfen wir etwas Atem auf der Küchenterrasse. Das ist die Algerische Botschaft, wir befinden uns im soundsovielten Bezirk. (Ermitteln.) Die Kinder aus dem Nachbarhaus behandeln mich gut und zeigen mir ihre Spielsachen, bevor sie ins Bett müssen. Sie mögen es, wenn ich ein bißchen belle. Ich kann nicht wedeln. Anschließend sorgen er und ich, wir Lebensgefährten, wir kleinste Zelle einer Familie, wir ein-Herz-und-eine-Seele, wir Aktenkundigen, für meine Peristaltik. Setze rings instand, besorge. Ohne Bewegung: Obstipation. Mein Aufsichtsrat, mein Herr und Vertragspartner hält alles immer unter Kontrolle. Allein brauche ich mich zum Beispiel auch niemals zu fühlen. Wir gehen ums Viereck. Die Größe des umwandelten Vierecks hängt von Witterung und Peristaltik des fälligen Abends ab. Früher war das Erscheinungsbild unserer Spaziergänge eindeutiger und typischer für diese Art von Spaziergängen: ich lief die merkmalhaften paar Schritte voraus oder trottete charakteristisch hinterher, reagierte ebenso unverkennbar auf die spezifischen Zurufe und Pfiffe. Das hat sich geändert. Wir halten uns in gleichem Abstand und auf gleicher Höhe. Ich bin übrigens frei, das heißt somit: Durchbrennen kommt bei mir nicht mehr vor. Bei mir tritt im Stadtverkehr noch Furcht hinzu und leistet das ihre für meine Lebensrettung. Selbsterhaltungstendenz ist deutlich. Meine Lieblingsstraße, die Antonio Nibby, führt er mich abschließend entlang, und dann sind wir auch schon wieder zu Haus. Daß es im Haus nach Katzen riecht, ergibt überhaupt keinen Sinn.

Wir sitzen nur noch kurz in unseren Stammsesseln herum, trinken gerade so eben eine Kleinigkeit, während uns aus dem Radio die Spätnachrichten auf den neuesten Stand der Dinge bringen. Ich kriege immer ausreichend zu saufen. Einiges saufe ich auch ohne Kenntnis des Herrn Lebensgefährten, gesetzt den Fall, die Nachrichten sprechen laut oder von Ungewöhnlichem.

Als einträchtige Daseinskomplicen gut aufeinander abgespielt, benutzen wir einunddasselbe Badewasser, er als erster, wie sich das ganz von selbst versteht. (Liste meiner kleinen Tätigkeiten in der Wartezeit.) Im großen Badezimmerspiegel betrachte ich mich grundsätzlich immer. Weiterhin erkenne ich darin diese Person. Trotzdem ertappe ich mich sehr bald wieder auf allen vieren. Es findet auch stets erneut Anklang. wenn ich zum Gutenachtsagen auf allen vieren ins Schlafzimmer tapse und nach kurzem Gebell ins Bett setze. Opposition ist der Unterschied zwischen Hand und Fuß.

Auf der Station 6, der Privatstation, dem Augapfel meines Professors, rieche ich das Mittagessen. Meine Erschrockenheit wird sie meine Unerschrockenheit lehren. Schwester Charla sagt: Das Programm: ausziehen, ins Bett gehen, ausruhen. Später holt Schwester Flora Sie ab zum Rasieren. Anschließend werde sich der Oberarzt um mein Allgemeinbefinden kümmern. Eine Anamnese sei diesmal nicht nötig. Das Rasieren hatte ich vergessen. Damals hat mich Schwester Erika rasiert.

Auf meinem Krankentisch finde ich in einem Schnabelgefäß aus Porzellan die kleine gelbe, von den mit mir Beschäftigten geliebte Tablette. Das Zimmer ist heiß und sonnig. Ich ziehe mich also aus. Mit dem Waschkram wahre ich noch immer um mich herum besten Hotelstil. Ferien. Die Seife riecht ablenkend. Ich wasche mich in den Achselhöhlen, ich wasche meine Füße. Ich ziehe ein Nachthemd an, das in einem Krankenbett wie eine Verspottung des Krankenbettes aussieht. Ich schreibe auf. Meine Schrift ist wie immer, also nicht regelmäßig, das hat mit keiner Unruhe zu tun, ich bin noch gesund. Ich hätte mich irgendwann einmal auf die Sache hier einlassen können, nächsten Herbst, im Winter, später. Man wird mir in Nr. 606 Abwechslung verschaffen. Die Tür wird bald wieder aufgehen. Jemand wird eintreten. Ich habe kein Telefon. Ich schreibe einen Brief. Man kann ruhig ein bißchen klagen, man kann ruhig ein bißchen Beunruhigung adressieren: Rubin. Das und das machen sie mit mir. Und so weiter. Aufzählen. Übertreiben. Ich schreibe nicht weiter. Gibt es die intellektuelle Güte? Gibt es einen Gewinn durch Enthaltung? Was bringt mir der Verzicht ein? Es riecht nach sonnigem Mittag und Mittagessen, ziemlich metaphysisch. Auf die Mitteilung eines Todesfalles habe ich stundenlang überhaupt nicht geweint. Ich habe erst abends geweint, aber weil ich in einen Streit verwickelt war. Sofort griff ich mir den Todesfall als wahre Tränenursache. Endlich die fällige Trauer. Das Bewußtsein mußte nur so lang warten, bis etwas mich selber betraf. Die Aporien des Zusammenlebens. Streit ist doch was Gutes, etwa nicht? Siehst du, nun kannst du diese Tote endlich gebührend betrauern. OPFER MUSSTEN SICH SELBST DAS GRAB SCHAUFELN. Alle meinen es gut mit mir. Auf der Theorie, nach der sie mein Wohlergehen arrangieren, wächst Unkraut: mein schlechtes Befinden, Mißverständnisse, Gezänk. Keine Sorge: schlechte Ehen sind die haltbarsten. VORERST KEINE STREIKGEFAHR. O doch, ich besuche meine verlassene Familie regelmäßig. Ich scheue den weiten Weg nicht. Ich versäume nie zu erwähnen, daß ich sehr wenig Zeit habe. Ich habe noch immer den Hausschlüssel des Bethseda. Ich muß meine Augen an die Dämmerung des Bethseda gewöhnen.

Schwester Phoebe trägt bei kühler Witterung über der Tracht kurze, in rechten Maschen sorglos gestrickte Jäckchen ohne Ärmel. Die Farbe der Wolle erinnert an Haferflocken und an Schwester Phoebes Haut.

Schwester Phoebe wagt sich nicht an die Wörter EHESCHEIDUNG, TRENNUNG, aber auch ich nenne meinen Mann noch immer meinen Mann. Um Tirol zu beschwören, seit einem halben Jahrzehnt Schwester Phoebes Ferienziel, hat sie, die selbst für die Jäckchen verantwortlich ist, die Ränder mit roter und grüner Wolle umhäkelt. Personen, die ich mit schlechter Behandlung auf etwas hinweisen will, kommen mir unschuldig vor, wenn wir es hinter uns haben. Helenes Gesicht wird dann zarter, ihre Verworrenheit löst sich vom Krankheitsbild. Mein Mann sieht anfällig aus. Schwester Phoebe begriff nicht, warum ich sie beleidigen wollte. Sie hielt ihren ungenauen Verdacht für einen Irrtum, den sie vorsichtshalber sich selber übelnahm. Bei meinem Hohn auf den Gesang der Lernschwestern des 2. Kurses konnte es sich um einen ihrer Hörfehler handeln.

Ihre Ruhe finden Sie aber erst, wenn sie Ja dazu sagen, sagte Schwester Phoebe vielleicht gar nicht.

Ich weiß es, ich muß dauernd mit allem rechnen. 3 älteren Leuten bin ich gefolgt, weil sie aussahen, als würden sie auf dieser Schneise in Richtung Seilbahn, Zauberhöhle, Jagdschloß den

Mund halten. Und dann haben sie angefangen, DAS WANDERN IST DES MÜLLERS LUST zu singen, der Mann zuerst aus seiner Gruppenführerkehle, eine der beiden Frauen hat sich sofort in eine unsichere 2. Stimme reingemogelt. Diese unverfrorenen Zaghaften mit dem Tick für 2. Stimmen.

Schwester Phoebe macht von einem blinden Blick Gebrauch, wenn sie sich fürchtet. Er liefert ihr unscharfe Bilder. Die Lernschwestern im Kleinen Saal waren bei der 500. Strophe des Liedes DAS WANDERN IST DES MÜLLERS LUST. Mit diesen 3 Leuten im Wald hätte Schwester Phoebe sich gut verstanden.

Schwester Phoebes Büro ist klein und quillt auf den Flur. Man rammt sein Inventar, man tritt auf unerledigte Post und unbrauchbare Andenken. Ich nenne meine ehemalige Familie meine Familie.

Er ist sehr sangesfreudig, der Nachfolger, sagte ich. O ja, das stimmt, sagte Schwester Phoebe. Mein Mann hat sich mit so was nicht abgegeben, sagte ich. Aber den jungen Schwestern macht das Singen doch Spaß, hat Schwester Phoebe wahrscheinlich gedacht und sagen wollen. Sie wäre mich gern losgeworden, ein Wunsch, der ihr zu schaffen machte. Wieder so viel unterwegs, fragte Schwester Phoebe. Unterwegs denke ich oft daran, daß mein Mann jetzt hier festgenagelt sitzt, ein Insasse des Bethseda.

Sie fühlen sich ganz wohl, mittlerweile, da oben, sagte Schwester Phoebe. Das wäre ja beinah noch schlimmer, sagte ich nicht. Auch im Jagdschloß bin ich früher mit meinem Mann gewesen. Vom Aussichtsturm runtersehen, dran denken, daß man abstürzen könnte: dies ist der Blick über die rund 30 km des Flußlaufs, auf die Hügel des gegenüberliegenden Ufers, auf die Landschaft meines Mannes, denn er hat sie mir gezeigt.

Der Nachfolger ist ganz anders. Den Dienstreisen mit ihm fehlen die Picknicks, die Umwege, die Schloßbesichtigungen, die Kaffeepausen in Waldgaststätten, Jagdschlössern, Märchenwäldern, die Scherereien mit Kellnern und zu viel Kuchen, die überfüllten Parkplätze, die kleinen wichtigen Meinungsverschiedenheiten kurz vor der Ankunft zu Haus.

Meinem um Jahrzehnte verfrüht pensionierten Mann, der den Verwaltungskram satt hatte und sich auf ein das Dienstverhältnis lösendes Alibi, WISSENSCHAFTLICHES ARBEITEN, verlassen wollte, hat Schwester Phoebe mit keiner Kündigung Anhänglichkeit bewiesen. Längst fällig für den Ruhestand, wäre ihre Solidarität mit der Unlust meines Mannes keinem aufgefallen. Warum regen Sie sich denn darüber auf? So oder so mußte das Ende der Amtszeit Ihres Mannes die Vertreibung aus dem schönen geräumigen Diensthaus bedeuten. Jetzt erst führt Schwester Phoebe offiziell den ihr offiziell von jeher zustehenden Titel Oberin. Mein Mann hat es hartnäckig abgelehnt, sie als Oberin anzureden, auch anzusehen. Unter einer Oberin stellt man sich was anderes vor. Das heißt nicht Geringschätzung der Schwester Phoebe, sagte mein Mann, sah aber so aus.

Warum gönnen Sie sich noch immer nicht den wohlverdienten Ruhestand, wird Schwester Phoebe von alten, mißgünstigen Vereinsschwestern gefragt. Der noch junge Direktor hat Sie doch so ziemlich sitzengelassen, haben wir nicht recht? Alle verdächtigen die ehemalige Anstaltsleitung aufs Geratewohl. Von ihrer Oberin hören sie dennoch kein unergebenes Wort. Schwester Phoebes Loyalität ist Arglosigkeit. Es gibt noch keine Nachfolgerin für sie, die jetzt erst ihre Unersetzlichkeit beweisen kann. Die Zusammenarbeit mit dem Nachfolger strengt sie an, sie hat sich multipliziert und kompliziert. Der Nachfolger wünscht sich Einblick in alles. Schwester Phoebe wußte bisher gar nicht, daß ihre Tätigkeit so schwierig ist. Manchmal erkennt sie die Anstalt kaum wieder. Nun darf sie sich nicht mehr in Bügelstuben und Einmachkellern herumdrücken, sie darf nicht mehr ganze Tage bei der Gartenarbeit ihre Verantwortung vergessen. Der Nachfolger braucht sie in den Büroräumen des Parterre. Mit der Küche kann sie sich auch nicht mehr herausreden und sie begleitet den Anstaltsleiter auf sämtlichen Dienstreisen; aber sobald das Auto anfährt, fallen ihre Kinnladen auseinander, aus ihrer allergischen Nase pfeift kurzer Atem, der ihre Erschöpfung anzeigt: sie ist in Schlaf gesunken. Der Nachfolger weckt sie augenblicklich mit der Frage nach der Verwendung von Schwester Hartwig. Orgel hat Schwester Phoebe vormals auch nicht geübt, immer aber gespielt. Jetzt macht sie trotzdem mehr Fehler, während sie, zügig und beherzt wie früher, den Klagegesang der Morgen- und Abendandachten begleitet. Ihre genagelten Gartenschuhe trampeln ohne Plan über Pedaltasten, Jalousieschweller, Registerschweller und Fußtritt und treffen Ober- und Untertasten gleichzeitig, die Finger verirren sich in den Stockwerken der Manuale. AUS TIEFER NOT SCHREI ICH ZU DIR, verwischen ihre Gartenschuhe, aber dann weiß man es noch genauer. Es hängt von der Laune meines Mannes ab, ob er sich am neuen Schicksal seiner ehemaligen Mitarbeiterin weidet, oder ob er es dazu benutzt, neidisch und gekränkt zu seufzen. An den Andachten nimmt niemand von der Familie mehr teil, auch nicht Helene, seit Schwester Duzinski sich über die kurzen Stöße beschwert hat, mit denen meine mißlungene Schwägerin alle paar Sekunden Atemluft durch die Gänge ihrer verbogenen Nase zieht. Es war nicht leicht für meine Familie, die Helene nicht verletzen wollte, aber informieren mußte, für sie ein Argument gegen die Teilnahme an den Andachten zu erfinden. Ich glaube, sie haben schließlich gar nichts erfunden und am Ende doch gereizt und erschöpft Helene die Wahrheit zugerufen.

Im Schreibkram auf Schwester Phoebes Bürotisch wird man immer Lesezeichen aus buntbedrucktem Bordürenstoff aufstöbern. Ihre paar Bücher hält sie hinter Hüllen reinlich. Zwischen den brüchigen Zellophandeckeln der Hüllen hat, zu irgendeinem Geburtstag ihrer Chefin, eine der untergebenen Schwestern gepreßte, rechtzeitig verblichene Pflanzen arrangiert. Es sind viele Hüllen, und viel erblaßtes Kraut ist hinter ihnen verrutscht. Die dilettantischen Herbarien der Schwestern konkurrieren miteinander in verschiedenen, doch nicht weiter unterschiedlichen Produktionen, hervorgegangen aus Gruppenunternehmungen namens BASTELN UND WERKEN. Man stößt auf strohige Sträuße, die kein Wasser brauchen und unter betagten Staubschichten sich einfürallemal gleichbleiben. Pergament mit einem Bibelspruch in Fraktur bemalt; mehrere Keramikkerzenhalter, auch Kerzenhalter aus Holz, Kerzen, ein holzgeschnittenes Reh, Buchzeichen aus Leder gehören zum griffbereiten Zubehör auf dem Schreibtisch, wo die Geschäftspapiere und die Postsachen, die Gehaltslisten, Versetzungsgesuche, Tariftabellen, Rundbriefe stranden und Fremdlinge sind.

Schwester Phoebe zwang mir eine Packung CIGARETTES RUSSES auf, das Geschenk eines undatierten Besuchs, also vielleicht mörteliges Zeug ohne Geschmack. Bieten Sie denen oben davon an, sagte sie. Sie leben wirklich auf, wenn man sie besucht.

Schwester Phoebes Gedächtnis kümmert nur noch dahin. Es hatte die Erinnerung an den Vormittag schon wieder losgelassen, die Erinnerung an die beiden frostigen Frühjahrssträuße mit braunen Knospen in braunem Gestrüpp, von Schwester Phoebes wettergeübten Händen zusammengerauft, in Vasen gestopft, gewässert, und links und rechts vom Altarkreuz aufgestellt; die Suche nach Taufschale, Taufkrug, gestickter Altardecke: gute Taten, denen das Gedächtnis längst wieder untreu war. Ich kam nicht zu Besuch, ich kam zu einer Taufe. Taufen im Bethseda fallen aus dem Rahmen. Mein Mann mußte am Nachmittag unseren früher gemeinsamen Freunden behilflich sein und deren neugeborene Tochter nach reformierter Lehre und Jesu Christi Vorschlag in die Gemeinde der Christen aufnehmen. Als Patin war ich da. Mein Mann wäre, zum 1. Mal seit seiner Demission, befugt, hinter sein ehemaliges Andachtspult in seinem ehemaligen

Andachtssaal zu treten, eine Stufe erhöht über der fürs Bethseda ungewöhnlichen, nämlich weltlichen und zivilen Gemeinde ohne Schwestern, Personal und Anstaltsinsassen; die schwarzen Predigerschuhe meines Mannes auf dem geometrischen Gelände des blaurotbraunen Kazakstan, den er selber für das Bethseda angeschafft hat. Mit der Anschaffung von Teppichen für das Bethseda ist es nun vorbei. Der Nachfolger wird sich hüten, die Finanzlage zu erschweren. Auf dem Luxusding, dem Kazakstan, steht jetzt morgens und abends er mit stumpfen Schuhen, mit Schuhwerk. Die Schuhe meines Mannes ragen spitz und zierlich unter dem Talarsaum hervor. Er hat empfindliche Füße, seine Schuhe müssen genau so sein. Zum Auswählen der Schuhe läßt er sich Zeit; der Inhaber des Schuhgeschäfts vertraut ihm einige Kartons der besten Sorten an und drängt nicht zum Kauf.

Schwester Phoebe bediente sich wieder ihres blinden Blicks schlafender Hasen. Die Nachweise ihrer Amnesie betrüben sie, sie verschlechtern kurzfristig ihre allgemein gehaltene, unüberlegt gute Laune. Die Lernschwestern haben zu singen aufgehört und nach kurzer Pause mit Gelächter, der Antwort auf die volkstümlichen Zwischenbemerkungen des Nachfolgers, weitergesungen. Seine Anbiederungen stimulieren sie. In dem neuen Lied besangen sie, offenbar aufgrund lesbischer Veranlagung, schwarzbraunes Haar, schwarzbraune Augen und rote Wangen ihrer MÄDEL genannten Freundinnen. Wollt ihr nicht endlich anfangen, den Sabbath zu heiligen, habe ich gesagt und bin an den Putzfrauen des Bethseda vorbei zur Treppe gegangen. Die Bertha und die Hedwig haben mich angestarrt, aber der Mechanismus ihres Schrubbens wurde durch die Ablenkung und Verminderung ihrer Aufmerksamkeit nicht unterbrochen. Der Boden war glitschig und hat meine Spur aufgenommen. Dank der eigensinnigen Putzarbeit einer Gruppe leichterer Debiler tritt die Schäbigkeit des Anstaltsinnern besonders deutlich hervor; um diese Frauen zu beschäftigen, läßt man sie auf das Haus los, und sie haben verstanden, daß sie die Böden abwetzen und auslaugen dürfen, hier werden ihre ungenauen Aggressionen abgelenkt und wirksam, sie schaben an den Wänden und am Rahmenwerk, sie legen die häßlichen Innenhäute des Bethseda bloß, die Spiegel, die Glasuren, die Lackanstriche erblinden.

Man geht nicht die Haupttreppe hinauf, wenn man zu meiner Familie will, man muß die hintere, enge und gewundene Treppe mit ihren hohen Stufen benutzen, weil die Wohnung sich nur nach dieser Seite öffnet. Diese Wohnung wurde nach dem Rücktrittsbeschluß meines Mannes vor einigen Monaten behelfsmäßig von der Anstalt abgetrennt. Nebenan, in unserem ehemaligen Haus, hat inzwischen der Nachfolger mit kinderreicher Familie Einzug gehalten. Man hat meiner Familie erst später zu verstehen gegeben, die Wohnung müsse nach der Anstaltsküchenseite hin offenbleiben, denn die Hintertreppe, die durch die Wohnung weiter hinauf in zweiten Stock, Mansarde und Speicher führt, werde von Schwestern und Personal gebraucht. Die hauswirtschaftliche Benutzung lasse sich nicht auf die ansehnlichere Haupttreppe umleiten. Der Nachfolger und der Architekt, beide bei diesem Projekt flüchtig, aber auf Sparsamkeit aus, haben meiner Familie nach der Haupttreppe hin eine Wohnungstür ersonnen, die sie nur von innen aufmachen können. Kein Schlüssel, kein Drücker, überhaupt kein Instrument eines Schlossers kann den verzinkten Knauf an der Außenseite der Tür bewegen.

Der Schmierseifengeruch aus dem Parterre, der Geruch der altertümlichen Putzgeräte und Putzmittel, denen das Bethseda ewige Treue geschworen hat, mischt sich zwischen Küchensouterrain und dem ärmlichen Zugang zur Wohnung meiner Familie mit einer Ausdünstung, die im Lauf der Anstaltsjahrzehnte zahllose einander ähnliche Mahlzeiten synthetisiert haben. Bevor meine Familie hierherzog und als ich noch aktenkundig dazugehörte, haben wir dem Bethseda gern Besuche abgestattet, als Nachbarn freundlich distanziert.

11.20. Das Rasieren macht Schwester Flora ja überhaupt nichts aus. Ich werde mit Kindchen von ihr angeredet und erfahre, daß Schwestern ganz, ganz andere Dinge zu tun gewöhnt sind. Das mitzukriegen, wird auch mir nicht erspart bleiben. Wieder die Beine im maßgerechten Stuhl. Schwester Flora seift mich mit meiner französischen Seife gründlich ein. Sie redet über die Seife, das Wetter, Sonnenbräune. Sie redet über den Urlaub und hört auf, denn jetzt muß sie sich auf mich und das scharfe Messer konzentrieren. Sie wetzt die Klinge. Sie erzählt eine hierzu passende Anekdote, die ihr viel Spaß macht. Der Professor ist ärgerlich, wenn was stehenbleibt, sagt Schwester Flora. Wir müssen verdammt gewissenhaft rasieren, da gibts gar nichts.

Wir sind fertig. Ich bin überall kontaktfreudig. Noch immer lege ich mich nicht ins Bett. Eine neue Schwesternschülerin heißt Irmtraut und bringt das Mittagessen mit Diätgeschmack. Die panierte Leber schliddert auf brauner Soße gegen den Kartoffelbrei. Ich trinke die Salatsoße, die Kopfsalatschnipsel schlaff und schwer gemacht hat. Schwester Irmtraut sagt GÖTTERSPEISE und stellt mir auf kleiner Schale eine Puddingschicht über eingeweichtem süßem Weißbrot hin. Trotz ihrer Eile nimmt Schwester Irmtraut sich die Zeit, die sie dazu braucht, MHMMM und LECKER zu sagen.

»An alle Bewohner des Bethseda« hat der Nachfolger ein Rundschreiben betitelt, das die Familie mit den Schwestern und dem Personal gleichsetzt. AN NEBENSTELLE 1, 2, 3, 4, 5, 6, 7, 8, 9, 0. BETR.: ALLE TELEFONGESPRÄCHE IM B. DIE HÖHE DER TELE-FON-RECHNUNGEN ZWANG DEN VORSTAND ZUR ÄNDERUNG DER TELEFONANLAGE. IN ZUKUNFT SIND VON 8.00—17.00 ALLE GESPRÄ-CHE ZUM POSTNETZ HIN BEI FRL. BEER ANZUMELDEN. DABEI WER-DEN PRIVATGESPRÄCHE VON FRL. B. MIT HILFE DES ZÄHLERS IN RECHNUNG GESTELLT UND JEWEILS ZUM MONATSENDE ABGERECHNET. NACH 17.00 KANN NUR AM APPARAT VON FRL. B. NACH DRAUSSEN GESPROCHEN WERDEN! PRIVATGESPRÄCHE SIND MIT DER VOM ZÄH-LER ANGEZEIGTEN ZAHL DER GESPRÄCHSEINHEITEN IN DAS BEREIT-LIEGENDE HEFT NEBEN DEM TELEFONAPPARAT EINZUTRAGEN.

Ich versuche, mit meinen Schritten ein Geräusch zu erzeugen, das meine Verachtung ausdrückt. Ich schlage Türen zu, ich spreche laut, ich lösche, beim Weggehen in der Nacht, die Lich-ter nicht. Das B. soll den Nachfolger unnötig viel Strom ko-sten. »Sehr geehrter Herr«, schreibe ich dem Nachfolger im hundertsten Entwurf. »Seit dem gewaltsamen und von Ihnen vordatierten Umzug meiner Familie in die Notwohnung ist dies nicht das 1. Mal, daß ich Anlaß finde, Ihnen zu schreiben. Ich gab jedoch den Bitten meines allzu friedliebenden Mannes nach und schwieg zur Unangemessenheit der Verhältnisse, die Ihre Amtsnachfolge meiner Familie auferlegt hat. Sie bemer-ken es: ich sage noch immer MEINE FAMILIE, auch nach der offiziellen Trennung, und nicht zuletzt trägt die Bethseda-Misere zu meiner Anhänglichkeit bei. Zwischen den Gegeben-heiten in der Notwohnung und dem Wohnniveau meiner Familie zeigt sich mir und allen unseren Freunden ein schok-kierendes Mißverhältnis. Aber ich will jetzt nicht reden von der demütigenden und blockierenden Enge, zu der man die offenbar einem Theologen nicht gemäße, also von einem merkwürdigen Standpunkt aus betrachtet viel zu umfang-reiche Bibliothek meines Mannes verurteilt hat, nicht von der schwer erträglichen Kombination des Eßzimmers mit der Küche, nicht von der grotesk schräg gestellten Wohnungstür, die sich nur von innen öffnen läßt, nicht von der Stillosigkeit insgesamt, durch die der Alltag dieser Familie zum Notstand verkümmert.«

Früher wurden unsere Stimmen auf den dämmrigen Gängen des Parterre leiser. Das kirchliche Kalenderjahr mit seinen Festtagen hätte uns ohne die Andachten im B. kaum berührt. Am Ostersonntag haben wir mit den Schwestern und dem nicht beurlaubten Personal an einem langen, weißgedeckten

Tischhufeisen im Eßsaal gefrühstückt. Mein Mann, der schon vorher zu Hause etwas zu sich genommen hatte, konnte gut seine Askese bewundern lassen. Auf die schwarze Holztäfelung der Wände war Osterverzierung geklebt. Während unserer gesamten Aufenthalte im B. hat uns der Leitspruch dieses Gebäudes feierlich verfolgt, wir haben erwarten dürfen, daß Daniels Prophezeiung sich erfüllen werde: DANN WIRD DEM FREVEL EIN ENDE GEMACHT UND DIE SÜNDE ABGETAN UND DIE SCHULD GESÜHNT, UND ES WIRD EWIGE GERECHTIGKEIT GEBRACHT WERDEN. Diese schwarze Botschaft, in schwarzer Schrift auf die bräunlich getünchte Wand des Foyers verteilt, hat Ostereier und Weihnachtspäckchen, Pfingststräuße und Adventskerzen beglaubigt. Wir alle nehmen jetzt an keiner Festlichkeit des Hauses mehr teil.

»Es ist schade, daß ich Sie daran erinnern muß: Ihr Vorgänger wäre in seine heutige abhängige und unwürdige Wohnsituation nie geraten, wenn er sich weniger um die Anstalten und ihre Filialen und mehr um sein eigenes zukünftiges Wohl gekümmert hätte. Jeder Außenstehende besitzt Einfühlungsgabe genug, dies zu durchschauen — sein Nachfolger aber verschleiert beherzt und täglich die schlechten Verhältnisse. Die neueste Einengung und Beschränkung der persönlichen Freiheit meiner Familie, die progressive Annäherung an eine Art Anstaltshaft, verordnet von Ihrem Mitteilungsblatt AN NEBENSTELLE 1, 2, 3, 4, 5, 6, 7, 8, 9, 0, zwingt mich heute doch dazu, etwas Verleidetes zu tun, d. h. etwas zu tun, was mein Mann nicht wünscht (und wovon er nichts weiß): ich beschwere mich über Ihre ökonomisierende Maßnahme gegen unkontrolliertes Telefonieren. Ich empfinde diese Kontrolle als Beleidigung meiner Familie.« — Ich habe die Schiebetür zwischen Treppe und Wohnung bewegt: sie holpert in ihrem Gleis, das Schloß nimmt die Falle nicht mehr auf.

Schw. Phoebes früheres Schlafzimmer, ein Zimmer mit je 1 Fenster nach Süden und Westen, ist seit dem Umzug zugleich Küche und Eßzimmer der Familie. Sie haben um den Teetisch herumgesessen, meinen Tadel in ihren Gesichtern. Obwohl ich weiß, daß sie alle beschäftigungslosen Abschnitte im Leben meines Sohnes zu frühen Mittagsmahlzeiten ausnutzen — wenn er die Schule versäumt, genießen sie es, schon gegen halb 12 zu essen, sie sind Frühaufsteher und Mittagsschläfer — so daß ihnen spätestens um 3 die Freude am Tee weder übertrieben noch verboten vorkommt; obwohl ich ihre verzeihlichen Gewohnheiten kenne, stellte ich mich auch jetzt ihrer Erwartung entsprechend mißbilligend angesichts ihres Appetits, dem die Geduld bis zum Schmaus nach der Taufe zu viel war. Hier also war ich wieder eingetroffen, hier befand ich mich inmitten meines aufgelösten, unaufgelösten Verheiratetseins. Rubin erschlafft meinem vorsichtigen Verhalten gegenüber der Vorsicht. Rubin gibt es nach ein paar Zeilen, deren Lesbarkeit er nachträglich doch nicht wieder herstellen kann, für den heutigen Tag auf, sich um einen Essay über Hölderlin zu kümmern. Er notiert sich in seinem verzweifelten, wahrheitssüchtigen, medikamentösen Dämmer — Martha versorgte ihn diesmal statt aus dem Malerkasten aus der Hausapotheke — wieder später unlesbar auf irgendwas Griffbereites: philosophischer Terror. Luft sagen statt Geist. Tumult der Träne. Wichtig — er unterstreicht es, aber so, daß er das Wort selbst trifft und somit durchstreicht — Singular. Daraufhin schläft er ein. Er wird den paradoxen Schlaf finden. »Erst auf seinen Tod warten zu müssen, um leben zu dürfen, ist doch ein recht ontologisches Kunststück.« Warte nicht auf physische Zwangsläufigkeiten, mahnt er mich im Traum von einem Traum. Fang bei Hölderlin von hinten an. Halt dich an DAS NÄCHSTE BESTE. Guter Titel und auch sonst. Entwurf für eine Hymne. Eigentlich schläft Rubin nun allerdings wirklich. Kitty meint, ich sähe wieder mal ein bißchen besser aus als das letzte Mal. Wir trinken doch diesen Tee nur deinem reizenden Söhnchen zuliebe, hat Kitty — wir alle nennen meine Schwiegermutter, Rocks Großmutter, Kitty — mir zugerufen. Zwar ist deine Freundin so nett gewesen, ihn zur Taufe einzuladen, ja und auch zum Kaffee, er sperrt sich aber natürlich mal wieder. Warum mal wieder — fehlt er in der Schule, fragte ich nicht. Unbekannte Mahlzeiten erschrecken die Familie. Sie nimmt stets vor Einladungen zur Sicherheit etwas zu sich, das der eigenen Speisekammer entstammt. Die leichte Diät, die meinem Mann ohne Nachdruck empfohlen wurde und die er freiwillig genau beachtet, dient als Vorwand für alle. Außerdem haben wir Hunger, verteidigte Kitty den Teetisch, sah aber so aus, als wolle sie endlich richtig von mir bestraft werden. Laß uns nicht länger auf deine Vorwürfe warten, Schätzchen, ja, so nennen wir dich noch immer und lebenslänglich; daß dein Mann dir einige Vorwürfe machen muß, wirst du einsehen, aber seine Liebe übersteht dein Versagen. In Kittys wohlklingender Stimme, mit der sie früher den Sopran des Madrigalchors unterstützt hat, erkannte ich Spuren der alten Unbekümmertheit, die vor dem Umzug unseren schmerzlichsten Seufzern und schlechtesten Launen gewachsen war und die auch das Wort Rubin, nachdem sie es zu Anfang ironisch auf der letzten Silbe betonte — sauberes, gefälschtes Schmutzstück, dein Rubin, was für ein Geschmack — später ziemlich wertfrei aussprach sogar in dem Satz: Ich will ihn vor den Richter bringen, deinen Halbedelstein. »Von den Argumenten gegen Ihr bereits realisiertes Programm nenne ich nur einige, und über Mangel an Sensibilität werde ich gar nicht erst diskutieren, auch nicht über den fehlenden Respekt gegenüber dem ehemaligen Chef des B. 1) Ihre Demarche behandelt meinen Mann autoritär, d. h., so, als wäre er einer ihrer Untergebenen. Er ist Ihr Vorgänger, freiwillig aus dem Amt geschieden, er ist ein Wissenschaftler mit jetzt leider unbrauchbarer Bibliothek. Sie aber zwingen ihn, ohne den Sie an Ihren jetzigen Platz nie aufgerückt wären, unter die allgemeinen Dienstbotenkontrollen.«

Der Umzug mit seinem Verweis in einen unangemessenen und ungewohnten Kleinbürgerstil hat Kittys Leben rückwirkend denunziert. Er hat ihr Alter preisgegeben, ihr hypertonisches Herz, ihren hohen Blutdruck, ihren niedrigen Kalkspiegel, ihre Abhängigkeit von der Tradition, ihr Scheitern im Umgang mit dem Anstaltspersonal, mit dem sie sich, aus der Nachbarschaft, immer gut vertragen hat, ihre Schreckhaftigkeit den Debilen gegenüber und die Angst vor Schreien in der Nacht, vor den Klagelauten, die manchmal mit dem Ostwind vom Trakt der Schwerkranken über ihr Bett am offenen Fenster wehen. Auf Spaziergängen wird es ihr neuerdings schlecht, kaum hat man sie überreden können, mitzugehen. Sie verläßt uns schnell und beschämt, kommt vom Weg ab und sucht im Unterholz Schutz, sie muß sich übergeben. Sie kehrt blaß zurück, und meinem Mann, erst recht Helene, entgeht es, daß sie besorgt aussieht. Sie möchte nicht so genau wissen, was mit ihr los ist. Sie hat nicht mehr genug vom Medikament AT 10. Sie will nicht zum Arzt, sie fürchtet sich auch davor: schlechte Befunde, Seufzer der Familie. Sie fürchtet sich aber überhaupt nicht vor dem Tod. Über ihre Gläubigkeit spricht sie in diesem Zusammenhang nicht, auch sonst nicht, aber sie sagt: nichts Schöneres, als mit einer Evipan-Spritze einschlafen, nur dann für immer.

»2) Um Diskretion bei Telefonaten macht das von Ihnen ersonnene Verfahren einen Bogen. Die Anstalt ist kein Hotel, das Frl. Beer keine neutrale Vermittlung, nicht unbeteiligt wie ein Portier. Ihre Maßnahme macht auch einen Bogen um Krankheitsausbrüche und Herzanfälle, Vergiftungen, Tetaniekrämpfe nach 17 Uhr, auch um die Erreichbarkeit meiner Familie per Telefon: kein Anstaltsbewohner kümmert sich ab 17 h um das werweißwen rufende Telefon, das meine Familie im 1. Stock nicht hören kann. Die winklige Treppe zwingen Sie diese 4 Personen herabzusteigen, viele Lichtschalter zu suchen, falls sie den Postapparat nach den Beerschen Dienststunden benutzen wollen/müssen. 3) Über die Notwohnung läßt sich wenig Schönes sagen, aber bisher blieb der Familie dort noch, selbst bei durchlässiger Schiebetür zum Wirtschafts-trakt, ein geringes Maß an persönlicher Freiheit. Ihre letzte Eskalation beschränkt auch das.« Aber ihr habt einen schönen Blick von hier oben, das muß man der Notwohnung lassen, sage ich. Sie freuen sich, daß ich den Blick auf eine Gegend lobe, die ich mit vielversprechender Küstenvorlandschaft vergleiche. Schelfzone. Zum Verwechseln, wirklich. Manches ist ganz erfreulich, sagt mein Mann. Wir müssen nur etwas geduldiger sein. Kitty hört das gern. Wir haben so unsere Pläne, weißt du. Baupläne und so. Das Altersheim Waldfriede sieht von hier oben aus einem großen Schiff ähnlich, bis zum Horizont, da ist das Meer, Schelfzonen, sage ich. Die Familie stimmt zu. Der Wald sieht wie die letzte Dünenbarriere aus. Das große Altenschiff Waldfriede liegt am Quai, hm? Davor die Speicherhäuser, das schöne dreckige Hafenviertel. Viel Himmel. Rock kann jetzt viel besser als früher Himmel und Wetter beobachten. Die alte Waldfriede wird in der Quarantänestation für immer festgehalten. Diese Zustände dort an Bord sind unheilbar, für die kurze lebenslängliche Frist. Ob Rubin jetzt aufgewacht ist? Hölderlin, »neben den großen Männern unserer Klassik der große Jüngling; neben den ruhig ihr Werk vollendenden Meistern das Opfer . . .;« Rubin bringt in den überfüllten Kopf neue Wirrnis, zu viel Gleichzeitigkeit des Denkens.

Hallo, Mr. Hölderlin, bildest du dir ein, du brächtest auch nur einen Gedanken zustande während du schläfst? Nebenbei: wir brauchen Tafelsalz, Marmelade, Pflanzenmargarine und wie ich dich kenne einen Haufen Zigaretten. Paß auf und bring auf keinen Fall mehr als höchstens 4 Flaschen Bier mit, falls du dich für Wein entscheidest, höchstens 2 Flaschen, der Alkoholgehalt ist höher, denk an deinen verkaufsuntüchtigen Schädel. Martha hat es überhaupt nicht bös gemeint. Ich formalisiere mich, sagt Rubin.

»Mein Mann hat den Elan verloren, sich zur Wehr zu setzen, sich zu verteidigen. Deshalb mache ich an seiner Stelle den Vorschlag zur Änderung Ihrer Telefonrichtlinien, und es geht hierbei, wie insgesamt seit dem Umzugstermin, grundsätzlich um die Würde dieser Familie.« Kitty, früher ohne Verständnis für Niedergeschlagenheit, gerät jetzt über Zugluft außer sich, sie verhält sich den häßlichen Kunststoffböden der neuen Wohnung gegenüber bockig. Der wütende gekränkte Fanatismus, den sie jeden Morgen gegen den Staub wendet, nutzt sie ab und das wünscht sie sich: Abnutzung. Sie ist unsachlich geworden oder es zeigt sich erst jetzt. Sie ist romantisch, sie beharrt auf ihrer Unzufriedenheit — bis zu dem Tag, den mein Mann, Helene und Rock selbstsüchtig und wohlmeinend erwarten, an dem ihr fröhlicher Gleichmut zurückkehrt, der wieder andern angestammte Rollen als Leidtragende überträgt, bis an den Tag, den ich fürchte, denn ich will nicht, daß sie sich dort abfinden. Das ist meine Selbstsucht. Ich möchte mich in meinen guten Wohnverhältnissen endlich wohl fühlen. Rubin und Martha hätten gegen die Notwohnung meiner Familie übrigens fast gar nichts einzuwenden. Beim Blick aus diesen Westfenstern könnt ihr immer schön ans Hotel Californië denken, sage ich, an unsere Spaziergänge nach Bos en Duin und zum Aussichtsturm Fonteinsnol, wir überblicken die Insel bis zum Meer, das können wir doch, wie wir auch jetzt soziologisch miteinanderstehen, so weiterhalten, wir sind doch zusammengeblieben, wir hatten schöne Ferien, Holland im Kleinen auf dieser Insel, ich fahre wieder mit, ich übernehme wieder die Anmeldung, Zimmer: alles wie damals — darüber spreche ich besser nicht. Ich bin hier, ich habe sie verlassen. Du kannst sie nie verlassen, sagt Rubin, weil du nicht den Geist unsere Sache verantworten läßt.

»Meine Familie benötigt eine eigene Amtsleitung. Der Apparat der Familie muß genau so ausgerüstet sein wie der Apparat von Frl. B.: mit einem Zähler. Dies zu veranlassen, ersuche ich den Vorstand.« Red du ihm doch zu, an der Taufe und dem Ganzen teilzunehmen, bat meine Schwiegermutter mich. Nimmst du noch so viel Zeug, die Tabletten? Red ihm zu, deinem Söhnchen, diesem Riesenbaby, das ist die Macht des Nichtgewohnten, daß er auf dich hört. Little Rock, diese Tabletten mit den eingestanzten geschlossenen Augenlidern auf der Rückseite? Die konsumiert Rubin ebenfalls, denn manchmal kann keine Träne, kein Pinselstrich und keine philosophische Ausdeutung der Fortuna ihm weiterhelfen, er muß einfach Schluß machen mit dem überwachen Halbschlaf, der physischen Zwangsläufigkeit folgen und muß alles verschlafen, meinen Trost zwischen den geschlossenen Lidern: wir werden sämtliche Lesbarkeit deiner sämtlichen riesigen vollgeschriebenen Notizbücher in unserem gemeinsamen Grab herstellen. Also Liebling, Rock, du Einzelgänger, das macht doch Spaß, so ein Taufquatsch, du könntest dich ganz gut darüber mokieren, wie wärs?

Den Brief an Rubins neue Freunde, das Professorenehepaar, bei dem er sich in unserer Geschichte vom Fleck diskutiert und weg- und wieder hineinweint, denen schreibe ich auch, was ich Ihnen nicht schreibe und schicke: »Denken Sie nur nicht, es habe sich um eine ausgetretene, verödete, längst abgenutzte Ehe gehandelt, die ich dem amtlichen Anschein nach hinter mir gelassen habe. Statt dessen um eine Zusammengehörigkeit der Übereinstimmungen. Ich bin in keinem Augenblick eine Verkaufsvertreterin in Liaisonen, kein Bohèmienne-Typ, bin ohne gierig hängende Abenteuerschnauze — und spricht nicht der Ernst meiner ehelichen Bedingungen für den Ernst, den ich mit Rubin mache?«

Hör doch auf deine Mutter, sie kommt schließlich in der Welt rum. Kitty redete weiter, hätte früher ihre Sätze rasch abgehaspelt. Nun sprach sie schläfrig, und ihr Gesicht wirkte unbeteiligt trotz seines etwas erstaunten Ausdrucks. Mein Sohn hat so getan, als genieße er das Geplänkel um seinetwillen — wir beide aber, er und ich, wir haben meinem Kitty zuliebe gehorsamen Zureden angehört, daß mir nichts daran lag, denn ob er sich der Taufgesellschaft anschlösse oder oben in seinem Zimmer bliebe, womit ich rechnete, es war mir egal. Kitty aber, nie argwöhnisch, nie doppelzüngig, hat mir geglaubt. Trotzdem fühlte ich mich dadurch nicht freigesprochen. Ihrer Arglosigkeit lieferten meine Hintergedanken, meine verschiedenen Absichten und Manipulationen einen mich denunzierenden Gegensatz, darin Kitty hilflos blieb. Schon nach wenigen Minuten in dieser Küche war ich bedrückt und gereizt. Sie sahen alle schlechter aus, als ich erwartet hatte, denn mit ungenauer Erinnerung machte ich mir etwas über sie vor, wenn ich nicht bei ihnen war. Sie waren zerstreut und mit sich beschäftigt, es fiel ihnen nicht auf, daß ich noch im Mantel dasaß, ich störte sie, doch das wußten sie nicht, und wäre ich gegangen, so hätte es sie betrübt, aber erleichtert. »Mein Brief, Herr Nachfolger, macht mir so wenig Vergnügen wie Ihnen, aber während von einer Direktive zur andern das Privatleben der Vorgängerfamilie einschnurrt, kann ich selber nicht das normale Leben eines normalen Bürgers führen, 9 km nordöstlich vom B. bin ich abgelenkt.«

Sie sieht schlecht aus, sagte Rock und deutete auf seine Großmutter. Sags ihr und sags ihm. Mein Mann senkte den Kopf, um in seiner Technik fast lautlos aufzustoßen. »Hochachtungsvoll« gefiel mir nicht, »beste Grüße« wollte ich nicht schicken, »freundliche Grüße« waren mir zu freundlich. Ich widersprach Rock, der recht hatte. Kittys Haut war fleckig, die Lippen, so erinnerte ich, färben sich bei Herzkranken etwas bläulich und etwas bläulich waren sie bei ihr. Ihre Medikamente nimmt sie unregelmäßig. Schon bei geringem Wohlbefinden stellt sie Arzneigaben ganz ein. Genau so schlampig gehen Rubin und Martha mit ihren ungeordneten Gesundheitsverhältnissen um. Auch an dasjenige Präparat, das vor den Mahlzeiten eingenommen werden soll, denkt Kitty meistens erst nach den Mahlzeiten. Achtet sie denn gar nicht auf den sorgfältig von Pillen umschmückten Teller ihres Sohnes? Von wem hat mein Mann diese Korrektheit geerbt? Über Vererbung bei Rock brauche ich nicht erst nachzudenken. Rock wippte mit seinem Stuhl und pfiff LET THE SUNSHINE. Sein Vater trug bereits den Talar, in dem er immer ziemlich unglücklich aussieht. Eine Scheibe Salami in der linken Hand, rechts das Messer, damit verfremdete er das inkongruent feierliche Bild. Er kämpfte gegen die spröde Wurstrinde. Mehrmals stöhnte er, um einen von uns auf den Gedanken zu bringen, ihm diese verfluchte Scheibe zornig über seine Ungeschicklichkeit zu entreißen und sie für ihn herzurichten. Kitty merkte nichts. Ich wollte nicht. Ich war schuld daran, daß Kitty nichts merkte — sie hätte nämlich sofort in der gewünschten Weise reagiert — ich lenkte sie alle ab, ich brachte diese ganze Teemahlzeit aus dem ihnen allen bekömmlichen Trott. Mit mir in der Wohnung ging das Gleichgewicht verloren. Sie wogen alle zu leicht, wenn ich da war, sackte der Boden ab, die Gegenstände rutschten herum, sie mußten sich an den Tischdeckenzipfeln festhalten. Rock pfiff LET THE SUNSHINE nicht weiter und pfiff IN THE YEAR 25. Er saß da, wie er am Ende seiner Mahlzeiten dasitzt: die riesigen Unterarme über den Tisch geschoben, zwischen den Ellenbogen ein mächtiger stumpfer Winkel und darin auf gebauschtem Tischtuch das Gedeck, in den Stoffalten gefährdet. Weil wir ihm von jeher die Peinlichkeit ersparen wollten, vor unseren Augen erzogen zu werden, haben wir ihn nicht erzogen. Bei Helene half ohnehin nur mit ein paar Hinweisen durchsetzte Liebe. Obwohl es nach der Übersiedlung ins B. sogar im räumlichen Sinn noch näher lag, wies man auch dann Helene nicht in die Anstalt ein. Kitty hat trotz einiger Schwierigkeiten des Zusammenlebens diese Möglichkeit kein einziges Mal auch nur als Versuchung gespürt. Helene hätte ihnen allen leidgetan in der Anstalt, die doch mein Mann geleitet und die sein Vater gegründet hat. Aber über deren Gepflogenheiten sprach er oft in abschätzigem Ton. Er verwarf die süchtige, ruhelose Putzerei, überhaupt beanstandete er, so lange noch er der Herr im Haus war, mangelhafte Wirtschaftsführung, um die er sich jedoch nie gekümmert hat. Er kritisierte auf Verdacht, und muß seit dem Umzug jeden Tag erfahren, daß mancher Verdacht falsch war, er muß jetzt die harten spartanischen Maßnahmen spüren, deren vermeintliches Fehlen er dem B. anzukreiden pflegte und die es jetzt auch gegen ihn und seine Angehörigen trifft: in der kalten und kühlen Jahreszeit fängt die Familie gegen 8 Uhr abends an zu frieren, denn die Heizung wird auf Nachtbetrieb umgestellt, also gedrosselt; meine Familie friert morgens beim Aufstehen noch mehr, denn die Wohnung hatte inzwischen Zeit auszukühlen. Das letzte Waschwasser läuft kurz nach dem Abendessen, die Heißwasserversorgung wird über Nacht gebremst. Kitty wirft ihrem Sohn seinen Irrtum vor, sie beklagt sich nun bei ihm über die Knauserei der Hausriten, über den Geiz der Wirtschaftsschwester, ganz so als fühle sie sich getäuscht durch die Vorwürfe, die ihr Sohn früher gemacht hat, die das Gegenteil meinten und ihr auf die Nerven gingen, denn ihr gefiel das vorgetäuschte heitere Gegenbild der Anstalt besser. Jahre lang haben sie das Geld verschleudert, sagt aber mein Mann, der zu glauben versucht, erst mit seinem Einzug sei das B. einem Rationalisierungsprozeß unterworfen worden. »Sie müssen auch bedenken, daß der Familie freier Zugang zu den ihr genehmigten Kellerräumen zustehen sollte. Will Ihr Vorgänger nach 19 Uhr eine Flasche Wein auswählen, sein und mein Sohn eine Flasche Bier holen, so sind sie gezwungen, am Zimmer der Beschließerin den Schlüssel, der unter Verschluß in einer anderen Mansarde aufbewahrt wird, herauszugeben und später wieder zurückzunehmen. Es kann nicht erwartet werden, daß jemand jeweils bis 19 Uhr seine abendlichen Bedürfnisse vorausplant.« So wurde doch aber Helene, wenn auch im Familienkreis, vom Umzug in die Anstalt verschlagen, unter die Obhut von Daniels Prophezeiung, die das Foyer schwarz bedroht.

Rubin trifft seine schlafwandlerische Entscheidung soeben gegen die Eutychia, reiner Sachverhaltswert, und für die Eudämonia. Er muß, vielleicht noch vor dem Hölderlin-Essay, mit dem ganzen inzwischen verzapften Geisteskonglomerat über den Glückseligkeitsbegriff abrechnen.

Rock ist nicht aufgestanden, als Kitty ihn scherzend dazu aufforderte: Willst du deiner Mutter nicht eine Teetasse holen? Unsere verwandtschaftlichen Rangunterschiede werden immer wieder betont und zitiert. Dein Sohn, deine Mutter, dein Vater; mein Sohn Rock, 15, dein Sohn Rock, 15, hat mit einem Knurrlaut den Vorschlag seiner Großmutter beantwortet. Sein Vater war bereits unterwegs zum Schwarzen Schrank, einem viertürigen Rokokomöbel mit Zwischengeschloß und Silberbronzebeschlägen in den Türfeldern. Der Schwarze Schrank, wie wir ihn wegen seiner Japanlackfurnierung nennen, hat früher im Diensthaus nie so gigantisch gewirkt wie in der jetzigen Enge — kommt er nicht andererseits hier, wo er mehr auffällt, besser zur Geltung? Nein. Er steht eingeklemmt zwischen der Eingangstür und der Tür zur Eßküche, schräg dem flachen, aber ebenfalls mächtigen Barockbücherschrank gegenüber, sein Feind, und hinter der Sesselgruppe, die sich im Halbkreis um die Barockkommode den ganzen Tag für die meistens schon beim Wetterbericht aus dem Regionalprogramm vollzählige Familiengemeinde bereithält. Alle diese Möbelstücke sehen in der neuen Wohnung sperrig aus, es fehlen nur die Preisschilder und die weißen Zettelchen für die Geheimnotierungen zum Eindruck, man befände sich im Ladeninnern eines Antiquitätengeschäfts. Mit wehendem Talar kam mein Mann an den Teetisch zurück; er arrangierte mein Gedeck, jedoch wußte er, daß es sich erübrigte. Essen würde ich nichts. Aber doch wenigstens einen Schluck Tee? Das ist ja gut, sagte Kitty, großzügig bietest du meinen Tee an und zwar nachdem du selber mindestens 6 Tassen getrunken hast. Hat diese Kanne etwa keinen Boden? 6 Tassen, aber was für Tassen, Täßchen, sagte mein Mann. Er hob mir seine winzige Extratasse entgegen. Er benutzt zum Tee ein Privatgeschirr, auffallend kleine Tassen. Das Porzellan ist durchsichtig, auf den Innenseiten vom Tee gebräunt. Das muß so bleiben, kein Spülmittel gegen diesen Tee, gegen diese Farbe, gegen diesen Geschmack des Unvergänglichen. Keine brutale Vergänglichkeit, die das Hausfrauengehirn ausdenken könnte. Kitty spähte einäugig in das dunkle Loch, ins Innere der Kanne. Diese Kanne ist leer, ihr Lieben. Also trinkt sie den Rum pur, die liebe trunksüchtige Taufpatin, sagte Rock. Er rückte mir die Karaffe hin, ich roch seine blutsverwandtschaftliche Fahne, und allen zuliebe, auch denen, die es mißbilligten zuliebe, trank ich einen Schluck, den Schnabel aus Glas — Rubinglas übrigens, rubinrot — zwischen den Lippen; auch und eben meinem Abbild in ihren Köpfen zuliebe. Meine Zuschauer haben sich über mein empörendes, mir entsprechendes, belustigendes, schädliches Verhalten gefreut, unter anderm, weil Rock es angezettelt hatte, weil also Rock vergnügt war, und Rock folgte meinem Beispiel und diesem folgte die gleiche Reaktion zwischen Heiterkeit und Ablehnung; alles in allem: schön, Mutter und Sohn im unvernünftigen, uns nicht ganz geheuren Einklang. Es kann der Familie nur nützen, wenn ich ab und zu schlechte Beweise über mich nachliefere. Ich frische die schlechten Erfahrungen mit mir im Gedächtnis meines Mannes auf, das hilft ihm, kaum was zu bereuen. Das Rubinglas hat mich übrigens beinah nicht dazu gebracht, an Rubin zu denken, vielleicht, weil er seinen Namen auf der ersten Silbe betont. Nach dem Rum hatte ich keine Lust gehabt, er hat mir ganz gut geschmeckt, er würde mir nicht besonders gut bekommen: ich trank noch einen Schluck. Rubin ist aufgewacht, fühlt sich reichlich in Form, telefoniert aber erst mal etwas herum. Er hat einigen Leuten mitzuteilen, was er unter anderm mit der Glücksfähigkeit und den Persönlichkeitswerten vorhat, er könnte versuchen, als Glücksfähiger ein Beispiel zu geben, er will nämlich den Wert seines Lebens erhöhen, will erkennen und verwirklichen — vorzuschlagen wäre auch die zweckvolle Rückwärtslektüre bei Hölderlin, und inzwischen kam ihm überdies die Idee, den Roman WAHRHEIT in Briefform zu schreiben, polemisches Doppelsystem einer Ehe und so weiter, Briefe an eine fiktive Suzanne oder so was.

Tillroy-Geschirr und silbernes Besteck, die Karaffe und die silberne Zuckerdose haben sich, mit dem Mobiliar zusammen, familienbewußt dem Schicksal ihrer Besitzer angepaßt, sie haben sich wie Blutsverwandte benommen und in der neuen schlechten Umgebung sich mitverschlechtert. Bei Rubin und Martha könnte dies mit ihrem Inventar in einer noch schlechteren Umgebung gar nicht passieren. Eigentlich scheint ihnen gar nichts zu gehören, abgesehen vom Kram in Rubins Arbeitsbereich. Die Notwohnung stellt die Möbel auf die Probe und stellt sie bloß, die Küche erniedrigt das Geschirr. Übertreiben Sie das denn nicht? Man wird sich arrangieren, eines Tages, das bleibt nie aus. Schwester Hartwig und Schwester Phoebe ordnen Sträuße für den Andachtssaal. Der Nachfolger ist volkstümlicher als sein Vorgänger. Seine Spezialität: Bunte Abende. Neben Spiel, Gesang und einer besonders beliebten Einrichtung namens LUSTIGE FRAGESTUNDE bieten Freiwillige gruppenweise oder als Solisten Extrakunststückchen: eine Lernschwester schrieb ein Gedicht und sagt es auf, Thema: ein Arbeitstag. Beim Anhören kommt allen so ein Arbeitstag sehr spaßig vor. Und überhaupt: so manches kleine Talent wird hier entdeckt. 5 Schülerinnen haben eine Scharade einstudiert, jetzt kann geraten werden, was sie bedeuten soll. Dem, der es zuerst raus hat, steht ein Preis zu: diesen buntbemalten Keramikbecher kann man auch als Vase benutzen. Diese vertrackt verzierte Kerze ist sowieso vielseitig verwendbar, Kerzen bereiten der Weiblichkeit immer Freude. Jeder entdeckt, daß die stämmigste der 5 Schülerinnen den Nachfolger mimt, in einem dem Märchenbuch entliehenen Standbild wird sie ihm zum Verwechseln ähnlich. Wir hüten uns, meinen Mann in Scharadenrollen zu ermitteln, brauchen ihn auch in keiner zu vermuten.

12.30 h. Ich bin im aseptischen Bett. Schw. Flora bringt ein Fieberthermometer, und ich habe nichts Besseres vor, ich messe 37,2. Wenn ich nicht im Krankenhaus wäre, hätte ich jetzt nicht 37,2. Der sonnengebräunte Oberarzt hat sich auch im Verlauf sonniger Ferien gut erholt. Freilich macht der verflossene, stets zu kurze Urlaub auch grimmig. Der Oberarzt gab sich mit Lunge, Herz, Blutdruck ab und sagte GROSSE KLASSE. Ich war dazu bereit, mich wieder anzuziehen, zu packen, wegzugehen und alles auf später zu verschieben. Die junge frischoperierte Frau im Untersuchungszimmer der Station: ihr quoll eine dicke Zunge neben einer Art Schnuller aus dem Mund. Ihre großen Hände waren hellrot. Eine Schw. hat auf sie aufgepaßt, aber eigentlich nicht hingeschaut und mit den üblichen, dauernd abzukochenden, blank zu polierenden Gerätschaften hantiert. Manchmal plärrt ein Baby. Das sind die erfreulicheren Zimmer der Station, in denen wird geplärrt, in denen gibt es den mütterlichen Gesichtsausdruck und den herrlichen blutigen und milchigen Dunst der absolvierten Fortpflanzung. Gute Abwechslung für die Schwestern. Der Oberarzt sagte mindestens 3 mal: Dieses war der 1. Streich. Er zapfte Blut ab, um meine Blutgruppe festzustellen. Transfusionen müssen bei jeder Operation eingeplant werden. Ebenso das Einführen eines Katheters. Gegen Durst hilft man sich heute mit Infusionen.

13.10 h. Ich berichte schnell meinem Mann, was war. Er wird vielleicht ins Kino gehen. Ich bestehe darauf. Doch, wir sind geschieden. Mein Kopf ist noch klar genug. Fehlt Rock in der Schule, frage ich nicht.

13.20 h: eine große Westfälin oder Ostpreußin, Schw. Hanna, in einer wiederum abweichenden, puritanischen, überwiegend grauen Tracht, mißt meinen Puls mit Hilfe einer Eieruhr. Meine Temperatur ist ihr recht. Mehr frische Luft, sagt sie. Ich fürchte mich vor gar nichts. Ich fürchte mich vor dem Mitgefühl der Personen, die mich besuchen werden und gegen ihre besten Vorsätze nichts machen können: sie müssen ganz einfach besorgt aussehen.

Nach längerer Trennung und vor der Trennung für länger sagt Rubin mir auf dem Bahnsteig: Ohne dich liegt mein Geschlecht wie ein Kadaver da. In Träumen laufe ich ihm weg, bin unauffindbar, bin aber auch, wenn er die paradoxe Schlafphase mitkriegt, anwesend, die walfischgesichtige Erektion stößt überall an. Rubin sollte mit genitalen Spritzern seine Bilder malen. In Wahrheit ist das doch die Farbe, du hast recht. Ich sage: meiner Schwiegermutter geht es nicht besonders gut, sie ist außerdem hingefallen. Rubin sagt: Dein Mann muß als Mensch entscheiden. Als Mann entscheiden, das kann der dort auch, und der dort. Er deutet irgendwo herum, es sind genug Leute auf den Bahnsteigen. Ich sage: mich beunruhigt der Tod, weil mich das Leben beunruhigt. Du gibst denen allen, ja ich weiß, du liebst sie und damit ist für mich klar, daß sie es verdient haben, aber du gibst denen allen durch dein Verhalten, mit deiner Angst und Vorsicht überhaupt keine Gelegenheit zur Entwicklung, zur Genesis, zur Evolution, sagt Rubin, der nicht hört, daß der Lautsprecher die Einfahrt meines Zuges ansagt. Kant wendet den Begriff der Entwicklung auf den Kosmos an, Buffon auf die Lebewesen und ihren Erdboden,

Lamarck — Ich sage: mein Zug kommt gleich. Rubin sagt: Bedenke das, die Auswicklung eines vorher Eingewickelten. Sie sind alle von dir eingewickelt. Ich bin schon am Fenster. Rubin entschuldigt sich, ich wische seine Tränen ab, du schmeckst mir halt zu gut, sagt er, und: laß es sichtbarwerden, du hilfst ihnen damit ... das Zutagetreten — Der Zug geht pünktlich ab. Schw. Phoebe freut sich schon auf den Bunten Abend mit dem Beitrag der 4 musikalischen Vorschülerinnen. Sie meint zu ahnen, daß diese 4 eine vereinfachte Abart des berühmten Schäfflertanzes geprobt haben. Die Küche stellt zum Gebäck, das die Frau des Nachfolgers stets in preisgünstigen Kilopakkungen bezieht, eingemachtes Obst und Obstsäfte. Wenn erst für Schw. Phoebe eine Nachfolgerin gefunden sein wird und sie in Ehren ausscheidet, wird man ein Fest inszenieren. Schon sitzen überall in den Filialanstalten und Gemeindepflegestationen langjährige Vereinsschwestern während ihrer mühsam der Arbeit abgerungenen Freistunden über Denkschriften, Erinnerungsprotokollen, Versen, die dem großen Abschied einen sehr persönlich und herzlich gefärbten Glanz verleihen sollen. Ein Rundschreiben des Nachfolgers hat sie zu diesen literarisch-biografischen Übungen aufgefordert. Für alte Geschichten aus Schw. Phoebes Dienstjahren wird vom Nachfolger warme Dankbarkeit und Vervielfältigung durch Matrizen geboten. Der Nachfolger versteht was vom Umgang mit Menschen, er findet einen populären Ton mit Jung und Alt, allerdings ist er jähzornig und wird von Zeit zu Zeit gemäß dieser Veranlagung ungerecht, auch grob — aber man muß Bescheid wissen, um zu vergeben. Zum Abschiedsfest für Schw. Phoebe mischt die Küche den Obstsäften Sekt bei, $1/4$ Sekt auf $3/4$ Saft. In seinem Büro, dem einstigen Amtssitz meines Mannes und noch mit dessen Möbeln ausgestattet, gönnt der Nachfolger sich ein Glas Sekt pur vor dem Veranstaltungsbeginn, denn immerhin ist er hier der einzige Mann und außerdem wird von ihm die meiste Initiative und die lauteste Heiterkeit erwartet. Höhepunkt des Abends: der Nachfolger zeigt Diapositive von einer Kunstfahrt durch Bayern. Er hat endlich mal seinen Kindern das Deutsche Museum und die Gipfel des bayrischen Barock mit den wichtigsten Balthasar Neumann-Kirchen gezeigt. Für Schwestern und Personal besteht neben der hochinteressanten Belehrung am umfangreichen Bildmaterial der besondere Reiz im witzigen Text, den zu jedem Diapositiv der älteste Sohn des Nachfolgers verfaßt hat und nun, nach bald überwundener Scheu, ermutigt durch Gelächter und Beifall, mit frechen Stimmbruchtönen vorträgt. Man freut sich auf den nächsten Bunten Abend schon wenn man schließlich, sehmüde und nach rituellem Abgesang, auseinandergeht. AUCH

EUCH IHR MEINE LIEBEN / SOLL HEUTE NICHT BETRÜBEN ... In der Notwohnung wissen sie jetzt, daß der Bunte Abend vorbei ist. Rock hört nichts, denn er füllt das Wohnzimmer mit den Geräuschen des TV-Spätprogramms. Langweilt ihn der Dialog, so schaltet er den Ton aus und das Radio an. GOTT LASS EUCH RUHIG SCHLAFEN / STELL EUCH DIE GÜLDNEN WAFFEN / UMS BETT UND SEINER HELDEN SCHAR. Rock wechselt zwischen BBC Light und dem englischen Programm von Luxembourg ab, auf diese Weise bekommt er einen bestimmten Hit immer wieder. Der Nachfolger quetscht jedem, der ihn an der Saaltür passiert, mit beiden warmen Händen die warme Hand. Jeden 3. befiehlt er herzlich Gott, und diese höhere Abmachung, zu der sein Amt ihn berechtigt, gilt, obschon nur einer Person — jeder 3. also — ins Gesicht gesprochen, jeweils für zwei weitere Personen mit. Er wünscht sowieso jedem eine gesegnete Nachtruhe und wird am nächsten Morgen alle, die er vor 10.30 h trifft, mit dem Gruß EINEN WUNDERSCHÖNEN GUTEN MORGEN aus unpräziseren Gemütslagen aufscheuchen. Der Nachfolger wird am Tag des Herrn bei der kommenden Andacht auf die Melodie MEIN JESU DEM DIE SERAPHIMEN ein Lied des 1706 geborenen Christoph Wegleiter singen lassen und als Lautester mitsingen. Obwohl er unmusikalisch ist, erhebt er seine Stimme anfeuernd über die andern. Seine Frau kann beinah von jedem Lied des Gesangbuchs eine 2. Stimme. ES KOMMT DER ANGENEHME MORGEN, brüllt der Nachfolger auf die Freylinghausensche Melodie aus Halle, die den kompositorischen Stimmerfindungen seiner Frau langweilige Tonleitern entgegensetzt. Bunte Abende finden aus Zweckmäßigkeit samstags statt. Am Wochenende legt der Nachfolger alle Telefonate auf sein Haus um. Ich war, am Samstagnachmittag der Taufe, für niemanden zu erreichen und erwähnte es. Aber wer sollte jetzt was von dir wollen? Der Name Rubin fällt diesmal nicht. Mach es uns mit deiner Kritik an den Usancen des B. doch nicht extra schwer, sagt als erster mein Mann. Natürlich wissen wir, daß du es gut mit uns meinst, sagt Kitty. Aber wenn wir uns widersetzen, haben wir bald die Hölle hier. Mein Mann findet es nicht besonders umständlich, die 3 Minuten bis zur nächsten Telefonzelle zu gehen, aber er geht nicht hin. Rock lacht fröhlich, freundlich, gehässig in den ganzen Unfug hinein. Er hat sowieso seine Telefonate mit mir aufgegeben, es sei denn, ich bin es, die im Verlauf der Woche anruft. Ich rufe jeden Tag an. Rock macht es nichts aus, sich mit sich selber einzusperren, lieber Langweile als Komplikationen, und montags empfängt er am Telefon ja doch wieder die Botschaften der Welt: Tageszeit, Wetterlage, Wetterprognose, Straßenzustand, Kinoprogramme, er hört am Telefon zu.

Du rührst mein Dill Weed überhaupt nicht an! Ich hielt ein Gewürzglas Kitty unter die Augen. Dem grünen Inhalt fehlten nur wenige Millimeter. Es ist schwer, Kitty an etwas Neues zu gewöhnen, sogar an ein neues Gewürz, und sofort beklagte sich auch mein Mann über seine Mutter. Sie hörte ihm mit Befriedigung zu. Immer gut, wenn er mal etwas aus sich herausgeht und energisch wird. Außerdem bejaht sie ihren eigenen Starrsinn. Neuerdings sieht sie ihre häuslichen Schwierigkeiten ganz gern als Gesprächsstoff. Sie wünscht sich vielleicht doch Heilung.

Rubin und Martha essen von jeher in der Güterwagenküche. Rubin fand endlich seine unlesbaren Aufzeichnungen über den Begriff der Enthemmung bei Max Scheler, Metaphysik, hinter Marthas Matzenbrotpackungen. Er entziffert beschmierte Buchstaben — es war auch Marmelade im Spiel dieses Küchenverstecks — und bringt es bis zu Wörtern: Energieverarmung, Selbstbestrafung, gesteigerte Erotisierung der betreffenden Organe, und dann schnipselt er weiter Zwiebeln für den Tomatensalat. Meine Familie ist zum 1. Mal gezwungen, sich zu den Mahlzeiten in der Küche zu versammeln, sogar zum Tee, so daß sie in diesem Mischraum ihre wichtigste Tagesstunde verbringen müssen. Zu deren Genuß trägt die Abwesenheit Helenes bei. Dabei handelt es sich um eine Verabredung. Einmal pro Tag können sie sich ohne schlechtes Gewissen von ihr befreien. Helene trägt ihr Teetablett in ihr Zimmer. Dort stellt sie es auf den Tisch vor dem Sofa, sie setzt sich aufs Sofa, der Tee dampft aus dem Porzellanbecher, Helene kann den Henkel noch nicht anfassen. Zuerst ißt sie, was Kitty ihr auf einem Teller zugeteilt hat, an guten Tagen süßes Zeug. Helene säße lieber bei den andern, aber sie jammert nicht mehr über die angeordnete Isolation, wie ihre Mutter hängt sie am Gewohnten und so ist sie es gewöhnt. Die Wohnküche besitzt keinen eigenen Ausgang auf den Flur, sie liegt hinter dem Wohnzimmer und wird zum Käfig, wenn nebenan Besuch eintrifft: nun kann man nirgendwohin unbemerkt ausweichen. Man kann auch nicht in das fensterlose Ankleidekabinett flüchten, das in ein schmales Badezimmer überleitet und von dem etwas Dämmerung bezieht. Die gelbe Kachelwand der altmodischen Badewanne ragt hoch auf. Der Kohlenbadeofen wird nicht mehr gebraucht und versperrt Platz, sie lassen ihn trotzdem nicht abmontieren, denn das altertümliche Messinggestänge der Handbrause ist an ihm festgeschraubt. Alle Vernickelungen der Wasserhähne, Beckenverschlüsse und Beckenverschlußhebel blättern über dem Messing ab. Der Emailleüberzug im Wanneninnern wurde vom Wasser, aus undichten Hähnen ewig tropfend, im Zentrum der bräunlichen Vergilbung zerstört, und eine rauhe, schiefergraue Unterschicht zeigt sich. Der Familie fiel es in der 1. Zeit schwer, in dieser Wanne zu baden. Kitty hat sich geekelt, mein Mann hat sich geärgert, dann haben sie ihr Eingewöhnen mit einer Gummimatte über dem zerfressenen Emaille geübt. Rock aber meidet das gesamte Badezimmer und wäscht sich am eigenen, hinter einem Paravent versteckten Waschbecken, das nur er und die Vögel benutzen dürfen.

In der Wohnküche fand auch der Geburtstagstee meines Mannes statt, denn das Wohnzimmer erwies sich als zu eng für die Gäste, auf die sie dann allerdings vergeblich gewartet haben. Hatte ihre Misere sich so weit herumgesprochen? War es den sonst fälligen Gratulanten peinlich, den Abstieg guter Freunde aus unmittelbarer Nähe zu betrachten? Dieser Abstieg kann, aus größerer Entfernung, das Selbstbewußtsein der Betrachter stärken. Über den daher lobenswerten, mutigen Besuch der Tante Bea, die von auswärts kam, sich zum Trost und der Geburtstagsgruppe zur Abwechslung den Appenzellerhund mitbrachte, waren die Notbewohner ziemlich gerührt. Hier ist es doch gar nicht so übel, sagte die Tante, sah sich aber kaum um. An unserer Stelle widersprach oder bestätigte sie der Hund mit hysterischem Gebell. Die Tante warf ihm Kuchenhappen zu, die sie vorher von dem Stück auf ihrem Teller abgebröckelt hatte. Lang kann ich leider nicht bleiben, sagte sie, sie hatte sich soeben für den früheren von 2 zu Haus notierten Zügen entschlossen und würde die Rückreise in absehbarer, überstehbarer Zeit antreten. Mein Mann, der die meisten Verwandten ohne Bosheit zielbewußt verachtet, hat sie nicht aufgehalten, meine Schwiegermutter aber war betrübt und blieb doch erfolglos mit ihren Einladungsbetteleien zum Abendessen. Du gehst ja, ehe wir überhaupt ein vernünftiges Wort haben reden können, rief sie. Tante Bea knäulte die Wolldecke aus einer großen alten Tasche. Der Appenzeller verreist nur und geht nur zu Besuch, wenn diese Decke mitkommt. Er beißt sie und zerrt sie herum, seinen Grimm kläfft er ihr in die ausgeblichenen Wollmaschen, die als Unterlage dienen, wenn er nervös frißt und aufsabbert, was man ihm von den jeweiligen Menschentischen rüberwirft. Langweilt der Appenzeller sich sehr und wird er somit Gastgebern lästig, weiß Tante Bea immer noch einen Ausweg: der Appenzeller darf nun mit der Decke Weibchen spielen und den Geschlechtsakt, der ihm mit Artgenossen nichts bedeutet und nie gelingt, so gründlich er will probieren. Wie könntest du dich denn bei diesem Getöse mit deiner Schwester unterhalten, fragte mein Mann seine Mutter, der es inzwischen auch zu unruhig geworden und eigentlich ganz recht ist, daß Tante und Hund wegwollen. Der Hund ist zu laut, und auch Rock ist zu laut, denn er lacht zu laut, und er sollte gar nicht lachen, er sollte nicht einmal den Sexualperversionen zwischen weiblicher Decke und männlichem Hund zusehen. Daß er das tut, merkt Kitty allerdings gar nicht. Aber aus Hunden macht sie sich wirklich nichts. Willst du dir nicht die Hände waschen, nach so viel Hund? Aber wozu denn. Hamlet ist äußerst sauber, stimmts, Hamlet? Ja, das stimmt. Fassungslos bellte der Hund ins Gesicht seiner Herrin. Vielleicht täuschte sie sich, und er konnte sie nicht die Spur leiden, überhaupt nicht ausstehen. Hat er eigentlich einen Krampf im Schwanz, fragte Rock, findet ihr nicht, dieser Schwanz sieht aus wie ein Backwerk. Bei Appenzellern muß der Schwanz so sein, erklärte die Tante. Sie war nicht gekränkt. Vom Hund zu reden, gefiel ihr so oder so. Nur Redlichkeitstests, Täuschungsmanöver, die über seine Charakterstärke ermitteln sollten, haßte sie. Ich glaube, mit den Appenzellerschwänzen irrst du dich, sagte Rock, hier: der Beweis. Er hielt das aufgeschlagene Lexikon dicht unter Tante Beas Augen. Zwischen SENF, SENKRÜCKEN und SENSIBILISATION fand die Tante die Abbildung eines Hundes, der Hamlet nicht ähnlich sah. Das ist ein Berner Sennenhund, sagte sie zufrieden. Hamlet ist ein Appenzeller. Hamlet ist eine Tragödie, sagte Rock. Die Berner haben keine gerollten Schwänze, die Appenzeller hingegen Ringelruten, sagte die Tante.

Schw. Phoebe schob Büroarbeit vor oder hatte welche, die ihren klobigen verlegenen Aufbruch nach zwei Kuchenstücken rechtfertigte. Wenn sie bei der Familie eintritt, redet sie unverzüglich von der Behaglichkeit dieses Verbannungsortes, als wolle sie sich gegen eine noch gar nicht geäußerte Kritik von vorneherein absichern. In der Wohnküche befindet sie sich in ihrem ehemaligen Schlafzimmer. Freundlich, dieser Raum, stellt sie bei scheuem Umherschauen fest, fast bekomme ich Heimweh. Hier stand mein Bett. Damals wirkte das Zimmer geräumig, bemerkt meine Schwiegermutter, womit sie Sch. Ph.s Taktik stört. Etwas verärgert ruft die aber: Der Blick ist doch einmalig. Das Schlafzimmer meiner Schwiegermutter war früher Schw. Phoebes Wohnzimmer. Haben die Kinder nicht recht — Kitty meint meinen Mann und Rock und mich — sie behaupten, der Wald sieht aus wie das Meer. Und wie versessen sind wir doch alle aufs Meer. Schw. Phoebe wirkt versöhnt. Haargenau wie das Meer. Jetzt können sie alle nur noch glücklich-unglücklich einander in einem geheimen Einverständnis über die geringfügigen brauchbaren Modalitäten dieser Trostlosigkeit zuzwinkern, sie lächeln, sie werden das Übrige verschweigen.

Sehr wohnlich, urteilt der Nachfolger. So ein Privatleben, lieber Bruder, hat viel für sich. Ich könnte dich beneiden, sagte er zu seinem versehentlich heruntergekommenen Vorgänger, der am Radio dreht oder im Kursbuch liest. Daß diese beiden sich von Amts wegen mit BRUDER und DU anreden, macht ihre leere Beziehung eher absurd und grotesk. Mein Mann gehört zu den Leuten, die immer wieder vergessen, mit wem sie sich irgendwann einmal aus Leichtsinn oder als Opfer einer Überredung auf die Anrede in der 2. Person Singular eingelassen haben, mein Mann jeweils widerstrebend, aber zu höflich, so daß es nachträglich unhöflich wirkt, wenn er sich irrt, SIE sagt und DU-Fanatiker kränkt. Er kränkt zusätzlich mit seiner Abneigung, Hände zu schütteln. Er legt seine Hand vorsichtig in die hingestreckte unvorsichtige Hand, übt darin keinerlei Druck aus und zieht, als fürchte er Knochenbrüche, sein persönliches Eigentum sofort wieder aus der Umklammerung.

Kitty ist hingefallen, einfach so. Fang nur nicht wieder an mit dem Dramatisieren, sagte mein Mann. Hinfallen erschreckt mich. Sie ist aufs Gesicht und auf den linken Oberarm gefallen, in der Hauptsache sind dies die betroffenen Stellen. Reg dich doch nicht so auf, rief sie ins Telefon. Meinen Mann hörte ich auch, er stand neben ihr: Damit macht sie es überhaupt erst schlimm. Es ist nichts. Tut nur weh, und ich sehe zum Totlachen scheußlich aus, sagte Kitty. Ich finde es überhaupt nicht komisch, sagte ich. Jetzt fang nur nicht wieder an, über den ganzen Sterblichkeitsschlamassel nachzudenken. Das ist paranoisch. Das ist neurotisch. Aber auch in deinem Gesicht sehe ich meinen Tod, sage ich zu meinem Mann, auch in deinem, ich sehe dich, wie du nach meinem Tod alles ordnest, gelegentlich fällt dir ein, daß du was essen müßtest, du hältst dich nicht lange damit auf, du übertreibst gar nichts, du gönnst dir am Abend eine Ruhepause, du vergißt das Weltgeschehen nicht, du liest die Zeitung, du bist sehr traurig, du bist blaß, du erinnerst dich daran, daß es gesund ist, eine Stunde spazierenzugehen, du gehst, das ist unser Weg, ich falle dir ein. Hör mit dem Zeug auf, ich verbiete es dir. Kitty hat in meinem Alter nicht im entferntesten an so was alles gedacht, was für ein Unsinn. Kitty war mit 30 froh, 30 zu sein, mit 40 war sie froh, 40 zu sein, sie ist froh, beinah 70 zu sein, sie sagt: Du solltest mich besuchen und dir meine Frisur ansehen, dann hättest du was zu lachen. Schw. Bertha hat mir das ganze Haar oben auf dem Kopf zusammengebündelt, jetzt fehlt mir nur noch die Schwesternhaube, und nachts trage ich ein Hemd deines Mannes, denn ich kann nichts über den Kopf ziehen. Ich bin wieder so saublöd, das Ganze nicht lustig zu finden. Kannst du mich nicht mit dem Auto abholen, frage ich meinen Mann erst gar nicht. Was soll mein Todesgequassel an Kittys Ruhelager. Er meint es gut. Vielleicht meine ich es nicht so gut wie er. Warum entscheide niemals ich selber? Meine Passivität erscheint als introvertierte Selbstgerechtigkeit und psychische Onanie. Rubin hätte aus seinen verworrenen verkrümelten Jackentaschen die letzten verschuldeten, verpfändeten, korrupten, hilfsbereiten Pfennige gekramt, um mich mit einem Taxi zu Kittys blauen Flecken zu fahren, zu ihrem geschwollenen Arm, zur verkorksten Frisur. Du mußt den Tod mal besser üben. Du mußt es dir mal noch genauer vorstellen. Also: jetzt bist du tot. Da besichtigen sie dich alle. Zuvor hast du ihnen endlich schnell noch gesagt, was überhaupt immer mit dir los war. Keine Lügen mehr. Aber wem würde denn ausgerechnet jetzt die Wahrheit nützen? Warum haben sie die Wahrheit denn nicht zur richtigen Zeit jeweils an deinen Abweichungen und Irrtümern erkannt? Personen, die nicht leiden, befinden sich vor mir in einem todsicheren Versteck. Ich finde sie nie, ich werde nie mit ihnen reden. Na, Hegel, wie ist das mit uns? Niemand sagt, was er meint? Und dann sage ich es endlich, ich folge Rubins drastischen Tips, ich lasse zu Tage treten, ich sage die Wahrheit, ich rede. Aber nun ziehen sie sich alle zurück, die Wahrheit verabschiedet sich mit ihnen, bei ihrem gemeinsamen Aufbruch, meine Opfer der Wahrheit mit der Wahrheit, müssen sie sich in ein zivilisiertes Gelächter retten. Wann kommt denn der angedrohte Tag, der brennen soll wie ein Ofen? Wann werden denn alle Verächter Stroh sein, wann reißt ihnen denn der Herr Zebaoth Wurzel und Zweig aus? Warum verfolgt man denn das liebevolle, ungeschickte, visionäre und monströse Kind Rubin, Vater und Großvater, Sohn und Enkel und Neffe, Erbe und Urahne, warum starren ihm die Leute nach, warum verbietet ihm der Inhaber dieser schäbigen Kneipe, an einem seiner schäbigen Tische Platz zu nehmen, warum bringt er ihm kein Bier, warum weist er ihn aus seinem schmierigen Lokal, mich mit Rubin, der noch keinen Tropfen Alkohol an diesem Tag getrunken hat. Der den rätselsuchenden Blick nicht abwendet und überhaupt nicht versteht, was der Kneipenwirt gegen ihn hat. Ihr Begleiter ist doch betrunken, sagt der Wirt. Rubin möchte sich auf eine Diskussion einlassen, er möchte die Wahrheit herstellen, ich ziehe ihn hinter mir her aus dem gemeinen verruchten menschenfeindlichen Schmutzfleck von Kneipe. Das konnte dir nicht schaden, mal zu sehen, wie dein hochgeschätzter Todeskomplice in der zivilisierten Außenwelt wirkt. Rubin, diese rote Abart des Korund. Rubin, der seine Farbe nicht der kleinen Beimengung von Chromoxyd verdankt, sondern der Liederlichkeit im Umgang mit Alkohol, Nikotin, Koitus.

Er weist vom blassen Rot bis dunklem Purpur zwar ganz wie sein Edelsteinvorbild so ziemlich sämtliche Schattierungen auf. Taubenblutrot. Schwacher Purpur. Karminrot.

14.05 h. Ich habe bereits ziemlich viel Antrieb verloren. Teilnahmslosigkeit? 1. Symptom schwerer Erkrankungen? Apathie? Oder Stoa, das Freisein von Affekten, das Ziel der sittlichen Selbsterziehung? Bin ich müde?

Müde sein will ich nicht. Es geschieht nichts, es riecht allerdings immer deutlicher nach Kaffee, nach Reiseunterbrechungen, es riecht nach Kaffee in Moers. Wenn jemand ein völlig unreflektiertes Verhältnis zum Konjunktiv 1 hat. Wenn jemand leidet. Wenn jemand überhaupt leidet. Anderswo: 37 000 Fuß hoch über dem Mississippi, in 20 Min. südlich Chicago. In einer und einer Viertelstunde voraussichtliche Ankunft in New York. Die Stewardess, die mein leeres Whiskyglas abholt: I hope I didn't insult you when I asked you if you were twenty-one. — Köln: Woher stammt die Publizität eines Autors und ist sie verdient? Ist Schreiben ein Lebensinhalt? Leisten Sie schreibend einen Beitrag zur Bewußtseinserhellung? Mangelt es nicht an Konsequenz? Wie stehen Sie zur Unvereinbarkeit von Fiktion und Faktizität? Schreiben Sie mit dem Kuli oder mit der Maschine? Warum gehören Sie einer Gruppe an? Hat das etwa kommerzielle Auswirkungen für Sie? Gibt es nicht Autoren, die solche Einladungen aus Überlegenheit ablehnen? Ist ein Augenblick in Wirklichkeit nicht viel inhaltsreicher als in Ihrer Wiedergabe? Kann nicht der Film besser die Gleichzeitigkeit herstellen? Und immer die einfache liebe böse Alltagswelt. Vorverlegter Horizont. Wo bleibt überhaupt das Obszöne? Hat nicht sogar jener namhafte umstrittene Kritiker mit dem Postulat zum eindrucksvollen Ende seiner Epistel gefunden, ohne die Darstellung des Obszönen werde heute kein Schreibender mehr der gegenwärtigen Welt gerecht? Warum sind Sie nicht obszön? Sie können wohl nicht? 14.16 h: Schw. Hanna. Kaffee. Ein Gebäckstück. Essen Sie, essen Sie.

Beispiel für schlechte, bzw. fehlende Erziehung. Wenn jemand auf einen Ratschlag nicht hört. Wenn jemand auf einen guten Ratschlag so unbeherrscht reagiert. Wenn jemand aufhört. Wenn jemand nicht aufhört. Wenn jemand ohne Mittagsschlaf immer weitermacht. Wenn jemand keine Mittagsbedürfnisse hat. Wenn jemand den kalten Brand nicht löscht. Wenn jemand sich immer wieder die Fingernägel zu kurz schneidet. Wenn jemand ein Gehirn summen läßt. Wenn jemand überhaupt leidet.

Wenn jemand immer wieder nachschenkt. Wenn jemand überhaupt einen Wadenkrampf hat. Wenn jemand einen Brief schreibt weil. Wenn jemand keinen Brief schreibt weil. Wenn jemand sich auf etwas versteift. Wenn jemand die Traurigkeit mit der Traurigkeit verwechselt. Wenn jemand überhaupt keine Ahnung hat was ein Haarschnitt ist. Wenn jemand überhaupt keine Ahnung hat. Wenn jemand eine Ahnung hat. Wenn jemand ist wie er ist. Wenn jemand salbadert. Wenn jemand gewässersüchtig ist. Wenn jemand mindestens seit Goethe die ganze Literatur pathologisch nennt. Wenn jemand nicht weiß, was eine Pauschale ist. Wenn jemand vom Wahrheitsgeschmack spricht. Wenn jemand das Paradies veruntreut. Wenn jemand sich überhaupt nicht matronisieren läßt. Wenn jemand leidet. Wenn jemand überhaupt leidet.

Wenn jemand nicht einwilligt. Wenn jemand nicht manipulierbar ist. Wenn jemand die Unvernunft so weit treibt. Wenn jemand das Geld rausschmeißt. Wenn jemand das Verbot mißachtet. Wenn jemand also doch traurig ist. Wenn jemand ohne Rettung bis zum Ende ist. Wenn jemand unter die Sünde verkauft ist. Wenn jemand den Fragmentarismus der Geräte erkennt. Wenn jemand schon mal in Köln war. Wenn jemand ist. Wenn jemand die Dialektik der Verzweiflung nicht versteht. Wenn jemand die Verzweiflung nicht als unendlichen Vorzug versteht. Wenn jemand es einfach nicht will. Wenn jemand es einfach will. Wenn jemand sich in jedem Augenblick die Verzweiflung zuzieht. Wenn jemand aus der Emotion in die Gosse absackt. Wenn jemand mit einem Berliner rumquasselt. Wenn jemand egalisiert. Wenn jemand es überhaupt nicht verdient hat. Wenn jemand an der Mitwelt leidet. Wenn jemand es auch nicht besser machen kann. Wenn jemand den Abschied gemacht hat. Wenn jemand überhaupt so ist. Wenn jemand sich wegen bestimmter Häusertypen hysterisch anstellt. Wenn jemand unter Topfpflanzen leidet. Wenn jemand unter Atemnot leidet. Wenn jemand überhaupt leidet. Wenn jemand Denken mit Fürchten verwechselt. Wenn jemand überhaupt leidet.

Wenn jemand das Waschbecken mit dem WC verwechselt. Wenn jemand überhaupt leidet.

Wenn jemand dauernd seine Kleidungsstücke in seine Kleidungsstücke stopfen muß. Wenn jemand seinem Tode ähnlich werden will. Wenn jemand seine Kleidungsstücke nicht richtig ausfüllt. Wenn jemand überhaupt leidet.

Wenn jemand bei jemandem den Paradoxen Schlaf säuisch ausnutzt. Wenn jemand ins Schwarze sieht. Wenn jemand überhaupt leidet.

Wenn jemand in das Schwarze, das er sieht, nicht trifft. Wenn jemand ein übler Nachgeschmack ist. Wenn jemand eine schlechte Erinnerung ist. Wenn jemand sein herbstliches Fleisch bedenken will. Wenn jemand den Herbst zu gern hat. Wenn jemand sich nicht wie alle vernünftigen Personen benimmt. Wenn jemand vom Tod spricht. Wenn jemand vom Los aller spricht. Wenn jemand vom Tod spricht. Wenn jemand überhaupt leidet.

Wenn jemand eine Synthese ist. Wenn jemand unbedingt ein Selbst sein will. Wenn jemand unbedingt werden will was er ist. Wenn jemand unbedingt keinen Haarschnitt will. Wenn jemand die Verzweiflung an sich heranläßt. Wenn jemand das Mißverhältnis im Verhältnis einer Synthese an sich heranläßt. Wenn jemand überhaupt leidet.

Wenn jemand in das größte Unglück und Elend gerät. Wenn jemand in die Verlorenheit gerät. Wenn jemand sich am allerliebsten seiner Schwachheit rühmt. Wenn jemand nicht nach dem Recht trachtet. Wenn jemand das Verlorene wieder suchen will. Wenn jemand das Verirrte wieder zurückbringen will. Wenn jemand sich nicht freuen will. Wenn jemand sich nicht in die Sonne legen will. Wenn jemand überhaupt leidet.

Wenn jemand sich nicht zurechtbringen lassen will. Wenn jemand sich nicht mahnen lassen will.

Warum leidet jemand überhaupt? Wo ist jemand, wenn er fällt, der nicht gern wieder aufstünde? Wo ist jemand, wenn er irregeht, der nicht gern wieder zurechtkäme?

14.20 h. Schw. Hanna liebt lakonische Umwegantworten. Ich sagte: Ah, schon wieder was zu essen. Sie antwortet: Sie dürfen sich beschäftigen. Ich sage: Ich messe 37,2. Sie fragt: Genügt Ihnen das? Kein Zweifel, in diesem Stockwerk, auf des Professors Augapfelstation, geht es von allen Bettlägerigen nur mir noch so gut. 14.30 h. Es ist seit dem Kaffee noch wärmer, der Nachmittag dauert an, dauert an. In meinem Bett ist schon längst alles verschoben und verrutscht. Die Gummiunterlage spielt sich als Orakel kommender Schmerzen, Unsauberkeiten, Übelstände auf. Ja, das stimmt, ich war einmal ein Eilfall. Mit Zivilisierungsversuchen war man bei mir nie kleinlich. Ich bin das Ergebnis bemerkenswerter Unkosten. Die historischen Irrtümer, Sonntag. Natürlich hat mein damals noch mit mir verheirateter Mann mich in die Privatklinik gefahren. Ich weiß noch alles. Wollen Sie nicht Platz nehmen? Ich erzähle es gern, auch zum Beweis für die Obhut, in der ich mich einmal befunden habe. Historische Irrtümer, Sonntag. Die Gegend wird immer fränkischer. Die Hügel werden immer unbrauchbarer. Die Ortsnamen werden immer öder und die Ortschaften werden immer unbewohnbarer. Das Wetter wird noch zudringlicher. Die Leute schwitzen jetzt endlich so richtig. Die Wochenend-Männer sagen jetzt mal endlich Ja zu ihren Beinen, ja zu knorpeligem Bleich, ja zu den Kanalsystemen der Adern. Hör doch auf und sage Ja. Alles unverheimlicht, denn es gibt shorts genannte kurze Hosen, es gibt Freizeithemden genannte kurzärmelige Hemden ohne Knopfverschluß am Kragen, überwiegend hellblau. Ach ja, das Wetter wird immer schöner, weshalb alle touristisch veranlagten Wochenendpersonen sich touristisch verhalten. Sie bilden sich also ein, das Leben wäre akzeptabel, bis zum nächsten Todesfall oder bis jemandem speiübel wird. Aber nur nicht so lang und weiter mit der Freude. Das Gras wäre zum Hinlegen auf Decken da, der Atem wäre zum Aufblasen von Luftmatratzen da, der trübe Main wäre ein lieblicher Main, der Campingplatz wäre eine Idylle, eine Idylle wäre eine Idylle, die Insekten wären friedlich, Obstsäfte wären trinkbar. Hatten wir denn gestern nicht den schönen Geschlechtsverkehr, wonach der betonierte Vorhof voller Haarbüschel war, denn ich schnitt sie dir ab. Ich riskiere es und sehe dich an. Auch du riskierst es und siehst dich an. Noch aber fehlen Anstaltskleid, Anstaltsschürze und grobes Schuhwerk. Noch wissen wir nicht, ob das Ordensschwestern sein werden, die schon auf die Pflichtausübung, dich zu betreuen, in der altfränkischen Klinik warten. Der Waldweg ist zum Wandern da. Der Abusus ist für die Privatkliniken da. Das Haar ist für die Haarschnitt da. Ja, du hast recht: nach diesem von dir erwähnten schönen Geschlechtsverkehr zwischen uns sah ich fast wieder menschlich aus. Man kann mich wieder mit einer Person verwechseln. Ich bin im Sicherheitsgurt. Leute erschreckt mein Anblick nicht. Die Ehe ist für die Aufrechterhaltung der Ehe da. Das Obst ist zum Ernten da. Die schönen Zwecke, die schöne Ausbeuterei. Morgens wacht man in Rom dauernd auf. Die Panik unter gelben Vögeln in den Parkbäumen. Der Hund und sein Gezeter, das an dein Bewußtsein will, das nicht Bewußtsein werden will. Was für eine unerfindliche hündische Not schüttelt denn das struppige Tier dort am Parktor. Das ist nun schon 2 Stunden lang ein herausgeschmissenes Leben.

Der Hund ist für die beste Freundschaft des Menschen da. Die Kinderspiele zerren das winzige lebendige Zeug durch den ganzen Park. Wir liegen im Schlafzimmer in unseren Betten, wir liegen im Park in dem ganzen zänkischen Geräuschaufruhr. Jedem wird unser gemeinsames Canneloni-Lager offenbar. Sie können unter die Canneloni-Rollen unserer Decken schauen. Sie können unser in den warmen Teig gewickeltes warmes Fleisch betasten. Jeder schlechte Traum, der des einen über den andern, ist jedem Passanten genau bekannt. Und ich schleiche an deinem Bett vorbei, aber du greifst nach mir und nun liege ich in deinem Bett wieder für mindestens eine Stunde fest. Wenn wir sprechen, wenden wir uns natürlich voneinander ab oder öffnen die Lippen kaum, denn wir riechen natürlich und also nicht weiter gut wie immer nach Nächten beim Ausatmen. Es ist auch sonst alles in Ordnung. Wir fassen uns gern an. Das Bedürfnis ist zum Unterdrücken da. Der Wunsch ist zum Verkneifen da. Wir kennen unsern Tag noch nicht genau, wir wissen noch nichts Beleidigendes, noch nichts Beschädigendes über diese ganzen Stunden, die wir es mal wieder aushalten werden. Wir könnten daher jetzt noch auftrumpfen, wenn schon dies auch weder besonders vorsichtig noch listig wäre. Ehe wir erneut absacken, ehe uns die Augen wieder zufallen und wir zu gar nichts mehr Lust haben, raffen wir uns auf, wir treten ins Badezimmer ein, wir ziehen uns bei geschlossenen Rolläden an, wir benutzen Strom, wir benutzen das WC, wir waschen uns nicht ausführlich, wir erkennen uns das erste Mal, wir machen es uns schäbig, damit kein Sonntag ist. Der liebe Gott ist für den Sonntag da. Für Sie bin ich immer da, Ihr Meer. Wir spielen unser Herr- und Zigeunerspiel, ich kriege mein unsichtbares Trinkgeld gemäß meinem unhörbaren Gefiedel. Die Wiese ist zum Blumenpflücken da, die Liebespaare sind für die Nischen da, der Apfel ist zum Reinbeißen da, der Wurm ist für das Kerngehäuse da, der Ekel ist für den Wurm da, und wir streicheln uns, in Ermangelung von Haustieren, nur gelegentlich und bei Unvermeidbarkeiten. Besuch haben wir gar nicht unter allen Umständen verdammt ungern. Ich habe unerlaubte Musik gehört, ist gleich Versus 2. Die Selbsttäuschung ist für den Sinn des Lebens da. Die Verweigerung der Erlaubnis ist für die Traurigkeit da. Woran hast du denn dauernd gedacht. Dummes, unverarbeitetes, nicht zu Ende reflektiertes Zeug beispielsweise über die Angst, über den unterdrückten Wunsch, ich habe Angst gehabt, beispielsweise vor dem Tode, demnach habe ich ihn mir unterdrückt gewünscht. Das Hiersein ist zum Weggehen da. Die Tiere sind für den Tierschutzverein da. Das Gift ist für ein Versehen da. Das Geheimnis ist zum Ausplaudern da.

Sieh doch mal lieber aus dem Autofenster. Die Städte tun nur noch so, als gäbe es sie immer weiter. Lohr zum Umsteigen, Wertheim wars dir wert, Würzburg um irgendwas zu verpassen, Erlangen für leichten Schneefall, Nürnberg zum Absprung vom Sinnwellturm. Die Städte, um sie hinter sich zu haben.

Da kann man nie wieder hin. Sich einbilden, daß der Apfel

schmeckt, daß man sich auf den Parkplätzen erholt, daß man sich in den Raststätten-WCs erleichtert, daß der Sonnenschein eine Wohltat ist, daß man es sich immer wieder so wünscht, daß der Sonntag Spaß macht, daß die Fahrerei, die Tankerei, die Rasterei, die Quälerei ihnen eine Freude ist. Der Sonntag ist ganz albumreif. Sie verlassen sich fest irrtümlich auf ihre Reaktionsmechanismen. Was hast du denn gestern in deiner schönen Behausung Schönes gemacht. Du hast sie, Passagier Richtung Anstalt, zusätzlich verschönert. Also wirst du zu den Verschönerungen halten und zurückkehren. Ich habe die Pier von Southend an die Wand geklebt: irrtümlich? Ich habe Henri Michauxs Meersucht an die Wand geklebt; du hast sie dir zu eigen gemacht und daher gewußt: eines ist dein, das ist das grenzenlose Meer: ein Irrtum? Ich habe den Busplan von London an die Wand geklebt: verirrt? Ich habe Todesgedanken an die Wand geklebt: irregeführt? Ich habe LEBEN IST UN-GLÜCK an die Wand geklebt und das Meer abbildende Karten: im Irrtum? Was war denn überhaupt los, während wir im Wald den lapprig bekleideten Wochenendleuten begegnet sind, die sich für ziemlich vergnügt und für durchaus herzeigbar hielten, o ja, das ist diese Zeit der Deutlichkeiten, okay, verdammt du, verkleidet im Wald, du Halbwahrheit, du ängstliche Mutige, du durch Mut Verängstigte, Entscheidungsschwächling du, du rücksichtslose Rücksicht, du Dividierbare du. Der Wald ist für die Anwesenheit der Freizeitpersonen da. Die Wiese ist zum Blumenpflücken da. Die klebrigen Blumensträuße richten den Sonntag an. Hör damit auf. Ich höre Versus 2. Ich höre auf. Die Bitte ist zum Abschlagen da. Die Zähne sind für die Paradentose da. Das Gefühl ist für die Unterdrückung da. Ich habe mir den WERT DES MENSCHEN an die Wand geklebt. Ich habe mir HEUTE HABE ICH MEIN LEBEN GEÄNDERT an die Wand geklebt. Ich habe gut und reichlich zu Abend gegessen. Ich habe ausgiebig und nicht von der billigsten Sorte Wein getrunken. Ich habe es, wo es so schön ist, schöner und schöner gemacht. Ich habe mit den Jalousien gespielt. Ich war nicht neidisch auf die aneinandergepreßten Sachen in den Kleiderschränken der mit sich selber dichtbesiedelten Frauen, denen wir im Wald begegnet sind, während sie Futter verwerteten, während sie Glykogen nutzbar machten, während mein Anstaltszimmer für mich vorbereitet wurde, während sie Eiweiß anlagerten, während ihr Stoffwechsel zu ihren Ungunsten jede Willensschwäche gegenüber Mahlzeiten ausbeutete, während was Schaden nahm, aber was denn. Die Frauen sind gegen ihr Fleisch nachsichtig. Ihre ärmellosen Blusen vorwiegend überm Rock vorwiegend weiß, auch in Ajour, vorwiegend blütenabbildend. Kaum je sind die Ärmel länger als die von den Schultern abgerutschten Bänder, an denen die Wäsche aufgehängt war, ehe das schöne Bücken nach den Blumen so richtig schön losging. Du siehst zumeist links und rechts je zwei Bänder, du siehst aber auch an einigen Oberarmen 3 Bänder jeweils, diese Frauen lassen kein mögliches Wäschestück aus, und alles zumeist lachsfarben ausgeblichen. Die Oberarme, gesprenkelt rötlich, nehmen die schlechten Gewohnheiten der Bewohnbarkeiten mit in den unbewohnten Wald. Ich habe mir die vorletzten Worte von Maxim Gorkij an die Wand geklebt, ich weiß, daß die Gegenstände schwer werden. Die Bücher. Der Bleistift. Das Glas. Ich weiß, daß alles immer kleiner zu werden scheint. Ich habe mir DER FEUERSTEIN ENTSTAND IM MEER an die Wand geklebt. Ich weiß, daß ich nicht ICH STERBE sagen kann, denn mein Verschwinden beginnt, bevor ich das ganze Ereignis mitbekomme.

Wie schön fränkisch die Hügel nun bereits geworden sind. Der Strand ist für die Gymnastik da. Das Meer ist für den Schwimmsport da. Der Mistkäfer ist zum Drauftreten da. Der ortsansässige Idiot ist zum Auslachen da. Die Uhr ist für den Uhrmacher da. Die alten Leute sind für die Altersheime da. Der Himmel ist für den Segelflieger da, schau mal rauf. Die Zellen sind zum Absterben da.

Die Sonntagspersonen bauen unermüdlich ihre Zelte auf. Sie richten sich unermüdlich darin ein, sie planen unermüdlich Verbesserungen und sie halten es unermüdlich für ein Vergnügen. Sie streiten sich unermüdlich und sie halten es unermüdlich gar nicht dafür. Der Streit ist die einfachste Antwort auf den Sonntag. Der Sonntag ist für das parasitäre Bewußtsein da. Der Sonntag ist sommerlich und schön. Es haben ja gar nicht alle Kinder gekotzt. Es hat nur einer die Wespe verschluckt. Der ertrank, gehörte ja gar nicht zur Familie. Den Reifenwechsel nehmen wir auch in Kauf, und schließlich kam das Interessante mit dem schweren Unfall. Der schwere Verkehrsunfall hat doch so viele Verletzte und womöglich einige Tote miteinander bekannt gemacht. Ich wars nicht, ja, ich wars. Jeder kann doch seine verschwitzte Kleidung wieder in Ordnung bringen. Jeder wird doch das nächste Mal wieder die gleiche falsche Münze einwerfen, in den gleichen falschen Automaten. Der See wird wieder zum Rudern da sein. Der Harn wird wieder für den Harndrang da sein. Das Kind wird wieder für die Erziehung da sein. Die fischreichen Gewässer werden wieder für den Angler da sein. Der Schnitt in den Finger wird wieder für das Pflaster da sein. Und nicht mehr lang und dann sind wir da. Du wirst anfangen mit den Anstaltsunkosten. Das Bett ist für ein Krankenlager da. Der Landeszentralverband ist für den Landeszentralverband da. Der Dezember ist für Weihnachten da. Christi Geburt ist für das Weihnachtsgebäck da. Der Alkohol ist zum Maßhalten da. Die Zigarette ist zum Abgewöhnen da. Das Mitglied ist für den Beitrag da. Das Telefon ist zum Verabschieden da. Der Samstagabend ist für die Ehe da. Das Buch ist für das Bücherregal da. Die Freuden sind für die Leiden da. Die bildende Kunst ist für die Wohnungseinrichtung da. Ich werde es gut haben. Ich werde kostspielig sein. Ich werde gekräftigt werden. Ich werde weggeschläfert werden. Ich werde es sogar sehr gut haben. Ich werde mich bedanken. Die Treue ist für den Treuebruch da. Die Tiere sind zum Essen da. Die lange Warterei ist für das Schöne da. Das Leben ist zum Sterben da. Ich werde mich nochmals bedanken. Ich werde Gute Nacht sagen. Ich werde es nie wiedergutmachen. Ich werde beinah wissen, zu was ich da bin.

14.45 h. Ablenkung. Hinausschauen: auf Normales, auf den Monat März, auf betriebsame Moribunde, auf tüchtige Todeskandidaten. Schw. Hanna hat die Gummiunterlage entfernt und dabei NOCH SIND SIE JA STUBENREIN gesagt. Dann hat sie mich nach meiner Reise in die UdSSR gefragt, sie möchte auch mal dort hin, sie hat DAS IST MEIN TRAUM gesagt, die Donau runter, Schwarzes Meer, Ural, DENN DA LIEGT MEIN MANN. Und daraufhin nach Moskau rauf und nun noch Kalinin, DENN DA WAR MEIN MANN AUCH LÄNGERE ZEIT. Sie redete wie über rein touristische Absichten mit etwas Denkmalspflege. Der Summer holt Schw. Hanna wieder weg, ehe ich über meine Reise in die UdSSR habe berichten müssen. 16 Uhr und Schw. Charla eilt in Panik herein, sie läßt mein Waschbecken volllaufen: es hat einen Wasserrohrbruch gegeben. 16.40 h. Ich lese Song-Texte. Album Volume 7. Ich höre die Musik dazu aus Rocks Zimmer. Frau Lipski redet über Tomomanie. Das ist die krankhafte Sucht, operiert zu werden, bzw. zu operieren. Es ist beides, erstaunlicherweise. Frau Lipski sagt: Ich kannte einen wahrhaft tomomanischen Gynäkologen, sonst ein reizender Mensch. Sie besitzt kein Zahlengedächtnis, hat also die statistisch ermittelte Zifferngruppe nicht parat, aber ich dürfe ihr glauben, es blieben nicht allzu viele Menschen übrig, die noch nie operiert wurden oder nicht eines Tages operiert würden. Wichtig ist, daß man ausreichend eingeschläfert wird. Frau Lipski persönlich grausts immer vor Operationen, bei denen vorzeitig aufgewacht, bzw. gar nicht erst rechtzeitig eingeschlafen wird.
Kitty und mein Mann haben schlecht ausgesehen. Im Zusammenhang mit meinem Klinikaufenthalt gebrauchen wir vor-

läufig oft das Wort AUSRUHEN. Als das Abendessen gebracht wurde, haben sie SO JETZT WOLLEN WIR DICH ABER NICHT BEIM ESSEN STÖREN gesagt und sind gegangen, weil ich sie nicht daran gehindert habe. Rock fehlt oder fehlt nicht in der Schule. Dies ist seit Menschengedenken mein 1. alkoholfreier Tag, möchte ich Rubin schreiben; dünnen Tee trinke ich, Rubin. Ich hätte Bier und Salz mitbringen dürfen; ich habe es nicht gewußt, und das ist für die Schwestern schon alles, während es meine Tragödie ist. Die kleine gelbe Tablette. Auch Rubin nimmt, aber wahllos, irgendwas Psychopharmazeutisches, er hört auf mit den apophantischen Sätzen, er hat sein Lebtag reichlich und genug enthüllt, eigentlich wollte er mir einen Brief schreiben, aber zuerst muß er sich mal von der Problematik dieses Tages wegschlafen, auch von Marthas Gezeter, in dem er keine blasse Ahnung von seiner eigenen geistigen Bulldozerarbeit findet, und wieso soll er nicht wie Heidegger oder wer es nun immer war Zettel um sich herum ausbreiten — o gewiß, mein Liebchen, der Brief wird entstehen und es wird ein guter Brief, der dir hilft in deiner ängstlichen Aporetik, wir kriegen sie schon hin, diese Kunst, schwer lösbare Probleme zu bewältigen, nicht zuletzt mit der Unterstützung durch meinen relevanten Brief, den irgendein Bewohner zuerst mal verlegen wird, nach dem gesucht werden wird, für den dann keine Briefmarke in der ganzen Wohnung ausfindig zu machen sein wird, später aber, nach sämtlichen verzögernden Kalamitäten: per Eilboten.

Der lange Spätnachmittag, der im Krankenhaus schon Abend heißt, der öde Abend, den sie Nacht nennen, schließlich die Nacht selber. Sie werden sich schon dran gewöhnen. Es kann sowieso nur schlimmer werden. Eingewöhnen muß man sich in Krankenanstalten, eingewöhnen muß man sich in deutschen Akademien. Zypressen sind selbstverständlich immer grün. Das übrige Parkgebüsch wechselt ebenfalls seine grüne Farbe kaum. Wir kamen samstags an, mein Mann und ich. Das ist ungünstig, denn die Direktion hat samstags erst recht Schnupfen. Nur das Atelier Nr. 7 steht noch leer. Es gibt, genau wie am Klinikabend, nirgendwo einen Schluck zu trinken. Glauben Sie es ruhig, man hat Ihnen das wohnlichste der unwohnlichen Ateliers zugeteilt. Es ist Ihr Fehler, daß Sie die 1. schönen Oktoberwochen versäumt haben. Von jetzt an wird es vermutlich erst mal Herbst, aber langsam, und wird nicht nennenswert Winter. So und nun fangen Sie am besten an mit dem Einleben. Einen Kunstführer sollte der Stipendiat doch vorher durchgearbeitet haben. Zum Beispiel die Gebäude, die sich in einem großartigen Naturpark erstrecken und von Max Zürcher 1910—13 errichtet wurden. Ehrengäste, weiße Tauben und weiße Statuen halten sich aus dem Parkgrün heraus. Sicher kommt bald die Wirtschafterin mit einem Umlauf. Sie sind ja gar nicht von Gott und der Welt verlassen, fallen Sie nicht auf Täuschungen herein. Hören Sie doch genau hin: das ist der Verkehrslärm der konservativen nordöstlichen Piazza Bologna-Gegend, das ist das Getrippel der Schwestern auf dem Gang der P. Station. Die Dt. Akademie wurde 1913 gestiftet und unter Profanbauten seitdem in der ausführlicheren Romliteratur aufgeführt. Reclams Kunstführer Italien Band v Rom und Latium in der Bearbeitung von A. H. ist auch sonst nützlich. Stipendiaten und Ehrengäste haben mit großer Wahrscheinlichkeit im Lauf ihres Rom-Aufenthalts Gelegenheit, den sachkundigen Kunsthistoriker A. H. persönlich kennenzulernen. Der gehört ganz entschieden auf die Gästelisten der dt. Kolonie in Rom und überhaupt. In der dt. Kolonie Roms geht ein Kunsthistoriker schon gar nicht unter. Schwierigkeiten beim Eingewöhnen: Rom oder das Krankenhaus oder die Privatklinik oder irgendwo sonst, wo sie dir das Beste tun. Man hat es sich gar nicht so oder genau so gedacht. Das ist ja wirklich übel. Wo sind denn hier die Nachschlagewerke? Wo will ich bleiben, wohin zurück? Ich bleibe in Rom. Ich bleibe in den Städtischen Krankenanstalten. Von den klassischen Stätten will ich nichts wissen. Vom Op will ich nichts wissen. Ich will meinen Alltag. Ich habe nichts zu trinken. Ich trinke immer zu viel. Rome is a devided city too, Rom mit seiner Vatikanstadt, aus deren Zeitung, dem OSSERVATORE ROMANO, ich erfahre, daß wir »ungebundene Künstler oder Schriftsteller« ebenso wie »desorientierte Studenten« und »Beatniks« »am Rande der Gesellschaft lebende Menschen« sind. Jeden Abend holen wir uns die Müdigkeit für den nächsten Morgen. Jeden Abend bereiten wir die Selbstbezichtigungen für den nächsten Morgen vor. Man kann bei uns fleckige Gesichter und Trancebewegungen beobachten, dazu erhobene Stimmen mit Überspitztheiten. Wir blicken starr. Insgesamt Unvernunft, Alkoholmißbrauch, Schulden, der übellaunigen Physis am nächsten Morgen abzuzahlen. Jeden Abend kommt verfänglicher Leichtsinn auf. Das ist ein schönes, bei sinngemäßer Nutzung bereicherndes Staatsgeschenk für uns 10 mehr oder weniger ungebundene Künstler am Rande der Gesellschaft. Eine gute gesundheitsfördernde Unternehmung, der du in den Städt. Krankenanstalten entgegensiehst, von keinem abendlichen Leichtsinn bedroht. Ich bleibe Stipendiat nach Vorschrift und Verabredung, ich bleibe Patient nach Vorschrift und Verabredung, ich störe nicht auf dem Dienstweg, ich störe nicht die bürokratischen Regelungen meinetwegen, ich erschwere den Schwestern die Arbeit nicht, die Direktorin der dt. Akademie ist gelegentlich im Büro für mich zu sprechen. Die Ateliers sind 6 bis 8 m hoch, dahinter liegt der Wohntrakt, man bittet uns um verantwortlichen Gebrauch. Die Wohnungen, Gewächshäusern ähnlich, im Reihenhaussystem, in pompeijanischem Rot verputzt, befinden sich vor dem unteren und verwilderten Parkbereich. Sie sollen den Künstlern einen kultivierten Aufenthalt ermöglichen, schreibt C. G. zu Geschichte und Gegenwart dieser dt. Auslandsstiftung. Die hochherzige Schenkung geht auf Wilhelm II., König von Preußen zurück, der gab dem Mäzen die Genehmigung zu stiften.

18.30 h. Nein, danke, kein Saft für die Nacht. Seit wann trinke ich Saft. Die Nacht existiert nur in der Sprache der Krankenanstalten jetzt schon. Es ist taghell, wird aber auf dem Gang leiser. Mir bleibt keine Zeit, Schw. Margarete zu erzählen, daß ich Saft verachte und nie Saft trinke.

18.40 h. Wer an Medikamente gewöhnt ist, hat besondere Schwierigkeiten bei der allgemeinen Betäubung durch Zufuhr von Narkotika, vornehmlich im 1. Stadium, dem sogenannten analgetischen Stadium. Auch Ihr Sohn, Ihr Mann, Ihr Rubin, sie nehmen zu viel Zeug ein, stimmt das nicht? Vorzugsweise jene kleinen weißen Tabletten mit eingeritzten schlafenden Augenlidern. Mein Mann sitzt jeden 2. Tag vor seinen 4 oder 5 prall mit Pharmazeutika gefüllten Necessaires und Beuteln. Er studiert immer wieder die Legenden. Rubin verliert sämtliche Legenden ungelesen. Mein Mann geht planmäßig vor. Anschließend probiert er es mit einem Suppositorium, einem Dragée, einer Tablette und so weiter, während er Tropfen am wenigsten gern nimmt. Rubin greift in irgendeine Unordnung der Wohnung; die Spasmen in ihm, von Kopf bis Fuß, akzeptieren alles von Spalt bis Adumbran. Irgendwie muß er die Spinozas, Hegels, Hölderlins und die eigenen Ambitionen in seinen spiritualisierten Eingeweiden loswerden.

18.45 h. Schw. Hanna wünscht mir eine gute Nacht. Sie wohnt in der Stadt. Sie sind weder jetzt krank, noch nachher. Nachher sind Sie nicht krank, sondern pflegebedürftig. Die Dünnen machen alles im Handumdrehen ab. Schlafen Sie mit guten Gedanken ein.

18.48 h. Gute Gedanken.

Herr Ammann träumt jede zweite Nacht etwas Ekliges von seiner Frau. Frau Ammann spricht immer noch mit unserer römischen Gastgeberin über Brustentzündungen. Schönes unerschöpfliches Thema mit vielen da capos. Auf den Herztod kann man sich längst nicht mehr verlassen. Herztod ist geradezu reaktionär. Für alles Reaktionäre gilt, daß es nicht fällt, wenn man es nicht niederschlägt, sagt der Vorsitzende Mao. Haben Sie wieder Laufen gelernt? Werden Sie eigentlich von

Geschlechtspartnern geschlechtlich befriedigt? Schaffen Sie es auch allein? Kümmern Sie sich eigentlich um die Errungenschaften der Sexualforschung? Das würde ich Ihnen doch empfehlen, denn sie können das Glück in der Liebe noch immer ganz erheblich steigern, sie können eine Art sexuelles Völlegefühl erzielen, Sie werden noch ca. 10 Jahre lang physisch faszinös sein, falls ich mich in Ihrem Altersprozeß nicht verschätze.

19.25 h. Eine kleine apfelförmige, ziemlich braunhäutige Schwester sagt: Ich bin Schwester Johanna. Ich bin die Nachtschwester. Damit beugt sie jeder Verwechslung mit einer überwinterten Reinette vor und reicht mir ein Fieberthermometer; sie sieht auch einer älteren Stubenfliege ziemlich ähnlich und tut niemandem etwas zuleide.

19.30 h. Wie ists mit der Verdauung? fragt Schw. Charla. Auf einem löffelförmigen Alpakkainstrument liegt ein rosafarbenes Abführdragée. Jetzt Schluß für heute. Schw. Charla verspricht mir ein Schlafmittel. Ich messe wieder 37,2. Wenn Sie heute nacht Wasser lassen wollen, sagt Schw. Johanna, tun Sie das bitte nicht auf der Toilette, sondern rufen Sie mich. Ich muß es mit dem Katheter ableiten. — Rufe ich sie nicht, so kommt sie ungerufen. Der Himmel nimmt die Farbe meines Abführmittels an. Gegenüber im Bau der Inneren Abt. brennen ein paar Lichter. Vorgebeugt im Bett, dessen Kopfteil ich so lang wie möglich steil lasse, sehe ich eine gelbleuchtende Siemens-Reklame und die Lichtbuchstaben MÖBEL-MÜLLER, einen Kirchturm, den ich topografisch nicht unterbringen kann, und das übrige Wiederaufbau-Konglomerat. Ich kann ohne weiteres, ich kann ganz von selbst an Rubin denken, ich brauche es mir nicht vorzunehmen. Ich nehme mir vor, an die Familie zu denken.

Viele Möbel der Familie konnten in der Notwohnung nicht aufgestellt werden. Der Nachfolger braucht nicht das ganze geräumige Diensthaus, er hat sein Lebtag in Etagenwohnungen gelebt und seinen Besitz dieser Raumbeschränkung angepaßt. Er hat nie Antiquitäten gesammelt, überhaupt nichts gesammelt, er war stets ein Mann der Aktion. Der Nachfolger besitzt keine Bibliothek. Ich bin kein Bücherwurm, nie gewesen, berichtet er nicht ohne Stolz. Er zahlt dennoch seit mehreren Jahren einem volkstümlich bildenden Buchclub Beiträge. Er ist somit in der Lage, aus einem kleinen, jedoch nicht ganz anspruchslosen Angebot jährlich zwei-, dreimal eine Wahl zu treffen. An der Südwand der ehemaligen Bibliothek seines Amtsvorgängers bringt er die Mitgliedsgaben mühelos in einem einzigen Gestell unter; dieses Möbelstück, das zu einer Anbauserie paßt, beherbergt in einem Schrankfach Tischzubehör, beispielsweise Kaffee- und Teewärmer, Papierservietten in einem Bastständer; zwischen den Büchern im oberen Teil des Möbels sind Stellen freigeblieben, und dort hat die Frau des Nachfolgers kleine Vasen, Krüge, Kerzen in Kerzenhaltern, Keramikabbildungen von einheimischen Tieren und die aktuellen Fotos aller Kinder aufgestellt. Die Bücher hat sie an den Hintergrund des Regals gedrückt, so daß vor ihren zumeist ledernen Rücken — der Nachfolger liebt die Ausstattung, die den Verlagswerken gerade seines Buchclubs eine vornehme Prägung gibt — auch noch genügend Spielraum bleibt: wieder Platz für hübsche Andenkengruppen. Der Nachfolger benötigt die Bücher selten, einmal gelesen, stehen sie als wohnlicher Schmuck im Möbel; es schadet daher nichts, wenn seine Frau ihm den Weg zu seinen Prämien mit ihrem Verschönerungswerk versperrt. Der Nachfolger ist im Gegenteil von den Ambitionen seiner Frau angetan. Auf Schritt und Tritt entdeckt er die Resultate ihres genormten Eifers. Sie studiert DAS HEIM und WOHNEN UND WIRKEN, 2 Abonnements, die nur noch ganz selten dem Nachfolger als Luxus erscheinen. O doch, ja, ich kenne das neu bewohnte, umgestaltete Haus, ich habe es nie betreten.

Jetzt aber mal ran, a tempo, Rubin, an mindestens eins deiner inkommensurablen Projekte, wie wärs denn heute mit Hölderlin, sieh dir nur mal die Telefonrechnung an. Rubin sagt sich und Martha auf den Kopf zu, er werde so ziemlich den ganzen Hölderlin erstatten. Hölderlin in allen Ritzen. Kitty ist hingefallen. Mein Mann fällt hin. Mein Mann muß sich plötzlich mitten am Tag ins Bett legen, er hat nur leicht erhöhte Temperatur, er ist besonders blaß, er hält einen todähnlich langen Mittagsschlaf. Sein Mittagsschlaf ist meine Schuld. Rubin ist hingefallen. Rubin war kurz ohnmächtig, als er auf dem Pflaster aufwachte, mußte er sich übergeben, eine Passantin war freundlich zu ihm und half ihm auf die schwankenden Beine, ein Polizist war mißtrauisch und prüfte die Personalien und ließ sich von Rubin anhauchen. Ihr Atem gefällt mir gar nicht. Rubins Atem: eine irdische, verfluchte, von Passionen verquirlte Mischung aus dem miserablen Erlebnis eines seiner halben Tage. Alkohol, das Erbrochene, der Kummer. Seine Seele auf den gekränkten Eingeweiden. Sie fallen alle hin. Sie stehen wieder auf. Sie tappen seherisch blind auf ihre Grabstätten zu. Helvetius und sein Motiv aller Tätigkeit: die Selbstliebe des Menschen. Moral zu predigen, dient daher zu nichts. Wir wollen miteinander sterben. So, jetzt sind wir so weit. Wir haben die erforderliche Dosis in die Organismen bugsiert. Nun brauchen wir allerdings eine schreckliche Geduld. Wahrscheinlich wird uns übel. Und auf einmal deformiert sich unsere Absicht, der gemeinsame Tod, zum Beispiel durch das Würgegefühl im Schlund, durch den Druck in der Magengrube, durch die Angst, durch Rubins Schnarchen, durch das Schnarchen meines Mannes, durch das plötzliche Verlangen, irgendwas noch mal zu tun, irgendwas zum 1. Mal zu tun, und überhaupt alles rückgängig zu machen. Wer zuerst davon aufgescheucht wurde, rüttelt jetzt am todesnahen Schläfer, und wir bereuen unseren Entschluß gemeinsam, vergeblich. Wir sind beide längst zu schwach, um Gegenmaßnahmen einzuleiten. Uns kann keiner mehr helfen. Wir sterben sehnsuchtsvoll lebenshungrig vor uns hin. Wir vermeiden es, uns anzusehen, uns anzufassen, wir wollen versuchen, einander zu hassen, wir drehen uns voneinander weg. Aber nein: mein Mann beschwört die Notwendigkeit, konsequent zu bleiben. Laß alles unbereut. Er korrigiert zum letzten Mal meine Entschlußunverbindlichkeit. Rubin korrigiert zum letzten Mal meine Scheu vor der Zwangsläufigkeit, vor der Wahrheit. Das ist diesmal nicht der Tumult der Träne, das ist der Tumult des Richtigen. Wieder auf einem Bahnsteig und noch nicht auf dem verachteten Sterbelager, sagt Rubin: Wir sprechen eigentlich so uneigentlich. Ich müßte anders sprechen, ich sage dir also: ich lebe im permanenten Zusammenbruch bei, abgesehen von meiner schlechten Körperhaltung, aufrechter Gehweise, abgesehen von meiner schlechten tapsigen spreizfüßigen Gehweise, mein Liebchen. Und der konkreten Moralität nach müßtest du nun endlich in die Offenheit der Sprache treten.

Weil die Familie des Nachfolgers, obschon sechsköpfig, das gesamte Haus nicht benötigt, hat man der Familie des Vorgängers zwei kleine Räume vorläufig gelassen, worin sie bis zu einer imaginären neuen Lösung Sachen unterstellen darf. Die darin schlecht gehüteten Habseligkeiten hat die Familie insgeheim abgeschrieben. Wie für eine Auktion stehen sie da unten herum. Der Ruhestand-Mißstand kommt in seinen Auswirkungen einem Todesfall oder einem Bankrott gleich, er gibt Fremden das Recht, den Besitz meines Mannes in Abstellkammern zusammenzuscharren. Stuhl- und Tischbeine verschimmeln zuerst. Mit Rubin spreche ich überhaupt nicht darüber.
Zwar ist die neue Küche klein, aber Kitty verirrt sich hier. Die beiden Kühlschränke sind verkehrt aufgestellt worden. Die Möbeltransporteure waren überhaupt schrecklich. Das fand ich nicht, sagt mein Mann. Möbeltransporteure sind weder Seelsorger noch Nervenärzte. Dein Mann hat diesen schrecklichen Leuten den alten Säbel geschenkt, sagt Kitty. Dein geschiede-

ner Ehemann, denk nur. Den Säbel! Deine frühere Schwiegermutter ist ihr Leben lang auf diesen alten Säbel böse gewesen, wie du dich erinnern wirst, sie hat mit ihrer Wut auf das Ding sogar ihren einstigen Ehemann geplagt, sagt ihr lebenslänglicher Sohn, mein geschiedener, lebenslänglicher Ehemann. Was du nicht wahrhaben willst, das willst du auch nicht hören. Du leidest ja unter Verfolgungswahn. Kann schon sein, sagt Kitty und beruhigt sich, weil ihr Zustand benannt wurde. Früher haben sich die Küchenschränke andersherum gegenübergestanden. Wenn Kitty ein Messer braucht, läuft sie in der gewohnten, jetzt verkehrten Richtung und steht dann vor dem Schrank mit Küchenwäsche und Schüsseln. Mein Mann begreift nicht, wie es so unwichtigen Irrtümern gelingen kann, diese Frau zu tyrannisieren. Gäbe es doch nur nichts Schlimmeres auf der Welt als die veränderte Topografie einer Küche. Die Ausdrucksweise ihres Sohnes genügt schon zu Kittys Einschüchterung, und den auswendiggelernten Satz FÜR EINE HAUSFRAU IST IMMER ALLES AM SCHWERSTEN sagt sie verstockt. Zwischen ihrem Sohn und mir, die er zur Verbündeten macht — unsere aufgeklärte Überlegenheit gegen ihre törichte Betrübnis, unser Sieg über ihr Triviales — zwischen uns beiden aktenkundig Getrennten, aber Untrennbaren, kennt sie sich so wenig aus wie zwischen ihren feindseligen Küchenschränken. Auch wir stehen uns verkehrt herum gegenüber mit den unveränderten, nicht umgeräumten Inhalten. In dieser Behausung wimmelt es von Feinden. Etwas ist los mit allem. Die Möbel mag ich nicht mehr, denkt Kitty und will es denken. Sie zeigen sich von der schlechtesten Seite, auch die Teppiche. Sie sind Fallen. Sie sind kaum wiederzuerkennen. Sie ziehen den Staub an, die Möbel stehen wacklig, die Teppiche rutschen auf den Kunststoffböden und werfen Falten, am besten, man rollt sie wieder zusammen, auf Nimmerwiedersehen, ihr Muster! Ihr widersetzt sich das nicht mehr vertraute Inventar. Seit Jahrzehnten hat sie damit gelebt, jetzt bildet es Hindernisse. Das ganze Zeug, der Ballast, wozu haben sie es angeschafft, ihr Mann, ihr Sohn, Antiquitätennarren, diesen sperrigen Kram aus lauter Epochen, die sie nichts angehen. Die unförmigen häßlichen Radios der Familienmänner, die früher in angemessener Distanz von den alten Sachen hatten plaziert werden können, stören jetzt die Möbel und geben dem Zimmer einen kleinbürgerlichen Anstrich, auch der massive Fernsehkasten mit seiner beleidigenden konformistischen Politur. Jedoch gerade ohne ihn will Kitty nicht mehr auskommen. Ihn würde sie weder verbannen noch hergeben, nicht einmal zu einem allgemein günstigen Zeitpunkt für vorzeitiges Beerben.

Jedesmal überrascht mich Rubins Stimme, wenn wir telefonieren. Er hat gerade zum 3. Mal die Grippe, dem mißt er aber keine Bedeutung zu, sein übles Befinden liefert allerdings den sichersten Beweis für derzeitige Arbeitsuntauglichkeit. Auch Martha, stark bronchitisch; aber wie könnte man ihr tüchtiges Halbtagsverdienen mit Rubins Geistesplänen vergleichen, kurzum: sein Kopf fällt völlig aus. Meine Schwiegermutter gibt einen kleinen Tisch ab, sie hat keinen Platz, sage ich. Er weiß nicht, wovon ich spreche, er möchte lieber einen meiner kleinen Denkfehler aus einem meiner letzten Briefe mit mir durchgehen, ich wiederhole: Ein kleiner Tisch. Ein Sheraton-Tisch. Seine Stimme hört sich mürrisch an. Was ist das schon wieder? Nimm dir doch den Tisch, wenn er dir gefällt. Er ist ein bißchen ruiniert, so ein bißchen wie du, aber Teeflecken und so was, die Intarsien sind ziemlich hinüber. Wie reden wir überhaupt miteinander, fragt Rubin, was hast du denn heute? Kennen wir uns eigentlich — das Telefonat ist zu Ende. Willst du den Tisch oder willst du ihn nicht? Er ist aufklappbar. Der Spiegel unter der rechten Tischplatte ist zerbrochen. Du hast doch so schön Platz. Also gut, ich greife zu. Rubin und ich, wir werden nie zusammenleben. Ich brauche den Tisch überhaupt nicht. Ich nehme ihn. Rubin will mich immer wieder dann und wann für kürzer oder länger — für länger, will er — besuchen, er nennt das, nach seiner, also nach richtiger Auslegung, durchaus Zusammenleben; versteht sich, daß er gelegentlich nach den Bewohnern zu Haus sehen muß, nebenbei auch noch ein finanzielles Problem. Martha verschickt ihren Mann quasi als Warensendung stets gut ausgerüstet. Er hat in seinen überladenen Koffern und sackartigen, mit Kordeln verschnürten Taschen immer ausreichend Konserven, Tempotaschentücher, Familienfotos, er bringt Unterwäsche und Hemden für ein ganzes Leben mit, Schreibpapier für Jahre, verknäultes Kohlepapier, gelegentlich auch die Malsachen, die er aber eigentlich nur zu Hause braucht. Sein Gepäck ist kaum von der Stelle zu bewegen, besteht aus vielen unförmigen Teilen; biografische Alimentationen, das rasch und ausschweifend von Martha zusammengeraufte Plasma seines Milieus, mit dem er sich zu mir entfernen darf, bis sie nicht mehr kann, bis es mit Ruth so nicht mehr weiter geht, bis ihre Galle mal wieder streikt und sie morgens im Büro fehlen muß, bis also Rubin sein Zönobium zurückverfrachtet an den Platz seiner dort gleichwohl auch nicht ausgeübten Pflichten. Ein See erholt sich in 3 Jahren. Rubin erholt sich im Verlauf eines betäubten Nachmittags in schwieriger Lage. Er stolpert durch seine angeschwärzte überflüssige Frist. Nicht nur große Raubkatzen lagern sich bei kaltem Wetter dicht aneinander. Auch Igel rücken dann zusammen, aber sie haben Stacheln. »Lächerliches zivilisiertes Menschsein«, notiert Rubin in eine andere Notiz hinein, womit beide ohnehin hieroglyphischen Erschließungen einander auslöschen.

Und der holzgeschnitzte heilige Michael, wer hat denn den irgendwann einmal gewollt? Kitty war es sicher nicht, sie will ihn jetzt erst recht nicht mehr. Er bewacht den Fernsehapparat, an dessen linker Flanke ein elsässischer Zinnkrug nicht mehr seinem unumstrittenen Wert entsprechend aussieht. Daß Kitty sich heute noch daran erinnert, wie sie und ihr Mann, damals als Verlobte in einem unglaubhaften anderen vorzeitlichen Dasein, diesen Zinnkrug ihren oder seinen Eltern abgeluchst haben, zählt heute auch nicht mehr. Das war ja alles vor hundert Jahren. Das war umsonst. Es leuchtet ihr nicht ein, wieso sie das verdellerte Ding unbedingt hat besitzen wollen, wieso sie ihn tausend Jahre hindurch abgestaubt und hin und her gerückt hat, wenn er sie nun nur noch irritiert. Hier im Notwohnzimmer erweisen die Preziosen aus dem vergangenen Haushalt sich als Fälschungen. Man hat sich Jahre lang in ihnen getäuscht. Nun tritt der Betrug deutlich zutage. Zwar setzt Kitty die Abscheulichkeit des Fernsehmonsters sehr zu, aber dieses Ungetüm macht sich doch Abend für Abend nützlich. Die Sendefolgen und Serien, die Kitty besonders schätzt, haben den einschneidenden Vertreibungstermin überstanden und werden weiter ausgestrahlt. Das gleicht schon einem Wunder. Das beinah dunkle Zimmer, das vertraute Schälchen mit eingeweichten Trockenpflaumen, in der Dämmerung auf dem Teewagen ein Stück Papier für die abgelutschten Pflaumenkerne, und die Möbel sind nur noch Umrisse. Währenddessen lernt Kitty alles über den STOFF DER SCHÖPFUNG und über GRIECHENLAND UND SEINE GÖTTER, Serien, die sie aufs Angenehmste ermüden — und so ermüdet kilometerweit entfernt Martha spreizbeinig auf dem Bett vor ihrem Bildschirm, so ermüdet der ermüdete Rubin, alle von allem möglichen abgelenkt, zum Beispiel von abendlichem Juckreiz, zum Beispiel vom hochfliegenden Wahn abendlicher genialer Einfälle und von der graphomanischen Sucht, sie niederzukritzeln — mit dieser Sucht hat Rubin sogar schon Taschentücher ruiniert, wenn er kein Papier fand, aber was für Taschentücher, was für Fetzen, überwiegend meistens Damentaschentücher — und alle befreit von den im Bett üblichen, vielfältigen Einschlafstörungen.

Halbwach schlief ich gegen halb 10 ein. Es ist erst 3 Uhr, ich bin schon wach. Ich summe mir die Schw. Johanna in Nr. 606. Mit kalten sanften Händen berührt sie mich nicht unsittlich und schiebt mir den Katheter ein. Schw. Johanna sagt SO MEHR BRAUCH ICH GAR NICHT und verläßt unter Mitnahme des Glases Nr. 606. Es ist schon fast hell. Ich lese. Ich lese nicht mehr. Ich lese wieder. Ich verhalte mich nicht wunschgemäß.

Daß wir dieser Wohnung schon vor dem Umzug den Namen Notwohnung gegeben haben, sollte uns an das Provisorium erinnern, also helfen; der Name aber fügt der Behausung einen Makel zu, der jede neue kleine Verbesserung und jeden vorsichtigen Anfang der Eingewöhnung schwächt. Wir sollten ZWISCHENWOHNUNG, ÜBERGANGSWOHNUNG sagen. Der Zustand nach dem gegenwärtigen ist jedoch ungewiß, wird vielleicht nicht mehr von allen erlebt und daher ins Schweigen abgeschoben; ihn dennoch als Vorstellung und Plan bisweilen zu erwähnen, wirkt fast etwas ungehörig. Alles hat seine Zeit, antwortet der Vorgänger auf unser Drängen mit dem Nachfolger, mit dem Architekten, mit Schw. Soundso oder sonst einer unbereitwilligen tauben Person über das Projekt des Neubaus, evtl. auf dem Grundstück des B., zu sprechen. Entscheide dich, sagen wir, verlange, daß der Nachfolger den Verwaltungsrat einberuft, und der Vorgänger wiederholt: Alles hat seine Zeit. Jesaja 4, 10, sagt Rock, ohne es zu wissen und ohne daß es ihm jemand übelnimmt. Das von uns geräumte Haus hat renoviert werden müssen, der Nachfolger hat Änderungen anbringen lassen: Unkosten, die der Finanzlage des B. nun keine neuen Ausgaben mehr erlauben. Also ist der Übergang eine Einrichtung für länger. Schon kennt übrigens die Familie nicht mehr so genau alles Belastungsmaterial, das gegen die Notwohnung aussagt. Für Besucher, die selten kommen, und für mich entsteht der unveränderte Eindruck, die Bewohner dieser 5 Zimmer seien durch rätselhafte Schuld in Bedrängnis geraten. Bei allem Verständnis für deine Aufregung, sagt Rubin, muß man eines bedenken: weil es dir besser geht seit deinem Abschied von der ganz bestimmt liebenswerten Familie, siehst du das Pech dort verzerrt und übertrieben groß. Du siehst den Gegensatz. Rubin, Berliner Straße, Telefon 5 14 50, was verstehst du Bewohner überhaupt vom durchästhetisierten Alltag, vom zivilen Funktionieren, von der Humanitas des Milieus, ja derjenigen von Möbeln und Einrichtungsgegenständen selber, hm? Es stimmt außerdem gar nicht, daß ich es jetzt besser habe. Allerdings: das trifft zu: ich wohne schön, jeder Ausblick und jeder Anblick ein hedonistisches Fest. Trotzdem fällt mir das Weihnachtszimmer von früher ein und mitten ins Gewissen, sage ich auch nicht. Wenn das Haus leer war, bin ich durch seine Zimmer gegangen, ich habe Schranktüren und Kommodenschubladen geöffnet, auf der Suche nach gar nichts. Ich bin vom Speicher in den Keller gewandert. Tradition der Räume, der Treppenstufen, der Geräusche unserer Schritte. Die Würde der Familie schrumpft zum Gerücht ein. Hat er sich nicht gegen seinen Nachfolger zur Wehr setzen können, Ihr Mann? Ich höre, als hätte jemand gesagt: Ihr armer Mann. Oder was ist mit diesen Verhältnissen, mit diesen Leuten schiefgegangen? Etwa dies: die Kirchenleitung hat den neuen Mann falsch eingesetzt. Ist es das? Warum hat man sich nicht für einen jüngeren und weniger kinderreichen Mann entschieden, für einen Mann mit bescheidenen Ansprüchen, dem die Notwohnung genügt hätte, so daß deiner Familie — o ja, auch du, meine Liebe, auch du denkst ganz schön elitär und genau das leugnest du doch immer — das Haus geblieben wäre? Man kann gegen den Nachfolger sagen was man will, aber seiner Frau und der ältesten Tochter zuliebe ist er seit anderthalb Jahren auf die Konzerte der Städtischen Kammermusikzentrale abonniert. Der Nachfolger legt Wert auf bequemes Sitzen, daher wählt er stets Plätze in der 1. Reihe des 2. Platzes am breiten Durchgang, wo er die Beine ausstrecken kann und wo die Wanstigkeiten nach den Abendmahlzeiten unter keiner Raumnot leiden. Nebenbei: sie vertragen sich doch ganz gut, Vorgänger und Nachfolger. Mein Mann hat ja doch gar keine Zeit, den Nachfolger, wie verabredet, auf Dienstreisen zu begleiten, er muß dringend seine Bücher ordnen: unmögliche Leistung, die sich nur ein unmöglicher Mensch, etwa so ein enfant terrible wie Rubin, vornehmen könnte, um sie doch nie auszuführen — ultra posse nemo obligatur — warum hat er sich dennoch der unmöglichen Leistung verschworen? Der Nachfolger hat vor seinem Amtsantritt sogar in einem Presseinterview keinen Hehl machen können aus seiner Freude darüber, seinen Vorgänger in der Nähe zu behalten; sei er doch so in der glücklichen Lage, sich die Erfahrungen des Prädezessors anzueignen. Dort oben im behaglichen kleinen von der Wissenschaft durchdrungenen Ruhesitz des sehr verehrten Emeritus, den er so Gott wolle nicht in seinem otium cum dignitate störe, werde er so oft wie möglich anklopfen, um Ratschläge, Hinweise, Anregungen und Beistand einzuholen. Kitty hat die 30-zeilige Spalte im Lokalteil der Zeitung ausgeschnitten und, oben geknifft, zwischen Schublade und Kaunitzgehäuse geklemmt. Ihr Sohn hat zuvor einige Stellen im Text rot unterstrichen. Er wartet auf das Anklopfen. Wünscht er es denn überhaupt? Ist er denn nicht viel zu überlegen für den täglichen Umgang mit der kleinlichen Eitelkeit? Unten in den

Büros erwägt und beschließt man ohne ihn. Die Tatkraft des Nachfolgers duldet keine Verzögerungen, die 2 Treppen hinauf zum Vorgänger würden ihn unnötig aufhalten. Gönnen wir ihm doch die Ruhe für seine Wissenschaft, nicht wahr? Wir geben das Krankenhaus Giebel auf, ohne ihn zu fragen. Mit Schw. Natalie machen wir nun endlich kurzen Prozeß. Weigert sie sich weiterhin, aus dieser Sekte auszutreten, wird sie vom Dienst bei uns dispensiert, Schwesternmangel hin, Schwesternmangel her, denn wir sind evangelische Christen und sonst gar nichts. Für Station 3 findet sich schon ein unpietistischer Ersatz. Daß er so resolut ist, stört mich nicht an ihm, sagt Kitty, denn unterdessen tust du, was er so konsequent vermeidet: du vergeudest Zeit, du sitzt herum, du liest das Kursbuch, du drehst am Radio, du jammerst über schlechte Programme, über atmosphärische Störungen und über alles. Immer falle ich auf Unglücksgeräte rein, sagt mein Mann. Das Unglücksgerät bist du selber, sagt Rock und findet in seinem eigenen Transistorradio, das er wie eine Gitarre in der Armbeuge vor dem Bauch hält, jeden gesuchten Sender. Wenn dein Radio wirklich so schlecht wie scheußlich ist, wollen wirs mit Vergnügen wegwerfen, sagt Kitty. Hör dir das an, ruft mein Mann, aber Rock dreht CLOUDS überlaut. Geh mir mit dieser Wespe aus dem Zimmer, mit dieser Stechmücke, sagt Kitty. Helene versucht, Rock aus dem Zimmer zu scheuchen, wird angeschnauzt und damit um so mehr angestachelt. Das sind THE UNITED STATES, brüllt Rock. Weiter kann man den Lautstärkeknopf nicht aufdrehen. Laß deine alte Großmutter damit in Ruhe, ich bin die einzige in diesem Haus, die was zu tun hat. Das ist kein Haus, das ist eine Wohnung, eine Notwohnung, und das ist Dave Davies. Du mißt 1,63, Dave 1,77. Aber nicht nur um diese 14 cm, die dir zu seiner Größe fehlen, ist er dir überlegen, Großmütterchen. Das glaube ich dir sehr gern, sagt Kitty. Mein Mann verfolgt nun schon die TV-Nachmittagsprogramme und verachtet sich dafür. Um die ausbleibenden Hilferufe aus den Büros nicht zu verpassen, langweilt er sich bei einer Modereportage, während 2 Etagen tiefer an seinem ehemaligen Schreibtisch Fehlentscheidungen getroffen werden. In seinem Büro stehen noch seine Bücher. Mit den Jahren wird sich der Eindruck bilden, sie gehörten der Anstalt. Bald wird das niemand mehr so genau wissen. Der Stich, auf dem Melanchthon aussieht wie Murry, mein 1. Freund, war dem Nachfolger zu düster. Es hat ihn, der wirkt, als könne das keiner Gewalt des Himmels und der Erde glücken, es hat ihn deprimiert. Möchtest du den Stich nicht in deiner Wohnung aufhängen, wollte er von meinem Mann wissen, aber rascher als dessen Antwort, die wahrscheinlich JA gelautet hat, erreichte der Protest Kittys den Nachfolger, der daraufhin fand, am besten passe der Melanchthon doch in den Speisesaal der epileptischen Mädchen; in diesem freundlichen Raum, ja, wenn man ihn frage: in dem freundlichsten Raum des B. könne der Melanchthon nicht viel Trübsal verbreiten. Er selber entschied sich für eine reichlich Grün und Gelb enthaltende Sommerlandschaft namens ERNTE anstelle des Melanchthon. Er mußte lang nach einem Bild suchen, dessen Ausmaße die des Stichs übertrafen, denn unter dem Stich hat ihn die helle ursprüngliche Farbe der Tapete überrascht.

Ein Diensthaus ist schön für sachliche Bewohner, die sich nichts vormachen. Wir haben das Haus für unser Haus gehalten, der große Garten war unser eigener Garten. Der wahre Tatbestand kam abhanden.

5.50 h. So früh morgens gehen mich Tage im März noch gar nichts an. Schw. Johanna kommt mit üblem süßem Abführtee und Thermometer und hat mich, die irgendwann nach 4 Uhr doch noch einschlief, ganz unerschrocken geweckt. Es ist kühl, der Himmel bedeckt, vorläufig. Unnötige Tagesstunde. Ich messe 36,7. Ich wasche mich. Eine Schwester, die ich noch nicht kenne, heißt Sigrun. Schw. Hanna sagt: Soll ich denn nur Beine baumeln lassen?

Schw. Johanna fährt jetzt mit der Bahn in die Kreisstadt, in der sie wohnt, und wird erst um 7.30 h ankommen. Dann legt sie sich hin, schläft aber nicht den ganzen Tag.

Was tun sie draußen auf dem breiten Gang, der die Krankenzimmer, die mit ihren Fenstern und Balkonen nach Süden gehen, vom Zimmertrakt nach Norden trennt. Nach Norden gehen Bade- und Duschräume, die WCs, Untersuchungszimmer, das Säuglingszimmer, die Teeküche, ein kleiner Abstellraum, eine Besuchernische, ein kleines Zimmer für die Schwestern, das große Zimmer der Stationsschwester. Ich umgebe mich mit Papier, ich sichere mich ab, ich spiele Freiwilligkeit. Der unumkehrbare Hirntod ist bei weitem revolutionärer als der erzreaktionäre Herztod. Eine Revolution ist kein Gastmahl, kein Aufsatzschreiben, kein Bildermalen und Deckchensticken, sie kann nicht so fein, so gemächlich und zartfühlend, so maßvoll, gesittet, höflich, zurückhaltend und großherzig durchgeführt werden. Wenn aber ihre Mitstipendiaten Rasner und Ollek an Maos Worte glauben, warum fahren sie fort, Bücher zu schreiben? Ist nicht das Bücherschreiben ebenfalls erzreaktionär? Mit welcherlei Gericht ihr richtet, werdet ihr gerichtet werden. Frau Ammann hat bei jeder Niederkunft, die ihr vergönnt war (viermal), den Vorgang des Abnabelns bewußt verfolgt und jeweils den 1. Schrei vernommen. Was Besseres gibt es nicht. Sie würde sich, stände ein 5. Mal zur Debatte — aber jetzt knabbert sie nur noch und gelegentlich an Herrn Ammanns Ziegenbart — wiederum nicht um Abnabeln und Schrei betrügen lassen. Das analgetische Stadium reicht vom Augenblick des Versprechens bis zum Exzitationsstadium. Die Augen stehen ruhig. Die Pupillenweite der Augen hängt vom angewandten Narkotikum ab. Deutlich weit bis mittelweit sind Pupillen. Dies ist das Stadium für alle kurzen Eingriffe. Brechreiz tritt erst im Exzitationsstadium auf. Ich nehme an, man wird Sie auf der 2. Stufe des 3. Stadiums operieren. Das 4. Stadium geht bereits meistens in den Exitus über. Nur noch sofortige Herzmassage wendet denselben ab. Als Anfang des Todes kann man die Narkose dennoch nicht klassifizieren, respective denunzieren. Stark wirkt auch der sogenannte Cocktail lytique. Medizinische Fachausdrücke sind oft so zynisch. Der Geist der Wahrheit wird auch mich, wenn er kommen wird, in alle Wahrheit leiten. Rubin will es akut und hat was gegen das bei mir bezweifelbare, gefährliche WENN. Kurz vor 8 h. Schw. Hanna schnalzt andeutungsweise, weil ich mich nicht ausruhe; sie macht einen Witz, den ich nicht verstehe, es soll der Anfang eines Schlagers sein, den kenne ich nicht, den würde Rock verachten, ich lache aber, denn nebenbei bringt sie das Frühstück. Ein Dragée: weil es rosa ist und so groß wie das von gestern, halte ich es für das hochwirksame Abführmittel. Weitere Medikamente. Ich schlucke alles erwartungsvoll. Keine Schwester gibt mir Auskunft, wenn ich frage. Sie können da keine Ausnahmen machen. Auf dem Gang wird saubergemacht. 8.30 h. Die Putzfrau hat geklopft und ist eingetreten. Sie geht auf leisen Sohlen hastig. Sie ist vielleicht 60, eine verweint und verwest aussehende Frau, so eine, die man zu groben Arbeiten heranzieht. Sie ist geringfügig deformiert. Die Frau macht den Boden feucht und spricht sächsisch. Sie beschwert sich, weil ihre Nachmittagskollegin gestern abend nicht das Wasser hat ablaufen lassen, das wegen des Rohrbruchs in alle Wannen und Becken gefüllt worden ist. So hat diese Frau gleich heut morgen dicke Rostkrusten bekämpfen müssen und schon mit der Stationsschw. gezankt, die ihre Kollegin hätte richtig anweisen sollen. Dies hier, 606, ist ihr 3. Zimmer, sie hat insgesamt 8 Zimmer zu putzen, außerdem die sanitären Einrichtungen. Anschließend hilft sie beim Geschirrspülen in der Teeküche. Bei mir ist sie nach 3 Minuten fertig und wirkt etwas getröstet, weil ich sie in ihren Klagen über Rost und Kollegen und menschliches Verhalten, also unmenschliches Verhalten, unterstützt habe. Die Frau sagt AUF WIEDERSEHN und wischt noch über die Tür. Ihre ordentliche Frisur in kurzem glattem Anstaltsschnitt ist von melierter seidiger Beschaffenheit, aber das nützt niemandem auf der Welt.

Selbstverständlich gibt es eine Art von Prädestination zum Krankenhausinsassen. Selbstverständlich gibt es eine Art von Prädestination zum Stipendiaten. Wen würde das wundern. Eine Eignung, begünstigt von möglichst niedrigem Lebensalter, Gruppensinn und allgemeiner Umweltunempfindlichkeit. So was weiß man als Stipendiat spätestens seit dem Informationstreffen. Man wird schließlich beinah 2 Tage lang präpariert, etwa so lang wie vor Operationen. Ein würdiges Hotel, beispielsweise ein Jagdschloß, ländliche Kulisse, es soll schon ziemlich exklusiv sein, denn in uns soll sich Dankbarkeit bilden, und falls wir die billigeren Speisen auswählen und bei den Getränken zurückhaltend bleiben, werden wir keinen finanziellen Schaden nehmen. Unsere Rom-Gönner rechnen nicht damit, daß wir daran gewöhnt sein könnten, in Hotels dieser Kategorie abzusteigen, denn wären wir daran gewöhnt, wer weiß, ob wir das Rom-Präsent angenommen hätten. Dem gesellschaftlichen Stellenwert des Künstlers, als Stipendiat in ein mittelmäßig finanziertes Zwischendasein versetzt und so immer weiter am sozialen Rande, entspricht auch die Fahrpreisvergütung 2. Klasse, entspricht die abgeschlossene Tür zu privatem Bad und WC. Wozu Luxus? Hat Luxus denn je zum Wesen des künstlerisch Schaffenden gehört? Wer einwendet, eine vom Hotelier auf Wunsch des staatlichen Gastgebers versperrte Badezimmertür sei eine Kleinigkeit, der möchte, daß Künstlern Kleinigkeiten entgehen. Seid einfach dankbar insgesamt, ich übersetze: seid robust, nehmt es nicht so genau. Freut euch jetzt mal schleunigst wie sich das gehört auf Rom samt seinen Thermen, Katakomben, Basiliken, samt Zoo und San Pietro, Brunnen, Plätzen, Gassen, klassischen Stätten, dem International Hospital Salvator Mundi. Wir sollten nicht überflüssigerweise auch noch empfindlich sein, das kompliziert den Alltag, der sich mit der Bezeichnung AKADEMIEBETRIEB aufspielt. Warum stört Sie das bißchen Regenwasser in Ihrem Atelier, dem wohnlichsten von allen, es ist doch klar, daß die Fenster undicht sind, denn der Kitt wird schnell alt. Wo bleibt Ihr jugendlicher Schwung, muß man denn wirklich für Sie die Glaser bestellen? Wollen Sie ein Spielverderber sein? Also schön. Mitte Dezember, und die Glaser turnen übers Gerüst am Atelierfenster. Es dauert etwa 14 Tage — kann man sich nicht in Geduld üben? Haben Sie nicht selber um diese Ausbesserungsarbeiten gebeten? Noch kommt die Post, die wir beim Pförtner abholen, aus dem Diensthaus, noch nicht aus der Notwohnung.

Das Grundstück gliedert sich in 3 geräumige Terrassen. Auf der am höchsten gelegenen und nördlichsten steht das Diensthaus, der Blick aus den Südfenstern des 1. Stocks und der Mansarde umfaßt das ganze Gelände. Die unterste Terrasse, mit deren südlicher Begrenzung der Garten aufhört, wurde seit ungefähr 10 Jahren kaum noch benutzt und ist verwahrlost. Himbeer- und Brombeerhecken verwuchsen miteinander zu dorniger Wildnis, deren der Nachfolger sich annehmen wird: ein radikaler Schnitt, so kann er nicht umhin zu glauben, rettet den Bestand an guten Sträuchern. Mit den Erdbeerpflanzen wird jedoch sogar er kein Glück mehr haben und kurzen Prozeß machen; neue anzuschaffen, hat er fest vor, in einen Garten mit Kindern gehören Erdbeeren, 1. essen Kinder gern Erdbeeren, 2. eignen Kinder sich besser zum Erdbeerpflücken als Erwachsene. Mit STRAWBERRY FIELDS hat das überhaupt nichts zu tun. Zuallererst aber, das steht für den Nachfolger felsenfest, wird der Sandboden dieses unteren Gartenteils mit einem passablen Düngemittel aufgepulvert, aktiviert, wachgerüttelt, auf Vordermann gebracht, der Sandboden kriegts gezeigt, der Nachfolger liest dem Sandboden die Leviten und treibt ihm die Unfruchtbarkeit aus. Im Mittelteil des Gartens haben unsere Bäume und unser Gebüsch die Grasflächen und die Kieswege eingeengt. Die Pflanzen wuchsen aufeinander zu und wollten einen Wald bilden. Wo ist der Bleichplatz für die Frau des Nachfolgers? Trotz modernster Waschmittel, die auch an ihr nicht ungeprüft vorbeigegangen sind, liebt sie noch die altmodische, aber hochwirksame Methode des Begießens von weißen Wäschestücken, die auf einem Wiesenstück ausgebreitet in der Sonne liegen. Dem Unterholz rückt der Nachfolger zunächst mal zuleibe. Später prüft er den Baumbestand. Ein Garten ist kein Wald, ein Garten ist keine Wildnis, ein Garten ist keine Gedankenverlorenheit, ein Garten ist ein Programm. Dem Gärtner Schraub wurden die Zügel straffer gezogen. Schluß mit dem Schlendrian der Flora und der Angestellten. Freiheit und Toleranz in Ehren, aber wer nicht selbst der Meister ist, muß ab und zu seinen Meister spüren. Schraub zieht dem Nachfolger ein Gesicht, weil der ihm befohlen hat, eine Buche zu fällen. Buchen fällt man nicht. Schraub verachtet die Schwester, die den Mord an der Buche auf dem Gewissen hat, womit sie nun seines belastet.
In unserem ehemaligen Dschungel der mittleren Grundstücksterrasse blieb dem Teich ein schattiger Platz. Mit seiner 1. Verlobten, die ihn zu jenem Zeitpunkt vielleicht noch heiraten wollte, er sie vielleicht auch noch, hat mein Mann diesen Teich angelegt, dies Becken ausbetoniert, die Konstruktion des Springbrunnens stammt von der damaligen Verlobten, einer

Statikerin; und ich habe aus Rocks Spielzimmerfenster in diesem Ausschnitt des Gartens die Bauarbeiten der beiden in meinen Vorstellungen verfolgt. Helene war es, die damals wirklich zusah, immer in der Hoffnung, die zwei würden sich küssen. Helene hat im Gras gesessen und die Haare ihrer Puppe straff zurückgekämmt und den Zopf nicht anflechten können; ich habe von hier aus später die Fische beobachtet, ich war die erste, die den Tod des Fisches Paulum bemerkt hat, das alles aus diesem Fenster und hinter sämtlichen von der Robinie befolgten Jahreszeiten, ich behielt den Teich im Auge, stellte Regen fest auf seiner mulmigen Oberfläche, nahm das von einer speziellen Krankheit für Seerosen verursachte Vergilben und Einschrumpfen der Seerosen zur Kenntnis, den Befall des Wassers von Rotalgen, ich sah im Herbst den Teich verschwinden unter der schuppigen Laubschicht, die Rock mit Obstpflücker und Harke abhob, bevor er den Teich, diesen Teich ohne Abfluß, eimerweise für den Winter leerschöpfte, meistens nach dem 1. Frost, also zu spät. Jede dieser Rollen in Haus und Garten war den Spielern auf den Leib geschrieben. Rock hat den Teich vor dem Auszug zerstören wollen, zuletzt aber doch den Aufwand zu groß gefunden. Nur die Fische wurden auf Freunde und Bekannte verteilt. Jetzt schwimmen sie nostalgisch wie sie sowieso aussehen durch die aufgeschwemmten Klimalandschaften fremder Zimmeraquarien, die Familie hat dafür gesorgt, daß ihr Umzug auch sie betrifft, mit ihren Unterwasseraffären, ihren hermaphroditischen Liebesverhältnissen.

11. 9. Krefeld, Mitte September Ravensburg, 25., 26., 27. 9. Meschede/Neheim-Hüsten/Meschede, 4. 10. Mondorf. 14. 10. Lüdenscheid, 15. 10. Wuppertal — während Rubin mich, purer bewußtseinskniffliger, vergangene Liebenswürdigkeiten ausgleichender Vorgang, ein bilanzierendes Sexualunternehmen; in Österreich betrog, nichts weiter als eine Kompensation, mein Liebchen, wenn du frivol sein willst, bitte, eine Kompensation — 21. 10. Biel, 22. 10. Baden-Baden, und so weiter mit Stuttgart, Erlangen, Köln, Würzburg, Wertheim, Köln, Braunschweig, 30. 1. Wolfsburg — demnächst Essen, Dortmund, Schwäbisch Gmünd, Saarlouis — aber warum lassen Sie denn überhaupt so viel / Lohnt es sich / Ich selber . . . Ihr anders und vielleicht konsequenter oder auch seriöser denkender Kollege . . . Ich ziehe mich mehr und mehr aus diesen Öffentlichkeitsakten zurück / Ich schreibe und schreibe wissen Sie / Mir bringt mein Klausurleben mehr ein / Und dank dieser Entscheidung für die Zurücknahme meiner Person wächst nun

schon mein dritter Roman auf einen geradezu unheimlichen Umfang zu ... Man muß doch beinah glauben, daß du dich immer wieder auf zu Haus freust, sagt Rubin, immer Ansichtskarten, immer immer, wenn ich dich auf diesen Reisen beobachte. Mit dem Soft-Schreibfix, der dicke Buchstaben macht und den er mir geliehen hat, selbst sehr erstaunt über ein einziges funktionierendes Schreibgerät unter 20 bis 30 Untauglichkeiten in seinen Taschen, muß ich meinen Satz an die Familie abkürzen. Die Farbe der Senfsoße im Bahnhofsrestaurant von Herford war es nicht, die uns den Appetit verdorben hat. Wir denken immer irrtümlich, eigentlich müßten wir jetzt mal Appetit haben. Wir essen unfroh, wenn wir zusammen sind. Ich halte das für ein schlechtes Zeichen, ich halte das für ein gutes Zeichen, es paßt ins Szenarium. Die psychische Not im Gedärm — jetzt stockt auch dieser unheimliche verwendbare Schreibstift, wird Rubin wieder zur gewohnten Tücke des Objekts, und liefert für die HERZLICHEN GRÜSSE keine Farbe mehr. Ich komme im Satz DAS WETTER, DIESIG / FEUCHT, WÄRE NACH DEINEM GESCHMACK, ROCK schon bei WÄRE nicht mehr weiter. Warum schreibst du denn an alle, warum nicht nur an deinen Sohn, fragt Rubin. Du schreibst immer an deinen Mann mit. Rubin deutet sich auf die blaue Jacke. Bin ich dir doch zu wenig, ich Idiot? Idiotie. Auch ich deute auf seine blaue Jacke, dann auf die hellgraue Hose, und sage: In Amsterdam haben alle Männer so ausgesehen. Aha. Ziemlich enttäuschend. Wir versuchen es wieder mit einer Gabel voll Reis; in Senfsoße zerquetschte Klebrigkeit. Mein Mann ist übrigens sehr vernünftig, sage ich. Dein Mann war mir ja schon immer sehr sympathisch, sagt Rubin. Mir ist er auch sehr sympathisch, sage ich. Im Flughafen von Kairo sind Abschiedsküsse verboten 1) behindern sie den Verkehr, 2) verletzen sie die Gefühle derer, die nicht geküßt werden. Empfangsküsse hingegen sind erlaubt. Dem mickrigen Alten am Nachbartisch gelingt es nicht, den Kellner mit üblen Blicken, die er sich bei abgenommener Brille wirksamer denkt, an seinen Tisch zu dirigieren. Er will endlich seine Bestellung aufgeben. Er ist am Verhungern. Stets stehen Blicke des Kellners zum Alten unmittelbar bevor, es ist eine dauernde peinigende Hoffnung. Der Alte hat sich zurechtgelegt, mit welcher Bemerkung er den Kellner empfangen will, er ist sich auch klar über den bissigen Ton, in dem dies geschehen soll. Seine Essenswünsche weiß er inundauswendig, er ißt unaufhörlich das Geplante mit großer Gier, die Portion kann ihm gar nicht mehr genügen, je länger es dauert mit dem imaginären Runterschlingen, desto aussichtsloser die Ernährungslage, mit seinen knittrigen Lippen memoriert er die Bestellung. Vertriebe ihm der Ärger doch den Hunger. Rubin und ich, wir haben aufgehört, trüben Reis auf triefenden Gabeln zum Mund zu heben. Als der Kellner endlich vor dem Tisch des Alten steht, scheitert dieser beim Versuch, seinen Groll in die Bestellung zu mischen. Übrig bleibt an unserem Tisch sogar die matschige Salatportion. Das ist keine Gleichgültigkeit, das ist nur eine Angewohnheit Rubins, schräg an mir vorbei zu sehen. Schräg gegenüber bestellen Schülerinnen Coca Cola und Kaffee. Paßt es nicht besser zu diesem Augenblick vor dem Abschied, daß wir uns ansehen und irgendwas sagen? Also: was machst du, wenn du nach Hause kommst? Rubin macht sich ganz drakonisch und mit entscheidender Energie an die entscheidende Arbeit. Zuvor legt er sich allerdings etwas hin. Wer an Narkolepsie leidet, schläft, bei abrupter unvorhersehbarer Übermüdung, ein, ohne etwas dagegen unternehmen zu können. Ich habe neulich wieder von dir geträumt. Das ist gar nichts, ich träume am Tag von dir. Tant pis, ich weiß zwar nicht genau was es bedeutet. Es ist bestimmt falsch, an dieser Stelle. Wir essen sogar die Fleischklößchen auf italienische Art nicht auf, Rubin bestellt aber einen 2. halben Liter Bier. Der Nachbargast vertilgt jetzt das Ergebnis der Gleichgültigkeit des Kochs. Er fixiert jeden Bissen; daß er nicht satt wird, bleibt seine trostlose Gewißheit. Es ist in Herford nicht verboten, sich beim Abschied zu küssen. Der Kellner fragt: HATS GESCHMECKT, aber sein Blick meint keinen von uns und unser NEIN hätte er nicht gehört. Wir haben DANKE und JA gesagt. Wir haben eine Kirche betreten in der Absicht, uns zu küssen, der Eintritt kostete aber nur bis zum Lettner nichts, und wir sind nicht weitergegangen. Deinen Mann mag ich, sagt Rubin. Ich auch, antworte ich. Bis zum Lettner war die Kirche belebt. Wir haben uns hinter dem Schild SCHWERHÖRIGE NEHMEN RECHTS PLATZ UND STELLEN IHR GERÄT AUF INDUKTIV in einer der letzten Chorreihen auf blankgewetztes Holz gesetzt. Deine Frau ist ja auch sehr nett, nett zu mir, sage ich. Rubin hat es nicht gern, wenn ich statt MARTHA DEINE FRAU sage. Ich soll sie auch nicht so pauschal nett nennen. FRAU MARTHA, nennt er sie in der an die Beschimpfungen seiner Lebensbedingungen gewöhnten Öffentlichkeit. Ich werde also zu Haus sagen: du hast die Reise gut geplant, es war noch Zeit für eine Kirche bis zum Lettner, für ein gemütliches Mittagessen mit italienischen Fleischklößchen, es war überhaupt keine Hetzjagd, vielen Dank. Kommt das der Wahrheit näher? Diesen Zynismus schätzt Rubin überhaupt nicht. Mein Zug fuhr dem Bahnhof in den Vorsignalbereich, auf Perrons gelingt kein Abschied, und schon reise ich weiter, für kurze Zeit zurück zu den Empfängern meiner Ansichtskarten. Die Städte, die Hotelzimmer, die

Frühstückszimmer, die Frühstückskellner, das Frühstück jeweils; die Bekanntschaften mit den Veranstaltern der Reisen, die Ankunfts- und Abfahrtszeiten, die plötzliche methodische Frist der Ungnade für Rubins plötzlich überdeutlich und erschrocken erkannten Kummer und für Tränen und für meine hastigen Trostsätze — aber wann hätte ich gewünscht, zu bleiben, da oder dort, in den schludrigen Übergangsasylen, bald wiederzukommen? Der D 507 richtet sich nicht nach meinen ungenauen Vorstellungen darüber, wohin ich vielleicht will. Zwischen Kanalsystemen, Zechen, Schrottplätzen und rußgeschwärzten Hollandintervallen wenden wir uns nach Südwesten, aber mein Blick in den Spiegel über der Sesselbank beharrt auf der Gegenrichtung, obwohl mich die Ruhe jetzt erleichtert, hier in meinem leeren Abteil und mit gemischten Erinnerungen. Ich nehme mir vor, Rubins Freiheitsbegriff mit Rosa Luxemburg ins Duell zu fordern. Ich schreibe ihm einen Brief auf filziges Handtuchpapier aus dem Zug-WC: Freiheit ist immer nur die Freiheit der Andersdenkenden. Bremer Gericht verurteilt Toten zu 10 Monaten Gefängnis ohne Bewährung, anschließend weist ihn das Gericht in eine Heil- und Pflegeanstalt ein. Interessiert es dich, daß man jetzt Hirnhormone synthetisch herstellen kann? Rubin, selbst die Wissenschaftler sagen: der Tod ist oft unbegründet. Wir sterben alle ganz verhaltenstypisch, systematisch und überhaupt nicht individuell. Vor 150 Jahren gab es noch den Besenfisch.

Gestern noch war ich mir böse, weil ich nicht in einem unverfänglichen Gefäß etwas Schnaps in meine Ausnüchterungszelle Nr. 606 eingeschmuggelt habe. Heute bin ich Wünschen gegenüber unempfindlich. An diesem Entbehren ist keine Ethik beteiligt, sie ist unphilosophisch. Wann wird nach meinem Befinden gefragt? Wann wird ein neues Medikament verabreicht, eine matte Suppe serviert, sonstwas Leichtes, Gesundes, Einschläferndes? Seit wann trinke ich Saft? Seit heute. Dem Veranstalter und selbst schriftstellerisch tätigen Seibert schließt Frau Seibert sich beim Postulat der Klarheit an. Herr Seibert schreibt sehr klar. Frau Seibert liest zur Zeit mal wieder mit großem Gewinn das Frühwerk ihres Seibert.
9.25 h. Die Sonne scheint wie gestern. In den Anlagen zwischen Frauenklinik, I-Bau, Chirurgischer Abt. und Innerer Abt. wurde der repräsentative Springbrunnen angestellt. Das Geräusch hört sich erfrischend an. Von der Narkose à la reine haben wir noch gar nicht geredet. Benannt nach Queen Victoria und 1853 zum 1. Mal angewandt. Von Beckett, so weit er

als Bühnenautor hervorgetreten ist, halten die beiden Ammanns doch recht viel. Dem Ehrengastehepaar Ruland verschlägt es täglich von neuem beispielsweise vorm Kolosseum die Sprache und zwar vor Staunen und es ergeht ihnen auf dem Aventin überhaupt nicht anders. Diese Generation versteht es noch, zu bewerten und zu genießen. Ehrengast kann jeder werden, der jemanden kennt, welcher ihn einem Kultusministerium als Ehrengast empfiehlt. Martha schreibt Bewerbungsbriefe. Rubin besitzt gewisse Chancen, Ehrengast zu werden. Martha könnte es einrichten, seine zwei Ehrengastmonate mit ihm in Rom zu verbringen. Rubin wird unter gar keinen Umständen mit Martha eines der Ehrengastappartements beziehen.

9.40 h. Auf dem Gang dauernd das Platschen der Schwestern in ihren Gesundheitspantinen. Schw. Charla hetzt undefinierbar durch Nr. 606. Ich biete ihr meine Hilfe bei der Arbeit an, ich sei noch nicht verschlafen; da erfahre ich, daß ich längst Luminal eingenommen habe. Sie rät mir, schläfrig zu werden.

10.15 h. Schw. Hanna putzt mein Waschbecken. Danach das Gestänge der beiden Betten. Der Chef achtet peinlich auf Sauberkeit. Er darf um Himmels willen keinen Staub vom Bettgestänge abstreifen können. Schw. Hanna poliert auch das Gestänge unter der Matratze. Währenddessen erzählt sie von ihrer günstigen Wohnung in der Stadt. Aber im Parterre stört die Maxi-Bier-Bar. Ihre beiden Geschwister sind, wie sie es nennt, ausgeflogen. Der Bruder flog als Lehrer ab. Die Schwester fliegt als Hauswirtschafterin, sie will nachträglich Abitur machen. Schw. Hanna sagt: Ich war in Potsdam verheiratet, ich wurde sehr krank, dann Schwester, zuerst mal Gastschwester. Sie trägt eine selbstgemachte Fantasietracht, große graue Hemdblusenröcke. Die Blusen hat sie aus Hemden ihres im Ural begrabenen Mannes geschneidert. Ihre Tüchtigkeit geht aus dem Lokalaugenschein hervor. SO FRÜH VERLOR ICH IHN. Sie kam nicht dazu, irgendwas über die Haltbarkeit schlechter Ehen zu erfahren. Narkose: kurzer Rausch im Augenblick des Durchschneidens des Kopfes. Herr Seibert bewegt seinen Mund, der wie eine ausgelappte Operationsnarbe aussieht, aber nicht wie die künstlerisch vollkommene Narbe eines Tomomanen. Herr Seibert will über die Schmetterlingsart VANESSA sprechen. Die Erzreaktionäre sind wirklich unbeugsam, aber nicht stark, und letzten Endes wird sich ihre Unbeugsamkeit in Hundedreck verwandeln, der von der Menschheit verachtet wird. Wohin mit der Menschheit, wohin überhaupt? Frau Seibert liest nun weißgott so ziemlich alles, was über die Zukunft der Menschheit publiziert wird. HAPPINESS

IS THE MEDIUM IS THE MESSAGE. Glauben Sie etwa noch an den Begriff des Privaten? Wie meinen Sie das?

Der Professor, wieder in leichter vergnügter Trance, lobt die Schönheit des Zimmers 606. Er findet mich noch zu aktiv. Er hebt ein Beatle-Album an. Er fragt mich DAS MÖGEN SIE DOCH NICHT ETWA und verordnet daraufhin Dominal und Atosil, denn ich versichere, als Protest auf seine musikalische Unkenntnis werde ich mit betonter Wachheit reagieren. Er lächelt, er lacht, er verläßt lächelnd das Zimmer. Wir tun, als sei ich zum Spaß hier. Immer noch haben wir dieses Nette, leicht Anrüchige, Geheimgehaltene miteinander vor, und wir wollen gleichzeitig über die Reizschwelle. Die Spannung. Die Vorfreude.

Ich bin auch gestern wieder um einen Tag gealtert. Es gibt Tage, an denen ich um einen Monat oder um mehrere Monate altere, obwohl die Anzahl der täglich, d. h. nächtlich absterbenden Gehirnzellen gleichbleibt. Diese Gehirnzellen werden niemals mehr erneuert. — Ich habe Zeit zum Ausruhen. Ich habe Zeit, während die römischen Glaser mir die Zeit stehlen, zum Ausruhen. Ihre Wohnküche ist doch jetzt ganz freundlich mit dem ganzen bunten Zeug, das sie an die Wände gepinnt haben. Ihr Vergleich mit einer Jugendbesserungsanstalt war übertrieben. Szenen aus dem Jagdschloß. Jagdtrophäen. Einsilbigkeit sieht nach Einverständnis aus. Rasner erkundigt sich nach der Firmenmarke der Matratzen in der Dt. Akademie. Unsere Gastgeber bitten uns Satz für Satz um Nachsicht gegenüber dem bürokratischen Zungenschlag der Hausordnung, die einst ein Innenminister unterschrieb. DER STIPENDIAT IST GEHALTEN ... KEINE TISCHBEINE ABZUSÄGEN / NICHT MIT KOCHPLATTEN ZU HEIZEN ... Ein Rom-Experte ist ein Rom-Enthusiast. Er erzählt von Rom, Goethe, Italien. Uns um eine Hauptstadt verlegenen Deutschen werde nun stellvertretend fruchtbarer geistiger Austausch in Italiens Metropole geboten. Rom, italienisch Roma, ist mit über 2 Mill. Einwohnern die größte Stadt des Mittelmeerraums und eines der interessantesten Zentren Europas. Im Jahr 510 wurden aus Rom die Könige vertrieben. Unser großer Olympier, ich brauche keinen Namen zu nennen, hat seine ITALIENISCHE REISE ja auch erst nach der italienischen Reise geschrieben, erläutert der Ehrengast Ruland. Profitieren müssen Sie schon. Lernen Sie vor allem die Landessprache. Una famiglia mangia molto pane. Comprete tanto pane? Gli amici hanno mangiati troppo pane. Allegro ma non troppo. Begreifen Sie, wozu der Passato remoto gut sein soll, fragt mich der zukünftige Stipendiat Jakobs in einem Brief aus Ravensburg. Fui fosti fu fummo foste furono? Ob es viele Italiener gibt, die den P. R. benutzen? Ich rate Jakobs, falls er geräuschempfindlich ist, nicht ins Atelier Nr. 7 zu ziehen, und er ist geräuschempfindlich, kaum weniger als seine Frau. Wir lernen in den Monaten November/Dezember 2mal pro Woche Italienisch mit den Lehrbüchern BUON GIORNO, BAMBINI.

10.50 h. Ich komme zurück vom Röntgen. Wieder brachten mich die beiden munteren Hausfrauenbundhausfrauen in die Innere Abt. und zwar unterirdisch diesmal. Schon bekommt mir die Außenwelt nicht mehr. Die Röntgenabteilung befindet sich im Souterrain der Inneren Abt. Der Bau der Inneren Abt. ist der älteste Bau im Gebäudekomplex der Städt. Kranken-anstalten. Die gesprächigere und noch um einige Schattierun-gen lustigere der 2 Hausfrauen hat mir erzählt, sie habe sich vor einigen Jahren gutartige Neubildungen, aber Mißbildun-gen, vom Professor entfernen lassen. Aus Dankbarkeit für diese schönen Stunden und den seit 5 Jahren anhaltenden Er-folg helfe sie nun den vielgeprüften Schwestern mit eben jenen kleinen, aber nicht ganz nebensächlichen Diensten. Auf einem der Flure schieben wir am Schiebebett einer Patientin. Die Hausfrau redet diese von Frottiertüchern und Waschlappen begrabene Greisin mit FRAU STRAUSS an. Frau Strauß bleibt stumm und bewegungslos und ist vermutlich schon gestorben. Die Hausfrau sagt SO FRAU STRAUSS DA WÄREN WIR FRAU STRAUSS, und FRAU STRAUSS wird von einer anderen heiteren Hausfrau einen anderen Gang hinuntergeschoben, unsere Wege trennen sich, beinah selbstverständlich für immer.

Das Röntgengerät, auch Röntgenapparat oder Durchleuch-tungsgerät genannt, der Schalttisch, der Durchleuchtungs-schirm, der kippbare Durchleuchtungstisch, der Strahlenschutz, die fahrbare Kanzel, der Röntgenarzt oder auch Röntgenologe, dessen medizinisch-technische Assistentin, bzw. mehrere As-sistentinnen, die Adaptionsbrille, die Schutzhandschuhe. Röntgentherapie, Radiumtherapie. Gammastrahlenbehand-lung der Haut- und Krebskrankheiten.

Der Saft, blaßrosa, ist eisgekühlt, das weiß ich ab heute, denn ab heute trinke ich Saft. Die Türen sind dick, schließen weich und schaffen mit ihrer polierten Holzfurnierung eine wohn-liche Atmosphäre. Das Krankenzimmer sieht im Umkreis der Tür wie ein Appartementzimmer aus. Die Anstaltsleitung hat gemäßigt moderne bildende Kunst zur Ausschmückung der Krankenzimmer angeschafft. Zumeist Aquarelle, stückweise auf die Zimmer verteilt, nehmen den Krankenzimmern ziem-lich viel vom Merkmalhaften der Krankenzimmer. Mir gegen-über an der blaßgestreiften Wand hängt das in seiner alles offen lassenden Ungenauigkeit niemanden beunruhigende Aquarell eines der nicht umstrittenen einheimischen Künstler. Es stellt den Ausblick von einer hochgelegenen Terrasse dar, südliche Landschaft, wenigstens Tessin. Die Terrasse gehört vermutlich einer kleinen, mittelmäßig pittoresken Pension vermutlich unter dt. Leitung an, die Pension wird von Bildungsreisenden aller Art vorzugsweise aus nördlichen Ländern besucht. Dem einheimischen, nicht umstrittenen Künstler liegt sie sehr am Herzen wegen der harmlosen aquarellgeeigneten Ausblicke, in denen er das Phänotypische der Kulisse ohne Schwierigkeiten erfaßt. Blau deutet Gewässer an, ist aber geschickt in Laubgrün und allgemeines Gegend-Braun vertupft. Worauf mein Blick vom Bett aus geht: das ist die Westwand mit dem Aquarell. Unter dem Aquarell steht das Besucher-Sesselarrangement. Die Fensterfront mit dahinterliegendem Balkon reicht über die ganze Südseite des Zimmers. Gegen die Ostwand stoßen die Kopfteile der beiden Betten, mit dem Bett am Fenster habe ich Glück, denn darin liege ich, mit dem Bett in der Nähe des Waschbeckens habe ich Glück, denn darin liegt niemand. Ich habe vor, während meines Aufenthaltes beliebt zu sein. Von meinem Bett aus gesehen befindet sich rechts die Nische mit dem Waschbecken, mit den sanitären Gefäßen und Instrumenten. Reinigungsschläuche aus rotem Gummi, Fingerlinge, Speibecher, Irrigatoren, Spülgläser. Die Nische ist zwischen Wandschrank und breiter, wohnlich mittelbraun polierter Tür in die Wand zum Gang eingelassen, das ist also die Wand, die mein Zimmer nach Norden und zur Außenwelt der Station 6 hin abschließt.

Mein Mann, ein Briefchen von Kitty, Unterschriften Rocks und Helenes. Immer mehr Sonne im Zimmer, immer weniger Neuigkeiten. Der Besuch des Films hat sich mittel, ziemlich, kaum, doch etwas gelohnt. Er ging früh ins Bett. Er hat wie ich keinen Alkohol getrunken, aber ohne jede Sentimentalität, nicht einmal aus Solidarität, ebenfalls sentimental, sondern einfach so. Ein Schontag für die Leber pro Woche. Er wird auch heute wieder früh ins Bett gehen. Rock? Da ist wenig zu machen. Man hört nichts von ihm, wenn er sein Radio mit unter die Bettdecke nimmt. Ja: ich bin dafür, daß er sich jetzt davonmacht; nein: ich will nicht, daß er nachmittags extra nochmals in die Stadt fährt, es geht mir gut. Mir steht etwas bevor.

12.40 h. Eine neue Schwester hat SCHWESTER CHRISTEL gesagt. Sie spricht bei anhaltend guter Laune mit pfälzischem Dialekt, den sie nur manchmal, unvermittelt, hochdeutsch zu verfälschen versucht. Bei diesen jeweils kurzen linguistischen Abwandlungen dehnt sie die Vokale, spricht sie langsamer. Das winzige, kompliziert geformte Haubenjuwel verschwindet beinah im toupierten Haar. Nr. 606 duftet nach kurzem Aufenthalt Schw. Christels nach Schw. Christels gutem Parfum. Über meine Frage nach der Marke des Parfums freut sie sich, sie will sie mir vielleicht später mal verraten; hat sie nicht irgendwo gelesen, eine Frau verrate nie, welches Parfum sie benutze, und sie ahnt nicht, daß ich ihr Parfum nicht kaufen werde. Sie betrachtet mit jahrealtem Pulsübungsblick ihre Armbanduhr. Wie viele im Krankenhaus Beschäftigte redet sie mit mir in der 1. Person Plural, womit sie sich freundlich-unsinnig in meine Lage einbezieht. Sie sagt VON JETZT AN TRINKEN WIR ABER NUR NOCH TEE. Schw. Charla, allerdings ohne die zu mir heruntergebeugte Konjugationsform, sagt: Ihr EKG war ganz in Ordnung. Mehr kann sie jetzt unmöglich mitteilen, denn sie muß dringend weiter, der kurze lange Tag wird immer kürzer und immer länger, lang ist sie schon auf den Beinen und wird es lang, aber zu kurz bleiben. Der lange Tag hat sie schon reichlich ausgehöhlt. Aber wäre er nur länger. Gut, daß er nicht noch länger ist. Er ist und bleibt zu kurz und zu lang, ihr dialektischer Tag. Ich bleibe zurück im Bett bei meiner präoperativen Bequemlichkeit. Die Schwestern haben keine Zeit, Märchen zu erzählen, die Schwestern jagen draußen herum, und auch mir nur zum Schein bleibt die Zeit stehen, ich höre immerhin das Glockenspiel vom Schloß mit seinen verstimmten, zeitmesserischen Chorälen alle Viertelstunden.

Ach, aber keine Spur: die verfluchte Rom-Zeit möchte ich gar nicht mehr missen. Auch schlechte Erfahrungen sind gute Erfahrungen. In der Halle werden jetzt zur Zerstreuung aller Gäste Süßigkeiten von der Firma PERUGINA verteilt. In den Pralinés stecken kleine Zettel, und zwar nicht zwischen Folie und Schokoladenrand, sondern zusammengerollt in den Krokantinnereien der Pralinés selber. Dort werden sie fettig, bleiben aber, auf besonders präpariertem Papier, gut lesbar. DER KUSS IST EIN LIEBESVERSPRECHEN DAS MAN NICHT VERGESSEN KANN. THE KISS IS A REMEDY FOR HEART TO STAY YOUNG. LOVE CAN DO MUCH, BUT MONEY CAN DO MORE. Haben Sie da nicht die Substantive falsch angeordnet? But CAN love do more? No idea. LE BAISER EST LE FEU VERT DE L'AMOUR. Wird unsere Rente einmal reichen? Is it one law for everyone and another one for pop people, fragte Mama Cass anläßlich ihrer Inhaftnahme bei der Landung in Southampton/England, und ihre Stellungnahme veröffentlichte der RECORD MIRROR unter der Schlagzeile THE STRANGE CASE OF MAMA CASS, und Rock hat uns das ganze Material nach Rom geschickt. Zählen Sie doch mal nach, wie viele Künstler im Verlauf der

Geschichte über genügende Barzuwendungen verfügt haben.
12.42 h. Ich bin eingefleischter, eingeschworener Safttrinker. Bald wird es sich um Saftsucht bei mir handeln.

Und ziemlich erschöpft kehren die amerikanischen Verwandten von der alljährlichen Sportausstellung zurück. Sie haben unglaublich viele Boote in allen Größen gesehen, meist aus Fiberglas gepreßte; unglaublich viele Boote in allen Spielarten und unheimlich viele Wohnwagen, geradezu unheimlich viele Anhänger, Aufsetzer, teils halbzeltlich zum Aufklappen, teils unheimlich solide, kleine und große, ganz kleine und ganz große. Aber der Clou war doch wohl das Luftkissenboot, wie? O nein, für Thelma nicht, ihr hat der vorgeschichtliche Fisch wie alles Vorgeschichtliche allen Booten und Wagen, Anhängern und Aufsetzern die Show gestohlen, dieser gerissene Coelocanth, der es fertigbrachte, die Wissenschaftler reinzulegen und sich seit Millionen von Jahren als verschollen auszugeben, bis er schließlich doch im Indischen Ozean aus sehr großer Tiefe gefischt wurde, der Gauner. Gegen diesen Halunken von einem Coelocanth kam trotz seines Gewichts von 1017 Pfund der Blue Marlin, eine Art Speerfisch, nicht auf, zumindest nicht bei Leuten mit historischem Bewußtsein, wozu ganz ohne jeden Zweifel Thelma zählt.
Mir das Rauchen abzugewöhnen, bot sich all denen an, die aus verwandtschaftlichen, standesamtlichen, medizinischen und allgemein ethischen Gründen um mein Wohl besorgt waren und es bleiben werden bis zu meinem Tod in eben diesem Moment. Ich habe gar keine Zeit mehr zu beten. Es ist einfach das 4. Stadium der Narkose. Den Lehrtext des heutigen Tages ES WIRD EINE BAHN SEIN, DIE DER HEILIGE WEG HEISSEN WIRD. KEIN UNREINER DARF IHN BETRETEN, kann ich nicht mehr lesen und überhaupt nichts von Jesaja. Rubins halluzinierter Brief per Eilboten erreicht eine Tote.
13.00: langweilige 37,2.
Es wundert den alten katholischen Schriftsteller, der über eine große Lesergemeinde verfügt, daß noch kein Komponist auf die Idee kam, das wundervolle Getöse des wundervollen Muskels, genannt Herz, Cardia, das Gedröhn jenes muskulösen wundervollen Hohlorgans in Form eines zusammenhängenden Geflechts von z. T. quergestreiften Fibrillen musikalisch: kompositorisch zu verwenden. Es nimmt mich wunder, sagt der alternde Schriftsteller, denn wir Männer des Wortes machen uns doch ebenfalls nutzbar, was nutzbar gemacht werden kann. Allen Ehefrauen, die um ihn herumsitzen und le-

diglich bisher fanden, daß der große alternde Katholik etwas zu hastig dem Wein zuspreche, wird nun doch so recht feierlich um das Muskelflechtwerk herum.

13.05 h. Es duftet erneut nach Schw. Christel, aber ich weiß nicht, warum sie eintrat und auf weißen Ballschuhen schnell wieder hinausging, nach einem verheißungsvollen Blick.

13.55 h. Diesmal hat mich Schw. Christels Duft wahrhaftig geweckt. Jetzt fängt es also damit an, daß ich ohne Absicht einschlafe. Einfach mittendrin. Es gibt Tee. Mein Heft rutscht von der Bettdecke. Meine Knie sind matschig. Meine Fußsohlen gleiten auf dem Laken aus, meine angewinkelten Beine geben nach und sacken zusammen. Eine Bemerkung in Schw. Christels gepanschtem pfälzer Hochdeutsch deutet ihren erfolgreichen Urlaub an; war sie auf Mallorca, war sie auf einem anderen touristischen Höhepunkt? Sie war auf jeden Fall in Spanien, und zwar am Meer, sie nennt sich WASSERRATTE, sie kann stundenlang in der Sonne liegen, sie nennt sich EIDECHSE, denn die Sonne macht ihr überhaupt nichts aus, denn sie ist für den Sommer wie geschaffen, denn sie färbt sich gern so dunkel, denn es steht ihr, denn blasse Leute sehen immer leicht ungesund aus, denn das will sie nicht. Sie fragt, ob WIR UNSER TEECHEN getrunken haben. Da WAREN WIR aber brav. UND NACHHER MACHEN WIR NOCH UNSER EINLÄUFCHEN.

Unter der Überschrift EINVERSTÄNDNISERKLÄRUNG bat man mich, ein Formular zu unterschreiben. Ich bin mit dieser Operation und ihren eventuellen Folgen einverstanden, ich habe unterschrieben. Von meinem Ableben war nicht expressis verbis die Rede.

Kurs 2, eine Übung. Haben Sie eigentlich Angst vor dem Tode? O yes, no doubt. Was für immer unklar bleibt, woran für immer gezweifelt werden muß, was nie ermittelt werden kann: Ob eine RÜCKSICHT sagt und sich selber berücksichtigt. Ob es nach fast 40 Karwochen Ostern werden soll. Ob eine, wenn sie SCHONUNG sagt, nur sich selber schont. An mir also ist zu zweifeln. Verzweifelt zweifelt Rubin. Was aber feststeht, was aber herausgefunden wurde: Beachtliches über das Meer als Rohstoffbasis. Das Interesse an den Schelfzonen des Meeres sollte nicht nur auf Öl- und Gasgewinnung begrenzt sein. Woran man glauben kann, wenn man will, woran man nicht glauben kann wenn — Wenn man nicht kann: Ob das Motiv für einen von der Gabel gelegten Telefonhörer rührend oder ein Scheidungsgrund ist. (Martha will nachts nicht von Rubin, der aus entfernten Hotels anruft, gestört sein, Martha will der hoffenden Angst entgehen, Martha ist entweder so oder so, aber warum ist sie nicht jedesmal rührend?) Ob die Wahrheit authentisch oder nur ertappt ist. (Ich hasse es, gefragt zu werden, ich fürchte mich vor Fragesätzen, also fürchte ich mich vor der Wahrheit.) Rührend, das Telefonieren zu verhindern. Infam, das Telefonieren zu verhindern. — Komm, gehn wir doch mal runter an den Strand. Ziehn wir die Schuhe und die Strümpfe aus. Aus Meerwasser kann Süßwasser gewonnen werden. Eisen und Kohle können aus der Japanischen See gefördert werden, Gold und hochwertige Diamanten können in verschiedenen Küstengebieten gefunden werden. Die Zeit geht hin, der Tod kommt her, ach wer nur immer fertig wär. Weitere Rohstoffe bietet das Meer an. Ich will meinen Kopf dahin legen. In wachsendem Umfang wird auch die Bedeutung der Tiefsee erkannt. Ist dir mein Kopf nicht zu schwer? Kannst du das Gewicht meines Kopfes ertragen? Kann ein Mensch den Staub auf Erden zählen. Kannst du die Sterne zählen. Ich kann schlagen und kann heilen. Kann ich es auch wiederum holen? Wie kann ich zusehen dem Übel. Kannst du, so antworte mir. Ich kann nicht entfliehen. Ist niemand, der tun kann wie du. Daß uns niemand heilen kann. Wer kann die Dinge auslegen? Wir hätten jetzt Lust, auf die Mole zu gehen, aber weil dein Kopf da liegt, haben wir keine Lust. Merkwürdige Kugeln und Knollen wurden aus den Tiefen des Pazifik gehoben. Sie sehen wie in der Asche geschmorte Kartoffeln aus. Das sind die Erzknollen. Es warten wahrscheinlich 1000–1500 Milliarden Tonnen im Pazifik. Die Erzknollen enthalten Mangan, Kobalt, Nickel, Kupfer, Blei, Zink, Vanadium, Phosphor und Zirkon. Was also klar ist und woran nicht gezweifelt werden kann: Das Meer besitzt eine weitreichende Bedeutung für uns. Es gibt auch arbeitende Menschen, sagen arbeitende Menschen, die ein Telefon in der Nacht stört. Den Sinn des Lebens gibt es nicht. Der Kranke sucht ihn und der Gesunde stellt ihn her. Eine bestimmte Person ist für eine bestimmte Person nur eine Nummer in einer Ahnengalerie mittels Liebe bettlägeriger Personen. Martha kriegt noch alle Ahnen in Rubins Galerie zusammen, z. B. mittels Fotos. Aus einer bestimmten Nase läuft Eiter. Auf die den Eiter ablösende Lymphe stürzen sich die Bakterien. Ich habe von Rubins Nase geträumt. Was wiederum für immer ungeklärt bleibt: Ob dies ein Epilog oder ein Nekrolog auf einen Schnee ist, auf eine Zusammengehörigkeit, auf einen Karwochenwinter, und ob es überhaupt ist. Ob es stimmt, daß es Zeit ist, weil es höchste Zeit ist. Ob offene Augen Schnee sehen und sonst nichts. Ob geschlossene Augen auch nicht wissen was sie sehen sollen. Ob eine Person fürchtet, daß ihre Augen sehen, was sie sehen müssen. Ob eine Person glaubt, daß ihre Augen glauben. Ob eine Person hofft, daß ihre Augen sehen, was sie sehen sollen. Ob eine Person liebt, was ihre Augen sehen sollten.

15.15 h. Mein Mann hat mir eine Orchidee mitgebracht. Die kleine Vase hat das Blumengeschäft gleich mit den Orchideen verkauft, natürlich gelingt das nur bei Käufern mit besonderem Anlaß und der richtigen Einstellung zum Schenken. Die Orchidee wird bei guter Pflege meinen Klinikaufenthalt mit mir überstehen. Mich freut es, daß er Kitty im Café Oper trifft, sie hat Besorgungen gemacht. Es kann mir nur recht sein, wenn sie dort in aller Ruhe über mich sprechen: gut, daß nun alles so weit ist, das mußte ja mal stattfinden. Worin man ertrinken kann, bin ich nie ertrunken. Was alles einer Person zustoßen kann, ist mir nicht zugestoßen, das meiste nicht. Ich gebe es freiwillig zu: größeren Gefahren bin ich ausgewichen. Im Café Oper gibt es in diesem Moment nichts Deprimierendes über mich zu berichten, denn ich sehe, leicht gedunsen und etwas rötlich, eigentlich besser aus als sonst, wenn ich für niemanden Zeit habe, von Teetischen gleich wieder aufstehen will, ehe es Streit gibt, den es gar nicht gäbe, erfände ich ihn nicht in meinen Befürchtungen. Rubin beschwört mich: es wird keine Katastrophen geben, komm heraus in die Offenheit der Sprache. Ich sage: indem ich mir die Katastrophen vorstelle, gibt es sie. Egal, ob ich sie erfinde. Es gibt sie in meiner Angst.

Und WIR haben das Einläufchen nun hinter UNS. Das gute Parfum hielt stand. Tatort: das geräumige Badezimmer jenseits des breiten Gangs. Ich sollte mich mit den Handtellern auf den Wannenrand stützen. Schwester Christel riet mir, mich bloß nicht zu genieren, und veranlaßte alles Weitere. Vorgebeugt empfing ich per Irrigator das Klistier. Wir geben aber nicht zu früh auf, ja? Klysma, Enema, Darmeinlauf, Einspritzung von Flüssigkeit zum Beispiel vor Operationen, abgesehen von Verstopfung und Dyschezie. Ich wanderte, um meinen speziellen Reinigungszweck optimal zu erfüllen. Schw. Christel kam und ging, kam nur, um froh zu gehen, so lang ich noch wanderte, und blieb, als ich nicht mehr wandern konnte. Meine Schwester wird sich bald an mein Beispiel halten und plant eine ähnliche Operation. Sie tröstet mich und sich, indem sie sich über uns beide lustig macht. Noch arbeitet sie in ihrer Bibliothek, katalogisiert, redet mit Kolleginnen, kompensiert mit zusätzlichen Arbeitsstunden zusätzliche freie Tage, kauft ein, bereitet das Abendessen für ihren Mann, geht am Abend mit ihrem Mann in einen Vortrag, eine Autorenlesung, ins Kino, ins Theater, zu einer befreundeten Psychoanalytikerin, sie trinken schweizerisch mäßig sofort nach dem Abendessensbier ihre kurze kleine Grappa, danach sofort den Espresso, sie rauchen GAULOISE FILTRE, sie gehen immer nach Haus, bevor es zu spät ist. Rubins relevanter Brief mit seinen eminierenden Sätzen unter anderm über die Apperzeption im Sinne Leibniz' und Kants wird in der Wohnung noch geschrieben, wird aus der Unlesbarkeit in die Reinschrift gerettet, wird noch gesucht, wird so wenig gefunden wie eine Briefmarke.

Gibt es noch ein Tablett für N. 606? Tee? Eine Pille, die mich noch ein Stück auf meinem Hinweg weiterbringt, weiter weg? Weiter wohin?

16.25 h. Schw. Charla stellt fest: Jetzt sind sie ja schon viel ruhiger, das ist ja sehr erfreulich. Der Professor habe bei mir nicht viel durchzusäbeln. Er fange morgen früh gleich mit mir an, also Punkt 8. Bei einem so specklosen Bauch kommt der Professor gleich in medias res.

Bevor der histologische Befund vorliegt, kann kein Mensch etwas Genaues oder Böses voraussagen. Ärzte sind keine Propheten. Lutsch mir bloß nicht am Waschlappen. Woher soll denn so viel Durst überhaupt kommen? Eine Revolution ist genau so, wie Mao sagt. Eine Operation ist eine Operation. Sie ist kein Gastmahl, kein Aufsatzschreiben, kein Bildermalen und kein Deckchensticken, und so fein, gemächlich, zartfühlend und maßvoll und gesittet, so höflich, zurückhaltend kann sie auch nicht durchgeführt werden, wohl aber, im Unterschied zur Revolution, großherzig.

Ich kriege endlich die Topografie der Stadt Rom in den Kopf. Ich finde allein zum International Hospital Salvator Mundi, ich besuche meinen Mann zwischen Papstfotos, ich finde zurück mit dem 75er Bus, ich steige um in den 62er. Es regnet zu selten. Warum kommt nicht öfter ein Gewitter? Dieser scirocco war eben noch über der Wüste Sahara. Der alte edle Baumbestand im Park der Schenkung erschlafft wie auf italienische Weise zubereitetes Gemüse. Die Direktorin sieht erschrocken aus. Die Hochfrisur steht ihr. Sie hat aristokratische Augenlider. Ihrem Mann fällt beim Boccia-Spiel viel ein, bzw. irgendwie hilft Boccia zur Mittagsstunde ihm künstlerisch weiter. Ihren Weg haben Sie noch nicht gemacht, nicht vor Rom. Der Weg führt über Rom. Durch das menschliche Gehirn ergießt sich täglich ein Schwall von mindestens 1200 l Blut und 75 l Sauerstoff, trotzdem sterben im gleichen Zeitraum unwiderruflich viele hundert Gehirnzellen ab und neue bilden sich nicht. Das Rom der Kaiserzeit begann seinen geschichtlichen Weg unter Augustus. Sind das nun Glyzinien oder Clematis, was aus dem Lorbeergebüsch baumelt, vom Immergrün des alten edlen Baumbestands absticht und einwandfrei an das Brunstgehänge des Marabus erinnert? Die Katze ist nicht so treu wie der Hund: das können wir schon auf Italienisch.

Eine trainierte, perfektionierte Einsatzgruppe steht dem Opfer, das sich in seine Lage eines Opfers freiwillig begab, im Op gegenüber, mit hinreichender, allerdings nicht prophetischer Kenntnis des Sachverhalts. Alle Beteiligten sind gegeneinander abgesichert z. B. einerseits durch Einverständniserklärungen des Opfers, z. B. andererseits durch Vertrauen in die Erfahrung des Operateurs, des Anästhesisten, der übrigen Assistenten und Assistentinnen und der Op-Schwester, nebenbei auch in das Funktionieren der Operationslampen, bzw. Leuchten, die das ganze Operationsfeld überstrahlen. Was geschieht bei Stromausfall? An einen derartigen Zufall zu denken, ist absolut töricht, gemessen an den übrigen Gefahren, die drohen, etwa an der des plötzlichen Schwächeanfalls des Operateurs, des Narkotiseurs, ganz zu schweigen vom Herzstillstand im 4. Stadium der Narkose, beobachtet beim Opfer.
Stromausfall, Rubin, Martha, ihr Bewohner, unsere Krankheit zum Tode. Wer will denn nicht verzweifelt ein Selbst sein? Gelingt es Rubin denn nicht, mit sich selber identisch zu sein, aber ist er darum frei? Ist nicht Martha mit sich selber identisch, aber ist sie darum frei?
Die Krankheit zum Tode. Ich rechne mit Stromausfall, also bin ich ein Pessimist. Der Buchhändler neben mir freut sich. Die ringsum sitzenden Hausfrauen sind von meinem Mangel an Solidarität nicht angetan: wir haben über Tiefkühltruhen gesprochen. Den Buchhändler freut meine pessimistische Einstellung zu Tiefkühltruhen, denn seine Frau nähert sich in Gedanken täglich mehr der Anschaffung eines solchen Geräts – und ich will überhaupt nichts davon wissen. Ich fahre von da weg. Es ist alles gut gegangen, man hat sich bei mir bedankt, jetzt komme ich erneut an, ich werde anderswo abgeholt, ich bin zwischen zwei Zügen und zwei Zielorten eingeladen. Ich bin in der ersten Klasse verblieben, während ich mich in dieser Wohnung befinde, in die sie mich eingeladen haben. Ich nenne diese dunkle Wohnung einen Güterwagen, diese Finsternis, ich aber bin auf der Durchreise I. Klasse, während ich mich hier befinde, wo sie es nicht wissen. Hier ist nicht die Geduld der Heiligen. Hier ist nicht die Weisheit. Hier sind nicht, die da halten die Gebote. Hier ist kein Knecht noch Freier, hier ist kein Mann noch Weib. Hier ist ein Mann, hier ist seine Frau,

hier ist die Tochter des Mannes und der Frau. Hier ist sein Arbeitszimmer. Hier das Bild hat er auch gemalt, als er noch malte, sagt seine Frau zu mir, nachdem sie aufgehört hat zu weinen und bevor sie weiterweint. Sie haben alle im Bereich zwischen Augen und Kinn ihre verwandtschaftliche, ihre eheliche, von Tränen zerschundene Haut. Heulen sie alle und gehen weinend herab. Sie gehen mit Weinen den Weg hinauf. Seid elend und traget Leid und weint, euer Lachen verkehre sich in Weinen. Ich habe deine Tränen gesehen. Hier bin ich Gast, hier sind die Bewohner, die weinen, die jetzt nicht weinen, die demnächst weinen. Hier sind die Tränen von jemandem, der nicht logisch denken kann, die Tränen von jemandem, der es besser hat, weil er logisch denken kann, die Tränen von Leuten. Es sind die Bewohner. Sie können alle ungefähr gleich gut leiden. Es leiden nicht nur die, denen es klarer ist, die es genauer wissen, die ihre Begriffe ordnen. Wie vollkommen wird hier gelitten. Staunen Sie nicht? Möchten Sie nicht etwas zu sich nehmen? Soll die Tochter nicht eine Platte mit belegten Broten herrichten? Soll der Mann nicht etwas Bier holen? Nachdem sie geweint hat und bevor sie weiterweint, sagt die Frau: Sie dürfen mich nicht für geizig halten, aber bei uns wird zu viel Geld ausgegeben und zwar nicht von mir. Sie kann, weil sie weiterweint, nicht verstehen, was sie verstehen soll: eine Geldausgabe ist nicht einfach und jedesmal eine Geldausgabe, eine Geldausgabe ist zum Beispiel gelegentlich ein Lebensinhalt. Er will zu einer Tagung fahren, sie will nicht, daß er zu einer Tagung fährt, er wird zu viel Geld ausgeben, sie will nicht, daß er zu viel Geld ausgibt, er will auf einer Tagung alles mögliche vergessen, sie will nicht, daß er auf einer Tagung alles mögliche vergißt, er will auf einer Tagung etwas weit Entferntes wiederfinden, sie addiert seine Missetaten, er subtrahiert von seinen Missetaten die unerheblichen Missetaten, zwischen ihrer Summe und seinem Ergebnis breitet sich der unerkannte Fehlbetrag aus. Die Tochter geht träge umher. Die Tochter sagt einen beinah unverständlichen Satz. Die Tochter spricht offenbar im Schlaf. Ihr Schlaf ist mühsam, er handelt von nichts Gutem. Ruth. Ich höre die Sätze der Bewohner, ich höre das Hin und Her von nicht synonymen Sätzen, ich höre keine Verständigungssätze, denn die Sätze scheinen nicht zu wollen, die Sätze sind selbständiger als die Bewohner. Die Sätze reiben sich aneinander: das ist noch eine Hoffnung. Die Sätze entfernen sich weit voneinander: jetzt ist die Hoffnung ausgerissen wie ein Baum. Dann nähern die Sätze sich einander an: nun verschlimmern sie alles, nun verbessern sie einiges vorübergehend, daraufhin wird an der Selbstzerstörung mit Sätzen weitergearbeitet.

Ja, denn es sieht so aus: ich bin in der dunklen Wohnung, es sieht so aus, als sei ich hier, ich laufe hier herum, aber meine Reise I. Klasse setzt sich fort. Die Wohnung, in der sie mich für anwesend halten, befindet sich im dritten Stockwerk eines Reihenhauses. Ich bin dem Anschein nach in einer Altbauwohnung. Er läßt ja alles verkommen, sagt sie. Sie weint, deutet nur auf die Fenster, dann kann sie wieder sprechen, sie sagt: Ich habe eigens für Ihren Besuch die Vorhänge heruntergenommen, sie sind auch gewaschen, aber zum Aufhängen hat die Zeit nicht mehr gereicht. Dir kann doch diese Unordnung hier nicht gefallen, sagt mir der Mann. Die Wohnung, in der ich mich angeblich aufhalte, ist unheilbar. Was sollte mir, dem Gast, hier bewiesen werden? Die Bewohner wollen mir zeigen, daß es so nicht weitergeht, daß es aber so weitergehen soll. Das Chaotische der Wohnung, das Disparate zwischen den Zimmern, die an einem von Kleidungsstücken verquollenen Flur liegen, wiederholt sich in den Bewohnern. Die Bewohner tauschen löchrige Wahrheiten aus.

Jeder Aussagesatz ist ein Anklagesatz. Kaum verantwortlich für alles, was hier geschieht, ist das alte schwarze Klavier. Das Klavier wird nicht mehr benutzt: dies ist nicht einfach eine Mitteilung, es ist vielmehr wie jede Mitteilung in der Wohnung ein Vorwurf. Die Küche: Kommen Sie bitte herein, wir backen etwas, wir machen ein paar Brote, Sie sind unser hungriger und durstiger Gast, nehmen Sie Platz, wir haben uns doch auf Sie gefreut. Die Küche ist groß. Auch in der Küche liegen Kleidungsstücke, da steht eine Aktentasche, die Küche ist eine Wartehalle, mein Zug geht bald, ich erwarte mich in der I. Klasse. Die Wohnung ist mein Durchgangsbahnhof. Du Wohnung der Gerechtigkeit — hier bin ich nicht. Ich bin überhaupt nicht da. Ich sitze überhaupt nicht auf dieser Eckbank. Ich habe hier überhaupt nichts verloren. Die Bewohner befinden sich inmitten unaufhörlicher Verluste. In dieser Wohnung wird dauernd nach etwas gesucht. Hier wird nichts erklärt, hier wird nichts beschlossen. Hier wird immer an einem Koffer herumgepackt. Der Bewohner will immer irgendwohin reisen. Die Bewohnerin will nicht, daß der Bewohner immer irgendwohin reisen will. Die Tochter kommt jeden Tag später von der Schule zurück, treibt die Tochter sich etwa herum? Hier ist keine Aussicht, hier wird zerstört, hier endet die Versöhnung vor dem letzten Wort, hier überwintert das Mißverständnis, hier ist keiner, der da gerecht macht. Es ist hier kein Unterschied. Weinend bieten sie mir Freundschaft, Liebe und gar nichts an. Die Bewohnerin fotografiert mich. Ich mag Sie doch wirklich, sagt sie. Ihr Verstand ist dem Bewohner bald zu klein, bald zu verkehrt. Die Tochter schenkt mir einen

Gürtel. Der Gürtel paßt mir nicht. Warum sind Sie denn so dünn? Wir wollen unserem Gast doch schnell etwas zu essen herrichten.

Es sind hier drei Bewohner. Hier leben drei. Hier stoßen drei aneinander, sie erschrecken sofort, zürnend weichen sie einander aus, aber sie sind unvorsichtig und es kommt erneut zu einem Unfall. Drei erproben ihre Aporien mit Aussagesätzen der Enthüllung. Es fehlen die Fragesätze und die Wunschsätze. Er sagt ihr: Die Ferne macht es schwierig. Sie sagt ihm: Bleib zu Haus. Er sagt ihr, sie profitiere von der schwierigen Ferne. Sie glaubt nicht an Zitate und sie profitiert nicht. Das Schlafzimmer sieht aus, als habe man es soeben aus dem Schaufenster eines vorstädtischen Möbelgeschäfts in die Wohnung verfrachtet. Die Bewohnerin teilt es mit der Tochter. Die großen Betten stehen ehelich nebeneinander. Die Bewohnerin sagt: Sie brauchen nicht abzuschließen, es kommt schon keiner rein, probieren Sie in aller Ruhe diesen Rock an, die Farbe müßte Ihnen stehen. Ich scheine im Schlafzimmer zu sein. Ich sperre mich heimlich ein. Sie können nicht hören, wie ich den Schlüssel herumdrehe, wie ich mich bewege, wie ich in den Rock steige. In diesem Durchgangsbahnhof verkehren die Züge ohne Fahrplan und außerhalb der vorgeschriebenen Richtungen. Ich muß aufpassen, daß ich unter keines der unberechenbaren Räder komme. Ich muß mich in dem Rock, der mir auch nicht paßt, vorführen. Nehmen Sie den Rock trotzdem an, Sie können ihn ändern, sagt sie. Ich kann aber nicht nähen. Aber nehmen Sie den Rock mit, sagt sie, denn dieses Blau steht Ihnen sehr gut. Sie sollte vielmehr etwas Rotes tragen, sagt er. Ich kann wirklich nicht nähen, sage ich. Laß sie doch in Ruhe, sagt er. DEMILITARIZE EROGENOUS ZONES. Kurz bevor sie weint, sagt sie, daß sie es gut gemeint hat. Er sagt zu mir: Davon ist kein Wort wahr, sie macht das immer so und bei allen. Sie hört auf zu weinen und wirft ihm eine Zahl zwischen 15 und 25 vor. Diese Zahl, die ich vergessen habe, diese gleichwohl für mich bestimmte Zahl soll die Summe seiner Missetaten angeben. Seine Missetaten sind seine Freundinnen. VIRGINITY CAUSES CANCER. THAT FUNNY FEELING ISN'T LOVE, IT'S SEX. ORGASMUS FOR SALE. Ich empfinde wirklich echte Freundschaft für Sie, sagt sie mir. Aber er gehört doch in seine Familie, das verstehen Sie doch. INCEST IS THE GAME THE WHOLE FAMILY CAN PLAY.

Sie streben wieder auseinander. Die Tochter sagt einen bis auf das Wort IRRENHAUS unverständlichen Satz. In dieser Küche wird kein belegtes Brot belegt. Hier wird kein Teig fertig, hier liegt der gesuchte Geldschein auch nicht, hier liegt viel herum, aber nie liegt hier etwas Gesuchtes herum; was vermißt wird, weiß man nur von Fall zu Fall, und wenn es sich findet, ist es gar nicht mehr das zuvor Vermißte. Es ist schon wieder etwas Neues, das abhanden kam. Hier bleibt es dauernd dabei. Hier währt es mehr als 30 Jahre, beispielsweise: die Krankheit zum Tode. Die antonymischen, einander bekämpfenden Denksysteme. Die Abgefeimtheiten. Die Sätze als Eingriffe, die Sätze als Freiheitsentzug, die Sätze als unkundige Behandlung des andern. Hiervon will der schwarze Kater nichts wissen. Hieran ist das schwarze Klavier fast unschuldig. Aus dieser Anhäufung der Verluste halten beide sich heraus, aber die Infektion über Jahre hin hat sie mitbetroffen.

Niemand hat sein Grab erfahren bis auf den heutigen Tag. Enden am Meer. Ein Schmerz ist immer vor uns. Währenddessen: Weiterreisen, I. Klasse. Weinen, I. Klasse. Kommen Sie hierher, setzen Sie sich doch gemütlich in diesen Sessel, sagt die Bewohnerin, ich bin ja bloß dagegen, daß jeder Gast sich gleich neben ihn aufs Sofa setzt. Die Bewohnerin hat den Teig in der Küche vergessen. Sie hat sich statt seiner eines Aktendeckels erinnert. Er ist angeschwollen von dicht beschriebenem Papier. Ich muß bei diesem Anblick an den angeschwollenen, in Stein gesperrten Fluß denken, der hier entweder als Volme zur Ennepe oder als Ennepe zur Volme wird. Hören Sie mir zu, bitte? Es wird nicht lang dauern, denn sie wird rasch wieder weinen und dann nicht mehr vorlesen können. Hier werden Träume vorgelesen. Hier gehören Träume und Missetaten zum Wenigen, das hier nicht verlorengeht. Sie befinden sich in dem griffbereiten Aktendeckel. Es sind ihre Träume gegen ihn. Sie datieren weit zurück und reichen bis heute und ihre Zukunft ist schon ziemlich gesichert. Es sind Bezichtigungsträume. Daraufhin weint man besser wieder weiter. Daraufhin streitet man besser wieder weiter über Geldausgaben. Du speisest sie mit Tränenbrot. Da sah ich einen Traum und erschrak. Wo viel Sorgen ist, da kommen Träume. Wo viel Träume sind, da ist Eitelkeit. So erschreckest du mich mit Träumen. Gehorcht euren Träumen nicht.

In ihrem schwerbeladenen Schlaf bewegt die Tochter ihre schwere Zunge und es bildet sich eine Anschuldigung. Ist es nicht erfreulich, daß man nicht verstehen kann, gegen wen die Anschuldigung sich richtet? Ist es nicht erfreulich, eine so hübsche Tochter sein eigen zu nennen? Dies aber ist ein längst fälliger Anlaß zu Beschwerde und Tränen. Auch die andern Kinder der Bewohner, die seit Jahren das dritte Stockwerk im Reihenhaus verlassen haben, und auch die Kindeskinder sind wohl gelungen. Wäre nur nicht der Bewohner mit seinen Untaten und Defizits, wäre nur nicht die Bewohnerin mit ihrer Unfähigkeit zu begrifflichem Denken, wäre es nur nicht so.

Aber sie ist doch zum Beispiel tolerant? Aber sie besitzt doch seit mehr als 30 Jahren ein ganz ungewöhnliches Talent im Leiden. Sie leidet doch ganz und gar vorzüglich. Sie weint doch durchaus vorbildlich.

Jetzt streitet sich im einen Zimmer Brahms mit Beat im andern Zimmer. Alle Türen stehen offen. Zwischen dem Mobiliar der verschiedenen Zimmer gibt es keinen Zusammenhang. Jedes Zimmer gehört in eine andere Wohnung. Diese Zimmer sind in diese Wohnung zwangsverschleppt worden. Diese Zimmer streiten sich, diese Bewohner dieser Zimmer werden nirgendwo seßhaft, sondern gehen unaufhörlich umher, sie gehören nicht in die Zimmer. Jetzt wird der Koffer wieder umgepackt, jetzt wird dem Koffer etwas entnommen, jetzt wird etwas in den Koffer gestopft: etwas Obst, dorthin, auf den Anzug. Der Anzug müßte auch längst in die Reinigung. Etwas Marzipan, denn er ist naschhaft, müssen Sie wissen. Eine kleine Freude dürfen Sie ihm ja durchaus gelegentlich bereiten. Jetzt werden Fernschnellzüge notiert, jetzt wird ausgerechnet, abgerechnet, jetzt werden Summen festgesetzt und eine neue Abfahrtszeit. Hinter jeder Zahl bildet sich von selbst eine Drohung. Schließlich sind die öffentlich ausgesprochenen Zahlen und Daten und Mitteilungen nur Chiffren, und sie bedeuten etwas ganz anderes. 18 Uhr 42 auf Bahnsteig 15 b: Mach dir bloß nicht wieder die Hosen schmutzig. 300 belgische francs: Ich warne dich. Du warnst ihn nicht und sagst es nicht. Wo du aber den Gottlosen warnst. Wo du aber den Gerechten warnst. Warum seid ihr heute so traurig? Ich habe aus Traurigkeit geredet bisher. Sofern wir jetzt die WINTERREISE hören, wird es auch nicht besser, denn Franz Schubert war traurig. Tränen, Frost, Erstarrung. Nehmen Sie doch wenigstens etwas von diesem Gebäck. Die Bewohnerin hat es selbst gemacht, sie hat auch die beiden Kerzen selbst gemacht. Das Gebäck ist braun und es schmeckt braun.

Das ist die Berliner Straße mit den Altbaureihenhäusern, und es sieht ganz so aus, als befände ich mich hier. Gegenüber haben wir Glück, da bietet uns eine Aral-Tankstelle Parkiermöglichkeit und wir können dort jederzeit tanken. Sie machen auch Ölwechsel, Abschmieren, Getriebeölwechsel, sie kontrollieren auch die Zündeinstellung, sie verfügen auch über eine automatische Autowaschanlage. Gegenüber haben wir Pech mit einem braunen Hang und zahlreichen weiteren braunen Berliner Straßen und Altbaureihenhäusern. Diese Häuser sehen aus wie das Gebäck. In welcher Richtung verlaufen denn alle diese braunen Berliner Straßen? Hier weiß man nichts über die Richtungen. Das nächste Waldstück liegt weit ab, dahin kommt keiner. Sie sind blinde Blindenleiter, einer dem an-

dern. Der ist blind und tappt mit der Hand. Der Bewohner ist fußkrank oder er gibt sich keine Mühe oder er kann sich nicht aufraffen. Die Bewohnerin fährt das Auto. Die Bewohnerin verwaltet die Sparkonten. Stellen Sie sich vor, von den Gläsern, die er schon ausgetrunken hat, könnte ich einem meiner Kinder eine Ausbildung verschaffen, sagt sie. Die Tochter hat eine Monatskarte. Sie kommt jetzt immer so spät nach Haus. Hier ist sicher das WC, sage ich, aber ich stehe vor dem Badezimmer. Sie müssen sich auf den Zwischenstock bemühen. Dort befindet sich das WC. Die Wohnungstür brauchen Sie nur anzulehnen. Auf den braunen Hang und auf die braunen Berliner Straßen geht der Blick vom WC aus. Es kann hier nicht abgeschlossen werden. In den Spiegel, der im WC angebracht worden ist, kann keiner sehen, denn er hängt zu hoch.
Hier gibt sich das Krankheitsbild der Aphrasie zu erkennen. Auch diejenigen Bewohner, welche die Fähigkeit besitzen, richtige Sätze zu bilden, bilden nicht die richtigen Sätze im Hinblick auf die anderen Bewohner. Richtige Sätze verwandeln sich durch ihre Fehlsteuerung in unrichtige Sätze. Hier wird das Private verschlampt. Sagen Sie selbst, er müßte doch längst wieder zum Friseur, sagt mir die Bewohnerin, warum zerrt er sich bloß immer am Haar herum. Auch ich gehe nie zum Friseur, sage ich. JESUS WORE LONG HAIR. Hier ist Verschleiß von Begriffen. Hier werden Leute, die in Begriffen denken können, und Leute, die nicht in Begriffen denken können, hier werden Bewohner einer durch den andern in Verruf gebracht. Dies hier ist Moral Insanity. Dieser Traum ist ein Rufmord. Hier geht die Tochter umher, die ist wie eine Lahme an den Füßen, sie dreht die gelähmte Zunge in ihrem Mund, sie will jetzt ein Bad nehmen, es ist zwei Uhr mittags, sie hat Liebeskummer, sie badet und badet, sie hat sich verfangen in ihrem Argwohn gegen alles.
Nein, ich darf keinen früheren Zug nehmen, ich darf das, sagt die Bewohnerin, vor allem dem Bewohner nicht antun; der Bewohner sagt: Laß sie doch den früheren Zug nehmen, kein Wunder, daß es ihr hier nicht behagt. Ich darf das unter gar keinen Umständen also der Bewohnerin antun, außerdem will sie mir noch Fotos zeigen und ich muß unbedingt noch etwas essen. Sie ist auch noch keineswegs fertig mit den Beweisen ihrer Freundschaft für mich. Aber immer ist er drauf aus, sagt sie, sich mit Gästen abzusondern, ganz so als wäre ich gar nichts. Du bist die Luft in der Gegend. Vergiß mich nicht in deinem Innern. Der Bewohner kränkt die Bewohnerin nun schon seit so vielen Jahren. Bitte nicht zu ihm aufs Sofa. Die Bewohnerin erkennt die wahren Leistungen des Bewohners nicht. Sie erkennt nicht, daß er geblieben war unter göttlicher

Geduld. Daß Trübsal Geduld bringe. Hier wird kein Knopf angenäht. Hier wird Dasein vergeudet. Hier findet man außer den Delikten nichts. Ich überlebe in der I. Klasse, ich bin Fahrgast. Ich lasse mich nicht braun färben. Ich will es nicht genauer wissen. Hier zerfasern die unrichtigen Sätze. Es macht ja nichts, sagt die Bewohnerin, wenn ein Gast zum Beispiel im Sessel sitzt und ich habe überhaupt nichts gegen große Gefühle und ich sah vor Jahrzehnten einen Film, in dem begegneten sich die beiden Liebenden überhaupt nur im Traum und was gibt es überhaupt Schöneres? Hier kreuzen sich die unrichtigen Sätze, wobei sie sich zerstören. Hier lenkt kein Fahrplan die Züge. Hier ist es seit mehr als 30 Jahren unaufhörlich beinah tödlich. Könnte sich nur jemand entschließen zu sterben. Könnte sich nur jemand aufraffen und davongehen. Das alte schwarze Klavier ist beinah freizusprechen. Hier werden Stöße in die Magengegend ausgeteilt. Die Bewohnerin sagt, ihr Sohn habe mit dem Stoß in die Magengegend seines Vaters durchaus im Recht gehandelt, also zugestoßen. Hier tritt kein Schweigen ein. Hier wird stundenlang nicht ejakuliert. Das kommt vom Herumsaufen und vom Herumhuren. Ihre Wohnung müsse wüst werden. Ich kenne deine Wohnung, deinen Auszug. Hier paßt es mir nicht. Hier passe ich genau auf.
Jetzt fehlt schon wieder ein Geldbetrag, ein Beleg, ein Beweis, ein Paß, eine Rechtfertigung, ein ordentlicher Begriff, ein richtiger Satz. Jetzt muß man wieder in die Küche hasten. Da muß man am Teig herumfingern, der Teig ist schon beinah so braun wie alles, der Teig bleibt unbrauchbar liegen, er wird von keinem Nudelholz zuerst brutal, dann vorsichtig plattgewalzt, der Teig sieht wie eine Fehlgeburt aus. Schulgezänke solcher Menschen in meinen Ohren, der Mensch ist ein Fresser und Weinsäufer. Hier ist es nicht menschlich, sondern hier ist es irdisch, menschlich und teuflisch. Hier müssen dauernd Hosen in die Reinigung gebracht werden. Der Bewohner bekleckert sich unentwegt. Hier muß ich endlich anfangen, woanders anzukommen. Sie nehmen aber jetzt bitte noch ein Stück Gebäck. Mit welcher Version von Appetit soll ich in dieses Braun beißen? Ich erreiche mich am nächsten Zielort, wo ich mich erwarte, ich bin ein Fahrgast I. Klasse, man behandelt mich dementsprechend. Weil es hier so ist, will ich im nächsten Hotelzimmer nichts sagen zum Beispiel über dessen wirklich annehmbare Öde, über dessen wirklich wohltuende Austauschbarkeit, über dessen wirklich komischen Geruch; nichts sagen über Wartesäle, über Bahnbusse, über andere Hotelzimmer, über das Bett dieses Hotelzimmers, in dem ich mich erwarte, das Bett, das herumsteht. Warum ist denn alles so? Aber ich will nichts darüber wissen, weil es hier so ist.

Hier verfehlt man Anschlüsse. Hier findet man kein Notiz-buch. Hier stöbert man schlechte Verstecke auf und erwischt dort das Private. Hier wird egalisiert. Hier wird addiert. Hier gelten abgeschlossene Geschichten nicht. Hier endet nichts. Hier endet alles über Jahrzehnte hin, hier bleibt es dabei. Hier ist es nicht kalt, hier ist es nicht warm, hier weiß man nicht, wie es ist. Hier habe ich alles betrachtet — Es ist ein Bahnhof. Man erhält keine Auskunft. Die Lautsprecheranlage ist außer Betrieb. Etwas geht zugrunde. Alle drei Bewohner befinden sich in Lebensgefahr. Hier ist Leben Pech. Hier entdeckt keiner die Zeit, und deshalb empfindet keiner die Vergänglichkeit. Hier ist es umsonst. Es wird liederlich gedacht und geweint, es wird logisch gedacht und geweint; die liederlich Weinenden und die logisch Weinenden können alle ungefähr gleich gut weinen. Hier bedauere ich keinen mehr als den andern. Hier bedauere ich jeden mehr als den anderen. Hier ist Unordnung der Möbel, der Kofferinhalte, der Lebensinhalte, der Beweise, der Geldbeträge, der Sätze, der Handgriffe in der Küche: hier ist Unkenntlichkeit der Grenzen, wodurch es dauernd zu ver-botenen Grenzübertritten kommt, hier wird geschmuggelt, hier wird es nicht mehr anders. Wohnung, auf daß niemand in dir wohne. Hier gilt das Unerlaubte zwischen Personen, die Verwahrlosung ihrer Systeme, die Zerfahrenheit ihrer Gefühle und ihrer Absichten und ihrer Hoffnungen; es ist die Zerstö-rung. Hier ist der Durchgangsbahnhof, ich bin nicht hier, hier ist jederzeit Köln Hauptbahnhof, hier trinkt man Meisterpils. Jetzt sind ein paar Brote doch noch fertiggeworden, Brote und Belag braun. Jetzt ist die angeschwollene Traum-Mappe zuge-klappt worden, jetzt wird die angeschwollene Volme zur En-nepe oder umgekehrt, jetzt ist Zeit vergangen, jetzt spürt man den Tod, weil man gespürt hat, daß Zeit vergangen ist, aber es bleibt hier dabei.

Hier sind die Reinigungetablissements, die unbedacht ver-schmutzten Hosen, die umstrittenen Geldausgaben, die be-zweifelten Lebensinhalte, der Verschleiß, der Verfall. Es ist der Stachel: Vergessen. Es ist der Stachel: Untreue. Hier will der Bewohner seit Jahren nicht bleiben und bleibt hier. Hier will die Bewohnerin seit Jahren unter einen Lastzug geraten und paßt im Straßenverkehr auf. Hier will die Tochter reiten lernen und versäumt die Reitstunde. Hier wird ohne Talent am Dasein herumprobiert. Immer kurz vor einer Annäherung an einen richtigen Satz entgleist er. Hier ist jeder Traum eine Anklage, hier ist jedes Gefühl eine Strafe, hier ist jeder Schlaf eine Schuld, hier ist alles Denken der Hinweg zu einer Be-schimpfung, hier ist jede kurze Sprechpause der Rückweg von einer Beschimpfung, hier muß ich bezahlen, was ich nicht ge-

raubt habe, hier ist eine verweigerte Antwort eine Bezichtigung, sofern sich in ihr nicht die Verheimlichung von etwas ausdrückt. Lehm nehmen und das Haus bewerfen. Hier verkommt der Ansatz. Der Anfang hört auf. Der Angelpunkt wird nirgendwo gefunden. Hier gibt es das Beste nicht, es gibt hier fast nie das Mittlere.
Ich erwarte mich weit weg von hier. Andere aber sind hier. Rubin aber reist viel herum.

16.45 h. Der dafür verantwortliche Gärtner stellt den Springbrunnen ab. 16.55 h. Schw. Sigrun erneuert das Wasser in der kleinen Vase mit der Orchidee. Flüssigkeitsgeräusch. Sie haben vollkommen recht: ich war außerordentlich gut verheiratet. Er ist noch immer um mich besorgt. Schw. Sigrun entfernt sich von meinem Durst. Ich trinke auch Saft, doch. Seit wann trinken Sie denn Saft? Seit Jahren trinke ich Saft. Seit Jahrzehnten trinke ich lapprigen Tee. Saft und dünner Tee sind Getränke, für die ich auf die Barrikaden gehe. Nach 17 h: Schw. Christel sagt GÄNSEWEIN. Mit dem Gänsewein schlucke ich Medikamente. Nur weg von hier. Das ganze Unternehmen ist eine Art von Selbstmordversuch mit eingebauter Selbsterhaltungstendenz, wie er vorzugsweise bei jungen Menschen beobachtet wird. Diese Selbstmordversuche werden überwiegend so angelegt, daß sie gerade noch mit dem Überleben enden. Man hat festgestellt, daß diese Versuche mit einer Überdosis Tabletten inszeniert und als ein Ausweg betrachtet werden. Danach werde es schon irgendwie weitergehen und besser gehen. Ein Ratloser appelliert an den Rat seiner Außenwelt. Allerdings kommt täglich 32mal jede Hilfe zu spät. Selbstmorde und auch solche mit überwiegender Selbsterhaltungstendenz fallen nicht aus heiterem Himmel. Sie haben eine oft lange Anlaufphase mit ganz bestimmter psychopathologischer Entwicklung. Das trifft auch auf Kurzschlußhandlungen zu. Denken Sie nur an jene unglückliche Frau aus Gütersloh, ein Beispiel unter zahllosen. Sie wollte mit 4 Kindern in den Tod gehen, kündigte dies dem Richter an, der sie wegen leichten Diebstahls zu 3 Wochen Haft verurteilte. Die Frau wollte gehen und ging, kam aber nicht an, hingegen erreichten die Kinder das von ihrer Mutter gesteckte Ziel, das älteste unter Qualen und zuletzt. 80 Prozent aller Selbstmörder, aller klarsichtigen Neinsager, senden sos-Rufe aus. Vor allem bedarf es einer Auffangstelle. Telefonseelsorge genügt nicht. Auch die bloßen Versucher mit ihrer die Öffentlichkeit an der Nase herumführenden Selbsterhaltungstendenz bedürfen einer Betreuung in irgendeiner ihnen angemessenen Form, wenngleich unsittlich, unmoralisch und in ethischem Verstande strafbar bleibt, daß sie im Grunde am Leben bleiben wollen und also tun, was sie gar nicht wahrhaft zu tun wünschen, daß sie etwas beginnen, dessen vorgetäuschtes Ende sie gar nicht anstreben. Kennen Sie die Sterblichkeitsrate? Als Schriftsteller können Sie zufrieden sein, obwohl Kirchenmänner und Wissenschaftler am besten abschneiden. Aber dann kommen schon Sie mit den Journalisten. Sie sind um 30 Prozent besser dran als die nichtprominente Gesamtbevölkerung betreffs Überleben. Seid reichlich dankbar: es gibt demnach biblische Befehle, die ausgeführt werden können.

Schw. Christel war zufrieden, weil ich nach Schlafen aussah. Warum hast denn ausgerechnet du dich mit dem zweideutigen Selbstmord abgegeben, was sollte denn dein sos-Ruf, du mit deinen besseren Chancen, woran hat deine Ratlosigkeit denn appellieren wollen?

Der Professor kündigt mir seinen Besuch für später an. Bis zu seinem Eintreffen soll ich mich schön ausruhen und ich soll auch mein schönes sonniges Zimmer richtig genießen, sofern ich nicht schön schlafen kann. Er hat gelächelt gemäß dem Komplott. Er lächelt wahrscheinlich noch immer. Unsere gemeinsame Gaunerei rückt uns näher. Sie nimmt ihr selbständiges Wesen an. Sie ist etwas Lächelndes. Wir werden unsern schönen Spaß schon haben. Schwer betäubt und hellwach: wir Partner in unseren verschiedenen spielerischen Funktionen. Zum Lächeln, schlimmstenfalls. Wenn ich mich beunruhige, brauche ich mich übrigens nicht zu beunruhigen, genau so verhält es sich mit meinen Aufregungen, die gar keine sind, denn während ich mich aufrege, rege ich mich streng wissenschaftlich genommen gar nicht auf. Für jeden Fall eines psychischen und eines physischen Streß hält mein Organismus einen Aminüberschuß bereit und diese Fürsorge trifft mein Organismus auch heute. Er setzt den Überschuß ein gegen meine Unruhe, bzw. gegen das, was ich versehentlich dafür halte, und unterstützt mich ganz ohne mein Zutun. Mein Organismus wird dem allgemeinen Anpassungssyndrom unterworfen. Dieses Adaptionssyndrom meldet sich auf die verschiedensten Reize, wie z. B. Anstrengung, Trauma, Infektion, Strahlen, Operation und andere verschiedene Reize, die den Organismus in einen bestimmten Reaktionszustand versetzen. Ich kann mich auch heute auf diese Unmenge Amin verlassen, welche normalerweise von Enzymen andauernd zerstört wird. Die Summe aller unspezifischen Reaktionen bei Reizeinwirkung ergibt mein general adaptione syndrome. Es kommt jetzt zur Ausschüttung. Die Alarmreaktion besteht vernünftigerweise aus Schock und Antischock. Dies ist das ebenfalls gutdurchdachte und zuverlässig funktionierende Alarmsyndrom. Und die NNR-Depots werden entleert, desgleichen erfolgt eine Verschiebung des Verhältnisses S-Kortikoide/N-Kortikoide zuungunsten letzterer. Meine Unruhe ist ein Mißverständnis. 17.35 h. Der Professor hat am Fußende meines Bettes gestanden. Vom Bettgestänge konnten seine Handteller keinerlei Staubfilm abstreifen. Ich werde einen Querschnitt machen, sagte er. Die Narbe wird schön.

Ein Vater suchte seine 14jährige Tochter, die ausgerissen war, in Begleitung seiner 13jährigen Tochter. Diese sollte ihm bei der Suche helfen. Weil sie die 14jährige möglichst schnell finden und mit ihr zurück in den oberbayrischen Heimatort kehren wollten, trennten sich in der Hauptstadt die Wege von Vater und 13jähriger Tochter. Die Tochter fand ihre Schwester. Die Schwestern beschlossen, sich nicht mit dem Vater zu treffen, sondern zu streunen. Ihr finanzielles Problem lösten sie, indem die 13jährige Touristen anbettelte. Man hat sie inzwischen aufgegriffen. Ebenso haben Beamte des 25. Polizeireviers einen Exhibitionisten und 23jährigen Blechschlosser dingfest gemacht. B. trieb seit Anfang März sein Unwesen im Stadtteil Laim. Er legte ein volles Geständnis ab. Er gab zu, sich innerhalb von nur 4 Monaten 40—50 Frauen und Mädchen im Alter von 16—35 Jahren gegenüber unsittlich benommen zu haben. Hierbei fuhr B. ein rotes Herrenfahrrad mit Rennlenker. Zuerst trat er in dieser Ausrüstung exhibitionistisch in den Abendstunden, später in den Morgenstunden auf, um sein Unwesen zu treiben. Sein Gebiet umfaßte die Aindorfer- und Heinrich-Heine-Straße, den Agricolapark, die Reutterstraße und die Grünanlagen des Laimer Platzes. B. war übrigens der Polizei kein Unbekannter. Sein früheres Arbeitsgebiet: das Kassieren aus Hausbriefkästen gestohlener Rechnungen.

Der Professor lächelte abschließend noch reichlicher als sonst. Bevor er ging, hatten wir ein kleines, undegoutantes, unblutiges Literaturgespräch. Ich kenne einen namhaften Theaterkritiker, der Beckett auf der 2. Silbe betont, womöglich zu Recht, denn ist nicht Beckett durch Ortsansässigkeit und Staatsbürgerschaft halbwegs ein Franzose geworden, hat meines Wissens keiner von uns gesagt. Wir haben nicht über Beckett gesprochen, nicht über Beckettsche Momente, über den Anschein, wieder dem Bereich des Möglichen anheimgegeben zu sein. Wir haben die Frage WIE WEITER, WIE WEITER überhaupt nicht berührt.

Rubin weiß den 1. Briefsatz: Gegen den Kalender sind wir machtlos. Von da zu Chronos, dessen Sohn ein Pedant war. Und dann Saturn und Jupiter. Die Germanisten hinken immer hinterher. Können 2, 3 Gedichte zitieren, waren ein paar Jahre Assistenten irgendwelcher Koryphäen und damit Schluß, Einzelwissen.

Spüren Sie nun endlich was von der knisternden Spannung der Kunstgeschichte? Noch nicht auf dem Palatin gewesen? Besuchen Sie mal das sogenannte Haus der Livia, das vermutlich das Haus des Kaisers Augustus selbst war. Die Wandmalereien, darunter die berühmte Darstellung von Jo und Argus, machen einen Besuch unvergeßlich, und wenn Ihr Blutdruck so niedrig ist, brauchen Sie dann wirklich überhaupt nicht mehr nach Pompeji. Sie finden sowieso beinah alles Schöne in Rom. Mit dem Zerfall des Imperiums begann auch der Zerfall der Paläste. Die Orti Farnesi sind die ältesten botanischen Gärten Europas. Was soll angesichts dieser großartigen historischen Zusammenhänge Ihr allzu zeitgenössisches Zetern um ein Telefon. Brauchen Sie denn in Ihrem Krankenzimmer ein Telefon? Brauchen Sie denn in Rom einen geheizten Raum zum telefonieren? Möchten Sie denn um jeden Preis erreicht werden? Wen möchten Sie denn um jeden Preis erreichen? Sie denken doch nur wieder — Sie denken einfach zu negativ. Einem, der nicht negativ denkt, macht die Zelle beim Portier, in der Sie telefonieren können, keinen Kummer. Einem, der nicht negativ denkt, ist es nur recht, in einem Krankenzimmer ohne Telefon zu liegen. Eine nicht negativ veranlagte Patientin sagt Nein zur Ruhestörung per Telefon. Den Portier muß man doch einfach originell finden, diesen erdschweren ehemaligen Carabiniere, der in hohem Alter noch geschickt das Fahrrad über die Kieswege lenkt, im Winter die Heizung bedient, über Deutschkenntnisse verfügt. Seine Arbeitszeit dauert von 7 bis 21 Uhr. Sie sind in Nr. 606 von sämtlichen Krankenschwestern zu erreichen. Opposition ist nicht nur die Gegenüberstellung des Daumens gegen die anderen Finger. Opposition ist zweitens aber nicht nur der Unterschied zwischen Hand und Fuß. Oppositionell betragen Sie sich mit ihrer Schlaflosigkeit in Nr. 606. Die im Krankheitsbild Selbstmord Kenntnisreichen führen als häufigste Ursachen Liebeskummer, Depressionen, Alkohol an, und sprechen von einem sozialhygienischen, medizinischen und gesundheitspolitischen Vakuum in der Bundesrepublik, denn von der betreffenden Auffangstelle sind wir noch weit entfernt in diesem Lande. Jesus Christus, im Jahre 30 ans Kreuz geschlagener Menschensohn, ist nach Untersuchungen des Vatikanarchivars Monsignore Giulio Ricci nur 1,62 m groß gewesen und nicht, wie immer behauptet, 1,83 m. Jahrelang hat Ricci sich mit der Größe Jesu beschäftigt, keiner andern als der Körpergröße, um sich durch nichts ablenken zu lassen. Forschung, die zum Ziel drängt, zwingt zur Askese. Der Monsignore fand den Kardinalfehler seiner Vorgänger: sie hatten alle miteinander nicht berücksichtigt, daß die Füße des Gekreuzigten durch die typische Haltung, welche die Kreuzigung Füßen abzwingt, senkrecht statt waagerecht standen. Ricci sagte zunächst mal ECCO, und alle Nachmessungen im Leichentuch des Menschensohns, die der Entdeckung Riccis vorausgingen, sind damit wertlos geworden. Der Archivar hat außerdem ermittelt, Jesus habe nicht nur keine hervorragende Körpergröße, sondern auch kein außergewöhnliches Gesicht besessen. Zu diesem Ergebnis kam er rascher und nachdem er mit der Körpergröße fertig war. So der Forscher: »Er fiel in der Menge so wenig auf, daß Judas ihn küssen mußte, um ihn den Soldaten im Garten Gethsemane zu zeigen.«

Ich habe Nr. 606 jetzt verdunkelt, die Nachttischlampe auf den Brief aus Düsseldorf eingestellt. Die Handschrift meines Bruders habe ich als Kind kopiert: »Mein neuster Wallfahrtsort: Düsseldorf. Grund: Man hat mich mit der Suche nach einem neuen Grundstück für ein neu zu errichtendes Verkaufshaus beauftragt. Also laufe ich von Objekt zu Objekt! Von eifrigen Maklern sorgsam gesteuert, die immer dann ein Maximum an Dienstbeflissenheit an den Tag legen, wenn der Name Robert Bosch gefallen ist. Ruhender Pol im Hin und Her der Immobilienschau: Das Städt. Amt für Wirtschaftsförderung und Fremdenverkehr. Baldige Erkenntnis: vom 50.—60. Lebensjahr an möchte ich auf einem solchen Amt einen schönen Posten haben. Garantie gegen Infarkte und sonstige Leiden. Ich habe ein recht nettes Objekt in Aussicht, schöne 1000 m² am Stück, eine Fläche. Das gibt ein fabelhaftes Großraumbüro, wo jeder jeden sieht und auch vermerkt, wie viel Zeit man auf der Toilette zubringt. Neulich 8 Tage Paris, 3 davon privat, 5 im französischen Tempo und Rhythmus gearbeitet. Mein Aufenthalt war deshalb besonders ergebnisreich, weil ich ja dienstlich dort war. Dauernd mit Franzosen zusammen, bei A-BD usw. Kenne fast jeden Stadtteil dank vieler Autofahrten, Bus und Metro, das übrige zu Fuß. Deshalb manchmal morgens mehr als vertretbar müde, nachmittags vom vin rouge, den man stets in der Kantine zum Mittagessen kriegt. Wir (Kollege und ich) müssen vielleicht nochmals hin. Immer vorsorgen, daß interessante Arbeit Junge kriegt . . .« s. 148, ITALO SVEVO: DER ALTE HERR, DER NICHT WUSSTE, DASS TRÄUME IN DER NACHT GETRÄUMT UND AM TAGE VOLLFÜHRT WERDEN. Mir paßt es, die Substantive zu vertauschen: Träume, am Tag geträumt und in der Nacht vollführt. Ich bin nahe egal welchen Träumen, jetzt gegen halb 12, in der Nacht, als sich noch etwas ereignet: Pfefferminztee. Schw. Sigrun sagt unvorschriftsmäßig anzüglich: Genießen Sie Ihren Tee!

Sonntag. Gestern wurde ich operiert. Ich kann schreiben. Ich lese das Wort PFEFFERMINZTEE. Das Wort trocknet mich aus. Das Wort ERFRISCHUNG trocknet mich aus. Es gibt Durstwörter. Sätze sind feucht und kühl. Genießen Sie Ihren Tee!
Sie achten doch in guten Kliniken darauf, daß Patienten nicht verdursten? Was hilft mir mein objektives Bescheidwissen über gute Kliniken gegen mein subjektives Bedürfnis? Wie lang erträgt ein Mensch den Durst? Durst ist — ein Zustand, der bei Wassermangel eintritt. Pflanzen werden welk, Tiere und Menschen bekommen Durst. Die leichteren Grade des Durstes äußern sich in einer besonderen Empfindung in der Tiefe des Schlundkopfs, in leichtem Speichelfluß und in dem Bedürfnis zu schlucken. Über die leichteren Grade des Durstes braucht man mit mir nicht mehr zu reden. Ich verfüge über keinerlei Speichelfluß und ich möchte nicht schlucken. Bei stärkerem Durst treten Empfindungen in der Kehle ein, die in der Prosa des Gesundheitsbrockhauses in Anführungszeichen gesetzt und ZUSAMMENZIEHEND genannt werden. Ich spüre diese Kontraktionen nicht. Es stimmt allerdings, daß der Speichelfluß versiegt und der Mund trocken wird. Etwaige Rötung der Mund- und Rachenschleimhaut kontrolliere ich nicht, ich bin offenbar schon einen Grad im Durst weiter, das Schlucken ist erschwert; weil ich meine Stimme nicht benutze, weiß ich nicht, ob sie rauh und heiser ist; röten sich meine Augen? Brennen meine Augen? Ist mein Puls beschleunigt? Um mich ist keiner auf der Station in Sorge. Appetitlosigkeit: trifft zu. Benommenheit, Hitzegefühl im Gesicht, Müdigkeit treten zwar auf, unterliegen aber der Empfindung des Durstes. Der Pschyrembel nennt den Durst überhaupt nicht. Endlich kommt es zu erhöhter Reizung der Sinnesorgane, zu Halluzinationen und Wahnvorstellungen, zu Fieber, Irrereden, Bewußtlosigkeit und zum Tode des Verdurstens. Ich liege in einer guten Klinik und man betreut mich. Ich bin kein Extremfall. Ich bin kein Anlaß zur Panik. Es ist die Vermehrung des Salzgehaltes im Blut, die den Durst bewirkt. Der Durst regelt auf natürliche Weise die Wasseraufnahme. Das Wort WASSERAUFNAHME macht durstig. Da wir ständig durch Atemluft, Schweiß, Harn und Stuhl Wasser verlieren, ist Flüssigkeitsaufnahme nötig. Durst, sonst weiß ich nichts. Sonst steht überhaupt nichts an.

Ich habe überhaupt keine Lust, auf irgendeinem Bahnsteig Rubin zu treffen. Es ist mir ganz egal, ob Rock in der Schule fehlt oder nicht, Kittys gebrochener Arm ist mir ganz egal. Die Notwohnung ist mir ganz egal. Ich habe Durst. Die Weltanschauung des Gesundheitsbrockhaus' äußert sich im Fazit über den Durst: VIELES TRINKEN IST IM ALLGEMEINEN EINE SCHLECHTE ANGEWOHNHEIT. MAN SOLL ERST ESSEN UND DANN TRINKEN, EINE REGEL, ZU DER VOR ALLEM KINDER ZU ERZIEHEN SIND. ANSTRENGUNGEN IN GROSSER HITZE (MÄRSCHE) WERDEN BESSER ERTRAGEN, WENN NICHT DAUERND DEM SICH ENTWICKELNDEN DURSTGEFÜHL NACHGEGEBEN WIRD. MAN SOLL ERST NACH DER ANSTRENGUNG ODER BEI LANGER DAUER Z. B. WÄHREND DES MARSCHES IMMER NUR WENIGE SCHLUCKE TRINKEN. DURSTFIEBER, DURSTKUREN, DUSCHEN, DYMAL, DYSBAKTERIE. Was geschähe mit meinem Durst, wenn mir jetzt eine Todesnachricht überbracht würde? Vergäße ich mein Verlangen zu trinken, von dem ich weiß, daß es in absehbarer Zeit befriedigt wird, angesichts eines schmerzlichen Verlusts, der für immer ist? Aber mein Vater lebt nicht mehr. Den Postoperativen hilft man heutzutage bekanntlich mit Infusionen. Gedulden Sie sich. Bald gewährt man auch Ihnen die Wohltat der lindernden löschenden Infusionen. Diese Infusionen haben den Durst als Problem eigentlich aus den Krankenzimmern vertrieben. Dies meinen zumindest Ärzte und Pflegepersonal. Schw. Charla wurdert sich über meinen Durst. Ist er ein bißchen ungewöhnlich? Fängt jemand an, sich zu beunruhigen? Denken Sie einfach mal an was anderes, noch besser wäre Schlafen.

Tokios Taxifahrer mögen keine Frauen. Geisteskranker macht Examen. Der heilige Josef verwüstete 10 000 Gräber. Heilig nannte man ihn in seiner niederländischen Umgebung wegen seines religiösen Ticks. In seiner Wohnung stellte man 300 Bibeln sicher. Bei seiner Festnahme trug er eine grüne Damenhose, einen Damenpullover dunkel, eine Damenstrickjacke ohne Farbangabe und um den Hals eine lange Schmuckkette. Und warum sind Tokios Taxifahrer so frauenfeindlich eingestellt? Z. B. unter anderm, weil Frauen erst am Ende der Fahrt — die Strecken sind immer knauserig also kurz — umständlich anfangen, in ihren Handtaschen nach Geld zu suchen.

Das Examen des Geisteskranken war ein juristisches Examen, das er, Insasse der Anstalt für kriminelle Geisteskranke in Barcelona Pozzo di Gotto (Sizilien), mit einer Sondererlaubnis des Justizministeriums an der Universität von Messina ablegte. Einen Tag des Mäusetötens haben die Artischockenbauern im kalifornischen Castroville inauguriert und zwar mit einer Giftoffensive. Die Maus ist der Artischocke Feind. Das heißt: sie ist ihr Freund. Sie ist des Menschen, der die Artischocke züchtet und verspeist, Feind. Die römische Sonne und nicht nur die römische ist des Menschen Feind. Der Mensch hat zu viele Feinde. Wo bleiben des Menschen Freunde? In Denver fand man elf tote Eichhörnchen mit deutlichen Anzeichen der Beulenpest. Das klingt auch nicht gut. Haben Sie immer noch Durst? 2500 Flaschen Gin gestohlen. Gin interessiert mich jetzt nicht. Die Londoner Bande, die zwei Lastwagen mit der Beute in einem anderen Stadtteil stehen ließ, hat aus ungeklärter Ursache so gehandelt. Die Polizei steht wiedermal vor einem Rätsel. Banditen geben ihre Beute sang- und klanglos auf. Die Gin-Ladung, für die USA bestimmt, wurde im Londoner Eastend unversehrt gefunden.

Gestern, mein schönster Schlaf auf Gottes Erdboden. Einstweilen kann mir nichts Tödliches zustoßen, denn ich befinde mich nicht in der Wüste. Ich befinde mich in einer Klinik voller Wasserleitungen und Wasserzapfstellen, und mich bewacht ein geschultes Personal. In letzter Minute, wäre ich überhaupt ein Sonderfall, gäbe wohl doch die Vernunft dem Erbarmen nach, also gäbe man meinem Durst nach, ehe ich an ihm zugrunde ginge.
Ich wachte nicht richtig auf in einer unspezifischen, krankenhaustypischen, immerhin eindeutig trüben Stunde zwischen Nacht und Morgen, als die Nachtschwester an mir die ihrem Amt zustehenden präoperativen Manipulationen begann. In dieser unbrauchbaren Zeit, die ich normalerweise mit ungewissem Ausgang verschlafe, zog sie mir das Krankengewand für Tag und Nacht an, welches sich für Leute schickt, die operiert werden wollen. Es ist ein grob weitgeschnittener, allen möglichen Körperformen maßgerechter, daher maßloser, leinenfarbener Kittel aus einem rohen, strapazierfähigen Krankenhausmaterial. Dieser Kittel wird in seiner Roheit und Unempfindlichkeit unglaublich viel aushalten können. In diesem Kittel kann man getrost auf den Hund kommen. Man kann unbesorgt sein, denn er wird sich chemisch reinigen und wieder verwenden lassen. Rubin kann sich heute auf keinen Fall dazu überwinden, Schuhe anzuziehen, sich zu rasieren. Wer von seinen renommierten Toten war es doch gleich, der sich das Leben nahm, weil er sich nicht rasieren wollte? Wer, vielleicht Fichte oder einer von diesen mit den täglichen menschlichen Geschäften Heiklen; Rubin lehnt den Satz MAN LEBT UM ZU STERBEN ab, Rubin findet alles viel viel komplizierter, Rubin will radikalisieren, Rubin will sich trotzdem nicht auf sein Elend versteifen, Rubin denkt über den Satz TÖTEN WEGEN DES TODES nach und meint mich, ich habe Durst und sonst gar

nichts. Der Kittel wird am Hals zugebunden, ferner 2 weitere Male am Rücken. Man kann den Kittel lose, fest oder überhaupt nicht zubinden. Der Kittel gewährt dem Pflegepersonal möglichst bequemen Zugang zum auf den Hund gekommenen Körper des Patienten. Die weiten Ärmel des Kittels sind formlos, weder lang noch kurz. Der hinten offene Kittel reicht mir knapp in die Kniegegend. Vermutlich gibt es doch verschiedene Kittelgrößen. Könnte ich den Sätzen Schw. Johannas glauben, die den Vorgang meines Überwechselns von privatem Nachthemd in den Kittel begleiteten, so müßte ich annehmen, ihr gefalle der Kittel gut und besonders in diesem Fall auch an mir. Schw. Johanna, die ermüdete Stubenfliege kurz vor dem Abflug in Richtung Wohnsitz, Langen/Hessen, bedachte den Kittel und meinen darin verschwindenden Körperabschnitt zwischen Hals- und Kniebereich, meinen ohne Gewaltanwendung im Kittel gefesselten Körper mit leisen, zärtlichen Diminutiven. Während des Umkleidens behandelte sie mich wie ein aus dem Schlaf gerissenes Kleinstkind, dem was ganz Nettes bevorsteht. Nur deshalb hat man es geweckt. Im Kindergarten ists doch nett, im Puppentheater ists doch lustig, das macht doch Spaß, und dazu so ein feines neues sauberes Kittelchen. Eltern als Kindesmörder. 115 Kinder wurden 1968 in der BRD per Verbrechen getötet. In den meisten Fällen waren sie Opfer der eigenen Eltern. In 47 von 95 der Fälle zeichnet die Mutter als Täter, in 14 der 95 Fälle der Vater, in 8 Fällen handelt es sich um Tateinheit der Eltern. Sonstige Verwandte: 8mal. Bekannte: 6mal. Freunde: 5mal. In 9 der 95 Fälle wurde kein Täter ermittelt. Bei fremden Kindesmördern stehen sexuelle Motive im Vordergrund. Für die tötenden Eltern spricht immerhin vielfach eine jeweilige Konfliktsituation im Zusammenhang mit dem auf die Ermordung folgenden Wunsch, ausgeführt oder nicht, selber anschließend aus dem Leben zu scheiden. Schw. Johanna wusch mich auch noch einmal, geringfügig und ich weiß nicht mehr wo. Es war lauwarm wie alles von ihren Händen. Meinen Überrest von Einverständnis mit den Geschehnissen, in die ich mich verwickelt hatte, vertrieb die Ankündigung, zuguterletzt werde sie mir noch mit einem Darmrohr Liebes erweisen. Für alle Fälle brauchte sie das Darmrohr, aber für welche Fälle, das Darmrohr, das harmlose lange weiche Gummirohr zur Einführung in den Mastdarm (zu hohen Einläufen) oder das kurze weiche Gummirohr zum freien Abgang von Gasen nach der Operation. Kaum empfand ich das Ding noch als störend. Immer näher dem sanften Gifttod, aber die Kontrolle war mir gewiß. Diesen Selbstmord hatte ich geschickt in die Hände gut eingeübter dienstwilliger Geister gelegt, und jetzt entfiel sogar allmählich die Selbsterhaltungstendenz. Ich war andererseits auch kein klarsichtiger Neinsager. Ich hätte eher an mir schließen können auf: Sichelzellenanämie, Schwachsinn im Blut, Aphasie, Versagen des Amin-Überschusses sowieso, wo trieb mein Amin-Überschuß sich herum, war denn dies kein Streß? Oder auf einen Defekt, der meinen Organismus am ordentlichen Synthetisieren eines oder was weiß ich wie vieler Enzyme hinderte. Kurzsichtige sind klüger, stellte J. B. W. Douglas, Soziologe an der LONDON SCHOOL OF ECONOMICS, unlängst fest. Meine Augen funktionieren einwandfrei, beinah übertrieben gut.

Kurs 2, Übung. Wo ich hin gehe, kannst du mir diesmal nicht folgen. Wir betreten aber die Mole nicht. Wer kann dich heilen. Wie können wir denn leben? Warum kann ich dir diesmal nicht folgen? Wie können wir den Weg wissen? Wir verstehen unter Küste einen mehr oder weniger breiten Grenzraum zwischen Festland und Meer, einen Raum, in dem marine und terrestrische Vorgänge mit- oder gegeneinander wirken. Das sind die Schelfregionen. An den Schelfregionen der Erde liegen die Seehäfen. Blicken wir doch hinaus auf die graue ruhige Schelfregion. Tauchen wir doch die Füße in die milde Schelfregion. Aber wir hätten wirklich dazu Lust. Aber weil du deinen Kopf da hin gelegt hast, bleiben wir der Schelfregion gegenüber. An den Schelfregionen der Erde liegen die Wattgebiete und Marschen. Dort wird Landgewinnung betrieben, dort findet Küstenschutz statt, dort wird in verstärktem Maß Erdöl und Erdgas gebohrt, dort liegen wir, dort haben wir in verstärktem Maß Lust, liegen zu bleiben, dort betreiben wir es, dort findet es statt.

Der Professor, nicht in meinem Traum, der sich dem schönsten Schlaf auf Gottes Erdboden annäherte, denn ich wurde halbwach, der Professor stand am Fußende meines Bettes. Im allgemeinen Sumpf meiner Wahrnehmungen schärften sich einzelne Eindrücke. Der Professor sagte: Unten im Op erhalten Sie von mir eine Injektion in die Wirbelsäule und eine 2. ins Knie. Ich schneide horizontal von links nach rechts quer auf. Diese Worte unterstützte seine rechte Hand mit einer Bewegung, die zu den überspitzten Eindrücken gehört, eine Schlußstrichbewegung der Hand, der nur noch das Messer fehlte, die den Schnitt vorwegnahm, mein schärfster Eindruck, der schnelle, die Geschicklichkeit des Tomomanen verratende Handstreich. Von der angekündigten Zweitinjektion in die

Armvene war jetzt nicht mehr die Rede, statt dessen vom Knie.

Immer müder, wußte ich nicht mehr, mit wem ich redete, falls das noch Reden hieß — und wer um mich herum war, es waren immer mehrere Personen, aber welche Schwestern, ich kannte alle halbwegs, ich vertauschte sie untereinander und mit meinen Erfindungen. Ich bestand darauf, viel zu reden — was ich reden nennen muß — ich bestand auf diesen Kaubewegungen, die sich mit der Sprache quälten. Meine Artikulationen standen zwischen meinem Bewußtsein und dem gemeinten Gegenstand, erreichten ihn aber nicht. Meine Vorstellungen wurden nicht mit Hilfe der Wörter zu Zeichen meiner Absichten, kein Satz übernahm die Funktion des Trennens und Verbindens. Ohne Sprache konnte mein Denken sich nicht zu seinem eigenen Erkenntnisgegenstand machen, sich nicht objektivieren. Ich kam abhanden. Sie sollten mich nicht schon für abwesend halten. Sie sollten zur Kenntnis nehmen, daß ICH noch zur Kenntnis nehmen konnte. Noch paßte ich auf mich auf, sollten sie merken, noch versuchte ich sie zu täuschen und den Anschein zu erwecken, als gelänge es mir, alles unter Kontrolle zu halten. Da war doch mein Denken, ich mußte es an die andern weitergeben, ich mußte es überlisten, ich mußte das Denken denken, es mußte tradierbar werden. Aber das Bewußtsein fand sein Vehikel, die Sprache, nirgendwo wieder. Verluste: Äußerung (Kundgabe). Einwirkung durch Anruf oder Mitteilung; Sachbezogenheit mittels Benennung, Orientierung, Darstellung. Ich war zu stark und zu wenig betäubt. Vor schlechtem Einschläfern hat Frau Heinrich sich stets besonders gefürchtet, andererseits schockierte sie auch das sadistische Narkose-Jenseits. Manche kehren nicht zurück. Es gibt in jedem 10. Krankenhaus ein ruhiges Zimmer. Darin schlafen die Narkotisierten oft jahrelang. Es passiert so gut wie nie, daß sie wieder aufwachen. Ihr Organismus funktioniert. Es ist mit dem ärztlichen Eid nicht vereinbar, ihre schlafenden Körper, die ohne Bewußtsein gesund leben, von den daseinserhaltenden Maschinen zu trennen.

Ein großer alter Pfleger in weißem Kittel schob mein gut rollendes Bett. Mein Bett war gelenkig in allen Kurven. Der Pfleger stieß es durch Gänge und in Lifts, aus den Lifts heraus; ich hielt die Strecke, die wir zurücklegten, für übertrieben lang und für kompliziert. Der Pfleger betonte sein Vergnügen über mein leichtes Gewicht, wahrscheinlich tat er dies aber nur, um mich zu unterbrechen, denn wie in Nr. 606, so schwieg ich auch auf der Fahrt mit ihm keine Minute. Da ich mich, unsinnig lallend, für unsinniges Lallen zu entschuldigen bemühte — ein endloses Unternehmen — empfand der alte Mann offenbar Mitleid, und plötzlich kraulte er mir am Kopf herum: auch diesen Moment finde ich unter den wenigen überbelichteten Erinnerungen, auf die ich mich beinah allzu gut verlassen kann. Der Pfleger zog mich ein bißchen am Haar, welches zu meiner drogenverwischten Unzufriedenheit in frühster Morgenstunde Schwester Johanna zweifellos und sittsam-präoperativ aus der Stirn gestriegelt hatte. Da, mein Thema: der Haarschnitt. Der Friseurladen namens ORDNUNG. Meine Entscheidung für keine Frisur. Den Pfleger einweihen. Aber die von mir vernehmbare Sprache konnte niemand mehr interpretieren, keiner mehr konnte mich in meinem Sinn verstehen. Der Denkraum meines Sprechens machte sich nicht einmal wenigstens in Strukturen bekannt. Meine Landessprache kam als eher abstoßendes Rätsel aus dem ungeografischen Territorium der Drogen. Mein Ausland jedoch war unbewohnt. Ich kannte keinen. Das Wort MEER bedeutet für den Fischer etwas anderes als für den Kurgast.

In Op's rundet man Ecken ab, nicht aus antroposophischen Gründen, sondern um Staubansammlungen zu vermeiden. Die Wände sind abwaschbar. Alles Beiwerk ist nach Möglichkeit in Vor- und Seitenräumen untergebracht, z. B. der Waschraum zur Händedesinfektion, der Umkleideraum zur keimfreien Einkleidung und so weiter. Unter der Spiegelfront und neben einer Waschbeckenreihe war mein Bett parkiert. Dort behielt ich die Schlußstrichbewegung im Kopf. Der Op ist mit großen Fenstern und schattenfreien, nicht wärmenden Lampen versehen. Um Blendung zu vermeiden, gehen die Fenster nach Norden. Die Fenster gehen auf die Bismarckstraße. Querrüber schnitt die Schlußstrichbewegung mich immer wieder auf, sie zerteilte mich, ich wartete, ich redete, die Bewegung durchsäbelte mich erneut elegant horizontal und erdolchte mich mit tomomanischem Schwung. Ich brachte es nicht fertig zu sterben. Die Luft im Op wird durch eine Klimaanlage auf einem gleichbleibenden, für den Kranken günstigen Feuchtigkeits- und Temperaturgrad gehalten. Hierdurch werden Auskühlung sowie Überwärmung, gegen die der Narkotisierte in gleichem Maße empfindlich ist, vermieden. Der Tod tritt ein, wenn der Arzt sagt, daß ein Mensch tot ist, gab auf Befragen der Leichenbeschauer Jachimczyk an.

Im Op lauter Kriminelle, lauter Vermummte. Das ist die Operationsgruppe. Bei großen chirurgischen Eingriffen sind 9 Personen anwesend, die eine Operationsgruppe (Team, Mannschaft, Crew) bilden. Es ist immer noch vor 8 Uhr, dem Operationsbeginn. Das Gelingen der Operation hängt heutzutage nicht mehr, wie in vergangenen Zeiten, allein von der Spitzenleistung des Operateurs ab, dieser trug früher auch die gesamte Verantwortung und nahm den Ruhm des geglückten Eingriffs, falls dieser glückte, für sich allein in Anspruch. Heute ist es selbstverständlich, daß jeder Eingriff mit einem Minimum an Risiko für den Kranken durchgeführt wird und deshalb mit hoher Wahrscheinlichkeit glückt. It's team work, to-day. Noch immer treibe ich Kopf und Zunge zu sinnlosem team work an. Ich versuche die Operationsgruppe, deren Mitglieder ich nicht zählen kann, aufzufordern: Machen wir Konversation. Sie fällt lächerlich aus. Ich will rufen: Ich finde das Ganze richtig komisch. Erzählt mir doch mal ein bißchen was aus eurer Arbeitswelt. Ich passe nämlich auf, nehmt euch zusammen. Aber ich kann nicht an die Verschwörer heran. Mein Bezogensein auf die startbereiten Täter besaß weder als Einflußnahme noch als Lenkung die Form des Eingriffs in deren Freiheitsbereich. Es blieb ihnen überlassen, auf mich zu reagieren oder nicht. Es fand durch mich kein Behandeln statt, also kein Bitten, Klagen, Fragen, keine Auskunft, keine Belehrung, auch nicht Ermahnung, Drohung, Befehl, Erklärung. Außerstande, einen Sachverhalt mit der Sprache zu fixieren, wies ich weder Wege des Handelns auf, noch gelang es mir, Teile eines Aktionsfeldes auszukundschaften. Kein Richtpunkt wurde von mir sichergestellt. Meine Äußerungsverstümmelungen bildeten sich nicht zu einem Stück Leben.

Ich will sagen: Doch, ja, ich weiß, ich bin jetzt für euch ein ziemlich saublödes Schaustück. Ich will unverfroren erscheinen, ich will nicht keimfrei erscheinen. Vor allem der Anästhesist, verantwortlich für die kunstgerechte, risikolose Durchführung der Narkose, soll sich wundern. Nur so, dank team work, dank der Präzision des Anästhesisten, ist die große Sicherheit des heutigen operativen Vorgehens erklärbar. Meine Sätze schwammen mir weg. Ich lag operabel da. Die Frage des Operationsrisikos wurde bei mir nicht verneint. Ich würde mit der beinah üblichen großen Wahrscheinlichkeit die Operation überstehen. Ich war außerdem insofern operabel, als meine Operation weder technisch unmöglich noch sinnlos erschien. Ich vergaß jetzt meine Sätze beim Sprechversuch. Ich hörte zunehmend auf zu existieren, denn ich verlor zunehmend die invalide Sprache, worauf alle Umstehenden warteten und womit sie fest rechneten. Weitersprechen: meine Rettung vor Pilotballon, scharfen Löffeln, Tubus, scharfen Messern, Sequesterzangen, Adlerpressen, Sublimatschalen, Hebeln zum Heben und Senken, sterilen Binden und Gaze; Weitersprechen, meine Rettung, mißlang mir stetig, es ging bergab. Ich wurde auf einen Stuhl verschleppt. Es war ein normaler, aber klinischer Stuhl, es war noch ein Schauplatz vor der Operation. Der Stuhl wäre in einer Waschküche oder in einer Stationsteeküche überhaupt nicht aufgefallen. Eigene Bewegungen, sofern sie von mir entschieden und gesteuert wurden, waren von mir nicht zu erwarten. Das erhellte mir meine Verfrachtung, und ich konnte noch einmal präzise erschrecken. Meinem Wörterschlamm begegnete weder Ermunterung noch Widerstand. Es begegnete ihm gar nichts. Insgesamt ergab sich gegenüber meinen Versuchen, als Privatperson zu überleben, überhaupt keine Reaktion. Sie ließen das einfach links liegen. Ich war das Opfer und wäre wohl bald brauchbar, so viel Geduld waren sie mehr oder weniger gewöhnt, sie konnten noch ein bißchen warten ohne Gefahr für das zweite Frühstück.

Über das richtige Verhalten mitten in der Nacht. Man wacht doch nicht auf mitten in der Nacht. Man spielt doch nicht Tag mitten in der Nacht. Man liest doch nicht Mansfield Park mitten in der Nacht. Man schreibt doch nicht die ganzen Römerbriefe ab mitten in der Nacht. Man spart doch Strom mitten in der Nacht. Man macht doch nicht aus der Gegenwart Vergangenheit und Zukunft. Man sitzt doch nicht unter der Lampe und putzt die Schuhe für gestern. Man zeigt doch durch heftiges Augenrollen bei geschlossenen Lidern einen Übergang an. Man geht doch von der traumlosen Schlafphase in den Traumschlaf über. Mitten in der Nacht / mitten in der Nacht / inmitten. Man denkt doch nicht an den Tod mitten in der Nacht. Man befaßt sich doch nicht mit dem Taoismus mitten in der Nacht. Man bleibt doch nicht taktil mitten in der Nacht. Man verschläft doch wie alle andern Leute $1/3$ Lebenszeit mitten in der Nacht. Man verbringt doch $1/4$ Schlafenszeit im Traum Nacht für Nacht. Man ist doch ein Schläfer und ein Träumender Nacht für Nacht. Man läßt doch das Tao bei Lao-tse. Unsichtbar / unhörbar / ungreifbar / unbestimmt / vollendet — mitten in der Nacht. Man jagt doch nicht damit man leben kann dem nach was recht ist. Man leiht sich doch nicht einen gebührenpflichtigen Mann. Man erklärt sich doch einverstanden mit dem unordentlichen Verordneten. Nachts, in der Nacht, inmitten. Man atmet doch schneller und unregelmäßiger. Man hat doch einen ansteigenden Blutdruck. Man hat doch erschlaffende Kopf- und Halsmuskeln. Man hat doch eine zunehmende Durchblutung und Stromaktivität der Hirnrinde.
Man hat doch. Man hat doch wie alle andern. Man hat doch keine Angst mitten in der Nacht. Man weiß doch von gar nichts mitten in der Nacht. Man wird doch 60. Man wird doch mit 60 20 Jahre verschlafen haben. Nachts / bei Nacht / nächt-

lich. Man verkürzt doch seine Zeitspanne mitten in der Nacht. Man wird doch mit 60 sterben. Man wird doch beim Tod mit 60 nur 40 Jahre wachgewesen sein. Man pfeift doch auf sein Bewußtsein mitten in der Nacht. Man wird doch in das Drittel Bewußtlosigkeit einwilligen nächtlich. Man wird doch in die Biochemie des Schlafes einwilligen Nacht für Nacht. Man sieht doch nicht den roten Triebwagen braun mitten in der Nacht. Man wird sich doch in das zu einem Drittel verschlafene Sein zum Tode fügen.

Mitten in der Nacht, darin man gesetzmäßig schläft. Mitten in der Nacht, darin für den Taoisten der Mensch von der Erde abhängig ist. Mitten in der Nacht, darin man doch nicht aufhört gegen sich selbst bequem zu sein. Mitten in der Nacht, darin rot braun ist. Mitten in der Nacht, darin die Erde abhängig ist vom Himmel. Mitten in der Nacht, darin braun rot ist. Mitten in der Nacht, darin der Himmel abhängig ist vom Tao. Mitten in der Nacht, darin man nicht die Marquise von O. liest.

Mitten in der Nacht und tagsüber wissen überhaupt allerhöchstens zwei Personen etwas. Etwas unter anderem über das richtige Verhalten mitten in der Nacht.

Es geht eben nicht immer gleich schnell mit der Zubereitungsfähigkeit der Opfer. Ich würde so oder so den Endpunkt des von mir einst in eiszeitlicher Entfernung selbständig eingeleiteten Vorgangs erreichen. Alle, die sich mit mir beschäftigten, taten es auf meine Veranlassung und auch gewohnheitsmäßig. Falls doch jemand mein Privatleben noch ernstnahm, hätte ich es gar nicht mitbekommen, denn die mehr oder weniger komplette Handlangergruppe des Operateurs trug ihre Maskerade, welche die unteren Gesichtspartien verdeckt. Von der Nasenspitze bis unter das Kinn war auch jene Schwesternschülerin mit dem Mundtuch vor mir sicher, jene, an die ich mich erinnere, die ich beim Lächeln ertappt zu haben glaube, deren schwarzes Haar mir wieder einfällt, zu der sich meine Wortmißbildungen hinarbeiteten: Kenne ich Sie nicht? Sind Sie nicht auf der Station 6 beschäftigt? Anzunehmen ist, daß sie gar nicht gelächelt hat.

Affe wegen Brandstiftung hingerichtet (Hodeida/Jemen). Der Exekution wohnten Hunderte von Jemeniten bei. Über die Legalität des Vorgangs zeigte sich die Armeezeitschrift besorgt: »Vor einer Hinrichtung muß der Delinquent nach seinem letzten Wunsch gefragt werden«, bemerkte das Blatt. »Wir bezweifeln, daß dies geschehen ist und, falls doch, daß irgendjemand die Antwort des Affen verstanden hat.«

Ich saß in diesem Stuhl, das heißt: dort hielt man mich in einer entstellten, dem Sitzen weitläufig verwandten Haltung fest. Ich schwankte gegen meine Helfer an und fiel immer wieder mit Kopf und Schulter auf weiße Kittel. Ich sackte so herum, verstand aber die Aufforderung: Bitte, lehnen Sie die Stirn gegen meine Brust. Ein Arzt stand plötzlich vor mir. Mein Kopf wußte jetzt, wohin. In der neuen Pose, um die er mich gebeten hatte, mußte ich mich noch deutlicher als bisher selbst verspotten. Meine Stirn gegen seinen weißen Kitteloberkörper, meine verringerte Person schlaff. Der hinten offene Anstaltskittel funktionierte seit der Darmrohr-Affäre nun zum 2. Mal. Den Einstich in die Wirbelsäule spürte ich nicht. Dem Schlaf war ich näher als dem Erdboden. Insgesamt hat man sich in meinem Fall für die Kombinationsnarkose entschieden. Noch immer aber stand mein endgültiger Abtransport in den Schlaf bevor. Ich nahm an meiner letzten Übersiedlung teil. Den Operationstisch bildeten blanke Steigbügel in einen Operationsstuhl um. Meine Kniekehlen wurden in die Hängehalter gedrückt. Mehrere Hände befestigten mich allgemein. Ich sah die nun endlich verwirklichte Schlußstrichbewegung, ich sah den Professor, der nicht mehr lächelte, womit er die Verabredung brach und das Spiel verdarb. Ich spürte lauwarme Sturzbäche, die über mich rannten. Ich sah den Professor ärgerlich auf mir herumwischen. Anscheinend war ich es, die ihm das Spiel verdarb. Es machte ihm gar keinen Spaß, er hatte gar keine Lust mehr. Wir waren uns gegenseitig auf den Leim gegangen. Meine feuchten lauwarmen letzten Sekunden. Es ist gar nicht das schlechteste Sterben. Der nette, mit Lächeln vorbereitete Komplott zwischen dem Professor und mir mißglückte sanft, während wir uns unsere gemeinsame Schuld verziehen. Pech im Op. Das kommt vor. Der Herztod kommt vor dem Hirntod. Das ist einer der ganz seltenen Fälle, wo es vorkommt. Es wird nicht an die Öffentlichkeit dringen, in meiner Todesanzeige wird meine Todesursache nicht mitgeteilt werden, es werden auch die Vokabeln »plötzlich« und »unerwartet« fehlen, denn mit der Ortsveränderung von irgendeinem beliebigen Platz in einen Op liegt, ob Wahrscheinlichkeit besteht oder nicht, der Sterbefall immerhin im Bereich einer Erwartung. Das ist nun also einer der so überaus seltenen Unfälle im Op, die in der Statistik überhaupt nicht auffallen und eigentlich nur dazu gut sind, den törichten Spruch von den Ausnahmen, welche die Regel bestätigen, zu untermauern. Ich bin gestorben. Sie hat nicht leiden müssen. Nehmen wir frühere Verhaltensweisen aus ihrem Leben, so läßt sich vielleicht sogar auf Einverständnis schließen. Sie hat sich immerhin und zuletzt für den bequemsten

Selbstmord entschieden, ging allerdings die Überlebensgefahr ein. Sie hatte Glück. Sie ist einer der heutzutage ganz seltenen Fälle, die das tödliche Glück im Op trifft. Partyspaß endete tödlich und zwar in Landsberg. Ein 30jähriger Ingenieur wollte bei der Einweihungsfeier seiner neuen Wohnung seinen Gästen das sogenannte Russisch Roulette darbieten. Er nahm einen amerikanischen Colt und drückte ihn am Kopf auf gut Glück ab. Er war sofort tot. Ich war sofort tot. Bei diesem Spiel geht es darum, daß der Schütze nicht weiß, ob die Waffe geladen ist oder nicht. Risiko ist gleich Verlustmöglichkeit.

Meiner nicht operablen Psyche wurden im Verlauf der Operation Organteile meiner operablen Physis weggenommen, an denen sie früher ihre Belastungen hatte manifestieren können. Wohin nun mit den Belastungen. Meine Psyche wird sich neue Wirkungsstätten suchen müssen. Sehr gut eignet sich das Pankreas. Aber auch der Magen bietet sich an, desgleichen Zwölffingerdarm und Hals-Nasen-Ohrenbereich.

Brief der Krankenschwester Helge, 413 Moers, Luisenhospital: ».. . ganz herzlich möchte ich mich für Ihre nette Karte aus Rom bedanken. Auf der Karte sind ja einige FIAT-Vertretungen, ganz toll. Wie gern wäre ich jetzt in Rom. Ja, seit 10 Tagen bin ich wieder fest im Dienst. Pfingsten habe ich auch 4 Tage Dienst. Aber wenn es einem Spaß macht, ist der ganze Dienst nur halb so schwer. Ich werde Ihnen kurz einen Tag im Op schildern. Wir fangen früh um 7 h an. Dann trinken wir Kaffee, und fangen meistens um 8.15 h an zu operieren. Das geht dann durch bis nachmittags gegen 14 h. Es kann natürlich auch später werden, je nachdem wie viele Operationen angesetzt sind. Es operieren meistens die Oberärzte und natürlich unser Professor. Da ich unsere erste Op-Schwester vertrete und somit 2. Op-Schwester bin, instrumentiere ich auch viel beim Professor. Es macht sehr viel Spaß, mit ihm zu operieren. Wenn wir dann fertig sind, räumen wir auf und trinken Kaffee. Um 16.30 h beginnt die Privatsprechstunde vom Professor, die ich mitmache. Das zieht sich auch meistens bis 19.15 h hin. Dann gehe ich rüber, gucke fern, lese ein gutes Buch oder gehe mit Bekannten weg. Ja, das wäre ein Tag aus meinem Berufsleben. Wenn ich frei habe, gehe ich ins Theater, besuche Konzerte, oder fahre ins Sauerland, wo ich zu Hause bin. Im Herbst belege ich Kurse für Französisch, Englisch und Italienisch, dann hat man wieder etwas mehr Zeit. So, nun habe ich genug von mir erzählt und werde somit langsam schließen. Mit vielen herzlichen Grüßen verbleibe ich Ihre Helge.«

Dem Brief lagen zwei Fotografien bei. Eine Farbfotografie zeigt Schw. Helge in Zivil auf dem Bootssteg eines von nicht besonders hohen, bewaldeten Bergen umrahmten Sees. Das Wasser ist blaustichig, der Hintergrund ist etwas verschwommen, am besten kommen das hellblonde Haar, die weiße Jacke und der karierte Rock Schw. H.'s. zur Geltung; auch die kleine schwarze Tasche, die an ihrem angewinkelten linken Arm in der Gegend um das Handgelenk hängt, hängt deutlich. Auf der Rückseite des Fotos steht der Vermerk: Kaltern, Mai 67, Italia. Das zweite Foto ist keine Farbaufnahme, sondern Chamois matt mit Rand, eine Aufnahme aus dem Operationssaal. Das Bild ist entweder überbelichtet, oder die große Helligkeit in seinem Mittelpunkt war unvermeidlich, weil alle vier fotografierten Personen, zwei Chirurgen, ein Narkotiseur und die trotz Mundtuch, Haube und einem Gazeband über demjenigen Teil der Frisur, den die Haube freiläßt, erkennbare Schwester Helge, weil auch Operationstisch und Operationsleuchte, Tücher, die das Opfer bedecken, und Sublimatschale einwandfrei weiß sind. Ein Eimer im Vordergrund und im Hintergrund Türrahmen, zwei Schalter und eine Sterilisiertrommel in Weiß, dagegen die beiden mit aufs Bild gekommenen Kachelwände des Op unnatürlich dunkel und matt, denn bei dem Fotografen muß es sich um einen unbekümmerten Amateur ohne Belichtungsmesser gehandelt haben. Vom Opfer ist nichts zu sehen, aber man vermutet es dort, worauf, bezw. wohinunter alle 4 fotografierten Personen Blick und Konzentration richten. Der eine Chirurg hält beide in Gummihandschuhen fossilischen gliederlosen Hände in einer Art Bereitschaftsstellung halb hoch. Seine Beteiligung an der Operation scheint im nächsten Augenblick zu beginnen. Schw. Helge zeigt sich im Halbprofil, dem Opfer sowohl als auch beiden Ärzten zugewandt. Der 2. Chirurg operiert bereits. Er arbeitet mit beiden Gummihänden an einer unbedeutend kleinen offenen Stelle der Tücher, die das Opfer bedecken, an einer etwas vorgewölbten Stelle, also dem Operationsfeld. Beide Chirurgen tragen abgeflachte weiße Kochmützen und selbstverständlich sterile Mundbinden, die an den Ohrmuscheln eingehängt sind. Der Narkotiseur hat merkwürdigerweise nichts auf dem Kopf. Auch reicht sein Kittel nicht bis zum Hals. Er trägt keinen rückwärts verschließbaren und für den Op typischen Operationsmantel, sondern den normalen, vorne geknöpften weißen Arztkittel, so daß sein weißer Hemdkragen sichtbar wird und eine Krawatte, die vielleicht nur als schwarz erscheint, weil die Kontraste der Aufnahme Helltöne einfach als Weiß und dunkle Töne einfach als Schwarz vereinheitlichen. Die leichtsinnig unsterile, für das Privatleben durchlässige Aufmachung des Mannes hinter dem Operationstisch — hier einem schmalen Lager mit hochgestelltem Kopfteil — sticht ab gegen die vorschriftsmäßige Kleidung des Operateurs, seiner Assistenten und Schw. Helges, die auf der Rückseite dieser Fotografie vermerkt hat: An einem Op-Tag. Da beide Ärzte ziemlich jung aussehen, halte ich keinen für den Professor, mit dem Schw. Helge so gern operiert. Schw. Helge beneidet mich: Ist das nicht herrlich, so viel zu reisen? Wann kommen Sie einmal in unsere Gegend? Wo waren Sie zuletzt?

Ich habe beteuert, daß mit der Kulturgemeinde H. so leicht keine ähnliche Institution konkurrieren könne und ehrlich ausgesehen. Die Geschäftsführerin hat sich sehr gefreut. Das freut mich von Herzen. Um ihre Ekstase zu steigern, sagte ich: Auch bringt man mich nirgendwo zur Abfahrt an die Bahn. Unglaublich freut mich das. Ich könne gar nicht ermessen, wie unglaublich. Der Abend im kleinen Kreis / Sie haben recht / ich fand ihn besonders gelungen / es wird ja immer so besonders nett wenn man das gesamte Männercourtege abschiebt nicht wahr? Ich habe erstaunlicherweise widersprochen, mich schnell noch für die Werbeplakate bedankt — aber der Gewinn bei rein feminin besiedelten kleinen Geselligkeiten geht nun einmal auf eine alte Erfahrung, auf das angenehme Resultat jahrelanger Praxis der Geschäftsführerin zurück, die mal ganz offen sein wollte, was sie mir gegenüber ja wohl sein durfte, denn so gut glaubte sie mich mittlerweile, von gestern abend bis heute morgen, zu kennen. Fahrplanmäßig kam mein Zug nicht an. Wenn schon Geleit an die Bahn, dann mußte auch noch ein GESPRÄCH dabei herausspringen. Die Geschäftsführerin nahm die Verspätung meines Zugs als gar nicht geringe Gunst. Und dazu mein Tick, immer zu früh auf dem Bahnsteig zu sein. Hab ich mir das nicht verdient / Ihre Ängstlichkeit den Zug zu verpassen / und dann noch diese Verspätung. Der Geschäftsführerin kam ein GESPRÄCH, wofern es sich um ein ECHTES GESPRÄCH handelte, immer und überall gelegen. Wir haben länger als 20 Minuten am Gleis 7 gewartet. Auf Wiedersehen! Nehmen Sie das aber wörtlich! Die Geschäftsführerin hat mutig ihr geschecktes Gebiß entblößt und deutlich artikuliert: In 1, 2 Jahren / denken Sie daran / wir werden Sie wieder anfordern / vergessen Sie uns nicht. Ich habe DAS WÄRE GANZ UNMÖGLICH gesagt. Sie hat WIE NETT SIE DAS SAGEN gesagt. Ich habe BITTE GRÜSSEN SIE IHREN KLEINEN KREIS gesagt. Sie hat DER KLEINE KREIS ER BEDANKT SICH gerufen. Ich habe ICH MUSS MICH BEDANKEN gerufen. Und schon wieder bin ich in einem andern Zug. Der Frau am Fenster hat ein klimakterischer Zustand zu schaffen gemacht. Auf die Geschwindigkeit des verspäteten D 205 waren 2 Männer stolz, sie wurden im Verlauf einer gemein-

samen Kur Freunde. In diesem Alter schließt man Freundschaften für immer oder gar nicht. Wir haben uns gefunden, wie man so schön sagt. Streit werden wir nicht bekommen, wir halten Kontakt, keiner wird eines Tages aufhören, Post zu beantworten, die Kur zu vergessen, den weiberfeindlichen Blödsinn, den wir gemacht haben und der für unsere Ehefrauen tabu bleiben wird, wiewohl die Ehefrauen einbezogen werden sollen. Unsere Freundschaft hat uns klar vor Augen geführt, wie öde unser Dasein ist. Was ist mit unseren Gehirnen los. Sexuelles Verlangen entsteht im Gehirn. Her mit der PCPA-Droge. Weg mit der Blockade des Hirnhormons, das sexuelle Wünsche mindert. Und schon wieder überholt der D 205 nun sogar einen hochgetrimmten Mercedes. Die Frau, deren Klimax wie so häufig von körperlichen und geistigen Veränderungen begleitet war, verzieh den Männern das frischgebackene Wohlbefinden nicht. Für den Groll, der ihre Lippen nach unten zog, war unter anderem der Fortfall der bremsenden Wirkung des Follikelhormons verantwortlich. Ihr weitgeschnittenes mittelständisches Kleid aus Krawattenseide hob sie an und wedelte mit dem Stoff über den seit Jahren unnötig geräumigen Busen. Daß sie schwitzte und unter der für dieses Funktionsbild typischen Verstimmung litt, nahm sie seufzend uns im Abteil übel. Der Mann und sie, die einander gegenübersaßen, organisierten den Platz für ihre jeweils stattlichen Beine zwischen den Sesseln der 1. Klasse. ICH FAHRE 1. KLASSE, OBWOHL MAN SIE MIR NICHT GERN BEZAHLT. MAN ERWARTET ANSCHEINEND VON UNS ETWAS MEHR PFADFINDERHAFTEN SCHWUNG. Geschäftsführerinnen, Veranstalter, Organisatoren finden so einen Satz unter allen meinen Sätzen am wenigsten PRODUKTIV/ ERGIEBIG / WERT IM GEDÄCHTNIS ZU BLEIBEN.
Und beeinflußt Rom nun endlich Ihr künstlerisches Schaffen? Der Spaß kostet schließlich allerhand Geld. In die Hausordnung einfügen / Freiheit herumzubummeln / zwanglos / nur nicht einigeln / kein deutsches Ghetto / Romkater / Romkoller.

Ich weiß nicht, um welche Tageszeit ich neben dem Bett meinen Mann erkannte. Offenbar prägen sich dem Gedächtnis Erinnerungen stufenweise ein. Zuerst flüchtig, dann fest. Die 1. Prägepause kommt innerhalb 1 Minute in Gang und dauert wenige Stunden lang. Anschließend erst wird das Erinnerungsbild in einer 2. Phase des Prozesses endgültig fixiert. Das Kurzzeitgedächtnis läßt sich sowohl positiv als auch negativ beeinflussen. Auch darüber, wie das Langzeitgedächtnis arbeitet, gibt es Untersuchungen. Der Weg zum vollkommenen

Verständnis dessen, was Erinnerung, was Gedächtnis ist, ist noch weit. Mein Mann sah listig und vergnügt aus. Er lungerte da in Nr. 606 herum. Wahrscheinlich war es reichlich unangenehm für ihn. Bald saß er im Sessel, dann wieder am Fußende meines Bettes, später im 2. Sessel, oder er stand am Fenster. Er sah auch noch nach allem möglichen aus, beispielsweise: freundlich bis erheitert. Er erweckte den gutgespielten Eindruck, soeben sei er Vater geworden und nun hierher gejagt, um mir und sich selber zur glücklich verlaufenen Familienzufuhr zu gratulieren. Ein Sohn, eine Tochter? Er freut sich über beides. Es ist ihm wirklich vollkommen egal, auch ob das Ergebnis alle Zehen oder Finger hat, ja es könnte in diesem euphorischen Moment, der beweist, daß ich am Leben bin, sogar was Mißgebildetes sein, oder eine Katze, eine Gießkanne, ein Vampir. Über einen Vampir würde Rock sich sicher freuen. In einem Moment wie diesem hat man einfach Spaß an allem, sofern man das Originelle und seine Frau liebt, mit der man nicht mehr verheiratet ist. O doch, wird rückgängig gemacht, wir heiraten wieder, aufgehört hat es ja doch nie. Jetzt kam ein unvorhersehbares Drohsymbol meinem Begriffsvermögen in die Quere. Ich vertauschte das Motiv für die Ausgelassenheit meines Mannes mit einem Verdacht. Ich bat ihn und konnte noch nicht wieder deutlich sprechen, er möge mich jetzt aber endlich allein lassen, denn ich wolle mich nun in Ruhe auf die Operation vorbereiten. Die Operation stand mir unmittelbar bevor. In diesem Augenblick entdeckte ich auch Schw. Charla. Sie und mein Mann, wohlgesonnene Komplizen, lachten. Kaum gaben sie sich Mühe, mich nicht zu kränken. Schw. Charla erklärte mir, die Operation sei längst vorbei, und mein Mann beobachtete mich, als erwarte er meine Erleichterung. Ich glaubte kein Wort. Das sagen Sie ja nur aus Höflichkeit, sagte ich. Trotzdem wollte mein Gedächtnis sich selber korrigieren.

In meinem Schlafzimmer, dem einzigen nach vorne auf den Kiesweg, in meiner Wandschranktür finde ich die Inventarliste der Wirtschafterin. Man hat uns um verantwortlichen Gebrauch des Inventars gebeten. Inventar Studio Nr. 7:
Eingang: 1 Fußmatte und 1 Lampe. 1 Sessel und ein Spiegel. 1 Garderobenhaken.
Schlafzimmer: 1 Kugellampe. 1 Wandschrank mit 8 Kleiderbügeln. 1 Kommode. 1 Fach Gardinen. 1 grüner Sessel. 1 grüner Bock. 2 Stu. Betten mit Stahlmatratzen. (Ich weiß nicht, was Stu. Betten sind.) 2 Matratzenschoner. 2 Schaumgummimatratzen. 4 Bettlaken. 6 Wolldecken. 2 Bettdecken. 1 Bett-

vorleger. 2 Kopfkissen mit Bezug. 1 Stu. Nachttisch. 1 Nachttischlampe.
Bad: 1 Boiler. 1 Badewanne komplett mit Dusche. 1 komplette
Toilette. 1 Kugellampe. 1 Wandschrank. 1 Garderobenhaken.
1 Wäschekorb für Schmutzwäsche. 1 Toilettbürste mit Stän-
der. 1 Spiegel. 1 Bord und Spiegel. 1 Lampe über dem Spiegel.
1 Schwammhalter mit Bürste. 1 Seifennapf mit Halter. 1
Handtuchhalter. 1 Badehandtuch. 3 Handtücher. 2 Zahngläser
mit Halter. 1 Waschbecken. 1 Toilettenpapierhalter. 2 Bade-
teppiche. 1 Fach Gardinen. 1 Schuhschränkchen mit 3 Bürsten.
1 Stuhl. 1 Plastikwanne.
Atelier: 1 Lampe. 2 große Arbeitstische. 1 Kommode. 1 Ofen.
1 Schreibtisch mit Lampe und Schreibmappe. 1 Waschbecken.
1 Wandtafel. Gardinen für Atelierfenster. 1 Liegestuhl. 1 grüner Sessel. 1 bl. Sessel und 1 Papierkorb. 1 Rom/Stuhl. 1 Ma-
lertischchen, Staffeleien.
Wohnküche: 1 Kugellampe. 1 Fach Gardinen. 1 runder Tisch.
2 Sessel. 1 Teppich. 1 Schränkchen. 1 Küchentisch mit Wachs-
tuch und zwei Stühlen. 1 Küchenschränkchen. 1 komplette
Aufwäsche. 1 Marmorplatte für Kocher. 1 Lampe über dem
elektrischen Kocher. 1 Eisschrank mit Bock. 1 elektrischer Kocher. 1 Abfalleimer. 1 Handfeger mit Schaufel. 1 Teebrett. 1
Salatwäscher. 1 Salatschüssel. 1 Glasschüssel. 2 kleine Schüsseln. 1 Besteckkasten. 6 Messer. 6 Löffel. 6 Gabeln. 6 Teelöffel.
1 Küchenmesser. 1 Kaffekanne. 1 Teekanne. 1 Milchkännchen.
1 Zuckerdose. 6 Tassen mit Untertassen. 1 Kaffeemaschine.
1 braunes Milchkännchen. 3 elektrische Töpfe mit Deckel.
(Gemeint sind Töpfe für zwei elektrische Kochplatten.) 1
Durchschlag. 1 Schöpflöffel. 1 Pfanne. 1 Zitronenpresse. 1
Wasserflasche. 6 Gläser. 6 kleine Teller. 6 flache Teller. 6 tiefe
Teller. 1 Holzlöffel. 1 Holzbrett. 1 Teekessel. 1 Küchenuhr.
2 Servietten. 1 Dosenöffner. 1 Korkenzieher. 1 Geschirrhand-
tuch. 1 Tassenbürste. 1 Sieb für Tee. 1 Reibe.
Beinah jeder Gegenstand, den die Liste aufzählt, verdiente
einen Kommentar. Ein Teil der Möbel ist ramponiert, aber das
bestätigt nur ihr Alter.

Warum reist du herum? Dein Mann kümmert sich für dich
ums Kursbuch, als wäre nichts geschehen, als wärt ihr noch
verheiratet, er versorgt dich mit Stadtplänen, damit du dich
wenigstens in Straßen zurechtfindest, wo auch dein Geist her-
umirrt. Die besten Zugvorschläge mit Rotstift umrahmt. Was
denkst du denn über all dies? Wenn meine Schwiegermutter
einschläft, hält man es für unwahrscheinlich, daß sie wieder
aufwacht. Sie hört meinen Abschiedsgruß nicht mehr. Ihr Ge-

sicht wirkt im Schlaf verjüngt, der Mund steht leicht offen; sie hat den Ausdruck eines Menschen, dem nach einer Erschütterung Trost zuteil wurde — sie ist soeben inmitten der Matthäuspassion gestorben. Gerade zuletzt noch haben ihre Lippen den Text der ERBARME DICH-Arie geformt: »Um meiner Zähren willen . . .« Sie hat alles hinter sich, sie drängelt meinen Mann nicht mehr in die verstopften Gassen zwischen seinen Regalen, nicht mehr vor die Gebirgsmassive, die seine Bücher auf dem Schreibtisch bilden. Er hat doch das Fenster neben dem Schreibtisch, dies ist ein hübscher Platz für die Wissenschaft, er liebt doch Arbeitsplätze neben Fenstern: ließe er mich nur ein, wie gern stünde ich ihm gegen die Bücher bei, bin ich nicht seine Mutter? Gerade das bist du, antworte ich seiner Mutter. Aber was meinst du, fragt Kitty mich, die auf dieser Route des D 507 nichts betrifft, würde er deine Hilfe nicht annehmen? Während wir einen Friedhof links liegen lassen, einen Sargwagen überholen, ist es sehr tugendhaft von mir, für einen Besuch an 2 oder 3 Grabstätten, die mich betreffen, einen Tag im Terminkalender vorzumerken. RAVE, NEW MUSICAL EXPRESS, IT, MELODY MAKER, RECORD MIRROR, DISC WEEKLY, MUSIC ECHO, MUSIC MAKER, CASH BOX und BILL BOARD hat Rock abonniert. Sein Zimmer in der Notwohnung gibt unter Tausenden von Fotos aus den letzten Jahrgängen keine Auskunft mehr über die stumpfsinnige Tapete, die der Nachfolger und der Architekt unter Berücksichtigung der kommerziell bedenklichen Lage des B. in Anwesenheit meiner ermatteten, unaufmerksamen Familie ausgewählt haben. Es freut mich, daß Rocks exotische Vögel den Kunststoffbelag des Bodens mit ihrem ätzenden Kot ruinieren. Rock liegt im Sessel meines Mannes, denn nur in seinem Zimmer, dem größten, war Platz für das schwere bequeme Möbelstück. Darüber schwirren die Vögel. Die Louis Seize Uhr, seit dem Umzug ebenfalls in Rocks geräumigen Wohn- und Vogelkäfig verschlagen, dient nun als Landeplatz für Tigerfinken. Die Zimmertemperatur erreicht mit Hilfe von 2 Heißluftventilatoren eine in der übrigen Wohnung unbekannte Höhe. Rock erzeugt tropische Gewitterstimmung mit dem elektrischen Kochtopf seiner Großmutter: darin sprudelt ewig kochendes Wasser, ein Ritual, mit dem Rock Mexiko in sein Zimmer zitiert. In dieser feuchten heißen Luft leiden die hierher verfrachteten Schweinsledereinbände: bibliophile Ausgaben hat mein Mann aus der Bibliothek zu Rock gerettet, wo sie zerstört werden. Was bei Rock zerstört wird, darf zerstört werden. Jeden Fehler Rocks, den wir entdecken und womöglich benennen, verübeln wir uns, nicht ihm.

HAPPINESS. Hier erkennt man keine Jahreszeiten, hier blickt

man immer in kaum unterschiedliches Grün, die Parkbäume wechseln nicht die Farbe, sagte ich. Das hat nichts damit zu tun, sagte der Mann ärgerlich. Machen wir weiter: Wurden Sie ausreichend eingeschläfert? Haben Sie wieder laufen gelernt? Ich kenne Sie ja gar nicht, sagte ich, aber er hörte mit seinen Fragen nicht auf: Konnten Sie mit Hilfe Ihrer Krankenkasse die Krankenhauskosten samt Arzthonorar begleichen oder waren Sie auf Spenden angewiesen? Haben Sie Ihr unstatthaftes Verhältnis fortgesetzt, sobald Sie gesundheitlich dazu wieder in der Lage waren?

Er gab mir jetzt Gelegenheit zu sprechen und ich sagte Ja. Er stampfte mit einem Fuß gegen den Sockel der kopflosen Statue. Hören Sie doch genau hin, in meinen Fragen befand sich einmal das Wort »oder«. Daraus ergibt sich die Ungenauigkeit Ihres Ja. Nein, sagte ich, ich war nicht auf Spenden angewiesen. Ja: ich bin lebensfähig, und es scheint so, daß ich lebe, aber ich weiß es wirklich nicht. Ja, ich bin erreichbar, fügte ich freiwillig hinzu. Sie brauchen mir nicht entgegenzukommen, sagte er und trat nach mir. Ihre Zugeständnisse sind meine Resultate. Ich wiederholte als Aussagesatz seinen Fragesatz: Was über mich floß, war ein Desinfektionsmittel. Wieder ist mir nichts geschehen, nichts angetan worden. Ja, man hat mich bevorzugt behandelt, redete ich ihm hinterher, ja, eben dies habe ich angestrebt und gut vorbereitet. Der Mann bekam allmählich ein Gesicht. Zumindest in der frühen Dämmerung war es bläulich. Weil sich die Narben in seinem Gesicht verschoben, handelte es sich nicht um Narben, aber wieso sollten es Schatten sein. Sie gehören nicht zu den Stiefkindern des Glücks, sagte er. Ich könnte Ihnen von Fällen erzählen, Sie würden sich schämen, Sie würden sich dennoch ein zweites Mal genauso verschwenderisch desinfizieren lassen, Sie würden wieder eine Privatstation aufsuchen, schon um in Ihrem hotelmäßigen Krankenzimmer Ihren leicht bescheuerten Kavalier zu empfangen, und vor Ihrem gemeinsamen Kavaliersdelikt würden wieder die nobel bestochenen Schwestern die Augen zudrücken und sich Abend für Abend mit den Blumensträußen Ihres Kavaliers davonstehlen.

Der Mann trat wieder gegen den Kalkstumpf der Statue. Vielleicht meinte er damit jedesmal mich. Frau Anna G. ist eine Person, die im Unterschied zu Ihnen nicht zu heucheln braucht. Sie jedoch, Sie nämlich, Sie sind nicht taubstumm, nicht vermindert zurechnungsfähig, vor Ihren eigenen Augen ist nicht Ihr eigener Sohn an einer Haselnuß erstickt, Ihr 2. Sohn starb nicht an einem Schädelbruch, Sie können mir auch nicht wie Frau Anna G. mit einem Ehepartner kommen, der sich mit der Kreissäge den Schädel aufschnitt, um aus dem

Leben zu scheiden. Es gibt Leute, die vom Freitod nicht nur reden. Aber die von ihm reden, sind ihm auch nah, wandte ich ein. Die Statistik kenne ich selber. Los, machen Sie jetzt endlich unaufgefordert weiter, sprechen Sie mir nach und dann allein weiter, los: Ja ... Ja. Ja, worin man ertrinken kann, bin ich nicht ertrunken, ja, denn ich kenne die Technik, ja, denn ich habe mich nach der Technik erkundigt. Ja, was einer Person zustoßen kann, ist mir nicht zugestoßen, ja, denn ich habe bei jedem Unfall meine Rettung eingebaut, weil ich — Weil Sie — weil Sie nämlich — Weil ich also — Ich brach das ab. Das Verhör war mir weniger unangenehm, als er wahrscheinlich vermutete. Ja, sagte ich, man ist imstande, in seichten Gewässern zu ertrinken, ausgestreckt und mit Geduld, ich aber vermied es.

Sie haben sich in jenem bachähnlichen Fluß nicht ausgestreckt, Sie zogen das nur gefühlvoll in Erwägung, den unstatthaften Liebhaber an Ihrer Seite, so daß es also nicht ganz ohne Vergnügen dabei zugegangen sein kann. Sie unterziehen sich vorbeugenden Operationen. Sie haben sich auch in den Dolinen, darin das Wasser versickert, nicht ausgestreckt, mit geöffnetem Mund, um die tödliche Flüssigkeitsmenge einzunehmen. Sie jammern, weil Sie leben. Sie jammern, weil Sie den Tod nicht vollbringen. Sie jammern, weil Sie Ihre Wunden pflegen. Trotz der ungünstigen Beleuchtung erkenne ich die Salbenspuren über den Schrammen Ihres Gesichts, denn nachdem Sie und Ihr Komplize sich mit Bierdosen beschmissen haben, war Ihnen nichts eiliger, als sofort Jod aufzutragen, danach Salben.

Jetzt trumpfte ich zum 1. Mal auf, meine Empörung war deutlich: Da Sie ihn schon dauernd erwähnen: mein Freund hat sich als Mr. Kleenex vorgestellt, es handelte sich jedoch um eine äußerst gediegene Teeparty, und ich habe HAPPINESS IS TO BE NR. ONE gerufen. Behelligen Sie mich nicht mit Ausreden, sagte der Mann. Als Frau Anna G. ihren 2. Sohn, der die Nahrung verweigert hatte, vorfand, war er ganz weiß im Gesicht und hatte kleine Augen. Der Sohn war tot. Das Elend gibt es und Leute, die es nicht erfinden müssen. Seine Stimme klang von nun an ermüdet. Sind Sie von der Polizei, fragte ich. Weil er nicht antwortete, sagte ich schnell: Es tritt aber bei jeder Operation Luft in die Bauchhöhle ein. Er rief: Seien Sie genauer. Bei einer Augenoperation z. B. wäre von Bauchhöhlen gar nicht erst die Rede. Hatten Sie Fieber? Beinah kein Fieber. Nun ja, denn es wurde bekämpft.

Die Person trat auf mich zu; obwohl ich wegsah, weiß ich es, die Fragen wurden nämlich wieder lauter. Sie rücken so oft Sie können ab von Ihrer Geschichte, Sie belassen Ihre Todesstunde in ungenauer Ferne, ich habe doch recht? Ihrer italienischen Putzfrau plappern Sie es nur nach: La vita è brutta, sono contenta quando è finita. Sie fahren mit Ihrem Komplizen auf einen Schneehang zu und erreichen ihn nicht. Dort oben hätten Sie Schluß gemacht, geben Sie vor. Wenn zwischen den weißlichen Karstformen andere weißliche Karstformen anfangen, sich zu bewegen, laufen Sie davon: vor diesen sich rührenden Kalkstöcken fürchten Sie sich. Sie laufen auch vor den Büffeln weg, es sollen ja nicht ausgerechnet Büffel sein, die Sie niedertrampeln oder auf den Hörnern aufspießen, und beim Weglaufen achten Sie auf das Geröll unter Ihren Schuhen, denn Sie haben sich nun einmal gegen den Tod auf Geröll entschieden. Wo würden Sie einwilligen, hinzufallen? Ihr Augenblick rückt näher, der Augenblick mit der Wahrheit Ihrer Geschichte, die könnte mit dem FIAT am Randstein verwoben werden, mit dem Mann am Steuer, der schräg aus der halboffenen Tür heraushängt. Ein Toter, nicht wahr, und daraufhin fahren Sie rasch weiter.

Der Mann schlief, behauptete ich. Zumindest sah es nach beiden Möglichkeiten aus.

Inmitten dieser Eiszeit dort oben hielten Sie sich an die Besiedlung, an die den Hühnern angeglichenen Bewohner. Sie haben zu Mittag gegessen! Sie haben Wein getrunken! Sie haben nachbestellt! HAPPINESS IS THE HICCUPS AFTER THEY HAVE GONE AWAY, sagte ich. Die Schafe drängen hin zum Abhang, über dessen spärlichen Bewuchs die Verkarstung verstümmelte Statuen gruppiert hat. Auch der Fähigkeit, Leid zu ertragen, sind Grenzen gesetzt.

Immer das Grün in diesem Park. RELAX. Es schläfert ein. Ich habe meine Erinnerungen verschlafen. HAVE A CUP OF SOMETHING. FEELING COMFY DURING THE RAIN PERIOD. HAPPINESS IS TO SIT BACK AND LET THE EVENING GO. Das ist eiszeitlicher Schutt. Das ist Trias-Kalk. Das ist unter meinen Erinnerungen verschüttet. IT'S WONDERFUL TO BE HERE. IT'S CERTAINLY A THRILL. Das ist der Thomson'sche Tisch.

Hier hakte der Mann wieder ein. Ich hatte ihn fast vergessen.

Hat man Sie auf den Thomson'schen Tisch geschnallt? Hat man Sie gedehnt oder gebogen mit Gewinden, die von Gewichten gestrafft werden? Hat man, um Ihr Rückgrat zu entlasten, Sie am Hals aufgehängt? Hingen nachts an Ihren Beinen mit Gewichten beschwerte Ketten zum Bett heraus? Sie verwechseln mein Krankheitsbild mit einem andern, protestierte ich. Ich freue mich über Verleumdungen, denn sie lenken von der Wahrheit ab, sagte ich. Spielen Sie sich nicht als eine Marquise de Sade auf, sagte er.

Es wurde im Rondell um die Tonvase grüner und dämmriger. Auch ohne einen Tropfen Regen wird der Park am Abend klamm. Die dauernd grünen Bäume üben den ganzen Tag lang die Dunkelheit. Wende dich ab, Gott Zebaoth, sagte ich aufs Geratewohl, und eigentlich, um nicht mit dem Dunkelgrün einzudämmern, versuchte ich es weiter: Der Herr ist nahe denen, die zerbrochenen Herzens sind, und hilft denen, die ein zerschlagenes Gemüt haben.

Sie sind scharf auf Brüchigkeit und auf Trost, Sie stehen auf Beistand, Sie und Ihr Mr. Kleenex, Sie machen sich viel aus gewissen Stimmungen, an denen halten Sie sich über Wasser, wie an jenem Abend am Wasser, in das Sie lediglich hinuntergeschaut haben: no interest, no desire — Sie haben ja immer wieder gern die Brücke verlassen und im schummrigen Festsaal mit Ihrem Mr. Kleenex getanzt. Frau Anna G., hirngeschädigt, Pechvogel, Witwe eines Selbstmörders, Mutter toter Söhne, eine wahre Kandidatin, steht erstens ohne Tanzpartner in der Welt und würde zweitens nicht tanzen. Sie hingegen drücken sich an Ihren Komplizen und singen die Melodie mit. Ich bin nicht ertrunken, ich bin nicht abgestürzt, auch nicht verhungert, auch an keiner Haselnuß erstickt, nicht für immer eingeschlafen, nicht verdurstet, ich bin nicht tödlich gebissen worden, ich habe mich nicht vergiftet, ich habe mir eine Tetanusspritze geben lassen, sogar mein Gebiß schütze ich vor dem Verfall, ich entferne meine Splitter, ich benutze das Heizkissen, ich legte meine Schädeldecke nicht an die Kreissäge, ich warf mich nicht vor den Zug, ich betrete die Straße nicht bei Rot, halte mich auch fern von den Möglichkeiten Erschießen, Strangulation. Dennoch schneide ich kleine Meldungen, die den Tod betreffen, aus meiner Lokalzeitung und hefte sie an die Wände: STERBEN: KLASSENLOS ABER TEUER. Ich weiß jetzt, daß in allen städtischen Friedhöfen die Dekoration einheitlich in besonders würdiger Form gestaltet wird. Dadurch erhöht sich die Grundgebühr um 130 Mark. Die Kostenstaffelung für Aussegnungs- und Trauerfeiern entfällt, es entfallen ebenfalls die Klassenunterschiede der Toten, so weit sie sich auf Blumen- und Lichterschmuck beziehen. Ich interessiere mich für das Bestattungswesen im allgemeinen und für den Ewigkeitssarg im besonderen. Ich denke an mein hermetisch verschlossenes Ewiges Leben im undurchlässigen Behälter, den Bleifassungen bis zum Jünsten Gericht abdichten. Kein Wurm soll mir schaden. Ich denke nicht gemeinnützig, also nicht an den durch meine Zersetzung chemisch wertvollen Humus, ich überlasse es andern Toten, den Boden zu verbessern. Ich bewerbe mich um die Kapsel mit CO_2, die am Kopfende montiert wird, um ein Fußende mit eingebautem Ventil, das mit einem Trok-

kenfilter versehen und auf einen bestimmten Druck eingestellt ist. Ich werde nie oxydieren. Zwischen den Kieseln bildeten sich ganz von selbst längliche Pfützen. Meine Füße waren
schon naß oder ich bildete es mir ein. Ich wollte mich ausruhen, aber die Person griff mir in die Tasche und hielt dort ein
Röhrchen fest. Vorsicht für Ihr Leben, auf das Sie gleichwohl
so schlecht zu sprechen sind. Ich stand in einer der Pfützen, die
der Parkboden abends selbst herstellt. Ich entziehe mich meinem Augenblick. Ich lasse meine Geschichte auf mich warten.
Entlang der Wurzelzone auf Lebensrettung bedacht. Durch die
geologischen Fenster im Schneerücken spähte ich auf meinen
möglichen Moment, einen Moment auf den manieristisch zer-
schnittenen Sporen einer sogenannten Terrasse.
Wieso sah ich überhaupt die Hand der Person in der nun auch
nebligen Dämmerung? Trug der Mann weiße Handschuhe?
Warum erkenne ich Ihr Gesicht nicht mehr? Ich redete in eine
beliebige Richtung. HAPPINESS IS TO SLEEP IN YOUR OWN BED.
Ohne Mr. Kleenex würde ich wirklich keinen einzigen Tag
mehr leben wollen, Sie sollten mir das glauben. HAPPINESS IS
A BREAD AND BUTTER SANDWICH FOLDED OVER. Das, woran wir
vorbeifuhren ohne todbringenden Halt, nennt man Bruch-
techtonik. Wie können die Hochzeitsleute Leid tragen, so lan-
ge der Bräutigam bei ihnen ist. Das, was so tief in die Ge-
birgskörper eingreift, waren im Pliozän von Seen erfüllte
Becken. Ich starb im Pliozän. HAPPINESS IS A PIE WITH ICE
CREAM AFTER A GIVEN SERMON BY A FEMALE OVERSEAS STUDENT
WITH A GERMAN ACCENT. Nicht nur im Pliozän, auch im Alt-
quartär sind wir sofort gestorben. HAPPINESS IS TO BE COM-
PLETELY ELECTRIFIED, IS TO LOVE A TYPEWRITER, TO CONSUME
THRILL PILLS, TO ENJOY KILLING. HAPPINESS IS TO DIE IN A DECENT
MOMENT.
War Ihr Durst löschbar? Mein Durst war löschbar. Wurde in
Ihnen ein Tupfer vergessen? Könnten Sie über Ihre verschiedenen Schrecken noch genaue Auskunft geben? Könnten Sie
genaue Auskünfte geben, die andere mit Ihren Schrecken an-
stecken? Immer erinnern Sie sich schwerfällig. Immer erholen Sie sich auffällig. Sie klassischer Fall: getrauert und geliebt
und herumgejammert wird vielfach so wie von Ihnen. Sie sind
kein wissenschaftliches Neuland. Hügeltafeln, Ablagerungen
eiszeitlicher Erosionen: immer die geologischen Vorwände,
und eure Furcht vor den Büffeln, vorm Geröll, vor dem Meer
in der Nacht vom 31. 12. auf den 1. 1., als ihr durch die Asche
gestapft seid, als ihr jeder auf einem Geländer der Badekabi-
nen hocktet und entschlußlos bliebt wie immer, das Meer so
nah, aber euch zu schwarz. Es war zu kalt, rief ich. Es war zu
tödlich, rief er. Ist der Arzt mit Ihnen zufrieden, sind Sie über-

glücklich. Erwischt das Meer Sie nicht, so atmen Sie auf. Das Infusionsgerät wurde schon nach 2 Tagen aus Ihrem Krankenzimmer geschoben: Sie registrierten das mit großer Freude. Sie schnupperten an den Blumen Ihres Komplizen herum: weitermachen, nochmal, weiter.

Ich habe, wenn ich husten mußte, beide Hände auf den Sandsack gedrückt, und das war die Angst.

Hatten wir »und das war die Angst« zweistimmig gesagt, oder er allein, ich allein?

Nachlebende werden das nachleben.

Wem muten Sie zu, Ihnen zu glauben, fragte der Mann. Es fällt mir schrecklich schwer, ohne Mr. Kleenex auszukommen, sagte ich. Der Mann bekundete seine Weigerung, nun auch noch mit sexueller Nostalgie belästigt zu werden. Sie sind am Albaner See über abgeschnittene Köpfe gestolpert, Ihrer aber lag nirgendwo herum.

Die große Tonvase erkannte ich kaum noch, den Granitblock, auf dem sie befestigt war, gar nicht mehr. Auch am Tag erbettelte ich Drogen, widersprach ich. Sie machen sich nichts aus Schmerzen, sagte er. I am keen on Mr. Kleenex, schrie ich. Sie wagen ja nicht einmal, diese Erklärung in Ihrer Landessprache abzugeben, sagte er.

Ich sah die Person nicht mehr, ich mied nun den Bereich, aus dem die Sätze kamen. Ihr Mund nähert sich dem Mund Ihres Komplizen, so haben Sie es gern, die Schulter Ihres vorgebeugten Komplizen streift Sie, das genießen Sie beide, denn Ihr Bademantel ist dünn. Es kitzelt Ihr Ohr, wenn Ihr Komplize seine Traurigkeit in Ihr Ohr zischelt, es erregt Ihren Komplizen, wenn Sie ihm Ihre Traurigkeit zutscheln, mit den Wörtern Leben und Sterben erzielen Sie Lust.

Die Dunkelheit verbündet sich mit dem nassen Park. Ich finde niemanden im Umkreis. Im Steinrondell sehe ich keinen. Mein Herzschlag hat sich verlangsamt. Ich kann mich kaum noch bewegen. Mein Zwerchfell wird träge. Ich kann meine Hände nicht mehr zu Fäusten zusammenkrampfen. Es fällt mir schwer zu atmen. Ich schlucke, aus Angst, das Atmen zu verpassen. HAPPINESS IS TO REMEMBER. HAPPINESS IS TO FORGET. Um meine Schläfrigkeit zu bekämpfen, renne ich blindlings durch den ganzen Park. Ich bewege die Arme ausgreifend wie ein kraulender Schwimmer. Ich stoße gegen die umherwandelnden Ehrengäste. Ich verheddere mich im Gebüsch. Das Pfützenwasser spritzt an meinen Beinen hoch. Ich hangele mich aus einem der Brunnen. Ich reiße die Augen auf und erkenne die Steinstatuen plötzlich wieder. Habe ich denn das Rondell überhaupt verlassen? Wo befand ich mich in der Zwischenzeit? Ist Zeit vergangen? Ich übe mit meinen gelähmten Lidern, bis sie wieder funktionieren. Ich schlucke fast ohne Mühe, ich erkenne die kopflose Statue, ich erkenne die mit Kopf, ich sehe ihre weißlichen Stümpfe aus jetzt schwarzem Efeu wachsen, ich teile nicht das Schicksal der soeben Sterbenden, ich bin wieder erreichbar, ich möchte mich beschimpfen lassen, ich möchte einwilligen und widersprechen. In meiner Verfassung werden die meisten entlassen, sage ich laut und der vielleicht noch anwesenden Person zu Gefallen. Nur der Bequemlichkeit halber gebe ich ein paar Tage zu und packe meinen kleinen Koffer erst bei vollem Wohlbefinden. Wo befand sich die Person? Auf meine Augen konnte ich mich doch wenigstens einigermaßen verlassen, und es war endgültig Nacht, wenn sie recht hatten, der Farbe nach. Ja, Sie haben recht, rief ich ins Schwarze, ich habe keinen Patienten mit ansteckender Krankheit in die Arme genommen, ich bin nirgendwo abgestürzt, ich habe mich mit keinem Strick an keinem Balken erhängt, ich warf den Strumpf weg, mit dem ich mich erwürgen konnte, ich hüte das Gift, das ich schlucken müßte, ich hörte nicht auf zu schwimmen, als ich den Grund verlor, ich bin nicht auf meine Geschichte zugekrochen, ich sterbe täglich in kleiner Dosierung, anstatt mir durchs Herz zu schießen oder mich mit eiszeitlichem Dolinenwasser aufzublähen, ja, ja, so hebe ich mich auf, während es endet und damit weitergeht, ja so sterbe ich nicht, während ich sterbe, denn ich hatte keine Lust, da haben Sie mein Motiv.

Allein, wie ich im Steinrondell umhergelaufen war, auf der Bank gesessen, zwischen den Statuen und der Vase Halt gesucht hatte, allein blieb ich auch im Haus. Ich rutschte auf den Knien herum. Ich rügte mich scharf. Ich stand augenblicklich mit großer Willensanstrengung auf, ich säuberte sofort meine zerschrammten Knie. Ich räusperte mich, aber da war nichts, in meiner Kehle kein Widerstand. Ich setzte das ganze Haus unter Beleuchtung. Ehe etwas passieren könnte, ehe etwas geschähe, habe ich — ehe mir was zustieße, ehe ich die Orientierung verlöre, habe ich — ich habe Kamillentee aufgegossen. Ich habe mein nächtliches Wohlbefinden vorbereitet. Ich habe Jod und Salben auf meinen Wunden erneuert. Ich habe wieder nichts Neues darüber erfahren, ob die Lebendigen besser dran sind als die Toten — Ich habe es nicht erfahren wollen, aus Angst, es zu wissen, sagen die Person und ich plötzlich wieder im Chor. HAPPINESS IS NOT TO KNOW EXACTLY.

Man wacht mühsam wieder auf. Eine ungenaue Tagesstunde: mein Vater und der Professor standen in meinem Zimmer. Ich wunderte mich nicht, wieso mein Vater lebte.

Beide fielen durch betonte Heiterkeit auf. Der Professor hatte meinem Vater mein im Eisschrank konserviertes Übel gezeigt, und mein sensibler Vater hat sich nur um den Professor nicht zu beleidigen dem unerfreulichen Anblick gestellt. Nun leistete auch mein Mann wieder den beiden fröhlichen Männern in Nr. 606 Gesellschaft, kurz und auf dem Weg in irgendeine Sprechstunde. Mein Vater blieb etwas länger.

Schreibt man Mörike mit k oder mit ck? Woran erkennt man motorisierte Autoschmuggler? Das ist seit den Erfolgen der Pariser Kripo einfach, sofern Heroin per Auto über den großen Teich geschmuggelt werden soll. Des Rauschgiftschmuggels dringend verdächtig ist beispielsweise, wer mit einem schweren Citroën-Cabriolet auf der nur 220 km langen Strecke zwischen Paris und Le Havre dreimal anhält, um jedesmal genau 10 l Benzin zu tanken. Drehbuchschreiber von Kriminalfilmen und Autoren von Kriminalromanen und nebenbei die internationale Kriminalpolizei sollten sich derartige Details und Erkenntnisse der Fahndung nicht entgehen lassen. Fahrer derartig tankender Wagen müssen ihre Tanks bis auf ein Minimum verkleinert haben, um einige Dutzend Kilo Heroin darin unterzubringen.

Ich war am Leben und durstig. Der Münchner Psychiater Max Mickorey meint: Ein geretteter Selbstmörder kann es nicht ernst gemeint haben. Dem widerspricht die Auffassung des Baseler Ordinarius Kielholz: Frühere Selbstmordversuche verstärken, entgegen laienhaften Vorstellungen, die Gefahr für eine neue Selbsttötungshandlung. Sie sollten, meinen Sie nicht, eine Weile im heiteren Italien leben, um dort die hohe Selbstmordquote des Herkunftslandes zu vergessen. Der Selbstmord steht an 9. Stelle der Todesursachen bei uns. Die Selbstmordziffer schwankt. Frau Seiber sagt, unterhalten Sie sich doch mal mit Seiber über dieses ganze Gebiet. Er ist nicht nur Schriftsteller, sondern auch Homologe. Er kann es nicht lassen, die Übereinstimmung der Vernunft mit dem Handeln und beider mit der Natur zu studieren. Homologie ist aber auch die Entsprechung von biologischen Organen hinsichtlich ihrer Entwicklungsgeschichte. Das trifft sich mit der Leidenschaft fürs Käfersammeln, welcher der Seiber ebenfalls seit Seibergedenken frönt. Er hat sich so leicht nicht mit irgendwas nicht befaßt, übrigens auch mit Rauschgiften und zwar, sagen wir ruhig, als dies noch nicht modisch war. Jeden Tag nehmen sich im Durchschnitt 32 Bundesbürger das Leben. Ja aber, sagt Frau Ruland in ihrer versöhnlichen Art, wenn Sie diese Zahl an derjenigen messen, die angibt, wie viele Menschen am Leben bleiben? Was dann? Wohin dann mit Ihrem Defaitismus? Mit Ihren manischen Schwierigkeiten bei Erlebnisreaktionen, mit Ihren Konflikterlebnissen, Ihrer Sperrigkeit beim Arrangement mit dem Alltag? Und der Alkoholismus? Er fungiert in der Psychiatrie längst als ein Selbstmord auf Raten. Tödliche Unfälle im Straßenverkehr sind häufig nur verschleierte Selbstmorde. Da kommt keiner mehr nach. Da sieht man nicht so leicht durch. Ich kenne einen Psychologen, bzw. analytischen Psychologen, als welche C. G. Jung-Leute sich ja ausweisen, der übrigens in Übereinstimmung mit seiner sehr sportlichen Kollegin sagt: Prüfungen, Examina aller Art sind wichtige Stationen der Selbstbefreiung. Man könnte sie mit den reinigenden Gewittern vergleichen, als die bekanntlich vielen auch Zank und Streit gelten. Wenn aber durchgefallen wird? Vor Zank und Streit sich zu fürchten, deutet auf eine krankhafte Störung der Erlebnisbereitschaft hin, auch auf Wirklichkeitsscheu und so weiter.

Waren Sie schon mal in einer gutgeführten Klinik? Waren Sie schon mal in Florenz? Wissen Sie was über Rundkirchen? Den Obergaden des kreisrunden Mittelbaus tragen 22 glattschäftige jonische Säulen auf waagerechten Architraven — betrifft Santo Stefano Rotondo. So was sehen Sie so leicht nicht nochmal. Der Mann der Direktorin betrachtet außerdem immer wieder mit Bewunderung die edelgeschnittenen Gesichter der Kaninchen der Akademie. Waren Sie schon mal in Sizilien? fragt der Herr von der WELT. Er betupft die Stirn an einer Stelle, wo der Schweiß sich gar nicht befindet. Der meiste Schweiß sitzt auf der Oberlippe und Kinnlade. Der Herr von der WELT wird Sie ganz gewiß nicht dadurch irritieren, daß er Sie nach diesem schönen Abendessen irgendwo bei anderer Gelegenheit wiedererkennt. Die anderen Herren von den anderen Zeitungen und vom Kulturreferat werden in ihrer Diskretion, Sie schnell zu vergessen, ganz genau so weit gehen. Sie müssen aber unbedingt mal runter nach Apulien, sagt der Herr vom Goethe-Institut. Der andere Herr vom Goethe-Institut kauft sich seinen neuen Anzug doch lieber in Freiburg im Breisgau.

Interessant ist der Vergleich des pompejanischen einstöckigen Familienhauses mit dem in Pompeji noch nicht vertretenen Typus der Kaiserzeit, dem vielstöckigen Haus mit großem Hof und unterteilten Mietwohnungen, wie es die Ausgrabungen in Ostia zeigen. Der Ehrengast Ruland fuhr täglich nach Ostia antica, wenn er nicht täglich zum Freilandzeichnen nach Fiumicino fuhr. Ehrengäste gehen immer paarweise hintereinander, in Rangfolge. Der Zufall will es häufiger, als man denken möchte, daß Ehrengäste paarweise nicht wunschgemäß vor dem Portal zusammentreffen, wenn sie von ihren Bildungsausflügen aus der Stadt zurückkehren. Sie begrüßen sich feierlich. In zwei Monaten lernt man sich schätzen, aber nicht kennen. Schön, daß Ihr Sohn Sie besuchen konnte. Haben Sie denn in der knapp bemessenen Zeit alles Klassische sehen können? Wir waren im Zoo, am Meer, in den Bergen, in der automatischen Autowaschanlage. Im Zoo jeder Affen-Käfig eine Beckett-Inszenierung. Getting so much better all the time, sangen vor Jahren die Beatles, denen ich nicht gern widerspreche. Ringsum Rom, Rom mit Thermen, Basiliken, Palazzi, schönsten Plätzen, Mauern, importierten ägyptischen Obelisken, Friedhöfen, mit Keats' Grab, mit der kleinen Cestius-Pyramide, mit den Kuppeln, den Appartementhäusern und ihren riesigen Veranden und Dachterrassen, mit Palmen, Hibiskus, Oleander, mit den Hügeln, die ich auf mehr als sieben Hügeln abzähle, mit den FIATS, Rom, die Stadt, die zu altern versteht, sagt die Frau des Ehrengasts Jung, haben Sie schon mal bemerkt, daß unsere modernen Städte nicht mehr zu altern verstehen? Goethe hat es hier ja auch so gut gefallen. Winckelmann wäre ohne Rom vielleicht gar nicht zum Vater der Archäologie avanciert — fangt endlich an mit dem Staunen. Zehn Monate dauert doch wahrhaftig gar nichts Plausibles oder Bekanntes auf dieser Welt. Ferien sind kürzer, Wohnsitze verändert man für längere Zeit, eine Schwangerschaft dauert neun Monate, zumindest beim Menschen.

Wenn Sie in eine logische Sackgasse geraten sind, können Sie nachts schlecht einschlafen. Ihr logisches Geschüttel weckt allerdings keinen auf. Der Autor Ollek findet es unvernünftig, daß die Neuerscheinung Rasners aufs Weltniveau hinaufgeworfen wird, und Rasner findet es nicht unvernünftig. Ollek hat während der Abwesenheit der Direktion doch nicht die Chinesische Republik ausgerufen, denn er nimmt ein Sonnenbad. Er schreibt einen Essay über die Kollektivierung der Verlage, dieser soll die Auflösung der Verlage folgen. Er schreibt an DIE ZEIT und bittet um das Einstellen des Erscheinens der ZEIT. Er verschickt sein Manuskript DIE FREUDE AM ES. Er holt seine Kinder vom Kindergarten ab. Der Graphiker unterwirft das Sakrale der individuellen Vision. Und das Meer ist so blau so blau, als habe B. B. hier seinen Songtext erfunden. Es könnte allerdings auch manchmal etwas weniger blau sein. Aber das Meer ist in der Nähe. Man kommt ziemlich leicht hin, aber kaum wieder zurück. Am schwärzlichen Strand vor dem Wasser, das bei bestimmtem Lichteinfall auch hellgrün sein kann, gelegentlich beinah hellbraun, können wir uns nichts vormachen: wir sind nicht in Holland, wir sind nicht in Belgien, nicht am Kanal, nicht am Pazifik, wir sind am Tyrrhenischen Meer. Wenn wir Glück haben, wirbelt der Schirokko es auf. Wir fahren in südlicher Richtung, der Strand hellt sich auf, ist gelblich-braun in Zingarini; in Tor-Vaianica gehen wir an einem braunen Rinnsal entlang, in dem Fische herumzukken, wir tauchen die Füße ins Meer und in den grobkörnigen Sand und finden den üblichen Meerplunder; wir fahren nach Norden, in Fregene riecht es nach Pinien, aus dem Marschland kommt der Wein, mit dem wir es abends übertreiben, das dort, schwarz und glatt auf dem Feld, ist ein Biber. In Fiumicino auf dem Reusenpier schmeckt alles, was wir uns zum Mittagessen bestellen, nach Mole. In Anzio lockt uns ein Balkon, eingefaßt von Terrakotta-Löwen; wir möchten die Hafenlokale ausprobieren, wir bleiben nicht in Anzio, der Geburtsstadt Caligulas und Neros mit den Patriziervillen von Cassius, Lucullus, Maecenas und Cicero, der letzten Stadt Latiums, die sich der Macht Roms beugte, 314 vor Christus, und die im Mittelalter von den Sarazenen zerstört wurde. Ich sehe, Sie profitieren ja bereits und das nach knapp — wie viel Monaten? Zumindest im Frühjahr. Das ist nicht gerade sehr früh.

Sie machen sich Notizen über den versandeten Hafen, den Nero erbaute, über dessen klobige Rudimente, die aus den Wellen ragen, über die Reihe kleiner gemauerter Zellen, ehemaliger Lagerräume des Nero-Hafens, die heute Neros Grotten heißen und als inoffizielle Pissoirs benutzt werden. Das brauchten Sie wiederum nicht unbedingt zu erwähnen. In Pompeji haben Sie beim besten Willen nichts Unanständiges entdecken können.

Nr. 606. Das Bett muß, ob zerwühlt oder nicht, ob du im Sterben liegst oder deine Narbe aufbricht — es kann sein, daß du dich unsinnig sorgst, aber dein Eindruck ist für dich bestimmend — das Bett muß gemacht werden. Es muß gemacht werden, auch wenn es dir gerade gelungen war, einzuschlafen oder wenn du vorher viel bequemer darin lagst. Mit den Körperwäschen verhält es sich ähnlich. Deine Schwäche zählt nicht. Alle anderen wissen alles andere besser als du. Du gehörst dir nicht. Mit dir wird in säuselndem Imperativ gesprochen und danach ohne Säuseln verfahren. Nächte im Anschluß an Operationen werden nicht von dir zum 1. Mal beim Namen HÖLLE genannt. Deine Schmerzen wecken dich zwar immer wieder auf, sie erschrecken dich sehr, aber lebensgefährlich sind sie deswegen noch lang nicht, wie wenig du auch an ihre Belanglosigkeit zu glauben vermagst. Deine Panik kann die Nachtschwester sanft ablenken, aber sie bringt dich nicht ab vom Außergewöhnlichen, das du an dir zu beobachten meinst. Du verlangst ja schon die 4. Injektion. Bei der 3. war doch Schw. Johanna bereits ziemlich ratlos. Zu diesem Zeitpunkt fing es an mit dem Durst. Die 4. Injektion verabfolgte man dir stumm. Vor 1 Minute, als sie für 1 Minute in 606 war, um von dir das Wort DURST zu hören, sagte Schw. Charla: Zu viel Trinken führt zum Blähbauch und schließlich zur Peritonitis, das ist die gefährliche Baufellentzündung. Es ist taktlos, daß sie auf dem Gang mit den Tassen für den Nachmittagstee klappern. Wasserrauschen, der schöne durchsichtige Wasserstrahl fällt ins und übers Glas, ein Glas nimmt Wasser auf, ein Glas wird ausgespült. Bei der 1. Injektion sagte Schw. Johanna, gut in der Rolle der sanften Stubenfliege: Wenn sie nicht schlafen kann, kriegt sie halt noch ein Spritzchen. Bei der 2. Injektion sagte sie: Tuts denn so weh? Ich griff ihr Erstaunen auf, um ihr endlich klarzumachen, ich fürchte die Schmerzen nicht, wäre ich nur sicher, sie seien normal. Daß sie der logischen Beweiskette kein weiteres Glied anheften wollte, erschwerte unsere traumatische Kommunikation. Die kleine trübe Fliege weiß nur ein paar Sätze auswendig, jedoch so lang sie inokulierte, war mir das egal.

Mir wurde ein Getränk für die Zeit um Mittag versprochen. Zum Überbrücken der Stunden bis dahin bekam ich einen mit Watte umwickelten kleinen Holzstab, das obere Ende feucht von pappiger Lösung, mit der ich mir nach Belieben Lippen, Innenseiten der Lippen und die Zungenspitze beschmieren konnte. An das Ziel ERFRISCHUNG wird vom Pflegepersonal geglaubt. Der Professor zweifelte keinen Moment am Erfolg der ganzen nützlichen Mißhandlung. Was sich unter meinem Verband, den ein Sandsack beschwerte, abspielte, regte sie alle nicht auf, sie glaubten es zu wissen, sie werden es wahrscheinlich gewußt haben.

Am schönsten ist es, mit einem Baumbestimmungsbuch durch gutbestückte Parks, Botanische Gärten, gewisse Wälder und so weiter zu wandern. Ohne Baumbestimmungsbuch hätte mir mein Mann gar nicht DAS SIND ENGLISCHE ULMEN sagen können. Letzte Nacht ist meine knochenlose Schwägerin Helene aus dem Bett gefallen. Rock weckte ihr Geheul auf. Er fand sie am Boden, allerdings ein Stück weit ab vom Bett und in einer identifizierbaren Pfütze. Schwieriges Zusammenleben, schöne Zusammengehörigkeiten. Rock bat die in dieser Verfassung erst recht unzurechnungsfähige Helene, sich wieder ins Bett zu legen, die Schreie und unqualifizierbaren Jammerlaute einzustellen. Warum geht Rock überhaupt noch in die Schule, in die er so selten geht? Warum wird er nicht gleich Pfleger? Er ging zurück in sein Zimmer, war dabei ruhig, um schätzungsweise 16 Vögel, Exoten und Einheimische, in Käfigen und frei (die

Taube) nicht zu stören. Nach kurzer Zeit fuhr Helene fort, laut zu wehklagen. Rock fand sie immer noch in der Pfütze. Nun holte er seinen Vater. Auch seine Großmutter war wach geworden und benutzte zunächst die Unterbrechung des Schlafs dazu, aufs WC zu gehen. In dieser Nacht stand ihr der Sinn nicht danach, die Pfütze aufzuwischen. Nerven sind nachts empfindlicher. Hat sie den Arm bereits gebrochen oder kommt das noch auf sie zu? Indessen hoben mein Mann und mein Sohn, verlassene Verwandte, die mich immer noch gern haben, mit beiden Händen je an einem Arm Helene klammernd, Helene in die Höhe. Ins Bett mit der schweren schwabbligen Masse Blutsverwandtschaft.

Am nächsten Morgen frühstückte Helene im Bett. Sie wollte nun über ihren Unfall diskutieren. Kitty blieb stumm, sie reinigte das Zimmer. Gegen Mittag, von der Macht ihres Appetits getrieben, stand Helene auf und erschien zum Essen. Sie ist mit blauen Flecken gut weggekommen. Die Familie überdenkt die Anbringung eines Gitters an der nicht an der Wand zugekehrten Bettseite.

Wo trieb denn ich mich zu dieser Zeit herum? In Nr. 606? ICH BIN IN DER 1. KLASSE GEFAHREN. DAS WIRD SIE WAHRSCHEINLICH NICHT SO BESONDERS FREUEN. Der Veranstalter und seine Sekretärin, die er Mitarbeiter nennt, überhören mich. Schon wieder gelingt dem D 205 ein Triumph über die Autoindustrie. Beiden Männern hat die Kur gutgetan. Die Ehefrauen fühlen sich seit Tagen nicht mehr so behaglich, seit die Rückkehr der Männer sich dem unehelichen Frieden ihrer Haushalte nähert. Auch sie haben etwas an Gewicht zugenommen. Nun rücken die unvermeidlichen kleinen Belästigungen durch die Männer wieder auf sie zu, in den weiblicher gewordenen Haushalten werden die Männer wieder ihre altbekannte Unruhe stiften. Der eine ist brauner geworden als der andere, der sein Mittagessen heut schon wieder zu Haus einnehmen kann, während der Freund noch mehrfach umsteigen muß. Der Zug holt auf / du bekommst den Anschluß / paß auf wir schaffen gleich diese lahme Kutsche / meine Frau kannst du nachher begutachten / sie holt mich ab das gute Stück. Vorbei mit der Lustigen Witwe / Witwer-Zeit. Der Mann freut sich immerhin auf das 1. Machtwort in den eigenen 4 Wänden, auf die 1. Ausübung seines stammesgeschichtlichen Rechts zu tyrannisieren. Es wird ihm nicht schwerfallen, in der 1. halben Stunde einen Anlaß zu erfinden, mal in aller Deutlichkeit klarzustellen, was überhaupt los ist. Dank des bescheidenen Weinangebots in der bald Junggesellinnenwirtschaft, bald Klause, bald Dachstübchen genannten Wohnung der Geschäftsführerin, dem KLEINEN KREIS zur Verfügung gestellt, ist es mir während dieser Bahnfahrt nicht schlecht gewesen. Wenden Sie sich nur an einen kleinen Leserkreis oder möchten Sie möglichst viele Menschen ansprechen / wer sind Ihre Vorbilder / suchen Sie die Problematik ausschließlich im Alltäglichen / möchten Sie sich politisch engagieren / wie kamen Sie zum Schreiben / erwarten Sie bitte einen zwar kleinen, aber sehr interessierten Hörerkreis denn das Wetter ist so schlecht / denn heut Abend überlagern sich gleich drei kulturelle Veranstaltungen / denn das Wetter ist so gut / Sie sind nicht Stefan Andres / Ihr Abend fällt ausgerechnet in die Konfirmationszeit / die Schulferien haben beinah schon angefangen / das Fernsehen bringt die 3. Folge von / wir haben es in dieser Stadt nicht leicht / die Wahlen werfen ihre Schatten voraus / die Leute sind im allgemeinen recht aufgeschlossen / Sie sind nicht Manfred Hausmann . . .

Der Frau mit den physischen Schwierigkeiten zerrt nun schon seit Jahrzehnten, seit ihrer festen Entscheidung für diese Frisur, ein Haarknoten leicht gekräuselte Strähnen aus der kurzen grimmigen Stirn. Um ihre Naturlocken wird sie im engsten Freundeskreis beneidet, während mit ihrer Physiognomie so leicht keiner tauschen möchte. Ihr hat auf dem Perron einer Kreisstadt, deren Namen ich nicht im Zugbegleiter aufsuchen will, eine ganz ähnliche Frau nachgewinkt. Sauber rundgeschnitten sind ihre Fingernägel, an denen sie gleichwohl knipst; so versucht sie, ihr seelisches Mißbehagen zu kompensieren. Auch mit den Beinen führt sie Schutzbewegungen aus, die Schuhsohlen reiben über den Wollteppich, mit dem dieses Abteil grünlich ausgelegt ist: Unruhe gegen Unruhe, ihr Körper will aufsässiger sein als ihr Gemüt, kann aber nicht. Die Freundin in der Kreisstadt geht angenehm betrübt zurück in die entschieden nur für eine Person auf die Dauer erträgliche Wohnung. Sie atmet ruhig und erleichtert. Erzählt hat sie sowieso alles und hat alles Nötige gehört. Bald wird der Besuch, die Frau im Abteil, nicht mehr so brennend vermißt, wie in den Briefen steht. Ich kann nicht glauben, daß ich die Leute im Abteil wieder sehen soll. Ein Schuh der Frau und ein Schuh des Mannes ihr gegenüber sind nun doch aneinandergeraten. MACHT NICHTS, DAS WAR NUR MEIN HOLZBEIN. Schon genügt ihm der Kurgenosse nicht mehr. Er möchte alle im Abteil mit seiner Ankunftserregung beschäftigen, wir sollen uns alle aus dem Fenster beugen, wenn er aussteigt und seine Frau ihn begrüßt. Seine Frau tönt das Haar nach einem der neuesten Verfahren, das Haar ist mit seinen konventionellen Wellenbewegungen weniger dicht, als die leichte Toupierung vorgibt, und wird allmählich immer silbriger abgewandelt, hierzu riet ihr der Friseur, um den Übergang zur Er-

grauung einzuleiten. Der Ergrauung will sich nämlich diese
Frau eines Tages stellen. Klassische Kostüme trägt sie doch
immer wieder am liebsten. Ihre Haut ist gebräunt, denn die
Sonne hat es mit ihrem Balkon gutgemeint, und sie pflegt auf
Komplimente, ihre frische Farbe betreffend, zu erwidern:
Braun sieht man angezogener aus.
Warum ist das ausgerechnet dieser Bahnhof. Wozu gibt es
Wetzlar, Warburg, Hofgeismar, Mittelgebirge, Mainfranken
— Reisen Sie gern / halten Sie es für sinnvoll / ... Doch, ja,
eigentlich ja. Kommen Sie viel herum / rufen Sie mich doch
mal unter 24 594 an denn ich halte unser Gespräch für noch
gar nicht beendet / ist es nicht anstrengend / immer neue
Leute / immer etwas ähnlich aber man muß sich doch einstellen / konzentrieren oder wie? Ach ja, das auch, doch. Wer will
denn etwas wissen von dieser Ziegelei, diesem Bahnübergang.
Von dieser alptraumverquollenen Bettwäsche. Von den ver-
bauten tüchtigen Kleinbetrieben in Privatbesitz. Das Beste
unterwegs: Unterwegsbleiben. (Typisch für Personen, die sich
vor ihrer Verantwortlichkeit drücken.) Das Gute: dichter Nebel. Das vorübergehend Enttäuschende: ein häßliches Zwei-
familienhaus. Darin muß gewohnt werden. Als würde es sich
lohnen mitten im Nebel: die blaue Schrift GUMMI- UND SCHAUM-
GUMMI-SCHOLZ.
Rubin hat bei einer Beerdigung geholfen und den Begriff Dis-
identität erfunden, analysiert, erfaßt. Er hat erst vor der Ka-
pelle schwarze Schuhe angezogen. Rubin wirft mir nun aber
mal ganz entschieden vor, daß ich ihn auf Schritt und Tritt
und mit jeder Unterlassung, Verweigerung, Inhibition verrate. Die Begräbnisfeierlichkeit war sehr feierlich. Die Grabstelle ist sehr schön. Wenn erst über der Grabstelle, waldige
Gegend, die Nachtigallen singen, denkt Rubin es sich dort
unter der Erde sehr annehmbar. Und danach war auch alles
sehr angemessen. Danach haben sie literweise getrunken, sagt
Martha, und mach dir nichts aus dem Verratgerede, er ist heut
nicht in Form, Restalkohol, dann hat er sich in aller Frühe
einen Kaffee gemacht, dann hat er wieder was zum Schlafen
genommen, er war einfach verschlafen.
Entspannen Sie sich wenigstens unterwegs / in den Zügen /
in den Hotels. Ach, so ziemlich. Schöner sind Äste. Schöner
sind Telegrafenmasten. Schöner sind die Irrtümer längs der
Fahrtrichtung. Ich bin hier: es sieht so aus. Ich muß nicht bleiben. Ich bin nicht hier, wo es so aussieht. Ich habe, bei der
Ankunft, längst angefangen abzufahren, ich fahre weiter, ich
muß lernen anzukommen, ich muß lernen zu bleiben. Wozu
dieses Beste und dieses Gute. Wer hat verfügt, daß dieses Beste, die Durchreise, immer noch nicht gut genug ist.

Wie nett, Sie haben schon einen fast erwachsenen Sohn? Die Wirtschafterin lacht wirtschaftlich. Und weitere Kinder? Was nicht ist, kann nicht immer noch werden. Die Wirtschafterin steht stramm. Sie mußte sich zu früh zur Scheidung entschließen. Die beste Hinterlassenschaft ihres Ehemaligen: ein rollbarer Heizkörper. Auch Sie müssen sich über die Redlichkeit Ihres Privatlebens klarwerden. Was ich heimlich lebe, muß ich sagen und es danach unheimlich leben. Mein Sohn liebt Kraterseen.

Was fangen Sie mit Ihren römischen Sonntagen an? Wir gehen durch angrenzende Straßen, wir besuchen den Parco Pubblico der Villa Ada. Wir betrachten die altmodischen Gesichter der Kinder, wir sind beruhigt über die friedlichen römischen Hunde, die Maulkörbe aus Bast tragen, wenn sie den Omnibus benutzen wollen und das wollen sie beinah immer. Wir stehen vor Karussells und schauen zu, wir sehen vom Pincio aus den kunstführerwürdigen Sonnenuntergang. Haben Sie denn nun versucht, sich umzubringen, oder haben Sie nicht? Sie konnten Ihr Gefühlsleben nicht mit einer tief in Ihr Gehirn geschobenen Elektrode steuern, denn so weit wurden Sie ärztlich nicht betreut. Spickt man den Kopf eines Menschen mit über 100 Elektroden, so erzielt man einen Automatenmenschen, dessen Gefühle sich an- und ausschalten lassen wie die Zündung im Auto. Der Seele bemächtigt sich eine raffinierte Steuerungstechnik. Der entscheidende Punkt liegt im Gehirn. Mittels Einwirkung der Elektroden werden Sie Ihre weit überschätzten Probleme los..

Am Morgen nach dem Operationstag trat keine Putzfrau bei mir ein. In eine Schnabeltasse paßt eine gerissen minimale Menge Flüssigkeit. Wie löscht man den Durst optimal? Sparsam, jeden Schluck im Mund herumschwenkend, jeden Tropfen selten, in weiten Abständen. Aber es entspräche dem riesigen Trieb Durst, alles auf einmal herunterzusaugen. Wäre der Nutzwert nicht wenigstens für die eine glückliche Sekunde größer? Durst, den ich oft nicht habe, wenn ich trinke. Ich sehe Bier in Flaschen, im Glas, eine geöffnete Dose mit angeschmutzter Schaumblüte, ein Rinnsal Bier, trübe um den Dosenrand, ich sehe Mineralwasser, eine Säule aus Kohlensäure, ich öffne die Flasche, gleich werde ich trinken. Was lenkt vom Durst ab? Eine Infusion ist eine Verspottung der Erscheinung DURST. Die Flüssigkeit ist etwas ölig und limonadenfarbig und ihr Anblick macht durstig. Eine Infusion ist mein komplettes Frühstück, an Nährwert und Flüssigkeitswert vergleichbar einem Steak ohne Zwiebeln, dank seiner Vitamine,

Poliobione und wasweißich. Mein Bewußtsein war nicht dankbar. Die Tante kam ohne den Hund. Die Schule, in der sie Musik, Deutsch und Religion unterrichtet, ein Gymnasium für Mädchen, vor denen sie sich etwas fürchtet, liegt in der Parallelstraße. Ich gab mir Mühe und lobte, was sie anhatte. Sie brachte einen kleinen Strauß, sie war verlegen, war abgestoßen; um dies nicht zu zeigen, gab sie sich heiter, aber ihre Stimme klang spitz, sie dachte intensiv an den Hund. Blumen, die blödsinnigen Blumen, was für ein Fest wird hier gefeiert. Zehn rotgelbe Tulpen am späten Vormittag, was weiß ich von wem, dem ich vom Durst erzählte. Der sprudelnde Springbrunnen macht durstig. Blumen von den Nachbarn, Blumen von den Zanders, das geburtstägliche, hochzeitliche, jubiläumsfeierliche Papiergeknister, Blumen bekamen Wasser, ich lag verdurstend den Blumen und den mit Wasser hochgefüllten Vasen gegenüber, diese Quartalssäuferblumen soffen und soffen, blühten und blühten, alberne Farbigkeit. Rubin kann beim besten Willen kein Briefpapier finden. Für meinen Mann und Kitty unterschlug ich meinen Durst. Kitty schenkte mir eine kleine Gruppe aus Porzellan: ein Hundewagen, in dem ein Liebespaar sitzt. Rock schickte ein paar Nummern des RECORD MIRROR. Mein Mann brachte Zeitungen. Bald wird alles wieder wie früher. Bald wird alles wieder wie noch nie.
Ich treffe Familienmitglieder im Café Oper. Kitty bestellt sich, ihrem Kindergeschmack gemäß, Schok mit Sahne, mein Mann nimmt Kaffee und seine Mutter gibt ihm etwas Sahne ab, ich trinke Tee. Wir vermeiden es, über Rock zu sprechen, falls dieser in der Schule fehlt. Kitty bedauert, nicht auch wie mein Mann Sachertorte gewählt zu haben, denn die sieht sehr schön feucht aus, während ihr englischer Kuchen der Backstube des Café Oper diesmal entschieden mißlungen ist. So gelangt die Sachertorte auf ihr Gedeck und mein Mann hat es vorher gewußt, er hat eigentlich nach allem Lust, was wir von unseren Tellern löffeln, aber gerade in der Unterdrückung besteht sein Genuß. Daß er seinen Appetit nicht befriedigt, befriedigt seinen Stolz. Er will der einzige sein, der sich zurückhält. Als einziger wird er nachher ohne Völlegefühl aufbrechen, elastisch und gelenkig neben uns Übersättigten. Beim Abendessen wird er kein schlechtes Gewissen haben und gern beobachten, wie seine Mutter sich über den betrübten wunschlosen Magen reibt. Ja, Rubin, so freut man sich auf zu Haus.
Warum lebt Rubin wochenlang entfernt von seiner Familie, was für ein unkombinierter, maroder, topophobischer Typ. Auch die Psyche ist imstande, zu verschmutzen, Rost anzusetzen. Rubin zieht über Marthas Prämiensparerei her. Immer geht das erschließende, ermöglichende Geld dann für 4 Jahre

weg, ist blockiert, er kann nicht dran. Martha vergißt die Gegenwart. Rubin langweilt sie mit der Ankündigung seines Todes vor Ablauf der Gewinnfrist. An sein Ableben glaubt seit Jahren kein Mensch, denn obwohl er vom Aufwachen an bis zum Schlafengehen sich gedankenlos durch den Tag ruiniert, überlebt er aufs Erstaunlichste mit robuster Hinfälligkeit. Immerhin darf man auch nicht die skrupellose Art und Weise vergessen, in der er zahllose Male Gelegenheitspassionen für die Wahrheit seines Lebens hielt und somit Martha ziemlich unentwegt derjenigen Gegenwart beraubte, die er anderswo benutzte. Immer das Motiv GEGENWARTSABTAUSCH; Malen, Schreiben, Musik, Bildhauerei, aber wo führt er etwas durch, wo gibt es einen Abschluß, und mit überschrittenen 40 fängt auch kein vernünftiger Mensch mehr an zu studieren, erneut zu studieren, eine Sache, die Rubin auch wieder aufgibt, privat fortsetzt, in der querulierenden Mischung Theologie, Mittelhochdeutsch, Algebra und so weiter. Seit Jahren droht er den umwerfenden Roman an. In diesem Roman wird es universal und kosmisch zugehen, und allen Hominiden dieser Welt wird Hören und Sehen vergehen. Er akzeptiert den Begriff MENSCHHEIT nicht. Rubins Wahrheit, die Wahrheit als solche also, wird herauskommen. Rubin wird sie nach einem berühmten Krakeelervorbild im Sinne von enthüllenden, explodierenden Evolutionen und Wahrheitsorgasmen in riesige Leerbände mit der ungeduldigen Hand kritzeln und wird später kaum noch die Lesbarkeit dieser Relevanz herstellen können. Der unlesbare Roman WAHRHEIT. Rubin wird mit Millionen sich ihm versagender Schreibstifte gekämpft haben. Die Augen der Nichtlesenden werden herausplatzen, die Ohren der Nichtvernehmenden werden bersten, wenn Rubin mit der Sprache in die Offenheit tritt, Wahrheitsniederschrift, wütend, beschimpfend, aber auch, französisch zu verstehen: elegant. Keine Verfälschungen und keine Verunglimpfungen der wahren Sachverhalte irgendwelcher artifizieller, formalistischer Prosazirkusnummern zuliebe. Professoren laden ihn ein. In Diskussionen wird er unklar und bewundert. Was Rubin alles zugleich sagen will und in endlosen Parenthesen unterzubringen versucht, sprengt die Fugen seines grenzübertreterischen Denkens. Er pinselt Aquarellfarben auf rauhes Papier, bloß um nicht zu weinen. Gut für ihn, daß er durch Martha doch wieder aufs Malen gekommen ist. Als er gar nicht mehr weiter wußte im Elend von zu viel und zu wenig, servierte Martha ihm die Malutensilien, und sie lenkte das kleine Kind, den großen Rubin, vom Schlimmsten ab. Kaum hat sie entdeckt, daß sein Mund wieder so komisch wackelt, da bringt sie ihm auch schon so ein Blatt und die Pinsel, die Farbkästen, die

beiden Wassergefäße; sie kann daraufhin, so bald Rubin angefangen hat, Tränen in seine exaltierten Flammenfarben zu
mischen und schwarze merkwürdige Systemlinien einzu-
schlängeln, mit der unglaublichsten Kleckserei und Ver-
schandelung einer umfangreichen Wohnfläche rechnen. Rubin sitzt als schweres grüblerisches, auf Zeit tröstliches
Kind über Blatt um Blatt. Mit Blau und Gold, kann auch
Gelb sein, hat er irgendwas Symbolisches vor. Die Kombination Rot und Blau hat irgendwann mal sein Leben verwandelt.

Ja das stimmt: Ich sitze hier und habe es gut. Ja das stimmt:
Ich sitze hier und habe es gut. Danke ja Es geht mir gut Es
trifft zu Ja ich bin es Hier habe ich es gut wo denn sonst Es ist
nicht anders Es geht überhaupt nicht anders als so Vielen
Dank es stimmt Es ist alles so gut geregelt Es regnet so richtig
harmonisch Es regnet nicht Wie richtig harmonisch Ich bin
nicht vorbestraft Daß es jetzt nicht regnet Daß es dann wieder
regnet Protect your family . . . now Hier dieser Ausblick Dieser Stuhl Dieses Fenster Es stimmt haargenau mit dem über-
ein was mir guttut Wo käme ich denn hin Ich bleibe unge-
schoren Ich beteilige mich am Telefon daran Ich halte mich da
heraus Ich bin von weitem nett Protect your family before
time of need Ich glaube an Schlagzeilen: AUF DAS ERLEBNIS
KOMMT ES AN. Ich glaube an die Ratschläge meiner Straßen-
bahngesellschaft: FESTEN HALT SUCHEN. Ich glaube an die 5 Vorteile eines Familiengrabs Ich habe am frühen Morgen angestanden um nach dem Öffnen des Sinnwellturms als erste auf
dem Sinnwellturm zu sein Schönes-Ums-Viereck-Gehen Ich
habe die verkehrten Schuhe an Ich habe das Talent immer die
verkehrten Schuhe anzuhaben Ich habe das verkehrt gemacht
Ja das stimmt auffallend Das ist nicht das erste Mal Ja das
wird nicht das letzte Mal sein Ich weiß zu wenig vom heißen
Gehirn des Träumenden Ich weiß daß durch Meschede/West-
falen die Ruhr fließt Ich weiß nicht wo ein Friseur ist Ich habe
schnell handelnd dem Goldfisch zweifellos das Leben gerettet
Ich habe keinen Führerschein Ich habe eine unbedachte Antwort gegeben Ich muß doch nicht immer das große Wort führen Ich muß doch nicht immer das Gespräch an mich reißen
Ich muß mich mal informieren Ich muß das mal nachlesen Ich
darf mich so töricht keineswegs in der Öffentlichkeit äußern
Was weiß ich denn überhaupt von Mr. Nixon Ich bin genau so
saublöd wie M. Sch. W.
5. Vorteil der Frühauswahl eines Familiengrabs: GIVES PEACE
OF MIND WHICH CAN BE GAINED IN NO OTHER WAY Ich bin keiner

Belehrung zugänglich Ich bin nicht die Mehrheit Ich verdiene
für meine Rettung des Goldfischs öffentliche Belobigung Ich
bin registriert Ich bekomme so leicht blaue Flecken Ich habe
ja Schienbeine Ich bin so ichbezogen Ich bin viel zu gutmütig
Ich schreibe nicht den richtigen Leuten Ich überspitze Ich dis-
poniere falsch Ich habe es gut Es stimmt Ich war als Unbe-
bekannte auf dem Sinnwellturm Ich gehöre da nicht hin wo ich
bin Ich fahre viel zu gern mit Ich fahre viel zu ungern mit Ich
fahre viel zu ungern allein weiter Ich wasche mein Taschentuch nicht Ich erschien gegen 10.30 Uhr erneut und zahlte
wiederum den Eintritt Ich erklärte jetzt sei die Sicht besonders
schön Ich bin beleidigt anstatt reuig zu sein Demut ist für
mich ein Fremdwort Ich finde kein Wort der Entschuldigung
Ich kann das Maß nicht halten Ich zanke mich ganz unnötiger-
weise mit einem Hautarzt über Karajan Ich weiß nie wann
Schluß ist
2. Vorteil der Frühauswahl eines Familiengrabs: YOU'RE
FEELING FREE AT TIME OF SORROW Ich weiß nicht wo das Meer
anfängt Ich weiß nicht wo das Meer aufhört Ich kann das Tele-
fonbuch nicht lesen Ich ertrinke sofern ich zu viel Wasser
schlucke Ich bin kein Tresorknacker Ich bin doch nicht für die
Salzburger Festspiele verantwortlich Ich werde ja langsam
menschenscheu Ich betrete unbefugt Ich bin doch kein Orakel
Wer bin ich denn daß ich immer so Ich falle der tödlichen
Seuche unter Kannibalen nicht anheim Ich verstehe gar nichts
vom Blick der Stubenfliege Ich bin nicht zum großen Kriterium
der Rad-Asse eingeladen Ich weiß ungefähr wie hoch der
Babylonische Turm war Ich bin wohnhaft Ich schade dem
Lack nicht Ich bin kein totes Insekt Ich bin doch nicht berufen
Ich bin doch nicht gefragt Wenige Minuten nach meiner zweiten Besteigung des Sinnwellturms liege ich zerschmettert am
Fuß des Sinnwellturms Dort läge ich Die dort wäre ich Ich
habe den Weizen nicht vergiftet Ich wurde vom Blitz erschlagen Ich habe die Kleider auf die Straße geworfen Ich war sofort tot Ich verstelle mich daher habe ich größere Chancen
beim Orgasmus Ich weiß überhaupt nicht wie dieser Kellner
aus Prag sich jetzt fühlt Ich weiß überhaupt nicht ob das Meer
in der Mitte anfängt Ich weiß etwas über Bahnhöfe Ich weiß
wer 1190 im Fluß Saleph an der Südküste Kleinasiens ertrank
Ich bin ein Badegast weniger Ich bin ein Sonnenanbeter weniger Ich habe keine Angst vor überfüllten Hotels Dauertelefo-
nierer erstochen Ein Ortsgespräch kostet nicht einfach was es
auf dem Papier kostet Ich denke nie an die Grundgebühr Ich
bin viel zu anhänglich Ich beschäftige eine Dampfwäscherei
Ich muß mal lernen zu denken Ich muß mal lernen wie Dr.
Eaton dynamisch zu träumen Ich habe keine schöpferischen

Ideen zur Friedhofsgestaltung wie Dr. Eaton Ich bin schon wieder nicht fröhlich aufgewacht Ich muß mir abgewöhnen mich vor Sonntagen zu fürchten Ich erbeute keinen Pfennig in der Raiffeisenkasse von Aichkirchen Landkreis Parsberg Ich bin von der etwa 25 Meter hohen Aussichtskanzel heruntergesprungen Die wäre ich wenn ich sein könnte Ich muß besser hinhören Ehe ich mitrede muß ich zum Beispiel Bescheid wissen Ich trug keinerlei Ausweispapiere bei mir Wenn ich nicht aufhören will muß ich fühlen Ich muß das Richtige fühlen Ja das stimmt Es ist das Richtige für mich Ja das stimmt Ich sitze hier und habe es gut Ja das stimmt Ich sitze hier und habe es gut Ich bin nicht kreditwürdig Ich verspeise menschliche Gehirne nicht Ich war sofort hinüber Ich hätte mich mal selbst dabei beobachten sollen Ich hätte dann endgültig die Nase voll von mir selber Ich lasse mich darauf ein Ich riskiere es Ich überlebe es nach einer bestimmten Wahrscheinlichkeitsrechnung

1. Vorteil der vorzeitigen Auswahl eines Familiengrabes: Ein Mann und seine Frau treffen ihre Entscheidung gemeinsam und frei vom emotionaler Beanspruchung Ich bin auch in zerschmettertem Zustand abmeßbar und mit einigen Merkmalen dem Erkennungsdienst von Nutzen Hätte ich doch zum Beispiel einen versteiften kleinen Finger an der rechten Hand Fehlte mir doch zum Beispiel am Daumen der rechten Hand das vordere Glied Könnten doch zum Beispiel Ärzte einige spezifische Schnitte oder Goldplomben als ihre Arbeit wieder feststellen Wüßte ich doch zum Beispiel was ich gesagt habe Wäre mir doch zum Beispiel klar wie ich mich aufzuführen habe Vielen Dank ja Ich sitze hier und es ist ganz richtig Es ist was für mich Ich bin versorgt Ein schlechter Sommer garantiert keinen guten Herbst Ich sitze da wie die Made im Speck Mir sieht man nichts an Ich bin nicht wo ich mich befinde Das Meer hindert Augen am Erblinden Das Meer läßt mich am Leben Mir vergeht das Meer nicht Ich muß aufpassen daß nicht alles verschimmelt Ich muß rechtzeitig ins Bett Ich muß essen Ich muß R.E.M.-Träumen nacheifern Ich brauche mir überhaupt nichts darauf einzubilden Ich muß absagen Ich muß es wieder und wieder tun Ich habe es gut Ich habe es gut Ich habe es gut Ich habe es gut Protection: Ich kenne die Vorteile Ich darf nicht den Bedarfsfall abwarten Es ist in 7 von 10 Fällen die Witwe die sich um die Beerdigungsarrangements zu kümmern hat Ich habe es gut Ich habe genug Ja das stimmt Hier sitze ich Ich habe es gut Es geht mich gar nichts an Karajan verzichtete in St. Moritz auf jede finanzielle Unterstützung Das Meer fängt auf einem Bahnsteig an Ich bedenke meine Wege nicht und lenke meine Füße nicht zu Deinen Mahnun-

gen Wenn ich mich fürchte so hoffe ich Sind ihrer nicht zehn rein geworden Wo aber sind die neun Wo aber fängt das Meer an.

Müßte Rubin sich doch bloß nicht jeden frühen Morgen ein paar Sekunden nach dem Aufwachen Stück für Stück in seinem beunruhigten Bewußtsein selber wieder herstellen. Er fühlt sich vollkommen auseinandergenommen. Sein Gehirn muß die minimalsten Aktionen überprüfen, wiederholen. Trotz des zu hohen Blutdrucks nimmt er seine first morning cup, Tee oder Kaffee, aber jeweils unwiderruflich zu stark. Wie mein Sohn Rock unvernünftig, als wäre Rubin der Vater, und beide lassen sorglos ihr Modenal oder Adelphan Esedrix oder welches Zeug immer wieder weg. Rubin zündet die 100. Zigarette an, vergißt sie im Aschenbecher, erinnert sich ihrer am ungesündesten vergilbten Stummel, eine Verschwendung der übrigen Zigarette, die immerhin doch noch seinen Lungen einen gewissen Nutzen bringt. Aber sonst: ringsum Vergeudung, Ruin. Der Unterschied zwischen den Wörtern RUIN und RUBIN besteht nur in dem Buchstaben B. Seine Meisterwerke, die er im Kopf konzipiert und derer er, bei tödlicher Unsicherheit (mit der Wahrheit konfrontiert) längst todsicher ist, leisten ihm ihre Chimärengesellschaft. Als Entschuldigung fällt ihm abends nach dem gerade verlorenen Tag genug ein. Er nimmt ein Taxi und spricht sich bei irgendwem aus. Eigentlich wundert man sich morgens, daß er wieder die Zerstörungen des Vortags und der Nacht überlebt hat und lebt. Die Bewegungen seiner Augenbrauen gelten der Medizin als der diagnostische Zustand der Paranoia. Statt daß er sich dem Erkenntnissinn der Psychoanalyse entsprechend benimmt und wenigstens in der Nacht, träumend, sein besseres und wahreres Leben vereinnahmt, träumt er schlecht oder gar nicht. Er leiht mir schon wieder eine Ansichtskarte für die Familie. Er ist gutmütig. Er ist großzügig. Er würde mir die Ansichtskarten gern bezahlen. Er wirft immer bevor ich Geld abgezählt habe verknäulte Scheine auf die Theken. Er schätzt ja meinen Mann, mit dem ich nicht mehr zusammenlebe, doch, in der Tat. Er wäre bereit, ihm auf der Stelle einen Brief zu schreiben. Er wäre bereit, sich intensiv um meinen Sohn zu kümmern. Den mag er sehr, er wäre bereit, er verwirklicht nichts. Er ist einfach heute schon wieder nicht ganz bei Kräften, die alte Tücke im Kopf, er weiß wahrhaftig nicht, wofür diese Strafe die Strafe ist. Er hört jetzt besser mal Mozart, g-moll. Wenn die Verzweiflung ihm noch näher auf den Leib, ihrer auserwählten Wohnung, rückt, bis sie ihn erneut ganz hat, näßt er die Kinderpinsel mit Farben und Tränen, umgeben von unordentlicher Gesellschaft: Bier und billigem Wein in Literflaschen, verglimmenden Zigaretten. Er zieht sich jetzt mal für eine Woche zurück — wahrscheinlich kommt er aber schon nach 2 Tagen wieder nach Haus — zu einer ehemaligen Freundin, die vor einem knappen halben Jahrhundert über ganz bestimmte Fresken promoviert hat, über vor und nach ihrer Dissertation sträflich vernachlässigte Fresken, keiner außer ihr hat sich je so richtig mit ihnen befaßt. Die komplizierte grauhaarige Frisur der Freundin muß eine Nackengeschwulst verbergen. Sehr locker über dem sackartigen Gebilde angeflochten, kriecht ein dünner Zopf den Hinterkopf entlang bis zur Scheitelhöhe, wo ihn eine Hornspange im übrigen Haar befestigt.

Ich will nicht so weitermachen: ich sage es keinem. Immer wieder stockt mein Hinweg. Er stockt an der Haustürschwelle der mürrischen Frau im Kittel. Sie würde auch lieber in D-Zügen rumkutschieren. Die Scherereien, die ihre Beine ihr bereiten, wird sie demnächst einem Arzt anvertrauen, sie wird es nicht länger anstehen lassen, droht sie ihrer Familie, während ihr diese Schwelle zu schaffen gibt, sie will in Zukunft freundlicher sein zu ihren Beinen und die Familie soll es spüren. Wo man diese Kittel kauft, kann ich mir denken. Bei uns trägt keiner einen Kittel, aber das ist töricht von uns, Schürzen sind absolut kein ausreichender Schutz, der beste Beweis: die Fettspritzer auf den Bauchpartien von Kittys Kleidern. Kitty sind die Kleider zu lang geworden. Die andern Frauen der Taufgesellschaft werden nachher in neueren Kleidern erscheinen. Weil Kitty seit dem Umzug abgenommen hat, erreichen die Säume jetzt fast die Mitte ihrer Schienbeine. Gegen Gewichtsverlust ist nichts einzuwenden: über die Sorge in ihrem Gesicht will ich hinweggehen. Mir kommt kein mitleidiges Wort aus meinem Kopf über die Lippen. Du wirst von mir nichts gegen Gewichtsverlust zu hören bekommen. Dieser Umzug hat es in sich. Er hat erreicht, worin zahllose Laxative, viele Kilo Kurpflaumen, eingeweichtes Dörrobst und schwache Diätversuche versagt haben. Kitty hat früher allerdings auch immer wieder, unerschütterlich in guter Laune, ihren Bauch gegen unsere Kritik verteidigt, fast als wolle sie mit ihm das Andenken an ihre Schwangerschaften in Ehren halten. Die Hausfrau im Kittel vergißt den Streit mit ihrem Mann nicht, sie will nicht, und nun muß sie diese Schwelle von seinen Spuren befreien. Je weniger sie ihn mag, desto verbissener säubert sie das Haus. Ihr wäre wohler mit einem besseren Balkon, zum Teil überdacht. Die Notwohnung würde ihr gar nicht so schlecht gefallen. Das Haus ist doch nur eine Belastung, wir stecken in Schulden. Der Mann — es wäre leichter, wenn man ihm irgendwas vorwerfen könnte. Die schönen Möbel der Familie übernähme die Frau gern, aber sie würde einiges verkaufen. Die Schwierigkeiten der Familie beim Einleben in die Notwohnung könnte sie, eine Spur höhnisch, sogar verstehen, diese Hausfrauenschwierigkeiten, die sich untereinander in einer internationalen klassenlosen Sprache verständigen. Allerdings wäre in ihrer Einfühlung Neid gemischt, dem Jahrzehnte dauernden Glück der Familie geltend: sie hat ein großes Diensthaus gehabt, diese Hausfrau, jetzt ist sie schlimm dran, das begreift jeder, sie war verwöhnt und muß sich jetzt einschränken, sie hatte es besser als ich. Die Frau zürnt der Sisalmatte. Die Kinder haben ihr beim Frühstück nicht weiter gefallen, meint sie, bildet sie sich ein, hadert sie in ihrer groben fleißigen Art, während sie einen bräunlichen Teppich ausklopft und während ich weiter bin; diesen Teppich, den sie vor einigen Jahren unbedingt hat besitzen wollen und an dem ich vorbei bin, ein Stück weiter auf meinem neuen Hinweg und nicht weiter mit mir.

Ich habe mit der Urlaubsvertreterin des Zahnarztes gesprochen und weiß nun über die braunen Flecken auf den Zähnen Rocks Bescheid. Unter dem Vorwand, rauher Zahnsteinbefall mache meiner Zunge zu schaffen, habe ich die Urlaubsvertreterin konsultiert. Im Wartezimmer ließ sie mich eine Zeitlang sitzen und klirrte nebenan mit ihrem Arztbesteck, ehe sie das Fenster aufriß und ELSA ELSA rief. Elsa, die Sprechstundenhilfe, rollte den Rasenmäher über den kleinen Hügel vor dem Haus. Eine Minute später bat mich die Ärztin in ihr Sprechzimmer. Jemand, der sich ausschließlich zum Vergnügen und aus einer etwas abartigen Schwäche für die Zahnheilkunde in einer winkligen alten Küche mit dentistischem Inventar umgibt, steht diesem Raum vor: die Herrin der sonderbaren Praxis übt ihren Beruf nicht mit kommerzieller Absicht aus. Die Tochter ist, was man, weil der Mann gut verdient, gut verheiratet nennt. Diese Zahnärztin kümmert sich aus Menschenliebe oder aus Perversion um die angefaulten, übelriechenden, schadhaften Gebißlandschaften, die ihr aus geöffneten Schlünden entgegengähnen. Während der Behandlung stemmt die Vertreterin ihren mütterlichen Oberkörper auf die rechte Schulterpartie des Patienten. An Schmerzen nimmt sie Anteil, sie gehört auch nicht zu den verschwiegenen Medizinern, sondern teilt Vermutungen mit, und zu lauwarmen Spülungen entweder mit Kamille oder mit Wasserstoffsuperoxyd rät sie sowieso. Vom Kopfhaar zeigt sie nur eine kurze rote Locke, die aus dem Turban des Tages auf die Stirn tritt. Den jeweiligen Turban heftet eine Brosche auf der hochgewölbten Stoffverknotung zusammen. Während der Turban häufig ausgewechselt werden kann und in Braunschattierungen mehrfach vorkommt, bleibt sich die Brosche gleich. Instrumentenschrank, Speifontäne, Behandlungsstuhl, Instrumentenplatte, Operationsleuchte sind Gegenstände, die in dieser Praxis selbstgemacht aussehen. Die Vertreterin ist das größte, Beweglichste, Aggressivste in ihren 4 Wänden, ein unbotmäßig riesenwüchsiges, verselbständigtes Monstergerät. Mit jedem Schritt, der zur Vibration des Sprechzimmers führt, mit jedem Gang, der, scharf abgebremst, immer doch noch zu Ende kommt, bevor ein Unglück geschieht, bringt sie alles in Gefahr. Während sie mir Zahnsteinschollen aus den Zahnzwischenräumen trieb, hat sie von einer möglichen Rachitis in der frühen Kindheit Rocks gesprochen. Auch Sie, auch Sie sollten an eine vermehrte Zufuhr der Vitamine C und D denken, sagte sie, und ich konnte nicht kontrollieren, ob sie das irgendwo ablas. Sie fügte ein AUA hinzu, als sie mit ihrem Gerät von meinem Zahn abglitt. Nach ihrer Stimme will man sich umblicken. Woher kommen die fisteligen Sätze denn wirklich? Den massiven Brustkasten mag man dieser Schulmädchenstimme gar nicht verdächtigen. Ihr Mundspeichel fällt besonders viele Kalksalze aus, sagte sie, daher die bösen bösen Ablagerungen. Und das soll ich Ihnen glauben, dieser große Bengel soll Ihr Sohn sein? Wie haben Sie denn das angestellt. Ist er nicht sogar älter als Sie? Ich versuchte, JA, NEIN und die Zahl, die unseren Altersunterschied ausmacht, gegen den Widerstand ihrer Sonde zu artikulieren. Die Urlaubsvertreterin schlug zuerst mich auf die rechte Schulter, dann schlug sie ihr rechtes, meinen Sitz noch etwas höher pedalendes Bein. Beim Lachen setzte ihre Stimme in einem pfeifenden Geräusch aus. Bitte, spülen Sie. Meiner Schulter wurde kühl, als sie sich abhob von der weichen Ammenbrust. Auf dem lachsrosa getönten Porzellan bildeten die braunen und gelben Steinsplitter, die ich in lauwarmem Wasser ausspie, ein langsam zum Siphon abrutschendes Muster. Das Gefälle des Spuckbeckens erweist sich als Fehlkonstruktion. Immer bleibt im Umkreis des Siphons Wasser stehen und verkrustet als gelbbraune Spur. Karies, rief die Vertreterin froh. Der Zahnschmelz ist bereits hinüber, das Zahngewebe zerstört, der Prozeß ist gegen das Zahnbein gerichtet und auch dorthin vorgedrungen. Ich will damit sagen: diese Karies befindet sich schon im 2. Stadium, die Karies Ihres Sohnes. Rocks und meine verwandtschaftliche Beziehung wurde nun wieder bei ihr wirksam, und sie hat die Bürde auf sich nehmen und lachen müssen mit all den lästigen, ihren Atem- und Luftwegen nun einmal verordneten Schwierigkeiten. Im 2. Stadium spielen säureproduzierende Bakterien die Hauptrolle. Wenn er es anstehen läßt, müssen die Zähne extrahiert werden. Und eine Extraktion ist eine Extraktion. Ein Zahnersatz ist ein Zahnersatz. Wären ihre Finger nicht in meinem Mund und mit Instrumenten versorgt gewesen, dann hätte sie jetzt wie zu einem Kinderreim in die Hände geklatscht.

Das Doriotgestänge, das Amalgam, der Heißluftbläser, der flammenförmige Bohrer, der Kavitätenbohrer, die Carborundscheibe, Ring, Stift, Facette, der Thermokauter, Mundspiegel und Mundleuchte, die Extraktionszange — FÜRCHTE DICH NICHT, ABRAM. Als erwachsener Mensch muß man sich periodischen Kontrollen der Zahnmediziner unterziehen. Wissen Sie noch Ihren Trauspruch? FÜRCHTE DICH NICHT, DENN ICH HABE DICH ERLÖSET. Es heißt doch also dauernd FÜRCHTE DICH NICHT in Ihren furchtsamen Leben. ICH HABE DICH BEI DEINEM NAMEN GERUFEN, DU BIST MEIN. Väterlicher Jesaja. Eure Ehe war doch große Klasse. Großartig, wie weit Sie herumkommen, sagte die Urlaubsvertreterin. Sogar Amerika.

Der amerikanische Bernie-Boy-Onkel, dieser zwergwüchsige, weißbeschopfte und pausenlos muntere Bruder meines Schwiegervaters, fand unsere Hochzeit nicht fröhlich genug. Der Trauspruch war ihm, seiner Frau Thelma und seiner Schwägerin und Nebenfrau Eudora zu trübselig, too much Jesaja. Warum vom Fürchten überhaupt reden? Kalifornier zumindest müßten erst ausziehen, das Fürchten zu lernen. Ihr alle gehörtet für eine Weile in die Sonntagmorgenvorträge von Mandy Hall, fordert Bernie-Boy. Hat man diese genau eingehaltene volle Stunde freudiger Belehrung hinter sich, so tritt man hinaus ins blühende, warme, kalifornische Freie und besorgt im Safeway Market wundervolle Tiefkühlkost. Die vollständig erhaltenen Vitamine und Provitamine verhelfen dir zu einem aktiven Sonntag. Den Sonntag drauf nehmen wir am Gottesdienst der Swami-Gemeinde teil. Auch wieder die reine Freude und sonst gar nichts. Seelenwanderung ist eine ausgezeichnete Sache. Das Wort STERBEN haben wir aus unserem Vokabular verbannt, wir wechseln nämlich in eine andere Bewußtseinslage über, wenn wir das sind, was ihr TOT SEIN nennt. Thelma starrt mich aus gebannt geöffneten Augen an, das Kinn in die Handmuschel gestützt, unflätig-originell halb überm Tisch liegend, umgeben von ausschließlich gesunder und verdauungsfördernder Kost. Bernie-Boy ruft: Das Dogma der christlichen Kirchen lehrt die Unnahbarkeit Gottes. Das ist sehr schlimm, das ist geradezu verbrecherisch. Denn Gott ist dein Freund. Und Jesus, lebte er heute und hier, er würde den Rasen mit dir sprengen und Fruchtsaft mit dir trinken. Ich sage: aber mein Schlitz-Bier? Das auch, meint Bernie, während seine Frauen zweifeln. Jesus war ein sehr fröhlicher Mensch. Und er stand ganz allein in der Welt. Den amerikanischen Onkel hat in diesem Moment wieder die verblüffende, die täuschende und grandiose Ähnlichkeit Jesu mit seiner eigenen Person überwältigt. Auch ich, so fährt er erschüttert fort, auch ich stand ganz allein in der Welt, vor 40 Jahren bei meiner Einwanderung in die USA. Er denkt an seine Feinde von damals. Sein Gesicht karikiert die Ähnlichkeit mit dem Gesicht seines Bruders und mit dem meines Mannes — das Gesicht meines Mannes erschlafft: Schw. Phoebe bietet dem Nachfolger keinen Widerstand und begleitet ihn auf Dienstreisen: gibt der ihr zum 1. Mal das Gefühl, eine nützliche, befriedigende Tätigkeit auszuüben? So, und noch einen kalifornischen Sonntag später fahren wir längs Kenneth Road und ihrer üppigen Villengrundstücke in südlicher Richtung und hinauf zum Hügel des Memorialgebäudes, wir besuchen den fröhlichsten Friedhof der Welt, das grüne Sammelgrab FOREST LAWN. Auf diesem Friedhof stören uns keine Gräber. Nicht nur wenn man will, kann man sie übersehen. Die Grabplatten liegen dekorativ unauffällig im Rasen. Sie appellieren nicht an Trennungsschmerz, nicht an wuchernde Krebszellen, nicht an den begründeten und nicht an den unbegründeten Tod, nicht an verstopfte Lungenarterien, fulminanten Herztod, definitiven Hirntod; als Leidtragender fühlst du dich hier verfehlt, und niemand möchte, daß du ihm kondolierst, niemand hat Anlaß. Die Rasenmäher, stattlich wie Automobile, überrollen die gutgetarnten Inschriften, die an deine Lieben so undeutlich wie möglich erinnern. Fang erst gar nicht mit dem ganzen Tränenkanal- und Taschentuch-Unsinn an. Kreuz an freien Spätnachmittagen nur nicht mit deinem trübsinnigen kleinen Grabgärtchengeschirr auf, hier wird nicht herumgeschaufelt und gebuddelt und gehäckelt, nicht auf eigene Faust eingesät und angepflanzt, denn die heitere Ideologie der Verwaltung pflegt diesen einmaligen Totenhügel für dich und alle andern wohlgemuten Hinterbliebenen. Geheul wäre ziemlich taktlos, im Gesamtbild verzerrend. FOREST LAWN SAVES THE LIVING. Ihr alle könntet viel lernen vom mutigen Mandy Hall, vom Swami, von Dr. Hubert Eaton, dem Gründer und Leitenden Direktor des Cemetery Forest Lawn Memorial Parks, und von Mario Moschi, der die Bronzeskulptur PROTECTION geschaffen hat, a dynamic interpretation of man's universal will to protect.

Nr. 606. Das Zielgerät, welches dem Patienten am Kopf verschraubt wird, heißt bei den Hirnforschern die DORNENKRONE. Leiden Sie an Zwangsvorstellungen? Geduld. Man brennt Ihnen ein kleines Loch in die Hirnmasse. Jener Barkeeper aus New Orleans ist der 1. Mensch, der mittels eines feinen Drahts im Gehirn seinen Schlaf abschalten kann. Verspürt dieser Nachtarbeiter eine unerwünschte Müdigkeit, so bedient er nur einen kleinen Knopf an seinem Gürtel. Von dort leiten winzige Transistoren einen elektrischen Impuls ins Gehirn und fort ist die Müdigkeit, und zwar im selben Moment. Rubin, an deiner Stelle würde ich mal für diese Anschaffung sparen, für diese Stricknadel, wie die Hirnforscher den allen deinen Ambitionen nützenden Draht im Gehirn nennen. Die Mediziner suchen, um es menschlicher zu machen, immer wieder nach Synonymen aus dem menschlichen Bereich. Ein New Yorker Angestellter benutzt seine Stricknadel gegen Schwierigkeiten mit seiner Männlichkeit. Per Knopfdruck macht er sich sexuell wunschlos, bezw. im Bedarfsfall potent. Die Anlage funktioniert bei diesem Kunden so gut, daß dem Hirnforscher schien, der Kunde brauche seine Frau gar nicht mehr unbedingt. Wie wärs damit, Rubin? Aber die Ehe und die Bigamie und Sexualphilie, die sind doch was Wunderbares. Frau Ruland hat nach über 40 Jahren noch keinmal bereut, Herrn Ruland geheiratet zu haben. Zwar ist er nicht stattlich, aber sie könnte etwas weniger stattlich sein. Herr Ruland lächelt ziemlich unbescheiden vor sich hin.

Versehentliches Gehörn auf dem Haupt des Moses von Michelangelo in San Pietro in Vinicolo, Gehörn statt des Feuers, statt der Flammenzungen. Goethe fand den Moses — Goethe sagte über den Moses — Die Nachbarschaft der hochherzigen Schenkung ist gemischt. Die Nonnen und die grauen Schwestern, die zwischen Klinik und Wohnheim über die Straße schrecken, nehmen, gesegnet wie sie sind, den Verkehr nicht ernst, als besitze der Papst Macht über das exakte Funktionieren der Bremsvorrichtungen.

In Tarquinia lasse ich die andern sammeln und ruhe mich auf dem Acker aus. In Tarquinia weiß ich nicht, ob ich auf einem Grabkammerstein sitze. Ich sitze auf einem Bruchstück, auf einem Rest der Nekropole, ich weiß nichts Genaues über die Grabkammern, ich höre zu: Die müßt ihr unbedingt besichtigen, die Katakomben, die Kirche Sa. Maria di Castello, ich kann, wenn ich will, nachlesen: errichtet zwischen 1121 bis 1208, bedeutendstes mittelalterliches Bauwerk der Stadt, da verbinden sich nämlich Konstruktionsprinzipien der Lombardei mit dem Schmucksinn römischer Kosmatenkunst; ich kann alles über die andern, fast genau so wichtigen Kirchen nachlesen, über die beiden Museen, über sämtliche Urnen, Fresken, über das ganze Gebälk, über die Grabmäler insgesamt — aber ich mache weiter damit, auf die blaue Fläche am Horizont zu schauen, auf den daumenbreiten Strich Meer — während meine Freunde nach sechseckigen Pflastersteinen suchen und eine kleine Straße zusammenbringen, eine Gasse, die vielleicht im 5. nachchristlichen Jahrhundert die Malaria leergefegt hat. Waren Sie nicht auch schon an der Porta Portese? Haben Sie dort noch nicht fotografiert? Es hat geregnet dort, es war windig, es regnete auf die armen Leute, auf die Touristen, auf die dicke Frau, der es schlecht ist und die nicht weiter kann, es regnet auf das Mädchen mit der Parkinsonschen Krankheit, das sich zitternd ungeniert die langen Strümpfe neu befestigt, es regnet auf das vielfältige Angebot am Boden, um das gefeilscht wird, auf die kleinen Hunde, die sich ineinander verknäulen, die diesmal keiner gekauft hat — ja, nicht wahr, das ist ein buntes Leben, das ist noch Volksleben, wie man es bei uns vergeblich sucht, und man hat ganz einfach dauernd den Finger auf dem Auslöser. Die abgeteilten Reihenhauswohnungen gehen im Grunde auf Vorbilder zurück, wie sie die Ausgrabungen in Ostia zeigen. Diese Häppchen hat der Hausherr selbst hergestellt. Sieht der Mann der Direktorin nicht, wenn er den Cut trägt, aus wie einer der Buddenbrooks in einer denkbaren Verfilmung des gleichnamigen Romans? Kommen Sie jetzt hier zum Arbeiten? Wären Sie an einer Lesung im Goethe-Institut interessiert? Wir garantieren Ihnen die aufgeschlossene Clique innerhalb der deutschen Kolonie. Lernen Sie Leute kennen? In Ihrem Alter muß man sich umtun, man kann nicht erwarten, daß die Namhaften von sich aus auf einen zukommen. Der Hauptgang wird kein zweites Mal herumgereicht, das macht ihn verführerischer, aber auch immer bekömmlicher. Man braucht es ja nicht zu übertreiben.

Stehen Sie mehr auf Antike oder auf Renaissance? Mit der Rückkehr der Päpste aus Avignon und der allmählichen Festigung ihrer Herrschaft im Kirchenstaat nahm die Bevölkerung Roms wieder zu. Ich finde das alles so unerhört aufregend. Das niedriggelegene Marsfeld, wie es dann dicht bebaut wurde und sich zum Kern der römischen Renaissance entwickelte! Von dem schönsten aller Plätze geführt, treten wir vor die Fassade von Sankt Peter: so hat A. H. sich in seinem Buch ausgedrückt. Frau Ruland eilt sich sehr und sagt San Pietro zu St. Peter. Ihr Mann sagt im folgenden Satz ohne Antwortcharakter Petersdom. Eher Frühchristlich-Romanisches würde die in New York lebende Autorin zu sich nehmen wie eine Schlemmermahlzeit, und auch manche Landschaftsformen könnten sich ihr als Hauptbeschäftigung aufdrängen und dann will sie nichts mehr als umherstromern, denn dagegen ist sie

nicht gefeit, aber sie ist nicht eingeladen. Im frühen Mittelalter verödeten die zusammenhängenden antiken Wohnge-
biete auf den Hügeln Roms. Jahr für Jahr schiebt sich die Mil-
lionenstadt Rom weiter in unbebaute Gebiete hinaus. Gebraucht hierfür der Stipendiat und Architekt B. seine Wort-
schöpfung FLIESSISCH? Machen wir uns doch nichts vor, schreibt
er in seinem Beitrag zum Katalog, die alten Städte sahen einfach besser aus. Über Rom besitzt doch jeder eine Meinung.
Assisi aber ist für den Zürcher Psychoanalytiker das Schönste
an Italien überhaupt und zwar im Abendsonnenschein.

Und auch das Gebell der Kirchenglocken lenkt doch ganz schön
ab. Immer klirren auf dem Gang Tassen, Löffel gegen Tassen,
in den Tassen befindet sich Flüssigkeit. Dann wird es dir zu
heiß, dein Bett ist klebrig, du bekommst Bauchweh, du findest
keine Erklärung für einen stechenden Schmerz, der den Takt
hält, der seinen Einsatz nicht verpaßt. Was ist das für ein Ge-
jammer, jetzt, nachdem du keine Ausnahme von der Regel
warst, nachdem du der erfreulichen Statistik keinen Makel per
Tod zugefügt hast, wie wir es voraussahen, denn deine Über-
lebenschancen waren gut. Rubin möchte den Satz DU BIST GE-
SALBT an mich abschicken, aber alle hundert Schreibstifte versagen ihm den Dienst. Mit Diathermie und einer Injektion
trösten mich indessen Schw. Charla und Schw. Christel wirksam. Schw. Christel telefoniert mit meinem Mann. Es ist alles
normal. Ihre Tränen sind eine hygienischere Form des Wund-
sekrets. Deute ich das richtig: Das Meer als Metapher für den
Tod? Warum interessieren Sie sich für Medizin / Ist nicht der
Sperber ein Symbol für — Glauben Sie denn nicht, daß ein
Kind von Zeit zu Zeit spüren muß, daß / Härte / Autorität /
bis zu Prügelstrafen muß elterliche Liebe sich durchwinden …
Der Informationsbeamte hat mir meinen Anschlußzug gezeigt. 1 Minute später fuhr er in 3 b ab, nordöstlich und mit
mir. Ich bin pünktlich am Bestimmungsort angekommen. Ich
habe Rubin diesmal nicht getroffen. Er hat den Pfahl im
Fleisch und will mir das durchtelefonieren. Er will sich vom
Balken erschlagen lassen und will mir das schreiben, aber auf
welchen Papierfetzen denn — er wird in seiner Jackentasche
ein vielleicht verwendbares Damentaschentuch auftreiben und
den Satz mit Wasserfarbe ins Muster aus Blümchen, Tabaks-
seim und Tränen pinseln. Ich lasse mich nicht gern von Veranstaltern am Bahnhof abholen, ich riskiere Schwierigkeiten
mit der Topografie, ich bevorzuge Hotels, die dem Bahnhof
benachbart sind — ich wohne trotzdem meistens im Stadt-
zentrum, wenn nicht, weil das Hotel nun mal seine gastgebe-

rische Vergangenheit mit Kulturgästen kultiviert, etwas außerhalb. Dieser Bahnhof hat sich von altertümlichen Sperren zur Fahrkartenkontrolle noch nicht getrennt und beschäftigt in verglasten Boxen ältere Beamte. Die Kreiselbewegungen der Straßen und Wälle habe ich auf meinem Stadtplan wiedergefunden, die umzingelte Jacobikirche, in die ich später eintreten will, das städtische Museum, das Hotel Münsterhof, den Fluß und die Flußarme, Postamt und Rathaus mit Ratskeller. Auch von diesem Hotelzimmer hatte ich mir kaum mehr versprochen. Nr. 27 mit charakteristischem Geruch. Hier wäre ich nach der festen Überzeugung des Veranstalters gut aufgehoben. Ich packe den Koffer aus, ich gehe durch ein paar Straßen der Stadt, ich laufe durch ein Kaufhaus, es ist möglich, daß ich mir eine Bluse kaufe, ich sitze in der Jacobikirche, ich versuche, nicht an viele Sachen zugleich zu denken, ich versorge mich mit einheimischem Bier. Das holzgetäfelte Restaurant des Continental, wo ich den Veranstalter getroffen habe, wo der Veranstalter mir vertragsgemäß einen warmen Imbiß spendiert hat: eine Spezialität im Entgegenkommen, wie sie das hiesige Volksbildungswerk eingerichtet hat.

Sie lesen doch auch Leichteres zwischendurch. Der Veranstalter gehört zu den Leuten, die ihre Armbanduhr verkehrt herum anziehen. Er erzählt mir unaufgefordert sein ganzes, nur für ihn beträchtliches Leben.

Bitte schonen Sie das Publikum dieses Abends ein wenig / Muten Sie den Besuchern unseres Städtischen Volksbildungswerks formal und auch theoretisch nicht allzu viel zu.

Mir bleibt doch immer wieder Zeit für Stadtparks, alte Kirchen, genaue Bahnhofseindrücke, wenn ein Fluß da ist für den Fluß, sage ich, auch für den Kollegen, sage ich nicht. Während ich mich schnell entscheiden muß, inwieweit oder ob überhaupt der nouveau roman mich beeinflußt hat, wird mir ein Couvert ausgehändigt. Den Tod des Veranstalters wird man mir nicht mitteilen. Auch durch Zufall werde ich nichts von seinem Tod erfahren.

Bei uns hat sich noch jeder wohlgefühlt auch schwierigere Herrschaften / man muß sich allerdings einfühlen können / und zwar auf beiden Seiten / das ist das ganze Geheimnis. Der Tod kann jederzeit eintreten. Der Tod kann auch lang auf sich warten lassen, der Veranstalter wird eine Belastung seines Haushalts, und seine Mitarbeiterin wird eine Weile brauchen, bis sie den Veranstalter fast völlig vergessen hat. Seine Frau und sie werden sich ungefähr gleich lang für untröstlich halten. Der Veranstalter besitzt Verständnis für die im letzten Moment zum Fernbleiben Entschlossenen. Er selber wünscht sich jetzt in den Abendsessel zu Haus. Ich habe mein Gesicht breitgezerrt und mir vorstellen können, wie das Foto ausfiele, dieses Foto, das man mir nach Wochen übersendet und das ich ungern betrachten werde, mein Abbild schmierig vom Druckstock geschwärzt, vergröbert und unscharf in der Makulatur des Lokalblatts, dessen Rezensent meinen Abend zumindest interessant gefunden haben wird, wenn auch in der Qualität etwas unterschiedlich.

Stehen Sie noch zu Ihrem ersten Buch / halten Sie das Bedürfnis des Lesers nach Verständlichkeit für verächtlich / wollen Sie die Welt verändern / schreiben Sie um gelesen zu werden / was halten Sie von der Kritik / warum interessieren Sie sich für Fragen der Erziehung / an welchen Vorbildern haben Sie sich orientiert / warum beschäftigt Sie nicht eine Thematik wie etwa die der deutschen Teilung / wovon geht man aus wenn man schreibt / was ist denn der Anstoß / wissen Sie vorher wie die Geschichte laufen soll / wie beurteilen Sie das letzte Buch von / haben Sie genug Einfälle für die nächsten Jahre / ist das Reisen nicht anstrengend / aber auch interessant wie?

Ich fahre in der 1. Klasse, ich befinde mich längst nicht mehr bei euch, ich schreibe meine Ansichtskarten, ich werde die Vorstädte nicht los, Stadtrandstellwerke blockieren meine Reise, mein Zug kommt zwischen Weichenstraßen, Lokschuppen, Streckenabzweigungen, Aufstellgleisen und unter Signalbrücken und Durchgangsbahnhöfen schlecht weiter. Diese Ansiedlung mit Schrebergärten, Einkaufszentren und einer als Park getarnten Kläranlage ist eingemeindet, und wir kommen nicht über ihre vierstöckigen sozialen Wohnungsbauten hinaus, nicht vorwärts längs der landwirtschaftlich genutzten Parzellen und der zweigeschossigen Einfamilienhäuser, deren aufs Praktische gerichteter, wirtschaftlich und unästhetisch denkender Architekt nützliche Schuppen mit den Wohnteilen aus Zementstein verbunden hat. Wir kommen nicht vorbei an der Frau im blauen Kittel, sie tritt über die Schwelle ihres noch nicht abgezahlten Eigenheims, schon ermüdet, schon verärgert, auch weil das Signal geschlossen ist. Den Insassen des Zugs ist sie böse. Sie wäre bereit zu tauschen. Sie hat weder Geduld noch Lust, sich unsere Schwierigkeiten vorzustellen, sie würde davon reden, daß sie seit sechs auf den Beinen ist.

Mein Mann umrahmt seine Zugvorschläge mit Rotstift. Er kann es nicht lassen, mir F- und TEE-Züge auszusuchen, die man mir nicht bezahlt. — Und das ist einfach nur Nürnberg und das ist der Sinnwellturm.

Ja, ich habe einen Eindruck von der Stadt / ja, mit dem Namen der Stadt verbindet sich für mich nun die Erinnerung an wenig Schnee und an eine ganz bestimmte Spätnachmittagsmelancholie. Ich war in der Hugenottenstraße, ich bin über den

Hugenottenplatz gegangen, die Hugenottenkirche war verschlossen. Ich war am Kanal. Ich war in der Güterhallenstraße, in der Vierzigmannstraße, ich habe nur an Straßenkreuzungen beim Warten auf grünes Licht gefroren, ich habe ziemlich anhaltend gewartet, ich habe auch in der Calvinstraße nichts erwarten können. Ich war auf dem Postamt. Ich stand vor der Augenklinik. Es war im Schloßpark windig. Ich habe im Zentralfriedhof kein Grab aufsuchen müssen. Ich habe mir wieder mit einem meiner unverfänglichen Friedhofsbesuche ein Alibi für die ausgesparte Zeit bei den Toten verschafft, die mich etwas angehen. Ich hatte es wieder bequem. Zwei Drittel aller Selbstmörder kündigen ihr Ende an, sage ich, ja, ich reise ganz gern, sage ich, und das entspricht ziemlich genau der Wahrheit, die wie immer schwer zu ermitteln ist.

Es war sonnig und zugig in der Eßküche, wo man mir die Reise nicht ansah, Rubin nicht ansah, wo das Nußbaumholz und die verschossenen mattgrünen Sitzpolster der Stühle aus dem ehemaligen Eßzimmer inmitten der weiß und gelblich angestrichenen Küchenmöbel wie hochmütige, heruntergekommene, bei ihren einfacheren Verwandten untergeschlupfte Zwangseinquartierung aussah. Hast du keine Angst, daß du das Taufbaby fallen läßt, fragte mich Rock. Hätte ich mein geringfügiges Zahnweh jenes Nachmittags nicht erwähnt, dann wären die Mißstände in Rocks Mund nicht zur Sprache gekommen. Dein Sohn behauptet, der Zahnarzt könne nichts gegen die braunen Flecken auf seinen Schneidezähnen tun, hat Kitty gesagt. Daß sie Rock in dieser Anklage DEIN SOHN nannte, war die einzige kleine Erleichterung, die sie sich für den Verlauf der kommenden Auseinandersetzung erlauben wollte. Mein Mann hat sich sofort die Hand vor die Lippen gelegt, ohne Brille mit feuchten erweiterten Augen seinen Sohn erschrocken angeblickt, der liebevollste aller Väter: ratlos. Er war seiner Mutter über den Anfang einer Aussprache böse. Die braunen Flecke auf Rocks schönen breiten Schneidezähnen entsetzen ihn bei jedem Lachen Rocks, bei jeder Mahlzeit, bei jedem Satz, den Rock ohne zu nuscheln spricht, entsetzen ihn immer dann, wenn Rock vergißt, zum Schutz vor der Entdeckung seines Zahngeheimnisses ein Taschentuch über den Mund zu knüllen, und wenn er selber, Rocks Vater, vergißt, daß er nicht so genau hinsehen will. Er war jetzt Rock für lautes Lachen dankbar. Rock hat den Gegenstand des heraufziehenden Streites sofort hinter diesem immer griffbereiten, an allen 4 Ecken zerknabberten Taschentuch versteckt — versteck dich, flehte sein stummer Vater ihn an, versteck dich, Lieber —

145

daß aber auch Rock beunruhigt war, wußte ich. Der Zahnarzt kann die Zähne natürlich ziehen, sagte Rock, der mit einer Urlaubsvertreterin des Zahnarztes neulich über diese Sache gesprochen hat. Der schlechteste, elendeste eigene Zahn ist besser als jeder wunderbare künstliche, rief Kitty, und wir alle haben die Glaubenslehre ihres Zahnarztes, den die übrige Familie seiner manuellen Ungeschicklichkeit wegen verschmäht, nicht zum 1. Mal vernommen. Hast denn du diese braunen Flecken noch nie gesehen, fragte Kitty zuerst mich, dann meinen Mann. Der lehnte mit einem scheu angewiderten Eifer ab: das Verhalten des Vaters. Ich gab keine Antwort: das Verhalten der Mutter. Es gibt die Liebe in mehreren Versionen und Perversionen. Vielleicht handelt es sich gar nicht um eine Krankheit der Zähne, sagte ich nicht, es ist vielleicht was Ernsteres, eine Mißbildung der Haut unter der Oberlippe, fuhr ich nicht fort, ja, auch ich habe es beobachtet und gefürchtet, setzte ich nicht hinzu, zeig doch mal her, forderte ich nicht auf. Ich helfe in dieser Familie nicht, den Widerstand gegen das Verschweigen unangenehmer Tatbestände zu brechen; also breitete es sich über uns und zwischen uns aus und verdickte sich. Es wurde schwierig, in dieser Mehligkeit zu atmen. Ich hatte also wieder einen Versuch Kittys durchkreuzt, im Schlamm voranzukommen, womöglich aus dem Schlamm heraus; ihre gute Absicht habe ich wieder nicht unterstützt und ich war auch Rock nicht nützlich, denn ich ließ ihn in seiner Sorge über den ungeklärten Befund allein. Wir sind ruhiger geworden: so hätte es ausgesehen für einen, der eingetreten wäre. Schw. Phoebe hätte uns wie so oft glücklich vereint gefunden. Mit einem Seufzen habe ich von Rock abgelenkt und die allgemeine Unvernunft der Familie allgemein angeprangert. Ihr seid alle miteinander unvernünftig, warf ich ihnen vor, um die Kritik gegen einen einzelnen unter ihnen abzuschwächen. Du, mein Ex-Mann, nimmst zwar gegen alles was ein, also zu viel. Meine Ex-Schwiegermutter hat es aufgegeben, die chronische Schwellung ihrer Augenlider zu bekämpfen, da wundert es nicht weiter, daß mein lieber Sohn nicht für seine Zähne sorgt. Stimmts? Ich sagte, was mir so einfiel, ließ aber schwerwiegendere Indizien weg. Du hast wie immer recht, sagte mein Mann, aber es ist uns lieber, wenn du nicht dauernd um uns herumjammerst. An deine eigene Unvernunft erinnern wir uns schließlich noch ziemlich gut. Ich habe sie mal ein bißchen aufgerüttelt, könnte ich Rubin unzutreffend berichten, und er würde mir sowieso nur den notdürftigen Bestandteil von Wahrheit glauben, den meine Mitteilung enthielte. Im oberflächlich wiedererrichteten Frieden haben wir uns aber weiter aufgeregt, weil wir uns lieben. Rock zählt die

Sekunden bis zum Zeitpunkt, der seinen Aufbruch als normal und zufällig erscheinen läßt; wir auch. Unser Puls ist beschleunigt und unregelmäßig. Etwas macht uns immer noch unzufrieden. Etwas entzweit uns, treibt Keile zwischen uns, ist identisch mit dem, was uns aneinanderdrängt, es ist die Unruhe umeinander. Um unserer eigenen Sicherheit willen sollten wir uns viel weniger gern haben. Diesem formlosen Monstrum Liebe müssen wir ein Übermaß an Zurückhaltung, Stauung und Kühle entgegenstemmen. Warum hast du diesen Bekannten noch nie mitgebracht, fragte Kitty. Wir sind doch jetzt nicht mehr so. Das einzige war sowieso immer: wir fanden es schade um dich und traurig für dich, das Ganze. Er ist nun mal ein Bigamist. Ich habe es euch doch hundertmal gesagt: seine Ehe zählt überhaupt nicht mehr, sagte ich. Es ist sozusagen keine. Ach was, sagte Kitty. Aber du kannst ihn ruhig mal mitbringen. Wer hat das eigentlich zu entscheiden, sagte mein Mann. Rock stand jetzt auf. Dabei schob er die Unterarme noch tiefer in Richtung Tischmitte, während er sich gleichzeitig, halb erhoben, den großen konkaven Oberkörper über den Tisch gekrümmt, mit dem Stuhl zurückdrückte. Läßt er sich denn niemals von dieser Frau scheiden, fragte Kitty. Diese Frau, sagte mein Mann, schlampige Verhältnisse. Die gesamte vernünftige klarsichtige Menschheit hat dich nicht aus deinem infantilen Traum wecken können. Fast macht man sich ja strafbar, wenn man überhaupt was davon weiß. Okay, Komplize, sagte ich. FÜRCHTE DICH NICHT, ABRAM! ICH BIN DEIN SCHILD UND WILL DICH REICH BELOHNEN. Der Lehrtext dieses Samstags, der mich vor meinem Besuch bei der Familie kalt gelassen hat und den ich meinem gähnend durch die Wohnküche schlurfenden Sohn zum Spaß nachrief, die Verheißung Moses geht mir jetzt aber nach, keine Ahnung warum.

Wir haben zuerst den Andachtssaal, in dem die Taufe stattfände, in Augenschein genommen, wir haben ihn ausreichend geschmückt gefunden, dann hat mich Kitty in den angrenzenden Kleinen Saal geführt: hierhin wurde die Bibliothek verschlagen. Der Raum, ungefähr 20 Quadratmeter groß, muß die mit 10 000 nicht überschätzte Zahl der Bücher aufnehmen. Zwei Regale schob man quer ins Zimmer. Zwischen den Regalen kann sich eine schlanke Person seitlich aufstellen. Der Schreibtisch fand am Fenster einen knapp bemessenen Platz, der Schreibtischsessel ist zwischen Tischplatte und Rückwand des Zimmers unbeweglich. Auf der Tischplatte Türme von Büchern. Man kann sich auch hier einleben. Man kann kein Buch finden. Die Packer haben die Bücker verkehrt herum in die Regale geschoben, Titel- und Verfassernamen nach unten, das liegt an der Grifftechnik, die beim Einpacken der richtig aufgestellten Bücher das Gegenresultat schon vorbereitet; aber haben sie nicht über ihre Pflicht hinaus gearbeitet, indem sie die Regale füllten, war das die Dankbarkeit, der alte Säbel, fanden die Möbelleute die 5 Personen, denen sie bei der Ausquartierung halfen, ganz nett und ein bißchen komisch? Besonders seit dem Umzug haßt Kitty die Bücher, sie findet, ihr Sohn habe sie blindlings, in kindischer Sammelwut und ohne Auswahlprinzip um sich vermehrt, genau so wie früher ihr Mann in den gemeinsamen Ehejahrzehnten, zur Freude des Staubs und der Milben, ihr selber zum Verdruß. Beide haben überhaupt zu viel Zeug angeschafft, meint sie, und die Enge gibt ihr neuerdings recht, sie hält sie jedem Widerspruch entgegen. Von jeher hätte sie lieber etwas einfacher gelebt. Die 3, 4 Bücher, die sie jetzt nacheinander blicklos durchblättert und mit einem Ausdruck des Ekels von sich weg hält, geben ihrem Stöhnen ein Motiv. Daß auch Bücher verstauben, verübelt sie dieser Hartware ganz besonders. Hier, eine Rembrandt-Biografie, und wer hat sie je auch nur aufgeschlagen? Wer rührt die Bücher denn an? Und hier, was soll das? DIE ENTSTEHUNG DER DEUTSCHEN REPUBLIK. Dann: DER SPEISEDOLMETSCHER. Nimm dir den einfach mit, du kommst ja draußen herum. Das merkt er gar nicht. Und wozu braucht er denn das: VON DER SPRACHE ZU DEN SPRACHEN. Da! DIE WUNDERWELT DER BAZILLEN. Aber hör mal, sage ich endlich, das gehört doch dir, ich selber habs dir geschenkt. Kitty geniert sich, ihre Stimme wird erbötig, sie fühlte seit Anbeginn ihrer Empörung, daß sie ungerecht war; sie verspricht, DIE WUNDERWELT DER BAZILLEN mit hinaufzunehmen und am Abend noch zu lesen. Du interessierst dich doch für Naturwissenschaften? Aber ja, mein Liebes, ich danke dir. Du siehst: hier unten geht alles verloren. In dieser Schutthalde von Büchern — ich interessiere mich sehr für Bazillen und so was, für diese ganzen mikroskopisch kleinen Lebewesen, auch für Bienen, du weißt ja, aber natürlich, im Fernsehen hat man es jetzt doch noch etwas anschaulicher und so. Aber wirklich, ich freu mich auf dein Buch. Es ist ein Jammer um die wirklich guten Sachen unter diesen Bücherhaufen. Auf diese Bazillen bin ich richtig neugierig.

Der Nachfolger hat beim Umzug der Bibliothek persönlich geholfen. Die unordentlichen Stapel der theologischen Abteilung, die am Boden ineinandergerutscht und eingestürzt sind, gehen auf seine Rechnung. Was Bücher, was Bücher, hat er immer wieder ausgerufen, sein tatsüchtiger Predigerbariton wurde im Dialekt der Nordstadt laut, und der unansehnliche braune Wurststummel, seine abgelutschte Zigarre, hat zwischen den weichen Zangen seiner Lippen gewackelt. Er versprach, später zu helfen, wenn diese Büchergebirge sortiert und ausgelichtet werden sollten: einiges ist der Anstalt durchaus sicher. Nein, in diesem Raum kann man sich nicht bewegen. Eingewöhnen wird man sich auch hier, wo nicht?

Wir sind in die Notwohnung zurückgekehrt, es hat immer noch eine gute Viertelstunde bis zum Beginn der Taufe gefehlt. Und was machst du denn so, in deinem schönen Haus, genießt du es denn wenigstens ein bißchen? Es war doch ein Glück, daß sich das gerade so für dich ergab. Schnell erwähne ich Nachteile, ich sammle Argumente gegen das schöne Haus, glaubwürdig übrig bleibt nur, daß die Heizung schlecht funktioniert. Helene stand schwankend am Spülbecken. Rock hat sich auch wieder in diesem behelfsmäßigen Kreis der Familie herumgedrückt und Helene aufgefordert, die Krümel aus den Mundwinkeln zu wischen. Wie immer ihm gegenüber war sie gehorsam. Ihre großen flintsteingrauen Augen, die einzige Erinnerung an eine verlorene Intelligenz, das einzig gut erhaltene Relikt aus der kurzen Zeitspanne vor der Katastrophe im Leben Helenes, der Hirnhautentzündung — sie aber sagt ENGLISCHE KRANKHEIT — diese erstaunlichen Augen haben dem unvernünftigen Zucken ihres Mundes, der zerbrochenen Nase, dem verbeulten Hühnerschädel mit schlecht frisiertem, von schwarzen Spangen unterteilten weißblonden Haar eine Spur Würde erhalten. Und was ich so mache? Na, jetzt zum Beispiel überlege ich, wie ich mich vor der Beteiligung am Sommerfest meiner Wohnkolonie drücken kann, sagte ich, um nichts Besonderes zu sagen. Was ist das für ein Sommerfest? In dieser Frage Kittys hat sich das Wort SOMMERFEST wie ein Schuldspruch angehört. Sie wollen, daß wir das Fest gemeinsam veranstalten, alle neuen Nachbarn. Genieße doch dein Leben, sagte Kitty, aber ihr Vorschlag klang nicht wie ein Vorschlag. Ein Sommerfest, wer kann an so etwas Lustiges denken. Denen geht es gut, die jetzt Sommerfeste planen. Wir hingegen, wir sitzen zusammengepfercht in einer Notwohnung. Die Sommerfestsonne besucht uns allerdings in unserer Küche, diese Küche ist eher zu hell, wir verdanken der festlichen Sonne Aufklärung über unsere Fadenscheinigkeiten. Sommerfeste! Wir hier, wir haben keinen Garten mehr. Wir können unseren früheren Garten sehen, wenn wir uns aus den 3 Südfenstern der Notwohnung im B., Westtrakt, beugen, wir sehen die Westteile dieses Gartens, wir sehen den Teich von hier aus nicht, wir sehen die Kinder des Nachfolgers auf ihren Fahrrädern herumfahren, wir sehen die Robinie, die im Sommer unsere verlorenen Zimmer grüngefärbt hat, wir sehen die Kiefer, die Birken, die Holunderhecken und den Rotdorn, die den unteren Teil des Gartens gegen Westen abgrenzen, gegen den Anstaltsgarten, dessen öde Nutzflächen von nun an unseren Blicken verordnet sind. Unumstößliche Sanierungspläne des Nachfolgers, ein Ende der Verwilderung unseres Gartenkuriosums. Ich, der Nachfolger, werde oben ein kleines gepflegtes Paradies draus machen, der untere Teil wird Anbauzwecken zugeführt. Der Garten wird meine 4 unmusikalischen Kinder sättigen, auch beschäftigen. Endlich haben diese kraftvollen Kinder einen Auslauf. Bald werden sie noch viel gesünder aussehen als sie längst aussehen. Über Krankheit oder Gesundheit des Baumbestands wird ein Fachmann entscheiden, nicht der Gärtner Schraub mit seinem verhältnismäßig niedrigen Intelligenzquotienten. Kranke Bäume entfernt der die Zukunft bedenkende Gartenbauer nun einmal. Jedes seiner 4 Kinder sieht dem Nachfolger ähnlich.

Ein Todesfall in Reutlingen, sagte Rock. Was meinst du damit, was soll denn das schon wieder, sagte Kitty. Mit einem Todesfall in R. kann sie sich vor dem Sommerfest drücken, sagte Rock. Helene wollte wissen, wer in R. gestorben sei. Worin Helene sich auskennt, das sind die Verwandten. Wir haben doch niemand dort, kennst du Leute dort? Mein Mann bereitete sich jetzt, in mehreren schwarzgebundenen Büchern abwechselnd blätternd, auf die Taufe vor. Das vereinfacht es ja, sagte ich, denn ich kenne keinen Menschen in Reutlingen. Rock, du hast mir eine ausgezeichnete Ausrede erfunden. Es wird keine Tränen geben bei diesem Todesfall. Rock und ich, wir einigten uns in einem Gelächter, von dem die 3 andern in der Küche nichts begriffen und erst recht nichts hielten. Kitty sagt: Es tut mir leid aber ich mußte es Helene einfach erlauben, sie wird bei der Taufe dabei sein, sie hat mir eine Woche damit in den Ohren gelegen. Rock klassifizierte Helene als Gemeinde, dem Körperumfang nach ganz einleuchtend. Helene ist sehr dick. Das Essen ist ihre Hauptfreude, hält mein Mann unseren Hinweisen auf die kürzere Lebenserwartung der Dikken entgegen. Er hat es nicht gern gesehen, daß Helene sich neulich Kittys Rat beugte und ihre Frühstücksportion um 1 Drittel verkleinerte. Mit einem ganzen Brötchen futtert sie immer noch zu viel, sage ich zu meinem Mann, du selber ißt nur ein halbes und pulst noch das Innere raus. Deshalb ist er auch oft so schlecht gelaunt, sagt Kitty. Schlecht gelaunt? Mein Mann kann es nicht leiden, wenn in seinem Blickfeld Enthaltsamkeit und Selbstbeherrschung geübt werden, 2 Tugenden, in denen er selber es bei konsequentem Training zu Spitzenleistungen gebracht hat. Wie alle Konkurrenz, so stört auch diese.

Demnächst in Augsburg, wenn ich es einrichten kann. Das wäre schön. Nachwinken lassen wir immer weg. Rubin stößt sich mit privilegierter Verzweiflung durch die Bahnsteigpersonen in die von Gott persönlich verfluchte Richtung seines aufgewühlten Hin- und Rückwegs.

Bellen und brüllen die Kirchenglocken nicht zu mir ins Zimmer 606 hinauf, dann höre ich die Krankenbesucher und ihre Kinder, Sonntagspersonen in Massen unten auf dem Terrain und zwischen ihnen die kalenderlosen ausgeblichenen Gesichter ihrer genesenden oder moribunden Verwandten und Bekannten, die Bademäntel, die fahlen Knöchel, die Pantoffeln, die zerzausten Frisuren, die Liegeglatzen und bläuliches Geäder. Für den Tod gibt es keine Besuchssperren. Die Fassaden der Klinikgebäude, die den Tummelplatz der Besucher, die Querverbindungen, die Sitzgruppen umstellen, fangen den Schall der gesunden Stimmen sämtlicher Todeskandidaten auf und geben ihn an mich weiter. Soll ich einen Schluck trinken? Wie winzig soll der Schluck sein? Ich habe einen Schluck genommen. Er war zu klein und zu groß. Schw. Christel trinkt am liebsten Kallstädter Goldmorgen. Da trinkt sie schon auch mal etwas über den Durst. Das letzte Mal in Kallstadt hat sie mit ihrem Bekannten 5 Viertelliterchen getrunken. Das muß eine sehr flüssige Angelegenheit gewesen sein. Sie kann schon beim 2. Viertelliterchen keinen extremen Durst mehr verspürt haben. Sie hat vielleicht überhaupt ganz ohne Durst angefangen zu trinken. Ihr Trinken geschah um des Weines willen, es ging ihr nicht um die Flüssigkeitszufuhr. Der Wasserhaushalt ihres Organismus war einwandfrei gesichert. Sie hätte das ganze Trinken bleiben lassen können. Es ist schön, ohne Durst zu trinken. Es ist schön, mit Durst zu trinken. Es ist schön, Durst zu löschen. Durst ist schön, kurz bevor man trinkt und während man trinkt. Ich kann, weil niemand mir eine Todesnachricht überbringt, das Experiment mit dem Verhalten meines Durstes nicht machen. Vater, stehe nicht wieder auf von den Toten, lösch meinen Durst nicht. Größte Freiheit Schlegels, sein Liebstes zu zerstören, dich will ich nicht noch einmal. An halben freien Tagen will Schw. Christel nur noch lesen, schreiben. Sie sagt: Bissel was für mich tun, ich schreibe auch, aber nur so für mich, das soll keiner lesen, hätte ich nur mehr Zeit, dann könnte ich mich mehr um das Schreiben kümmern, es ist mein Hobby. Sie führt ein Tagebuch. Sie würde nicht wagen, mir da mal was draus vorzulesen, aber vielleicht doch. Als nächste Grenze für einen Schluck Tee habe ich mir 16 h gesetzt, das ist eine Dreiviertelstunde von hier entfernt, also weit. Siehst du, das hast du davon. Du hast sorglos gelebt. Du hast es nie ausprobiert, Durst zu leiden. Du hast ein gestörtes Verhältnis zum Begriff des Verzichts, dein Umgang mit dem Leiden war immer schluderig. Schw. Christel sagt: Das Aufstehspritzchen. Etwas für den Kreislauf. Ich soll nicht liegenbleiben. Entwindeln, Aufstehen, Transport auf den fahrbaren Stuhl, mit dem ich in die Nische vors Waschbecken geschoben werde. Es geschieht weiterhin alles zu meinem Besten. Mir werden Beine, Rücken und Oberkörper mit Spiritus abgerieben: das dient nicht nur meiner Sauberkeit, sondern auch meiner Erfrischung. Ich fühle mich danach beinah wohl. So abgefertigt, bin ich fast für die Nacht gerüstet: 16.25 h. Später noch die Erfrischung: Zähneputzen. Ein Versprechen: eine Tasse Tee. Es ist ganz einfach, glücklich zu sein.

Eine Übung, Kurs 2. Was aber nicht ermittelt werden kann: ob Rubin um der Genauigkeit willen immer wieder zurückkehrt. Ob Rubin um der Genauigkeit willen Nachsicht übt. Ob er, weil etwas für immer unklar bleibt (verhielt Martha sich infam oder war sie rührend, indem sie das Telefonieren verhinderte), auf etwas verzichtet, auf die Gelegenheit, auf die Rache, auf den Wutanfall, auf die Auseinandersetzung im Guten. Ob Milde das Höchste ist. Ob einer erben kann, ehe er stirbt. Ob mein Mann sich nur diplomatisch verhält und daher also gar nicht aus Besorgtheit handelt. Ob hier die Nähe Englands wirklich gespürt wird. Ob hier das Backwerk wirklich besonders gut ist. Aber wiederum unzweifelhaft bleibt: Sie kann hinfort nicht sterben. Kannst du was, so erbarme dich unser. Sie hat getan, was sie konnte. Wir könnens ja nicht lassen. Das ist eine harte Rede, wer kann sie hören? Es gibt das Freie Meer. Es gibt die Hoheitsgrenze, die Staatsgrenze, die Dreimeilenzone, das Hoheitsgebiet, die Küstengewässer, es gibt das Küstenmeer. Jetzt genießen wir weiter das Küstenmeer. Wir hätten Lust, auf die Mole zu gehen, barfuß im Wasser zu waten, aber wir haben keine Lust, weil du deinen Kopf da hin gelegt hast. Es gibt die Hoheitsgewässer, es gibt das Staatsgebiet und die Eigengewässer. Es gibt die Seelinie, den Vorstrand, die Seelinie. Wie kann ich, so mich nicht jemand anleitet? Ein Mensch kann nichts nehmen. Darum, Mensch, kannst du dich nicht entschuldigen. Nasser Strand, Trockener Strand, Uferlinie, Küstenlinie, Küstengebiet, Watt, Wattenmeer, Wattgebiet, Watt-Strand, Insel, Wattlinie. Laß deinen Kopf da liegen, denn er ist mir viel zu schwer. Sein Unglück wird auf seinen Kopf kommen. Wir können nichts gegen die Wahrheit.
Rubin will mir den Satz VIRTUOSIN IM UMGANG MIT DER WAHRHEIT = UNWAHRHEIT per Eilboten schicken, aber sämtliche Be-

wohner durchsuchen bereits seit zwei Stunden vergeblich die Wohnung nach einem Couvert. So muß er mir dann auch ICH HATTE DICH GEPFLANZT ALS EINEN EDLEN WEINSTOCK, EIN GANZ ECHTES GEWÄCHS / WIE BIST DU MIR GEWORDEN ZU EINEM SCHLECHTEN WILDEN WEINSTOCK und IHR LIEFET FEIN: WER HAT EUCH AUFGEHALTEN gelegentlich durchtelefonieren.

Und genau so erwiesen ist: Hier gibt es genug Flüssigkeit zum Frühstück. Die Dünung des Meeres hat sehr an Bedeutung gewonnen, sie findet in den Schelfzonen statt, geschieht durch Konzentration von Phytoplankton in Zuchtgebieten von Fischen und Muscheln, und wir befinden uns nicht mehr da, wir konnten deinen Kopf da nicht länger liegen lassen, Rubin muß es mir halt telegrafisch mitteilen: ICH KENNE DICH VON DEINER WIEGE AN / ICH KENNE DICH AN DEINEM GRAB / ICH LASSE DICH AUFERSTEHEN, aber es kostet etwas zu viel, er muß an irgendeiner Kneipentheke beim Bierkaufen oder im Zigarettenladen oder im Supermarkt wiedermal einen Geldschein verschlampt haben. Wer ists, der uns schaden kann, wer hat uns vertrieben, warum mußten wir die Schelfregion verlassen — frag doch nicht. Mach doch von der neuen Gelegenheit Gebrauch. Auch von der neuen Mole, von den Tangbärten. Hier stört nur die Möwen der Orkan nicht, hier heißen die Zimmer WIEN oder CUXHAVEN, hier ist 1 DM der Gegenwert für ein Frühstücksei Gewichtsklasse 4, hier ist es aber schön, hier sollte es gar nicht so schön sein, hier weiß ein HNO-Arzt auch nichts Verbindliches über den Nutzwert von Mandeloperationen, hier ist einem Bibliothekar das schlechte Wetter peinlich, hier kannst du deinen Kopf hier hin legen, hier habe ich wie immer zu viel übrig für — für was denn. Für die Schelfregionen, für das Bezweifelbare, für dich, für das Küstenmeer, für das Freie Meer, für das Erwiesene, für dich, für Gelegenheiten mit deinem Kopf, für unsere Übungen, für schlechtes Wetter. Please, translate the mixed pieces into the languages Old-English, Old-Flanders, Old-Frankish und Old-Bavarian.

Mein Mann und Kitty sahen blaß aus, quengelten über irgendwas, in einer Kleinigkeit aus ihrem Alltag gab einer dem andern die Schuld, es ging um nichts bei ihrer Unzufriedenheit, und sie hätten sich gewundert, wenn ich STREITET EUCH DOCH NICHT gesagt hätte, FRIEDEN BITTE, denn für sie war es Frieden, wie immer. Gegen ihre Zusammengehörigkeit ist kein Kraut gewachsen.

17 h. Schon entfernt man aus den Krankenzimmern die Blumen. Der Krankenhaustag nähert sich seinem Schichtwechsel. Schw. Charla fragt: Haben Sie je etwas mit der Galle zu tun

gehabt? Neugierig sage ich NEIN und frage WIESO — aber es geht nur um die Abführkampagne. Jemand bläst in der Nähe träge und sentimentale Stücke auf einem Horn, nach jedem Stück endlose Wiederholungen des Stücks. Es ist vielleicht als Therapie freundlich gemeint. Ich kann nicht aufstehen, ich kann nichts dagegen unternehmen. Ich höre jetzt Beifall, vermutlich von den Balkons der Chirurgie herunter zum Bläser. Daraufhin preßt er ein weiteres vielstrophiges dt. Volkslied aus Instrument und Lungen und Gemüt. Der Hornist spielt und spielt, er durchspielt das ganze Krankenhausgelände, jetzt hat er sich vor der Männerstation der Inneren Abt. plaziert, seine Töne kommen lauter gefühlvoll in mein Zimmer. Ich weiß nicht, wie es auszuhalten sein soll, wenn es noch eine einzige Minute länger dauert. Es dauert eine Minute länger, dauert viele Minuten länger, ich halte es aus, wie alles hier und immer und ohne zu wissen, wie. Ich muß mal aufpassen, wie ich es mache mit dem Aushalten. Ich muß mal, während ich wieder was aushalte, mein Bewußtsein beteiligen. Von neuem zieht, an einem neuen Platz, der Musiker mit überwiegend falschen Tönen sein Repertoire ab. Er hat Kummer damit, gleich beim 1. Mal die richtige Fingerklappe zu drücken. Seine Geduld reicht allerdings weit, und es stellen sich ihm auch keinerlei atemtechnische Probleme. Er kann noch lang. Ich kann keine Schwester gegen seine Gemütsplage in mein Zimmer klingeln. Hierfür ist niemand zuständig. Jetzt klatscht jemand auf dem Nachbarbalkon. Stellen Sie sich bitte nicht gegen die Allgemeinheit und ihre friedlichen Freuden.

Rom ist eine tote Stadt, in der kein lebendiger Gedanke gedeiht, sagt ein Theosoph bei Pirandello. In Rom könnte ich leben, sagt der Oberstudienrat aus Augsburg, Hauptfach Geschichte. Seine Abiturienten, die er durch Rom führt, bleiben immer an den falschen Stellen stehen. Im Schuhgeschäft Marco ist aber ganz schön was los, sagt der hessische Tourist zu dem hessischen Touristen, es ist ja beinah wie bei uns zu Haus.

An Weihnachten wünschen wir uns BUON NATALE. Die hiesigen Bettler dürfen Sie nicht bemitleiden, erstens, zweitens, drittens. Alle hiesigen Bettler sind im Stadtbild eigentlich unentbehrlich und machen es irgendwie farbiger. Die hiesigen Bettler sind wie alle Leute unter blauem Himmel sowieso anspruchslos. In den Stürmen der Völkerwanderung schien Rom unterzugehen.

Schw. Christel zeigt mir, wie sie aussieht mit dem Haar vor dem Ohr, mit dem Haar hinter dem Ohr. Wie ist es besser? Jedesmal besser, so oder so. Die Winzigkeit ihrer Haube läßt mehrere Frisuren zu. Was sie sich beim Friseur regelmäßig legen läßt, heißt FORMWELLE. Zu Haus besitzt sie auch einen

schönen künstlichen Zopf. Sie will noch mehr Haarteile anschaffen. Sie fühlt sich gern von Zeit zu Zeit wie ein ganz anderer Mensch. Ich habe Durst. Sie hat bald wieder zusammenhängend frei. Ich frage: Fahren Sie wieder mit Ihrem Freund nach Kallstadt. Ich habe Durst. Sie sagt: Mit meinem Bekannten ja. Das Hornkonzert hat ein Mitglied der Heilsarmee geblasen. Es war aber keine religiöse Nummer dabei. Mit Absicht, man muß auf unterschiedliche Reaktionen der Patienten achten. Ich hätte etwas Religiöses besser ertragen, sage ich und Schw. Christel glaubt es nicht. Mich machen Volkslieder geradezu krank, sage ich nicht mehr. Ich denke an Schulausflüge, an die ganze Frühjahrswachserei in der Gegend, an Schafgarben, an Kartoffelkäfersammeln: ich ließ alle in den Blättern sitzen; an die Übergänge der Volkslieder in die Nazilieder und an meinen Heuschnupfen, der den ganzen Schrecken unterstützt hat und den ich Rock vererbt habe.
18.30 h: Schw. Charla und zwei Abführpillen. Die Nachtschwester wird mir mit einer Spritze und einem Suppositorium große Freude bereiten, sie wird mich, wenn es sein muß, in der Nacht mit einer 2. Spritze verwöhnen und notfalls zusätzlich wieder mit dem Lichtkasten hätscheln. Morgen in aller Frühe werde ich eine Abführmandelmilch genießen und danach belohnt man mich mit einer Tasse Kaffee, extra stark. Das sieht nach ziemlich viel Flüssigkeit und sonstigem Segen aus. Ich habe auch noch Tee vor mir, zu dem Schw. Charla MITTERNACHTSCOCKTAIL sagt. Mit Schw. Sigrun, der Nachtschwester dieser Woche, werde ich neu anfangen, gegen meine Ungeduld um Hilfe zu bitten. WÄHREND DES KRIEGES HABEN DIE NERVÖSEN ÜBERALL AUSGEZEICHNET IHREN MANN GESTANDEN, versichert mir der für Nervositäten zuständige Ideologe des Gesundheitsbrockhaus'.

Wie man wird was man ist. Wie du wirst, was du sein sollst, damit du es endlich bist. Du mußt eine Pilzkultur anlegen lassen. Du mußt deinem Schicksal freiwillig folgen. Du darfst deine Geschichte nicht verschlafen. Du mußt eine göttlich-satanische List gebrauchen. Daß der Augenarzt Dr. Rot heißt, braucht dich gar nicht zu beschäftigen. Daß der Augenarzt Dr. Rot seine Praxis mit dem Zahnarzt Dr. Heil teilt, darf dich überhaupt nicht ablenken. Was bedeutet denn das HEIL überhaupt und wer weiß es denn. Alle blicken gebannt darauf. Blicke auch du auf seine vielen Namen, Horizonte, Teilhorizonte. Mit dem Heil wird häretisch verfahren. Dr. Heil plombiert und nimmt eine Wurzelresektion vor. Dr. Rot steht relativ hilflos dem Problem der Farbblindheit gegenüber. Du mußt mal brauchbar sein. Du mußt deine Physis achten, denn du kannst sie nicht lieben, denn das tut man nicht selber, denn du mußt mal selber tun, was man selber tut — Deine achtbare Physis plant wohldurchdachte Sparmaßnahmen, denn sie ist geschwächt und so wird sie dir nur die dringendsten Dienste leisten. Du mußt den Abschied machen. Du mußt das Tun vollenden. Du mußt. Du mußt wissen, was du beten sollst. Du mußt trockene Genitalien durch Anspucken brauchbar machen. Du mußt die Sonne dreifach sehen. Der Geist selbst vertritt dich, die du nichts zu beten weißt, mit unaussprechlichem Seufzen. Du mußt mit den andern Heilsuchenden Fixierungen vornehmen, solche der Richtungen, der Felder, der Ränder. Nimm dich in acht. Meiden das Böse, das ist Einsicht. Furcht, das ist Weisheit. Du wirst bald nicht mehr richtig schmecken, riechen, sehen. Zunehmende Taubheit und Lahmheit werden dich erschrecken. Du mußt aufhören, gegen dich selbst bequem zu sein. Das bist du alles nicht. Ziehe den alten Menschen aus und den neuen Menschen an. Getilgt hat er den Schuldbrief. Vom homo erectus zum homo sapiens. Mordgeständnis: Leiche fehlt.

Am Gründonnerstag hat es angefangen, aber noch warst du du selbst, auf dir, Schlachtfeld du, haben zwei sich bekämpft und wechselweise dich beschimpft. Wie Geschimpftwerden eine Schande, so ist Schimpfen eine Ehre. Du kannst jederzeit beschimpft werden. Dir kann jederzeit ein Schlag versetzt werden. Am Karfreitag bist du einschlafend aufgewacht, dann schliefst du wach, dann langst du herum, denn deine Physis verfuhr rücksichtsvoll mit dir, indem sie dir die Entdeckung ihres Unvermögens so lang wie möglich ersparte. Du konntest nämlich nicht gehen, wie man gehen muß. Deine verwunderten Füße bewunderten deine Schritte, denn damit, daß sie den Boden erreichten und an Boden gewönnen, war von Schritt zu Schritt nicht zu rechnen. Im Spiegelbild hast du dich mühsam an dich erinnert. Deine Augenbrauen blieben, wie du es ihnen verboten hast. Dein Mund hat sich nicht geöffnet, wenn du es ihm befehlen wolltest, und schließlich bekamst du Angst vor dem Befehl an den Mund. ABER das Wetter war schön. ABER auf dem See haben Möwen die Schwäne gestört. ABER auf dem See haben Schwäne die Bleßhühner gestört. ABER auf dem See. ABER der See. ABER die Gegend ohne Abschluß war dir recht, denn sie hat etwas Undenkbares denkbar gelassen, die Gegend hat dich mit ihrer undeutlichen Ermöglichung beruhigt. Das Wetter hat sich nicht vermittels Sonne bei dir angebiedert. Das unverständliche Wetter, aber ja. — Du darfst nicht in der Nase bohren. Du darfst nicht dauernd am Haar rumzerren, du darfst danach schon gar nicht mit den folgerichtig fettigen Fingerkuppen wieder deine Kleidung anfassen. Was betrübst du dich, meine Seele. Wer kennt denn überhaupt das Heil. Du mußt deine Zeit einteilen, du mußt deine Uhr regulieren lassen, du mußt sodann genau die Zeit auf deiner Uhr ablesen, woraufhin du kein Taxi zu rufen und keinen Zug zu versäumen brauchst. ALLES glaubt man dir schon lang nicht mehr. Du mußt mehr essen, da du dicker werden mußt. Du mußt. Du mußt auf genauer ärztlicher Information bestehen. Du mußt. Du mußt dem Arzt die Zunge rausstrecken und ihm, nach dessen reiflicher fachkundiger Überlegung, ganz dringend anordnen, ganz dringend etwas zu unternehmen. Was klaust du denn da schon wieder? Wozu klaust du denn diese Broschüren. Wonach grapschen denn deine kleptomanischen Finger jetzt schon wieder, was stopfst du dir denn jetzt schon wieder in die kleptomanischen Taschen. Was ist denn das für ein blaßbrauner Fleck an deinem Hals? Ist das ein Hämatom? Wer hat denn an deinem Hals gesaugt oder gewürgt? — Dein Arzt kennt die Sparabsichten deines blöden lieben heruntergekommenen Körpers, er wird nur das Notwendigste für dich tun, der Körper wird verlieren, was ihm zu viel Last bereitet — also wirst du zum Beispiel nicht so bald den Verstand verlieren, denn sein geringes Ausmaß bereitet deinem knauserigen Körper nicht zu viel Last. Beim Zubereiten des Frühstücks, Karfreitag: ich beobachte dich, du bedurftest langer Zeitspannen für deine Unentschlossenheit. Wo du anfangen solltest, hast du nicht gewußt. Wir sehen einen Menschen, der wie ein Fragezeichen uns im Weg steht — wir sehen / dich / ja. — Zur Lebensweisheit gehört das richtige Verhältnis, in dem wir unsere Aufmerksamkeit teils der Gegenwart, teils der Zukunft widmen, damit nicht die eine uns die andere verderbe. Du aber mischst die Vergangenheit dahinein. Du aber mischst die Angst vor den kommenden Monaten dahinein. Du mußt mal den kommenden Sommer bejahen. Die Leichtsinnigen leben zu sehr in der Gegenwart. Die Ängstlichen und Besorglichen leben zu sehr in der Zukunft. Du mußt deinen Schreibtisch aufräumen. Du mußt das alles mal richtig verstehen. Du mußt. Du mußt mal in deinem Kopf aufräumen. Du darfst nicht abends hier herumdiskutieren, denn im Nu ist es 2 und dann 4, ich aber bin erst wieder morgen ab 10 Uhr für dich zu sprechen. Du darfst dich nicht verzetteln. Du darfst nicht, was schwach ist vor der Welt, als das Erwählte feiern, du darfst nicht sagen: damit zuschanden werde, was stark ist, du darfst nicht, weil du mußt, du mußt zunächst Sachkenntnisse erwerben. Du mußt an Verwirklichungen in Richtung Weiterbestehen denken. Du darfst nicht mit der Kopfhaut wackeln. Die Mönchskrankheit der Studenten nimmt zu. Das Meer ist wichtiger als der Weltraum. Aber hierbei handelt sich bloß um die wirtschaftliche Ausbeute des Meeresbodens. Heilsamer Nebel. Aber hierbei handelt es sich bloß um künstlichen Nebel zur Nebeltherapie beispielsweise gegen Erkrankungen der Atmungsorgane. Du mußt das Gute sehen. Sei doch mal. Sieh doch mal. Die Toschibakamera sieht in 3 Minuten das Vorhandensein eines krebsartigen status beim Menschen. Hält ein Mann seiner Frau auf deren Anwurf, er habe stinkende Achselhöhlen, ihr die eigenen stinkenden Füße als Gegenruf vor, so ist das gut. Du darfst nicht so peripher denken. ABER der See schwappt. ABER die Sonne scheint angeberisch. ABER die Leute freuen sich doch. ABER sie wollen doch alle die Kirschbaumblüte bewundern. Jetzt blühen also diese verdammten blöden Kirschbäume schon wieder mal. Jetzt muß man da was drüber denken. Jetzt soll man das schön finden. Und dann gibt das auch noch Kirschen und dann muß das jemand ernten und dann muß man das dumme gesunde wurmige Zeug irgendwo auch noch begutachten und dann auch noch kaufen und dann soll man es essen. Ach die schöne, verdammt öde, in die schrecklich gewohnte Zukunft verweisende Kirschbaumblüte, komm, laß uns den trüben heißgeliebten Blütenschaum mal bewundern, leg mal los. ABER die Sonne hat etwas Provozierendes und alle müssen raus und alle Freizeitzentren sind schon überfüllt, ABER diese Witterung ist eine Gemeinplätzigkeit, ABER so ein verräterischer ausplaudernder Himmel, so blau und blau und ABER. Du mußt das eine Privatleben abschaffen. Du mußt das andere Privatleben aufräumen. Du mußt in deinen Schrei Ordnung bringen. Dein Schrei ist nicht ein Chor. Du bist einstimmig. Du bist nicht die Matthäuspassion. Was betrübst du dich, meine Seele, und bist so unruhig in mir? Deine Karwoche hört nicht auf, wenn du deine Karwoche nicht selbständig beendest. Du mußt den Blasen-Nieren-Tubentee nach Vorschrift trinken. Deine Hände haben Angst vor dem Greifen. Deine Zähne haben Angst vor der Kaffeetasse. Vor der Kaffeetasse haben zuerst deine Hände, die vor dem Greifen Angst gehabt haben, Angst gehabt, und haben Angst. Dein Kehlkopf hat Angst vor dem Schlucken. Deine Lippen machen einfach mit und haben Angst. Dein Atem hat Angst vor sich selber. Deine Schritte haben Angst, denn deine Füße haben Angst.

Nicht eine Zahnprothese ist unästhetisch, sondern ihre Verarbeitung im Bewußtsein; ihr Verbrauch in einem unästhetischen Denkvermögen macht die Zahnprothese unästhetisch. Hühnerauge ist ein höhnisches Wort. Clavus statt Hühnerauge beleidigt den Patienten nicht.

Denke nicht dauernd an die Beschädigungen zwischen Rubin

und Martha. Deine Umgebung sind wir, wir sind deine Familie. Deine Umgebung wird zunehmend löchrig. Du gerätst häufiger in Leerstellen. Du fällst aus. Du fällst dir nur noch mit Mühe ein, du erinnerst dich schwach an dich selber. Oder ist der talergroße blaßbraune Fleck, das milchkaffeebleiche Symptom, das dominant vererbbare Menetekel, ist das der Wink: Neurofibromatosis? Du mußt dich in jeder Sekunde selbst wieder auffinden. Du mußt. Du redest dir zu, du sagst: das ist mein Fuß, das ist meine Hand, das war mein Satz, das war dein Satz. Du mußt der Wahrheit ins Auge blicken. Du darfst also beispielsweise nicht sagen: dieser Mantel ist unmodern, diesen Mantel will ich der Bettlerin geben, denn erstens brauchst du für den Beerdigungsfall einen Mantel, der wie dieser dezent genug ist, und zweitens sollst du die Bettlerin nicht kränken. Du darfst beispielsweise nicht sagen: der Schmutz ist unter der Glasplatte, wenn der Schmutz auf der Glasplatte ist. Du darfst keinen Schmutzrand am Waschbecken lassen. Psychische Faktoren und nervöse Störungen haben deine Mundwinkel verwundet. Nicht mehr lang und du hast deine wohlverdiente reaktive dekompensatorische Neurose, deinen psychophysischen Versagenszustand, während dein sauberer Rubin sowieso alles überleben wird. Du darfst nicht so schreien, wenn einer Kopfweh hat. Wann fängst du nur endlich mit den Wechselbädern an. Jetzt willst du dringend du selber sein. Du hast dich verloren, du kommst dir abhanden, warum willst du dich denn überhaupt wiederfinden, wer bist du denn, daß du dich vor Menschen gefürchtet hast, die doch sterben, und vor Menschenkindern, die wie Gras vergehen. Sofern du meine guten Ratschläge zu deinen bösen Sätzen machst, erwirke ich eine einstweilige Verfügung gegen deine bösen Sätze, denn meine guten Ratschläge gehören mir. Was lachst du denn so. Was heulst du denn so. Was ist denn dabei. Was betrübst du dich denn, was bist du denn so unruhig, Seele — die denkst du dir, damit du sie für deine Zwecke benutzen kannst. Du willst eigensinnig wieder vorhanden sein. Du bist neben dir, das ist dein Körper, aber du bist nicht da. Du bist nicht mit dir identisch, also bist du nicht frei. Du erkennst dich kaum in dieser schlechten Nachahmung. Dich findet man jetzt oft vor dem Spiegel, vor deinem verlorengehenden Gesicht, du mußt dich mal organisieren. Du mußt mal nachlesen, wie Mao Tse Tung das Volk organisieren will. Für alles Reaktionäre gilt, daß es nicht fällt, wenn man es nicht niederschlägt: Mao. Es ist die gleiche Regel wie beim Bodenkehren: Mao. Wo der Besen nicht hinkommt, wird der Staub nicht von selbst verschwinden: Mao. Du schwillst ja an. Dein Mund wackelt ja. Du mußt ja deine Oberlippe festhalten. Du mußt ja deinen

Satz abbrechen. Du mußt. Dein Satz endet in einem Gurgeln. Ja, das sind die erwarteten Sprechstörungen. Leute, die im Umgang mit der Wahrheit schlecht abschneiden, haben es so verdient. Du kannst jetzt Wortgruppen nicht mehr zusammenstellen, du kannst einzelne Wörter nicht artikulieren. Siehst du, siehst du, sieh nur. Du spürst auf der Haut und unter der Haut eine Betäubung. Aber du hast gar keine Injektion empfangen, aber du bist in dieser Betäubung gar nicht eingeschläfert, vielmehr wirst du unruhiger. Du kannst nicht sitzen, du kannst nicht stehen, du kannst nicht liegen, du kannst nicht gehen, du kannst nicht. Siehst du, das geschieht, weil.

Schw. Sigrun freut sich an Wendungen, in denen sogar der Begriff KREISLEITUNG vorkommt, sie ist zu jung für Erfahrungen mit dem Wort, das sie jetzt im Zusammenhang mit Stationsschwestern, Oberärzten und dem Professor gebraucht. Sie findet ihre Sprache flott. Sie sagt: Als Nachtschwester bin ich verrufen, denn bei mir gibt es immer pro Nacht mehrere Zugänge, darauf kann man sich fest verlassen. Und schon hat sie auch in dieser Nacht zwei Schwangere. Mich hebt sie, nachdem etwas Ruhe entstand, nochmals zweckbetont im Bett herum; ich bekomme meine Injektion in meine Haut einer Rauschgiftsüchtigen. Ich mache bis 24 Uhr durstig weiter. Der Tee. Ich bin so durstig, daß mir Sigruns Anwesenheit als Ablenkung guttut. Sie erzählt, was in der Zwischenzeit los war: gleichzeitig haben der Professor und ihr Verlobter auf der Station angerufen. Nun hat sie sich die Vorwürfe beider zugezogen. Mit Sigruns Hilfe ist es mir gelungen, einen Bodensatz Tee aufzusparen: den stelle ich mir für die äußerste Not zurück.

Du wirfst die Arme herum. Deine rechte Hand landet immer auf der Herzgegend. Du spürst deinen Hinterkopf schon fast nicht mehr. So kommt es, wenn. Du bist eine asthenische Person, deutlich unterernährt, du bist an dir selber schuld. So ist es auf Grund. Sofern eine Person kritisierbar ist, so kritisiere man, so insistiere man, man beharre darauf, man lasse nicht locker, man lege der Person das ärztliche Gutachten vor, damit im Gemüt der Person bloß keine Selbsttäuschung falschen Frieden stifte. Du mußt deinem Tode ähnlich werden. Sofern eine Person unzuverlässig in ihren Entschlüssen ist, so beeinflusse man sie, so dringe man in sie, so unterlasse man es, nicht zu telefonieren aus Furcht vor einem Dementi, sofern man werden will, was man ist. Du mußt vergessen, was dahinten ist, und du mußt dich strecken zu dem, das da vorne ist. Du kennst dich nur in deinen Zweifeln aus. Dein Dasein ist ein Derivat-Dasein, ein Dasein II a, das ist deine irreparable Veränderung, in deinem Verhalten zur Außenwelt steckt der Keim des Todes, das alles ist, weil. Du hasts noch nicht ergriffen, das Gute, du jagst ihm aber nach, ob du es auch ergreifen möchtest, nachdem du selbst ergriffen worden bist. Rubin sagt: Das Neue Testament ist schließlich ein ganz reales Buch, kein Traumbuch. Rubin will mal »ganz aus dem Grunde« sprechen, verwahrt sich aber gegen Verdächtigungen, er habe irgendwas mit der Antroposophie zu tun. Was betrübst du dich. Was ist mit deiner Seele los. Was bist du so unruhig in dir. Was denn überhaupt. Was einer ist, in welcher Art und Weise er es auch sei, das ist er zuvörderst und hauptsächlich für sich selbst: Schopenhauer. Ich bin zu schwach, ich werde mitgerissen und wage keine letzte Gegenwehr: Hermann-Neisse. Hör nicht auf den. Lieber wieder Schopenhauer: das Abbild deines Wesens in den Köpfen anderer ist ein Sekundäres, Abgeleitetes und dem Zufall Unterworfenes. Laß das sein mit dem reuigen Abdanken. Und es kann doch noch dunkler werden als Benn meint. Siehst du, es macht ja keiner seine Drohung wahr und verreckt daher nicht, Rubin, gesegnet mit reichlichem Tränenfluß und daher zum Aquarellisten geboren, macht ganz schön und verzweifelt immer so weiter, neuerdings legt er auch wieder selbst Hand an sich, wobei es allerdings vorwiegend spirituell zugeht, und schlechte Flüssigkeitsversorgung würde seine Kunst nie in Gefahr bringen. Siehst du: keiner geht für immer weg, keiner hält es keinen Tag mehr länger dort aus, keiner riskiert das Telefonat, keine Ehefrau verschenkt dir ihren Mann zum Geburtstag, glaub doch nicht an die exhibitionistischen Konvulsionen dieser Bewohner, prüfe doch mal die kratzigen komplottierenden Spielregeln zwischen den zerstrittenen Verbündeten Rubin / Martha. Siehst du: es bleibt alles beim alten, sie werden alle, was sie sind, und du sollst lernen, was du bist, denn du sollst es sein. Du bist z. B., mißt und berechnet man Sauerstoff, Kohlenstoff, Wasserstoff, das Nitrogen, das Calcium und verschiedene Spurenelemente, also das, woraus dein Körper besteht, mit einem Marktwert von DM 13.92 — nicht besonders kostspielig.

24.50 h — Ich bekomme meine 2. Injektion, ich bin so leichtsinnig, meinen Teebodensatz zu trinken.

Und Karfreitag nachmittag, weißt du noch. Es ging dir besser, aber das verging dir. Du steuertest dich schräg durch die Zimmer, du stolpertest vor deinem Ziel, du bist entschlußlahm und entscheidungstaub und willensblind gewesen und dein einschlafendes Aufwachen des Karsamstag glich deinem einschlafenden Aufwachen am Karfreitag. Du hast Angst vor dem Aufstehen, mit Recht warnt deine gewissenhafte Physis dich vor der heute schlimmeren Entdeckung ihrer Untauglichkeit, denn sämtliche Erscheinungen sind verstärkt. Du elender Mensch. Du näherst dich deiner Neuroparalyse. Wer wird dich erlösen von dem Leibe dieses Todes. Was weißt du denn überhaupt von den Fixierungen und Feldern des Heils.

Dr. Hubert Eaton glaubt nicht nur an ein Ewiges Leben, er glaubt sogar an ein glückliches Ewiges Leben, in dessen ewigem Ablauf auf keine uns bekannte Freude verzichtet werden muß. Von biblischen Wahnvorstellungen hat er sich weitgehend gelöst.

Sie müssen etwas veranlassen. Die Zahnärztin neigte den Turbanknoten drohend über mich. Die Brosche funkelte mir zu. Ihr Söhnchen muß das behandeln lassen. Wieder schlug sie sich mit dieser schweren Belästigung, ihrer Heiterkeit, herum. VASELINE, bestellte sie, sobald sie sich gefaßt hatte, bei der Gehilfin Elsa, einem jungen Mädchen mit dichter geringelter Haargerste; auf jeder Gesichtshälfte brannten ihm deutlich abgegrenzte rote Flecken. Mit Vaseline schliff die Zahnärztin, so gut sie und ihr altertümliches Instrumentarium es konnten, die Schrunden und Kliffs ab, die ihr Schaben, Kratzen, Schürfen in meinem Mund erbaut hatten. Mehrmals streifte ihr Schleifstein die Innenseite meiner Unterlippe und sie sagte, um es mir abzunehmen, HOPSA, AUA, OWEH, wobei ich jeweils das roch, wonach sie roch. Auch bei Ihnen stelle ich übrigens diese Schwellung des Drüsenausgangs fest, gewissermaßen eine Sympathieschwellung. Aber Sie können sich sonst nicht beklagen, abgesehen von den ziemlich üblen 12 Molaren haben Sie doch noch eine ganz hübsche Vorderfront. Die Urlaubsvertreterin fischte mit 2 breiten, von Küchenarbeiten zersäbelten Fingerkuppen die Zellstofftampons aus dem Hohlraum zwischen meiner Unterlippe und dem verletzten Kiefer. Wie schade um den smarten Burschen, Ihren Sohn. Halten Sie ihn unter Kontrolle, seien Sie eine gute Mutter. Eine Mutter, Sie! Das ist einfach zu komisch. Sie mußte sich erneut mit dieser heiklen Version eines Gelächters abgeben und rang noch beim Abschied um Atem. Massieren Sie das Zahnfleisch täglich zweimal. Üben Sie unter jedem Zahn auf jede Zahnfleischtasche zehnmal Druck aus. Tun Sie das, bis es blutet. Spülen Sie mit Kamille oder Wasserstoffsuperoxyd. Natron tuts notfalls auch.

Rock hat mich nach meinem Besuch bei der Zahnärztin nicht in sein Zimmer gebeten, obwohl er eine neue Lieblingsplatte besaß. Ich trat so ein. Die Kunde von seiner unter Schmerzopfern kurierbaren Karies, meinem Verrat, war in sein friedliches Mexiko gedrungen. Die Vögel sind frei herumgeflogen und die Taube hat sich in ihrer Spiegelscherbe betrachtet. Ich stand so da. Rock las einfach weiter und zerpflückte dabei die Nummer des RAVE. Es ist ja saublöd, aber immerhin doch besser für deine Zähne, habe ich gesagt. Klar, hat Rock gesagt. Ich bin ins Wohnzimmer gegangen. Kitty und mein Mann haben auf den Bildschirm gestarrt. Wenig beschönigend berichtete ich Einzelheiten über die Karies. Er hat uns das verschwiegen, aber ich verstehe ihn nur zu gut. Was gingen Rocks Zähne mich noch an? War ich nicht durch Gerichtsbeschluß von seinen Zähnen losgekommen? Warum stand ich ihm nicht lieber bei gegen die Aktivität der Zahnärztin? Der friedliebende Rock, sanft berauscht von seinem Medikament mit den eingeritzten geschlossenen Augenlidern, sanft bei der neuen Single der NICE, die Flasche Sherry halbvoll in Reichweite, der liebe passive Rock zwischen dem letzten und dem nächsten Versuch, ein bißchen für die Schule zu lernen: womit wollte ich ihn denn erschrecken und wozu? Man kann ihm überhaupt nichts mehr abnehmen, rief Kitty. Sie blickte auf den Vorgang, den der Bildschirm ihr zum Trost bescherte. Der Ton blieb laut eingestellt. Um uns zu verständigen, mußten wir uns beinah anschreien, wodurch unsere Unterhaltung sich selbständig machte und zornig wurde. Ich nehme ihm nichts mehr ab, schrie Kitty. Sie behielt den Reporter im Auge, der über sein Manuskript weg ins Mikrophon sagte, erfreulicherweise mäßige der kühle peruanische Küstenstrom das tropische Klima der Galapagosinseln. Eine Bö hob seine Haare vom Hinterkopf. Bitte, sprich nicht so über Rock, schrie mein Mann sanft. Er hätte gern von mir gehört, die Mißstände im Mund unseres Sohnes könnten zu diesem unheilvoll späten Zeitpunkt ohnehin nicht mehr behoben werden. Gern hätte er sich daraufhin mit jenem Aufseufzen zurückgelehnt, das bei ihm unabänderliche Zustände abschließt. Über Helenes Zähne hast du dich auch nie so aufgeregt, hätte ich Kitty sagen wollen, sie faulten dahin, jetzt kaut sie auf Löchern und Trümmern herum; aber ich schwieg. Nein nein, ich nehme ihm nichts mehr ab, verkündete Kitty, und jetzt klang es bockig. Trotzdem, bei aller Auflehnung gegen ihr oberstes Erziehungsprinzip: Sanftheit, trotzdem vermied sie den Gebrauch des Wortes GLAUBEN. Sie sagte nicht: ihm kann man nicht mehr glauben. Die Anschuldigung zu lügen ist die schwerste, die in dieser Familie erhoben werden kann. Es hat sich um Verschweigen gehandelt, nicht um eine auf Täuschung berechnete Aussage, vielmehr um Täuschung durch Verschweigen und außerdem ohne die der Lüge inhärente Absicht, anderen zu schaden oder sich selbst Vorteil zu verschaffen. Differenzieren wir nur weiter, untersuchen wir den Sachverhalt nur nicht genauer. Lügen, aus Mitleid oder aus Höflichkeit: sogar die Ethik billigt hier eine positive Wertung. Und wurde denn genug gefragt? Viele Lügen entstehen durch Fragen, und der Befragte empfindet die Frage als Nötigung zur wahrheitsgemäßen Antwort (weshalb an Respektspersonen keine Fragen gerichtet werden dürfen). Lügner, Bezeichnung für einen dem Eubulides zugeschriebenen Fangschluß: wenn einer ein Lügner ist und dabei sagt, daß er lügt, so lügt er und sagt zugleich die Wahrheit. Frage mich nicht, damit ich dich nicht anlügen muß. Frag Rubin und seinen Gesprächspartner Kant, sie diskutieren über das vermeintliche Recht, aus Menschenliebe zu lügen. Frag Rubin und seinen guten Freund Nietzsche, sie verständigen sich über Wahrheit und Lüge im außermoralischen Sinn. Es muß sowieso von Fall zu Fall und nach bestem Gewissen entschieden werden, ob dem höheren ethischen Wert die Wahrhaftigkeit oder die Lüge dient. Ich bin rehabilitiert, wenn ich es kurz und oberflächlich genug mache. Leguane und eigenartige Insekten, schloß der Reporter einen Satz, der mit Informationen über die bei 22 Grad angenehme mittlere Jahrestemperatur angefangen hatte. Wir haben nun zu 3., so sah es aus, dem Bildschirm unsere ganze Aufmerksamkeit geschenkt, nun schweigend, der Reporter hat uns die Slums der Hauptstadt Progresco auf San Cristóbal nicht ohne Stolz und Pathos gezeigt, Kitty, die sich für ferne Gegenden und Eingeborene interessiert, war bald von ihrem Kummer um Rock abgelenkt, und nur beim Hinweis des gutgekleideten Reporters, der immer wieder seinen Schlips zwischen die Revers klemmte, mit dieser Vergangenheit als Verbrecherkolonie sei San Cristóbal noch immer ein wenig belastet, hat sie leise gestöhnt, als verbinde sie einen solchen Strafort sogleich mit dem schmerzlichen liebevollen Gedanken an ihren Enkel und an seine verlotterten, der Familienschwäche ausgelieferten Zähne.

Kitty ist eingeschlafen, so bald der Reporter als Fotomontage vor den Fassaden der Hauptstraße von Progresco anwuchs und die Gedanken von seinem Ms ablas, die er sich zuvor über die politischen Beziehungen der Galapagosinseln zu Ecuador gemacht hatte. Helene ist eingetreten und hat ihre Mutter aufgescheucht, und ihre Mutter hat sie zurückgescheucht. Das ist nichts für dich, hat sie aus freundlicher egoistischer Gewohnheit gesagt. Die Notwohnung bedingt die abendliche Ruhestörung durch Helene, die um warmes Waschwasser aus der

Küche bittet. An den Heißwasserhahn über der Badewanne kann sie nicht reichen, sie kann sich nicht so weit über die Wanne beugen, sie ist zu dick; sie wagt sich mit ihren verkrüppelten Füßen, denen sogar Spezialstiefel nicht genügend Halt geben, ungern auf den Holzrost, der auch nur barfuß betreten werden soll. Mein Mann steht auf. Helene das Wasser zu beschaffen, ist seine Aufgabe geworden. Zum Lichtschalter in der Eßküche tastet er sich im Dunkeln. Um die Kosten für eine verlängerte Stromleitung einzusparen, wurde dieser Schalter nicht versetzt und befindet sich noch immer an der Stelle, die früher für Schw. Phoebe günstig war, wenn sie aus ihrem Schlafzimmer in ihr Wohnzimmer wollte. Mein Mann hat den Schalter gefunden und knipst Licht an. Der Nachfolger war der Kirchenleitung von jeher als drastischer Ökonom und Organisator bekannt. In der Funktion eines Wirtschaftsberaters machte er sich gelegentlich der Inneren Mission nützlich, aus Neigung und Talent. Daher hat man auch von ihm erwarten können, daß er sich bei der Gestaltung der Notwohnung des Vorgängers bewähren werde. Es gibt auch preiswerte Tapeten, es ist ein Irrglaube, immer das Teuerste sei das Beste. Rubin, der keine Ahnung hat, zwischen was für Tapeten er sich befindet, fängt soeben beim Stande des Helios an und kümmert sich um Milieu, Nachbarschaft, Anhänglichkeit, Provisorium bei Hölderlin, hat dann aber nach 5 fehlgeschlagenen Versuchen mit Schreibstiften Kopfweh und Ärger mit Martha, die ihm die Unordnung des Zimmers vorzankt. Mein Mann leitet einen längeren Prozeß ein: Beschaffung von Waschwasser für Helene. Technische Handgriffe erstaunen bei ihm. Gegen seine unpraktische Veranlagung hantiert er neuerdings kundig mit den blau und rot gekennzeichneten Hebeln und Knöpfen des Heißwasserbereiters, eines billigen Modells, das nur geringen Vorrat speichert. Mein Mann wartet geduldig auf ein Geräusch, es signalisiert: das Wasser hat die gewünschte Temperatur. Nun dreht und schwenkt er wieder an den Griffen des Elektrogeräts, er füllt das Wasser in den Plastikeimer, auf den nebenan Helene wartet, während sie Kitty stört, hinter der hohen Sessellehne aufgepflanzt. In noch kürzeren Abständen als gewöhnlich pfeifen, wenn der Fernsehapparat eingeschaltet ist, ihre Schniefstöße aus der verbogenen Nase.

Vorbei an diesem karstigen Weg zum nächsten Dorf, vorbei; der Weg erinnert mich an die paar erheblichen Spaziergänge, die stattgefunden haben, die versäumt worden sind, Spaziergänge mit Rubin, Spaziergänge mit meinem Mann, Spaziergänge mit allen — ich bin mir ihrer nicht sicher. Waldwegen entlang, am Ortsschild Buke vorbei und an seiner grämlichen Eil- und Personenzugstation, auf deren Kiesperrons sich die Wochenkartenbesitzer kalte Füße holen und wo morgens auf Nahschnellverkehrszüge gewartet wird von den unausgeschlafenen arbeitnehmenden Einwohnern Bukes — ohne mich, alles ohne mich, bis ich irgendwo eintreffe. Diesmal erwartet Rubin mich an meinem Wohnort. Rock hinter der Sperre paßt gar nicht ins Bild. Er tut so, als sei er nur zufällig da. Jetzt entsteht das Problem, ob wir Rock gleich ins Bethseda zurückfahren lassen sollen, ob wir ihn zurückbringen, ein Umweg für Rubin und mich — und worüber werden wir schweigen — oder ob wir so oder so das Verkehrte tun. Rock hat für lange Fußgänge viel übrig, sie tun ihm auch gut, was müßte ich mir vorwerfen, wenn ich ihn nach herzlichem Abschied am Bahnhof allein ließe, wirklich, er geht gern den weiten Weg zu Fuß zurück, immer längs des Bahndamms auf einer belebten Straße, deren zahlreiche Verkehrsampeln ihm jeweils kurze Ruhepausen verschaffen — er geht immer zu rasch, die Ampeln sind gut für ihn. Zweierlei wäre Rock lieber: er schlägt ein Bier im Café Oper nicht vor. Rubin hat auch Lust nach Bier. Rock spricht den zweiten Wunsch auch nicht aus: mit uns nach Haus zu mir fahren. Der lange Spazierweg bliebe ihm erhalten, von meinem schönen Haus zurück ins B. Ein noch weiterer Weg als der vom Bahnhof, aber angenehmer, durch Wohngegenden, eine schöne Strecke neben der Friedhofsmauer, dann der geometrische Orangeriegarten. Mit der Erinnerung an mein ausnehmend schönes und beinah übertrieben großes Wohnareal und dem beinah zu großartigen Ausblick ginge mein Sohn, falls wir ihn mitnähmen, dorthin zurück, wo er zur Not wohnt, aber er ginge ohne Anklage, denn er fühlt sich im Einklang mit allen Notumständen. Schmerz tut nicht immer weh. Es gibt den gar nicht schmerzhaften Schmerz. Rock schläft morgens um 5 Uhr, zum Zeitpunkt der größten Schmerzempfindlichkeit. Rock ginge mit kurzen Schritten, von meinem Tee, der ihm sehr gut geschmeckt hätte, belebt; er hätte sich gegen mein Angebot, Tee zu machen, gewehrt, später aber sogar zwei Schnäpse, Diätfehler nach Rubins Vorbild, zusätzlich angenommen. Rubin gefällt ihm im Punkt Unvernunft besser als sein Vater, er gefällt ihm im Punkt Unvernunft bei besserem Wissen weniger gut als sein Vater. Rubin muß den Schnaps ganz einfach jetzt haben, denn im Grunde weiß ja kein Mensch außer ihm selber, daß er den größten Teil seines Daseins gekreuzigt und gesteinigt und gefesselt vor sich hinmodert mitsamt allen kosmischen Hoffnungen und Plänen. Rubin ist gar nicht daran schuld, daß wir uns doch schon am Bahnhof von Rock verabschieden. Das bin ich, ich sage: ich habe zu wenig Zeit, ich bin ziemlich down, ich habe das ganze feuchte Zeug im Necessaire, ich sage, du weißt ja wie das ist nach so einer Herumfahrerei. Rock weiß ganz genau wie das ist. Rubin nähme Rock wirklich gern ein bißchen mit. Er will gar nicht sofort mit mir schlafen. Er kann gut etwas warten, Warten ist gar nicht so übel. Rock trifft unterwegs seine Großmutter. Sie zieht die rechte Schulter hoch: Folge der Osteochondrosis vertebralis, unter der sie seit Wochen überhaupt nicht mehr richtig leidet. Rock ist froh, daß er mich beinah eine Viertelstunde lang gesehen hat. Es ist nett für meinen Sohn, sich mein Behagen mit Rubin vorzustellen und wie wir den schönen Ausblick genießen, vermutlich wird es einen elegischen Tee geben und ein paar halluzinierte Schnäpse und garantiert Bier und ich erzähle von der Reise.

Über die Weser, falls es die Weser ist. Dieser braune milde Fluß ohne Schiff — ohne mich, weiter. Meine Ferien werde ich hier nicht verbringen, nicht einmal ein Wochenende. FÜRCHTE DICH NICHT, ABRAM. ICH BIN DEIN SCHILD UND WILL DICH REICH BELOHNEN. Die amerikanischen Verwandten mögen Moses nicht. Reich belohnen — wofür? Das Leben ist schön und eine Belohnung an sich. Steht hier irgendjemand Qualen aus und was für welche? Qualen sind ein Irrtum, eine böswillige Verwechslung, eine Verbohrtheit, eine Fehlinterpretation. The dynamic dream of Dr. Eaton has found fulfilment in the sweeping vistas of green lawns and gentle, tree-shaded hills of Forest Lawn. Hier grämt sich keiner. Blumenarrangements in lebhaften kaliforn. Farben zeigen diejenigen Stellen an, unter denen man erst kürzlich die schöne Rasendecke hat abheben müssen: ein neuer Verwesungskamerad in Dr. Eatons HAPPY ETERNAL LIFE ist eingewiesen worden: Hallo, old friend. Good· luck. Es kann sich wirklich nur um ein Vergnügen handeln. Ohne dieses vorübergehend etwas störende Narbenrechteck im Rasen geht es nun mal nicht, geht aber vorbei. Zu den pathetischen und pasteurisiert frohgemuten Männern, die Bernie-Boy mit Schülereifer bewundert — Aufblicken versteht sich von selbst, ist auch bei Bernies niedrigem Wuchs naturbedingt — zu den dynamischen Lebenskünstlern, die er verehrt, zählt auch Jan Styka, ein seit 1925 toter Pole, dem die Welt ihr größtes Gemälde verdankt. Vor dem Monstrum THE CRUCI-FIXION öffnet sich der gewaltige Vorhang, während stereophon und klassisch Musik ins Auditorium strömt. Dieser Augenblick ist unbestreitbar der erhabenste, den ein Besuch in Forest Lawn Parks beschert. Wir haben das Memorial Gebäude an diesem nebligen Morgen fast als die einzigen Gäste betreten. THE CRUCIFIXION is one part for the SACRED TRILOGY, LENGTH: 195

feet, HEIGHT: 45 feet. 20 Stockwerke, flüsterte Bernie-Boy mir
zu. Hier hört er nie auf, beeindruckt zu sein. Der Saal war
dunkel. Das Gebilde, dem wir im 2. Rang gegenübersaßen,
war aus hunderten von Jahrmarktsölgemälden zusammenge-
fügt. Bernie-Boy versuchte, sich und mich mit Candies zu beruhigen. Ein Sprecher unterbrach Beethoven und gab sich, die
voluminöse Stimme polarisierend, abwechselnd als Jesus,
Petrus und Judas aus. IN THE PROFOUND BELIEF THAT SPIRITUAL
INSPIRATION IS A DAILY NEED IN OUR LIVES, THE FOUNDER OF FOREST
LAWN PLANNED MANY YEARS AGO TO PORTRAY, IN DYNAMIC ACT,
THE THREE MOST VITAL MOMENTS IN THE LIFE OF CHRIST. Im Großen
Mausoleum hatten wir bereits das Fenster THE LAST SUPPER an-
geschaut, aber Bernie-Boy, gierig auf den monströsen Spuk im
Auditorium, war dort nicht lang zu bändigen. Auch das Ge-
mälde THE RADIANT CHRIST OF THE RESURRECTION, das einen zuver-
sichtlichen Ausklang aller 3 SACRED EVENTS in ebenfalls unge-
wöhnlicher Höhe und Breite darstellt und vor dem man wenigstens die Augen verschließen und der Musik von Jonny
Sebby Bach zuhören kann, auch dieses fromme Ungeheuer
liebt Bernie-Boy etwas weniger als THE CRUCIFIXION. Jener
Weltrekord an Ausmaßen in Ölfarbe genießt nun einmal
seine ganze Verehrung. Er schätzt besonders die dramatische
Zuspitzung gegen Ende der in verteilten Rollen gesprochenen,
tödlich verlaufenden Auseinandersetzung. Geräusch- und Be-
leuchtungstricks führen über dem bewußten Grundstück im
Kidrontal zu einem schweren Gewitter. Technische Vorrichtun-
gen verwandeln das Gemälde in eine Filmsequenz. Es wetter-
leuchtet überm Ölberg. Sowohl der Sprecher als auch Beethoven werden im Donner überhört. Nur Jesu Stimme dringt
noch durch, während es über Gethsemane blitzt und Jerusa-
lem in schwarzem Gewölk die menschliche Schande des ganzen Vorgangs symbolisiert. Christus wurde gekreuzigt, und
die beiden Vorhangsteile summen majestätisch aufeinander
zu. Bernie-Boy muß sich keineswegs dazu überwinden, dem
Special Participating Endowment Care Fond, der die feier-
lichen Erlebnisse finanziell betreut, seinen 1-Dollar-Dank abzustatten. Könnte ich doch nur deinem Mann dies hier einmal
zeigen, sagt er, der fest daran glaubt, daß die gefühlvollen, lebensbejahenden Feierlichkeitskomplizen Styka, Moschi,
Dr. Eaton, samt Jesus, klassischer Musik, Michelangelo, Kopie
DAVID, und die gekehrten Rasenflächen jede pessimistische
theologische Grundstimmung vertreiben müssen.
Vorbei am Kahlschlag. In dieser bestimmten Einstrahlung von
Morgensonne, in diesem kniffligen 10-Uhr-20-Licht, das der
D 507 fahrplanmäßig durcheilt, bin ich zu nichts verpflichtet.
Weil ich nirgends bleiben muß, sieht alles gut aus, denn ich

gebe mich nicht damit ab. Nicht viel mehr als ein paar Sekunden Verschwendung für Ausblicke: auf das verwaschene Blau der Overalls, in denen 2 Holzfäller frösteln; sie kreuzen die Arme und stoßen mit den Schuhen gegen ihr störrisches Feuer, rauchblau umwölkt, sie stochern in den niedrigen Flammen, blicken aber auf, um den Zug vorbeifahren zu sehen: ein Reflex, sie sehen gar nicht hin, um den Zug zu sehen. Mit den Holzfällern war zu rechnen, mit ihrem Aufblicken auch, es war zu rechnen mit den Vorgärten, mit den Strünken darin, mit dem Geräteschuppen, mit dem aufgerissenen Maul des Schäferhunds, den sein Gebell würgt wie ein Hustenanfall, mit diesem Bach hier und mit den Fußpfaden, Radfahrwegen, Traktorfurchen, mit den Zweifamilienhäusern längs der baumlosen neuen Straße, die nach dem letzten Bürgermeister benannt ist, mit den unheizbaren Schlafzimmern der Zweifamilienhäuser, aus deren Fenstern die schlechte Nachtruhe quillt. Zu rechnen ist mit einer Gewißheit, in der sich, während ich weg war, der Argwohn gegen mich gesammelt hat. Was liegt gegen mich vor? Bin ich noch verheiratet? Bin ich nicht mehr verheiratet? Was ich auch bin, ich verhalte mich nicht so. Die Beweise werden sie mittlerweile haben. Sie konnten sich in Ruhe mit mir beschäftigen. Wahrheit . . . »Anfängerin großer Tugend . . .« Man irrt »des höheren Gegenstandes wegen«, werde ich Rubin eindrucksvoll amputiert zitieren. Furcht vor der Wahrheit, Rubin, nämlich: »aus Wohlgefallen an ihr.« Etwas haben sie alle über mich herausgefunden. Es ist ihnen gelungen, ihren Verdacht zu untermauern. Komm nur mit, wir wissen jetzt Bescheid. Widerstand ist zwecklos. Deine Nachdenklichkeit würde auf uns einen viel besseren Eindruck machen als dein Trotz. Gib lieber alles zu, und wenn du alles nicht weißt, werden wir dir mit unserer Kenntnis von dir aushelfen. Sie hatten Zeit, sich über meine Person klarzuwerden, und ein Unbekannter zwischen Buke und Kaltental hatte Zeit, dies unerquickliche Gartenareal zu vergittern, dies unglückselige Grundstück, das er voll Stolz sein eigen nennt und in jeder freien Stunde mit seiner Emsigkeit behelligt. Es war ihm den Aufwand wert, die Drahtmaschen mit Mennige anzustreichen, Erde umzugraben, um sie später aus kleinmütiger familienbewußter Gier zu schröpfen; der Besitzer wartet auf passende Witterung, weil er werweißwas anstellen will mit diesem geduldigen Boden. Er wird Gelb wählen für den endgültigen Anstrich des Gitters, er wird, wenn die Kapuzinerkresse aufgegangen ist und in Gelbtönen am Gitter hochwill, enttäuscht sein über seine einseitige Entscheidung für Gelb, das ich nie werde sehen müssen.

Nach dem Abend in der KLEINEN GALERIE hat sich Frau Leonhardt sehr bei mir entschuldigen müssen, aber es wollte ihr doch endlich mal über die Lippen: Sagen Sie, handelt es sich nicht um den trüben protestantischen Einfluß des Milieus, in dem Sie sich — na ja. Ich meine, Trübsinn stammt von Trübsinn ab, von nichts kommt nichts, oder irre ich mich und Sie erfinden das alles bloß? Sie fand, sie dürfe so geradeheraus fragen, denn sie kenne meine Familienzusammenhänge gut. Übrigens: ich mag Ihren Mann, bitte verraten Sie ihm meinen ketzerischen Verdacht gegen das gewisse protestantische Air nicht, wollen Sie? Ich habe keine Erfahrung mit trübsinnigem protestantischem Air, sagte ich. Na großartig, sagte Frau Leonhardt enttäuscht und klatschte in die Hände, wobei an jedem Handgelenk zwei kleine Juweliergeschäfte gegeneinanderschellten. Seien Sie ruhig ein wenig roh zu mir, denn ich habe ziemlich roh gefragt, aber ich frage trotzdem noch was, ja, ich wiederhole meine gutgemeinte Impertinenz: sagen Sie mir doch ehrlich, so ehrlich wie ich frage — Angenehmere, geduldigere, zärtlichere Personen als meine Familienmitglieder kann ich mir nicht vorstellen, sagte ich undeutlich oder gar nicht. Man muß sensibel sein, um es zu verstehen, eine andere Möglichkeit gibt es nicht, sagte ich. Ich drehte mich zum Galeristen um, ich griff nach einer Messingschale mit schwarzer Ziselierung, der Galerist sagte ARMENISCH, ich zog die zittrigen Finger wieder zurück. Frau Leonhardt hatte den einen Schritt gemacht, der nötig war, um mich erneut frontal zu befragen. Meine Beste, sind Sie etwa beleidigt? Das wäre entzückend und zugleich jammerschade, rief sie mehr als mir einem neugierig-scheuen Auditorium zu. Wie rührend, wie absolument ravissante — wer hätte so viel Empfindlichkeit von Ihnen erwartet. Sie wirken doch ziemlich hartgesotten auf alle Welt, Sie mokieren sich doch ziemlich über alles, oder stimmt was nicht mit meinen Gehörgängen? Ich selber, ich muß gestehen, daß ich mir mein Übermaß an Sensibilität eines schönen Tages ganz einfach verboten habe. Autogenes Training, meine Liebe. Probieren Sies mal. Diese durch Ehe, heranwachsende Kinder (begabt, tüchtig, ansprechendes Äußeres), 2 Collie-Hündinnen, Haus- und Gartenpersonal nun einmal in ihren Anlagen nicht voll ausgenutzte Frau gehört seit einiger Zeit dem Verwaltungsrat des Bethseda an, ein Ehrenamt, das immer noch nicht die Grenzen ihrer Kapazität sprengt. Gott, dieses Bethseda mit seinen protestantischen Gerüchen, rief sie. Negative Inspiration. Der Katholizismus hat mehr Farbe. Ich darf so reden, denn ich gehöre keiner der beiden frommen Firmen an. Wenn überhaupt, dann tendiere ich mehr nach dem östlichen Lager hin, ZEN und so. — Und Ihre Stellungnahme, fragte mich die Reporterin der ortsansässigen Lokalzeitung. Ich bin mit dem Bethseda nicht verheiratet, nicht gewesen. Ich heirate Männer, ich heirate keine Inspirationen und keine Airs. Frau Leonhardt wedelte mit hohen Geldwerten an den Handgelenken. Tz tz tz! Ich glaube trotz allem an Aura und solches Zeug, vous comprenez?

Rubin war heute den ganzen Tag auf Grund von Schlafmittelgaben ein wenig tranig. Er brachte lediglich einige fundamentale Kritzeleien auf zufällig angetroffene Papierfetzen: Couverts, Briefrückseiten, Buchumschläge. »Wahrheit: komme mir keiner mit diesen hochgestimmten Alten. Heute muß Wahrheit nicht den höheren kaschierenden Charakter haben, sie muß akut sein. Keine Unterstützung, kein Heil bei den Verwirrungen durch die Vorsicht. Was hilft mir Diotima aus dem Jenseits: ›Du seiest so allein in der schönen Welt /Behauptest du mir immer, Geliebter. Das / Weißt du aber nicht.‹ Lakonisch.« Rubin wettert gegen die Übertreibung, Rubin schimpft mit dem Understatement. Rubin weint über dem Satz, seinem Richterspruch, seiner lebenslänglichen Verurteilung: Ich muß also darauf warten, was der Abend der Zeit bringt.

Frau Leonhardt hat pausenlos weitergeredet. Fragen Sie doch bitte Ihren lieben Mann, Sie stehen ja noch immer gut miteinander, nicht wahr? Fragen Sie ihn, ob man mich aus dem Verwaltungsrat nicht besser wieder rauswerfen sollte. Er hat mit dem Verwaltungsrat nichts mehr zu tun, sagte ich. Sie aber befand sich inmitten ihrer wohlüberlegten Epik: Neulich nämlich, an einem klirrend heißen Sommertag — sie mußte pausieren, sie sah verblüfft aus. Jene Hitze mit dem Adjektiv KLIRREND zu charakterisieren, erschien ihr als ein Wurf. Gelegentlich überrascht sie sich damit, die eigenen linguistischen Rekorde einzuholen. Sie sollte doch mal so dies und das schriftlich fixieren. An einem wahrhaft KLIRREND heißen Sommertag zog ich ein sehr farbenfrohes Kleid an mit Decolleté und so weiter. Dann empfing mich das düstere Bethseda mit dieser ökonomischen Ausstrahlung, und eine Gruppe lederner, grau bis schwarzer Wetterfahnen ödete mich aufs Traurigste an, die Schwestern. Meine Liebe, sagte sie zu den Umstehenden und meinte mich, ich kam mir wie ein armer verirrter sonnenhungriger Kolibri vor und schlug nur noch ganz matt mit den schreiend bunten Flügelchen. Sie bewegte ihre stabilen, bis zum Schultergelenk entblößten Arme so, wie selbst sie sich Flattern nicht vorstellen konnte. Zum x. Mal beeindruckte sie ihre Zuschauer und besonders sich selber mit ihrem ganz persönlichen Kaprizenstil. Sie lachte so lang, bis es eine Unhöflichkeit von mir gewesen wäre, nicht einzustim-

men. Ich habe mich jetzt nach dem B. gesehnt und nach Trübsinn und Dämmerung, der Galerist hat EIN ARMENISCHER STU-
DENT BESORGT MIR DIESE ECHTEN UND TEILS ALTEN HANDARBEITEN
gesagt, die Leute haben sich zwischen den Gestellen der
KLEINEN GALERIE verdrückt und einige waren sogar vor den
Gouachen geduldig, deren Ausstellung mein Abend eröffnet
hatte. Der für die Gouachen verantwortliche Maler und Grafiker, unerschütterlich im Dunstkreis seiner Werke ausharr-
end, gab zerknirscht diese und jene Auskunft. Frau Leonhardt
warf seinem Profil einen Blick zu und nahm sich vor, nach
Beendigung des Wortwechsels .mit mir zu ihm, der verlockend
scheu wirkte, ehrlich-unumwunden zu sein. Sie verstehen mich
doch, sagte sie und rückte mir näher. Trotz gründlicher Benutzung eines renommierten Deodorants roch sie nicht nach
dem Deodorant, aber das lag nicht in ihrer Absicht, sondern
war Temperamentsache. Sie verstehen: ich redete die ganze
Zeit über von nichts Geringerem als vom kreativen Moment,
vom Kairos, dem schöpferischen Augenblick. Nicht von Privat-
angelegenheiten, die gehen mich ja bekanntlich nichts an. Daß
diese schillernde Exotin aus der Familie der Schwirr- und
Sonnenvögel, den Racken verwandt, bunt gefiedert und in
prächtigem Metallglanz, daß diese im Rüttelflug bis zu 40
Schwingungen pro Sekunde erreichende Besitzerin eines feinen
kostspieligen Nestchens aus Flechten und Moos, diese unver-
besserliche Kuriositätensammlerin, des Galeristen BESTE
WENN AUCH KRITISCHSTE KUNDIN, diese Liebhaberin von Rasse-
hündinnen, Verfasserin eines Buches über alte Kinderwaffen,
Konvertitin ihrer 50 Lebensjahre, Besucherin langschnäbliger,
trichterförmiger Blüten, Kommunalpolitikerin, Autorin ori-
gineller Reformvorschläge und mit keinem andern Laster· als
der Redesucht gestrafte Tragödie im Leben ihres Ehemanns,
daß diese bewunderungswürdig mit dem Problem der Frau
über 50 fertiggewordene Frau über 50 beim vielgeübten Lachen paradentöses Zahnfleisch zeigt, wäre ihr, wüßte sie es,
nicht recht, aber so präzise sie auch bei dert Studien ihres Äußeren und vornehmlich ihres hellhäutigen, allmählich etwas
zu fleischigen Gesichts vorgeht, lachend hat sie sich merkwürdigerweise noch nie gespiegelt, lächelnd oftmals. Vermutlich
weicht ein unterbewußter Trieb, sich selbst vor Enttäuschun-
gen zu schützen, der ganzen Wahrheit aus. — Eine andere Zu-
hörerin, die zu ihrem Leidwesen höchstens bei kulturellen An-
lässen mit Frau Leonhardt ins Gespräch kommt, hat sich endlich einmischen können: Warum sie nicht lebensfroher
schreibt? Mich wundert das gar nicht. Sie wandte sich mir zu,
mit Seifengeruch, Tosca und allem übrigen. Ich sprechs ruhig
mal aus. Sie haben doch diese Operation da — vor sich, oder

schon gehabt? Mehr darüber am Telefon. Ich melde mich demnächst.

Veranstaltungen am Wohnort sind so: die Familie ist längst diskret und etwas bedrückt abgezogen. Meine Bekannten wollen sie erst gar nicht damit belästigen, daß sie zu ihnen hinblicken: denn würden sie überhaupt noch wissen, wer wir sind? Wir haben einmal aktenkundig dazugehört. Rock habe ich nicht gesehen. Schw. Phoebe ist mutiger gewesen als meine relegierten Verwandten, sie hat ihr abendlich gealtertes Gesicht sehr nah an meines geschoben und die bösesten Anspielungen lustig gefunden. Der Gärtner Schraub ist aufs Haar genau getroffen. Man sollte sich wirklich vornehmen, sich zu bessern. Ich werde jetzt immer an diese Stellen denken, wo der Schraub seine Satteltaschen mit Hasenfutter füllt, wenn ich ihn abends nach Haus radeln sehe. — Dann sind sie fort, alle, meine lieben, mißhandelten Anschauungsobjekte, mein Material, das sich geduldig deformieren läßt; es fällt ihnen heute etwas schwerer, einzuschlafen, Kitty war doch ein wenig betroffen über die Charakteristik einer Person, in der sich selber nicht wiederzuerkennen sie versucht hat. Und das Spazierengehen, und mache ich denn wirklich so kleine Schritte, sehe ich denn wirklich so ängstlich aus, das bin ich doch aber gar nicht. In ehelichen Zeiten hat mein Mann während der Geselligkeiten im Anschluß an die Veranstaltungen wie eine große schläfrige Biene abseits gesessen und die Gläser gezählt, die ich leertrank, unschlagbare Zahl, die er am nächsten Morgen meiner Übelkeit entgegenhalten kann. Der Gouachen-Künstler, dessen Vernissage ohne Wehmut ringsum vergessen war, hat sich unaufhörlich sein bitteres Teil gedacht. Er fand nachträglich seine Idee der Ausstellungseröffnung, so ein kulturelles Doppelgespann, nun doch absolut verkaufsschädigend. Die Bildende Kunst muß immer zurückstehen, würde er sagen, wenn ihn jetzt einer um die Artikulierung seines Nachdenkens gebeten hätte. Auch Frau Leonhardt wird mit mir telefonieren. So ein Gespräch muß man einfach fortsetzen. Hoffentlich werde ich Sie nicht zu früh stören. Mir fällt immer erst ein, daß es zu früh ist, wenn es zu spät ist, sagte sie und fand sich schon wieder drollig. Diese fantastischen wortspielerischen Einfälle dauernd, und überhaupt, diese anhaltende geistige Beweglichkeit: das ist ja kaum noch zum Aushalten. — Frau Heinrich hatte es geschafft und Frau Leonhardt verdrängt. Frau Heinrich sagte: Jetzt riskiere ichs ganz einfach und schicke Ihnen schon morgen meinen Romanversuch. Ein ihr unvorstellbarer Gedanke: das Thema und wie sies angepackt hatte könne mich nicht interessieren. Autobiografisches, angereichert. Nur einem 7. Konzept für ein Lebewesen gab

Frau Heinrich am ungeeigneten Ort — Bauchhöhle — keine Gelegenheit zur Entwicklung: der Foetus machte sich auf und davon und rettete sich vorm Existieren. 6 Vorgängern war das nicht geglückt. Insgesamt 6 mal ist Frau Heinrich gutwillig genug gewesen, Herrn Heinrichs Samen an der richtigen Stelle unterzubringen, Foeti normal zu plazieren, Embryonen lutschen, träumen, schwimmen zu lassen und ihnen in Form gelungener Kinder das Leben zu schenken. Aber was solls, sagte sie. Das körperliche Leben ist nun mal nicht alles, auch nicht im Leben einer Frau, obwohl die Herren der Schöpfung auf diesem Ohr taub zu sein belieben. Ich schreibe so vor mich hin, mein hobby ist das Ihre. Bisher etwas glücklos. Ich werde den Verdacht nicht los, daß meine Arbeiten überhaupt ungelesen immer wieder zurückkommen. Dies nun ist mein 3. Roman. Die 2 andern lasse ich vorläufig in der Schublade. Ich brenne auf Ihr Urteil. Vielleicht können Sie mir Tips geben, oder Sie wissen jemanden, bei dem Sie ein Wort für mich einlegen könnten. Ohne Starthilfe scheints nicht zu klappen. Die Sache ist gut geschrieben, das bestätigt auch mein Mann, der ein gutes Urteil hat, als Deutschlehrer kann er mir sprachliche Dinge und dergleichen durchaus zurechtbiegen. Wollen Sie die Thematik ganz kurz wissen? Halte ich Sie auf? Nun, es handelt sich um jenes Problem, das mit dem Forschungsresultat eines südafrikanischen Mediziners entstand: man steckt schwangere Frauen in Unterdruckkammern, so eine Vorbereitung auf die schwere Stunde erleichtert diese. Aber mit der Begleiterscheinung hat man nicht gerechnet: Kinder, die mit Unterdruck ausgetragen werden, erreichen eine besonders hohe Intelligenzquote. Sie wollen mich damit unterbrechen, daß dies ja nur allzu begrüßenswert sei. Nein, so einfach ist es nicht. Mein Roman beschäftigt sich mit den Schwierigkeiten, die einem derartigen, überdurchschnittlich begabten Kind aus dem Umgang mit seinen durchschnittlich begabten Gefährten oder auch Geschwistern erwachsen, auf 233 Seiten, einzeilig. Das ist höllisch interessant. Das Buch wird sich freilich vor allem an Mütter wenden.

Was sie auch über mich ermittelt haben, es stört Rubin, der dauernd über mich ermittelt, nicht. Während unseres Aufenthalts im Dom hat es mich gewundert, daß wir uns für Verliebte halten müssen. Wir waren ruhig, ruhig brannte die chemikalische Zusammensetzung der nicht rezeptpflichtigen Schlaftabletten in der Kehle, wir haben uns nicht geküßt, wir sind auf dem halben Weg zum Tod schläfrig geworden, wir sind zurückgekehrt, wir haben die Ginflasche leer in der Kirchenbank gelassen und für ein paar Mahn- und Werbeschriften am Ausgang nichts bezahlt — Tricks, mit denen wir uns in bessere Zeiten kaum zurückversetzen können, zurück zum Ausflug nach Ventura, April, vergangenes Jahr, falls es nicht vor uns liegt. Ich habe mich überhaupt nicht immer darauf gefreut, irgendwo Rubin zu treffen, ich habe mich immer darauf gefreut, es wird so bleiben. Lust und Unlust, es ist überhaupt nie polar zwischen beiden zugegangen. Verschmolzen in die Bewußtseinsvorgänge. Lust, das Gutheißen, ja: ich freu mich, Rubin. Unlust, das Verwerfen: nein, ich freue mich nicht. Umwelteinwirkungen haben mein Gewissen entwickelt, unterdrückt, entstellt. Die amerikanischen Verwandten waren dagegen, daß ich ein paar Dosen Schlitz-Bier nach Ventura mitnähme. Die Berrys sind Antialkoholiker, du darfst sie als Gastgeber nicht kränken, sagte Thelma. Armer Rubin, falls er sich nicht mit einer Schnapsflasche eingedeckt hatte. Während der Fahrt durch spanische Gegend in California 91501 habe ich mich im Lust-Erfüllungs-Vorfreude-Sinn, aber unphilosophisch, auf Rubin gefreut, weitgehend ohne Unlust-Verwerfungs-Beigeschmack, so weitgehend entfernt vom Gewissenstatort. Bernie-Boy, der aufmerksam und hell begeistert das dt. Mittelklasse-Auto in nordwestlicher Richtung lenkte, tat mir leid wegen des Grolls, den ich in meinem Tagebuch gegen ihn und seine Frauen gesammelt hatte und gegen meine schrecklich gesunden 14 Tage bei ihnen. Ich wollte in Zukunft netter sein, auch zu Eudora, die mausgrau hinter uns saß, zu Thelma, die wegen Verdauungsangelegenheiten nicht mitfuhr und uns ein selbstgebackenes, extra gesundes, von allen schädlichen Nebenstoffen befreites Maisbrot in den Fond gelegt hatte: ihr Gruß an die Berrys. Thelma mit ihren periodisch auftretenden Obstipationen und Tenesmen des Dickdarms, mit ihren zum Teil auch psychisch bedingten Störungen des Verdauungstraktes, Thelma hat ihre Beschwerden in aller Stille auskurieren wollen, allein im Haus 1293, West San Felice Boulevard; Einsamkeit: eine gute Basis für gymnastische Übungen des Unterleibs im Verlauf von ruhigen, aber mühsamen Stunden in konkaver Haltung auf dem Sitzbrett ihrer lachsfarbenen Toilette. Thelma, den fleißigen, doch widerspenstigen Leib massierend, Thelma, durch und durch empirisch. Wenn gar nichts zu machen war, gab sie auf und hockte sich im Bett vor die Schreibmaschine, tippte Übungen für ihre Financial Class-Abendkurse und versuchte, sich hierbei laxierend aufzuregen. Bernie-Boy hat mich unter einem blühenden Orangenbaum fotografiert. Zwar stand ich im Schatten, die Sonne hat aber doch noch geblendet, und ich wollte da nicht so lang stehen, nicht klebrig werden in der

Hitze, Rubins wegen, der es nicht bemerken würde. Einen Abzug für die Amerikaner, einen für die Familie, keinen für Rubin. Eudora blieb im Fond. Mich wollen deine Leute ja nicht sehen, sagte sie, und ich habe ohne schlechtes Gewissen nicht wahrheitsgemäß widersprochen. Wir sind bei ansteigender Temperatur und Sonneneinstrahlung weitergefahren, Rubin entgegen, auf der vierspurigen Straße, Rubin entgegen, den Martha mir entgegensteuerte, durch Orangen- und Zitronenhaine, Augenblicken entgegen, vorbei an Parzellen, auf deren fruchtbarem Boden Avocados angebaut wurden, ich habe in jedem Seitenweg mit Rubin gelegen, und Eudora hat mir mit unberechtigtem Besitzerstolz erklärt, die ganzen Ranches längs unserer Route gehörten Privatunternehmern, mächtigen wohlhabenden Farmern, hier wachse kein staatliches Obst — die amerikanischen Verwandten sind aber weder mächtig noch wohlhabend, ich habe Rock auf alles hingewiesen, er interessiert sich für die Gegend und er fehlt in der Schule, ich bin weit weg, ich liege mit Rubin im klebrigen Schatten, ich habe an Rubins etwas aufgeworfene Oberlippe gedacht, an sein rechtes Profil, an Schäden, die sein Gesicht signieren und die zu den Gründen zählen, mich für es zu erwärmen. Mit Rubin durch die Allee hoher melancholischer Eukalyptusbäume. Mit Rock über die verödeten Freeways. Mit meinem Mann in der unvermessenen verödeten Vorstadtansammlung Ventura. Ich saß ohne einen von ihnen bei Bernie-Boy auf deutschen Autopolstern, hinten Eudora, der die gemächliche Geschwindigkeit zu hoch war. Zur Linken und zur Rechten lieferten nur die kreisenden Windmühlenflügel der künstlichen Bewässerungsanlagen und die sperrigen Insektenmonsters, schwarze Ölpumpen, Beweise gegen den Verdacht, in diesem riesigen heißen Landstrich sei alles Leben erloschen. Diese Operationen, diese Krankenhausaufenthalte, habe ich angefangen, aber Bernie hat augenblicklich auf die Schönheit der Berge verwiesen. Thelma war viel schlimmer dran als du, sei froh, hat Eudora mit ihrer Meisenstimme gesagt. Wenns deinem Bauch schlecht geht, muß es dir ja gut gehen, ist Bernie-Boy eingefallen: seine im weiten Freundeskreis immer wieder beliebte Replik auf Krankheitsbeschwerden. Was macht der Husten? O, schlecht, sehr schlecht gehts. Ja großartig! Laß es dem Husten nur schlecht gehen, umso besser gehts dir. Und jetzt wird unweigerlich gelacht. Nur in ganz seltenen Fällen sind Wucherungen laevicellulare bösartig oder können bösartig werden. Frau Heinrich und Annie Zander kennen sich mit diesen Gebilden aus glatten Muskelfasern, mit diesen scharf abgesetzten, oft knotigen Geschwülsten gut aus. Annie Zander bot derzeit ihrem rasch wachsenden Fremdkörper reichlich

Bindegewebe, deshalb versprach der behandelnde Facharzt ihr ein Fibromyom, während Frau Heinrich ein aus quergestreifter Muskulatur bestehendes Rhabdomyom ihr eigen nannte. Kinderkopfgroß wurden beide. Außer Konkurrenz? O nein, es entsteht immer wieder leichter Streit über die genaue Größe. Ein Kinderkopf ist ja nicht ein Kinderkopf, nicht ohne weiteres, nicht unter allen Umständen, stimmts? Man muß nuancieren. Es gibt Unterschiede, diese Angabe ist ungenau. Wo befindet sich denn der Sitz Ihrer gutartigen Neubildung, wenn wir mal davon ausgehen wollen, daß sie wirklich so gutartig ist, wie der Professor vorgibt. In welcher Richtung wächst sie? Machen Sie sich keine Sorgen, obschon Sorgen angebracht sind. Bestenfalls werden Sie erheblich an Gewicht zunehmen nach dem ganzen Spuk, schlimmstenfalls hysterisch, auch das. Hundert zu eins bleiben einige Funktionen aus. Jedenfalls: irgendeine der genannten Veränderungen trifft ein. Mindestens eine ist unvermeidlich. Meistens treten sie jedoch paarweise oder dreifach auf. Ohne Spaß kein Schaden, oder wie das heißt. Es paßt eigentlich nicht. Ich dachte an irgendwas mit Verlusten, sagte Annie Zander zu Herrn Zander, ihrem dauernd peinlich berührten Mann; dann wieder zu mir: Seit diese Herren Mediziner an meinen Bauchmuskeln herumgemetzelt haben, wage ich kaum noch was zu essen. Ein einziges Steak und mein Bauch bläht sich wie ein Luftballon auf. Sie rückt ihr erhitztes Gesicht in Herrn Zanders Richtung. Sag selbst, mein armer Liebling. Herr Zander stimmt traurig zu. Wenn seine Frau diese Ballade ihrer Unterleibsheroismen wortreich rezitiert, peinigt ihn der Gedanke an das ohnehin umständliche abgedroschene, dem unausbleiblichen Konkurs entgegeneilende eheliche Geschäft. Er zeiht sich selber der Ungerechtigkeit, weil er seiner Frau den Stacheldraht auf ihrem gegen jede voreheliche Abmachung verformten Bauch lustlos übelnimmt, dies Relief aus verwachsener Epidermis, dem zuliebe er überhaupt keine Angst mehr vor der ins Haus stehenden Impotenz hat. Der Stacheldraht samt wulstiger Umgebung kränkt ihn, ist ein Treuebruch, während der Anblick seiner mittels Schwimmhäuten zusammengewachsenen Fußzehen dank der Gewöhnung ihm überhaupt nichts ausmacht und nur vor Jahrzehnten im Turnunterricht der Gymnasiasten peinlich war, aber versteckt werden konnte.

Rubin will immer noch dran denken. Absoluter Geist, subjektiver Geist, objektiver Geist, Empirie in außerehelichen Betten, Novalis. Die Stoiker. Das Mädchen in Nordlondon. Wo ist ein Platz für unsere 1. Umarmung. Der Roman WAHRHEIT. Hegel. Wir werden schon wieder aufgefordert, die sonnige Terrasse der Berrys zu verlassen. Hoch und westlich über Ventura. Linda hat den Lunch-Tisch drin gedeckt. Über Thelmas Gruß, das langweilig schmeckende, daher umso gesündere Maisbrot, haben Ben und Linda sich als gute alte Freunde gefreut. Sie werden das Brot wahrscheinlich sogar essen. Arme Thelma, diese Obstipationen sind ja eine Zumutung. Ich betrachte Rubins in der braunen Jacke gekrümmten Rücken. Nimmt Thelma etwa zu viele Medikamente? O, ruft Linda, ich kenne doch ihr Frühstücksgedeck, eingerahmt von Fläschchen, Schatullen, Tablettenröhrchen. Das sind meistens Vitamine, fertigt Eudora sie thelma-schwesterlich ab.

Nr. 606, um 4.15 h bin ich von selbst wach. Sigrun tritt nach etwa 20 Minuten ein. Sie bringt nichts zu trinken.
So aber dein Fuß spräche: ich bin nicht deine Hand, darum bin ich deines Leibes Glied nicht, sollte er um deswillen nicht deines Leibes Glied sein? Aber dein Fuß gehorcht dir nicht. Und so dein Ohr spräche: ich bin nicht dein Auge, darum bin ich nicht deines Leibes Glied; sollte es um deswillen nicht deines Leibes Glied sein? Aber deine Befehle werden nicht mehr angenommen, dein Ohr macht sich von dir unabhängig, und deine Befehle werden matter erteilt. Wenn dein ganzer Leib Auge wäre, wo bliebe dein Gehör? So er ganz Gehör wäre, wo bliebe der Geruch? Du kannst jetzt überhaupt nichts Ruhiges, Geduldiges mit den Händen machen. Du mußt dich mal entscheiden. Z. B., indem du dein Leben auf eine gesündere Basis stellst. Z. B., indem du mal Menschen mit Sachen verwechselst. Der eine als Sache mißverstandene Mensch könnte draufgehen. Doch es bleibt einer, der nämlich, den du nicht mit einer Sache verwechselt hast. Dich selber lassen wir da mal besser raus, denn wir wissen nicht, was du bist. Du darfst nicht 2 Selterswasserflaschen gleichzeitig anbrauchen. Hinter deiner Stirn übt ein Orchester sich ein. Das dauert ja endlos, bis der Dirigent kommt, verfluchtes Tongezänk, und dann, wenn sie erst Janáček spielen, wenn sie erst AUS EINEM TOTENHAUS spielen, was dann. Jetzt sprechen sie: UNSERE HOFFNUNG IST VERLOREN UND ES IST AUS MIT UNS. Hinter der Stirn hörst du Sätze, die du sagen würdest, wenn du sagen könntest. So sitzt du in der Tinte, denn. Aber du willst die schädliche Angelegenheit Rubin nicht loswerden, nicht vergeuden, du kannst nicht leben und nicht sterben, du kannst dich nämlich zu dem einen nicht und zu dem andern auch nicht entschließen. Damit hast du dich in deinen Zwischenzustand heruntergeschludert. Jetzt hebt keine Höchstdosis dich wieder auf. Dein Körper schützt sich mit ruckartigen Bewegungen gerade

noch vor der Lahmheit. Die Lahmheit will ihn befallen. Paß auf, das ist alles ganz nah. Rubin, nein: ich lasse meinen ehemaligen Mann nicht auf gesunden Menschenverstand reduzieren. Nein Rubin: ich lasse nicht dich und mich aufs elitäre Extreme hinaufapostrophieren. Nein Rubin: ich habe mich nicht in die Innere Ausrede hineingesalbt. Wahrheit, interruptus. Jeweils inhärieren eure Manifestationen die Verweigerungen meines Bewußtseins. Eure Rücktrittsangebote machen eure Rücktrittsangebote unannehmbar. Man muß 2 Personen schaden, wenn man zu 2 Personen nicht unsanft ist. Ja: ich sterbe nicht im richtigen Moment. Ja: ich lebe nicht im richtigen Moment. Ja: ich weine nicht im richtigen Moment. Meine Sätze sind Fangsätze, meine Schlüsse sind Fangschlüsse. Meine Selbstbezichtigungen sind Selbstgefälligkeiten. Getröstet will ich werden, okay. Gerechtfertigt will ich werden: o no. Rubin, was ist denn eigentlich los mit meiner alles vorbestimmenden Wiege? Frag deine philosophischen Kollegen, hol sie aus allen ihren Gräbern. Ich bin vor Grabsteinen zu schwach, ich schaffe die Toten nicht raus aus ihrer Verwesung. Ich höre deine und ihre Stimmen nicht. Wenn ich abends Zeitung lese — wenn ich abends Wein trinke — wenn ich abends im Sessel sitze — wenn ich abends schweige — wenn ich abends rede — wenn ich abends bade — wenn ich mich, weil es so aussieht, abends normal verhalte: dann heißt das Nettigkeit / eingewöhnen / abgewöhnen / Idylle. Es geht ihr also gut. Sie arbeitet ja so fleißig. Sie versäumt keinen Termin und keinen Zug. Sie hat ihr Tagesprogramm. Es geht mir also gut, Rubin?

6.30 h: Ich habe den Brief überhaupt nicht geschrieben. Ich habe Durst. Ich habe manchmal ganz gut geschlafen, 2 Traumphasen. Ist das der Morgen, an dem Helene meine Schwiegermutter mit einem beschmutzten Bett überraschen wird? Ist sie schon aus dem Bett gestürzt? Hat sie ihr Geheul wieder aufgenommen? Kommt alles noch? Was haben wir hinter uns? Muß Kitty das ganze Bett frisch beziehen? Glaubt Helene, sie könne nicht mehr gehen? Sitzt sie im Sessel und heult leise weiter? Wischt Kitty den Fußboden auf? Hat sie den Arm schon gebrochen? Beruhigt Rock Helene? Macht mein Mann Durchzug in der Notwohnung? Ehe Kitty sich an die Arbeit gegen den Schmutz begibt, nimmt sie eine Beruhigungstablette und wirkt dann wie besoffen, denn sie hat in der Nacht ihr Schlafmittel zu spät geschluckt.

Dein Körper, neben dem du hertappst, dein Körper, in den du zurückwillst, dein Körper, das bist du nicht. Darin befindet sich — wer denn? Keiner. Du bist gar keiner. Du nimmst gleichwohl aus Trotz deine Hände, du sagst: das sind meine Hände, du legst deine Hände auf dein Gesicht, du sagst: das ist mein Gesicht, aber du glaubst es kaum und in der nächsten Minute glaubst du es gar nicht mehr. Du mußt unablässig aufpassen, denn unablässig entgleitest du dir. Du kannst nicht lang mehr hoffen, daß du bist. Du entkommst dem Bewußtsein deiner selbst. Du rutschst dem Begriff von dir weg. Du weißt nicht mehr, was du gesagt hast, du weißt nicht mehr, was gesagt worden ist. Du kannst deinen Wahrnehmungen nicht mehr vertrauen, du wirst in Kürze vor den Augen deiner eigenen Familie sterben, mitten im Ochsenfleisch, den Kopf in der Minzsauce. Aber du bist ja schon wieder nicht hingefallen. Aber wenn. Aber dann.

Wir sind abends matt, geschwätzig und leichtsinnig. Ich sterbe täglich, du darfst dir die Fingernägel nicht so kurz schneiden, du mußt deine moralische Beschaffenheit ändern, du darfst kein vergeßlicher Hörer sein, sondern ein Täter, du mußt Fremdwörter meiden, deine Augen müssen sich mit den Innenräumen befassen, Blumen wachsen auf deinem todsicheren Grab. So die Toten auferstehen, laßt uns essen und trinken, denn morgen sind wir tot. Aber erneut willst du einen Satz sagen und dein Mund versagt ihn dir. So übel dran bist du, weil. Über die Krämpfe deiner Lippen, welche unsinnig vibrieren, kommt nur ein Geräusch. Durch dieses Geräusch kommt kein Wort. Daß du stirbst, ist noch kein Beweis dafür, daß du gelebt hast. Corpus delicti: eine abgehackte Hand. Eine glatte Durchtrennung genau zwischen Handwurzel und Elle und Speiche, sodann vollendete der Arzt die Operation. Du mußt. Du befindest dich im Stadium der Unfähigkeit, bei erhaltener Beweglichkeit zu handeln, das heißt, den beweglichen Körperteilen anzuweisen, wie sie sich zweckmäßig verhalten sollen. Auch der Ungerechte muß leiden. Du mußt. Du mußt Kritik vertragen, denn der Mensch muß Kritik vertragen. Überall bekommst du doch etwas gesagt. Es sei denn, du bist der Generaldirektor. Rubins Zahnprothese wird von Martha mittels Denunziation verunsichert. Daran ist er gewöhnt wie an alles. Zur Selbsthilfe greift er jetzt wahrscheinlich mal häufiger, denn es war doch ziemlich schön und überhaupt nicht auf niedrigem fleischlichem Niveau. Seit der Erfindung des Menschen vervollkommnet man den Menschen lediglich mit Prothesen. Du mußt. Es fallen jetzt bei dir auf: Ungeschicklichkeit und Unpräzision der Bewegungen. Bei Handlungsaufträgen Auslassungen, Verstümmelungen, Bewegungsverwechslungen. Wolltest du winken? Du drohst nämlich. Wolltest du drohen? Du winkst nämlich.

In 606 lacht Schwester Sigrun mich aus, weil ich mich auf etwas so Abscheuliches wie Mandelmilch freue. Das Wort ist flüssig. Sie hat eben ihr Mittagessen (des gestrigen Tages, aufgewärmt) runtergeschlungen, sie ist in dieser Nacht, weil sie so viel zu tun gehabt hat, ohne starken Tee oder Kaffee ausgekommen. Jetzt wird sie sich aber bald hinhauen. Es gab noch einen 3. Zugang. Sie ist ganz stolz. Sie ist ganz verrufen als Nachtschwester, die alle Zugänge an sich zieht, erst recht wieder nach dieser Nacht. Die eine Frau, die sie sofort in den Kreißsaal hatte fahren müssen, bekam mittlerweile ihr Kind. Eine Frau sagt zu ihrem Mann: Ach, ich habe solche Spasmen. Der Mann sagt: Spasmusein. Doch, ja, Spaß muß sein. Mir wird, am Tag, die neue Nachtschwester vorgestellt. Das ist die neue Nachtschwester. Ich gebe ihr die Hand, ich sage: Gute Nacht. Die Kellnerin stellt Rubin ein Bier hin und sagt: Zum Wohl. Rubin antwortet: Zum Wohl. Draußen gleichzeitig Mondsichel und Sonne. Die Sonne so fahl wie der fahle Mond mit seinem fahlen Feuer des Timotheus von Athen. Amseln, falls es Amseln sind, zwitschern, falls Ornithologen für die Äußerungen der Amseln kein kennzeichnenderes Verb empfehlen, und falls dies jetzt Amseln sind.
5.20 h: die lauwarme Mandelmilch ist nichts anderes als Milch mit Rizinusöl.
Tödliche Seuche unter Kannibalen / Hunderte in Neuguinea nach dem Verspeisen menschlicher Gehirne gestorben. Dr. Hornabrook berichtete am Dienstag in Sydney auf dem 3. australischen Medizinerkongreß, die als Kuru bezeichnete Seuche sei ausgebrochen, als Kannibalen die bereits in Verwesung übergegangenen Gehirne getöteter Gegner verspeist hätten. Sie habe sich in dem Maße ausgebreitet, wie die gestorbenen Kannibalen wiederum von ihren Stammesleuten verspeist worden seien.
Vom Sinnwellturm gesprungen. Vom Sinnwellturm auf der Kaiserburg in Nürnberg ist eine 54 Jahre alte Frau in den Tod gesprungen. Sie war bereits am frühen Morgen angestanden, um nach dem Öffnen als 1. auf dem Turm zu sein. Die Unbekannte ging dann allerdings wieder herunter, erschien gegen 10.30 h erneut, zahlte wiederum Eintritt und erklärte, jetzt sei die Sicht besonders schön. Wenige Minuten später lag die Frau zerschmettert am Fuß des Turms. Sie war von der etwa 25 m hohen Aussichtskanzel heruntergesprungen. Die Frau trug

keinerlei Ausweispapiere bei sich. Sie ist etwa 1,48 m bis 1,50 m groß und von untersetzter Figur. Am Daumen der rechten Hand fehlt das vordere Glied. Der rechte kleine Finger ist versteift. Am selben Tag erbeuteten Tresorknacker 14 500 DM in der Raiffeisenkasse von Aichkirchen, Landkreis Parsberg. Ach ja, ich habe es so gut zu Haus. In was für ein schönes Haus bin ich umgezogen. Es wird außerdem immer schöner. In wenigen Jahren wird es geradezu unheimlich schön sein. Man kann immer wieder Sträucher zurückschneiden, Büsche verpflanzen, neue Pflanzen setzen. Man kann das Hausinnere immer besser dekorieren. Man kann sich mit dem Behagen einlassen. Man kann sich damit befassen, Frieden zu finden. Man kann lernen, es gut zu haben. Öffentliche Belobigung fordert die britische Tierschutzvereinigung für den 55jährigen Peter Humphrey, der seinen Goldfisch George vor dem Tode des Ertrinkens gerettet hat. Tierschutzinspektor Hume kommentierte die Lebensrettung mit den Worten: Humphreys schnelles Handeln rettete dem Fisch zweifellos das Leben. Nur wenige Leute wissen, daß ein Fisch ertrinken kann, wenn er zu viel Wasser schluckt. Fängt das Meer an? Hört das Meer auf? Wer 225 lebende Goldfische ißt, erhält zur Anerkennung ein kostenloses Fischessen.

Dein Bewegungsentwurf ist gestört. Deine Handlungen ähneln denjenigen bei hochgradiger Zerstreutheit. Du steckst dir ein Streichholz neben der Zigarette in den Mund. Sei dennoch unverzagt, gib dennoch unverloren. Was soll denn der karamellfarbene Fleck an deinem Hals? Was soll denn das Würgemal? Du sollst. Du sollst deinen Nächsten nicht bedrücken, sagt Moses unterm Datum deines Geburtstags. Sondern in Demut achte einer den andern höher als sich selbst, sagt Paulus unter dem selben Datum zu den Philippern. Was soll denn das Saugmerkmal? Du sollst. Was sollen wir denn ewig hadern und zürnen? Mit Idealismus und Metaphysik kommt man in der Welt am leichtesten durch: Mao. Denn man kann dann so viel Unsinn zusammenschwatzen wie man nur will: Mao. Ohne sich auf die objektive Realität stützen zu müssen: Mao. Und ohne der Prüfung durch diese unterworfen zu sein: Mao. Was bist du so unruhig in dir. Was betrübst du dich denn, gedachte Seele du. Wenn man an jemanden und an etwas denkt, dann muß, woran gedacht wird, existieren. Seele also. Gibt es eine Mißbildung, bei der die Seele fehlt? Es gibt eine Mißbildung, wobei das Gesicht fehlt. Es gibt Apus, eine Mißbildung, wobei der Fuß fehlt. Es kann dein Auge nicht sagen zu deiner Hand: ich bedarf dein nicht, oder wiederum dein Kopf zu deinen Füßen: ich bedarf euer nicht.

Ostersonntag. Das Betäubungsphänomen tritt deutlicher auf. Dein Frühstück ist dein Kunststück. Du bekommst noch immer alles mit, aber hinter Gaze und Nebelschwaden. Du mußt dich vor dir selbst schützen. Neurosefähig ist jeder Mensch. Warum ruft denn dauernd die Störstelle an. Wer will denn da dauernd mit dir telefonieren. Störstelle: die bist du. Störstelle, in der befindest dich: du. Störstelle, die erreicht dich, erfolgreicher störend als der Teilnehmer Rubin, der stören will und nicht stören kann. Du mußt aufpassen, damit du nicht vor den Augen deiner eigenen Familie stirbst, du mußt mal werden, was du sein sollst, um es endlich mal zu sein. Du sollst nicht mit Worten noch mit der Zunge lieben, sondern mit der Tat und mit der Wahrheit. Du sollst die dämliche Kirschblüte mal mit dem ganzen idiotischen Schwulst bewundern. Du sollst der saublöden Ernterei mal im Hinblick auf deine verfluchte, der Vitaminzufuhr verpflichteten Einkauferei die Ehre erweisen. Du sollst das verdammte gesunde Kirschzeug dann mal gierig runterschlingen. In jeder zweiten Kirsche befindet sich ein Wurm. Mit jeder 2. Kirsche mordest du einen Wurm. Das ist eine schöne, lebensbejahende, schweinische, wurmige, biopositive Mordlust, die Lust an der Kirsche. Wessen sollst du dich trösten? Auf wen hoffst du? Du hoffst, daß dein Kopf nicht vor den Augen deiner eigenen Familie zwischen Ochsenfleisch und Minzsauce landet, du hoffst, daß du in deinem Nebel, den keiner sieht, nicht abschrammst, du bist mit deiner Not allein, wessen Geist ist denn in deiner Furcht, wer behütet dich denn wie einen Augapfel im Auge, wer schenkt dir denn Geduld? Überdauerst du? Überdauert die Konfliktsituation das aktuelle Erlebnis? Rückst du nicht ab vom Konflikt? Du sollst nicht mit der Zunge in deinen Zahnlöchern rumsuchen. Du sollst. Du sollst beim Kreuz studieren. Du sollst dein Herz verzieren. Du sollst die lieben, die dich doch sehr betrüben. Du sollst dir einen stillen sanften Mut anschaffen. ABER auch das Leid hat seinen Sinn. ABER sprächest du: Finsternis möge dich decken und Nacht statt Licht um dich sein, so wäre auch Finsternis nicht finster bei dir und die Nacht leuchtete wie der Tag. ABER du willst deinen eigenen Tod. ABER du willst noch gar nicht abschrammen. Du darfst dir das Leben nicht nehmen, denn du hast es dir nicht gegeben. Du kannst nicht töten, wenn du den andern als Bruder erlebst. So verwechsle mal einen Bruder mit einer Sache. So verunglimpfe und empfinde als Feind. Was ist denn das für ein erdnußfarbener Fleck an deinem Hals. Du hörst, du sagst. Du mußt Gehörtes und Gesagtes augenblicklich rekonstruieren. Das

kommt davon, wenn. Auf alles Wahrnehmen und Tun folgt augenblicklich eine Vergewisserung. Süchtig zwingst du deiner ermüdeten Lunge das Atmen und deinem erschöpften Herzen das Schlagen ab. Dich werden wir zuerst mit dem blödsinnigen Schaustück, der schmutzigen hochverehrten Kirschblüte, und dann mit der wurmreichen vitaminreichen Kirschkost vollstopfen, du wirst fragen, wie du bei unsern Methoden jemals sterben sollst, du wirst eines schönen stumpfsinnigen Tages, während überall alles weitergeht wie immer, zum letzten Mal deinen Namen schreiben, nämlich unter irgendein humanitäres Formular; mit der letzten Unterschrift deines komischen Daseins für nichts und wieder nichts wird das Formular es irgendeinem affirmativen Chirurgen gestatten, beispielsweise die Hornhaut deiner Augen zu entfernen, um irgendeinem sehwütigen Blinden, den du nicht kennst, zu helfen — schön, wie? Oder du erteilst per Unterschrift eine andere Erlaubnis zur zweckbetonten Entfernung von irgendwas saublöd Heilem, das sich noch an dir finden läßt und überleben würde, wenn du überleben könntest. Du mußt mal aufhören mit dem Kinderspielplatz, unter dem sich ein ausgedienter Friedhof befindet, denn: sieht es nicht lustig aus über der Erde, willst du nicht selber auf die Rutschbahn, während der Rußnebel nun Regen wird; du mußt mal endlich alles mögliche vergessen, und zwar mußt du dieses Denken an alles mögliche abstellen wie ein Uhrwerk. Du mußt das Denken und alles mögliche weglegen wie einen Telefonhörer von der Gabel, denn dies spirituelle Weglegen, kein praktischer Vorgang, ist ausnahmsweise nicht juristisch belangbar. Du darfst die Trost-Aria nicht dauernd lesen. Du darfst die Mottenbekämpfung nicht dauernd hinausschieben. Du darfst nicht leiden. Du darfst. Du darfst alles über Insektenbelustigungen nachlesen. Du darfst. Du darfst die Trost-Aria nicht durch dein pessimistisches Hinstarren auf deine pessimistische Version vom Heil mißdeuten. Du darfst nicht. Du darfst nicht aus Unkenntnis deine pessimistische Version vom Heil stilisieren. Du bist schlecht unterrichtet. Dir fehlen Voraussetzungen. Du hast immer noch nicht den Kniff raus, mit dem man ohne Staubentwicklung den Staubsauger entleert, und zwar vermittels einer knifflig geknifften Papiertüte. Du richtest dir das Heil unordentlich, auch oberflächlich ein. Du mußt dir mal selbst verbieten zu leiden. Endlich bleibt nicht ewig aus. Na bitte. Pick dir mal tunlichst diejenigen Zeilen aus der Trost-Aria, welche dir nützen. Endlich wird der Trost erscheinen. Na bitte. Endlich trägt der Palmbaum Früchte: Johann Christian Günther, na bitte.
Du mußt mal aufhören mit dem einfallsmäßigen Denken. Du

mußt mal das Leben vorwärts leben. Du mußt mal das Leben rückwärts verstehen. Endlich hört man auf zu weinen. Bitte. Es ging dir kürzlich noch bei prosciutto crudo gut. Du ahnst gar nicht, wie gut es dir schon mal ging. So nimm dir das ENDLICH der blühenden Aloe vor. Du darfst dein bißchen Wissen nicht unmethodisch verwerten. Du darfst. Du darfst zu jeder beliebigen Tagesstunde die Schuhe putzen, du darfst nicht. Nicht nachts, du darfst nicht nachts, nachts darfst du sozusagen gar nichts. Du mußt mal über die schöne saudumme Kirschblüte in Form des deduktiven Schließens oder des dialektischen Fortschreitens nachdenken. Du mußt den Tod bedenken. Du mußt die Brust verschließen. Du mußt unter der durchsichtigen Bluse selbstverständlich Wäsche tragen. Du mußt. Izaak Walton, 1593—1683, meinte zwar, Gott hätte zweifellos statt der Erdbeere eine bessere Beere schaffen können. Gott hat es aber ebenso zweifellos nicht getan. Du mußt das mal übertragen, beispielsweise auf die stupiden erfreulichen Kirschen. Du mußt mal mit einer Sterbenden Domino und Scrabble spielen so lang sie es noch kann und zwischen ihren Schlafphasen. Du mußt. Vergreisende Kinder haben deine Launen erst gar nicht. Norma starb mit 10 wie eine 90jährige. Da vorn ist das Grab. Überspiel doch mal deine innere Leere nicht mittels süchtigen Verhaltens. Nur auf der Venus kannst du ohne Rückspiegel hinter dich sehen. Da vorne, da vorne also. ABER deine Familie. ABER du willst nicht vor den Augen deiner Familie sterben. ABER in deinem Nebel kannst du jederzeit abschrammen, denn. Was ist denn das für ein würgefarbener Fleck am Hals? Es fällt dir immer schwerer, das mit den Vergewisserungen der Vorgänge an diesem schönen vertanen zerbrochenen ostereierfröhlichen Sonntag. Du wiederholst in der 2. Minute die 1. Minute und in der 3. Minute die 2. Minute und in der 4. Minute die 3. Minute; so überfüllst du deine Minuten mit Verdoppelungen. Denn du stopfst ins Gegenwärtige das Vorangegangene. Bald wirst du den übergewichtigen Minuten auch noch Zukunft aufladen, nämlich die Angst vor der kommenden Minute. Du wiederholst in der 7. Minute die 6. Minute und befürchtest die 8. Minute. Jede Minute ist das Dreifache ihrer selbst. Daran kann man aber ersticken. ABER du stotterst ja. ABER das Osterwetter ist ja so geschwätzig. ABER die Sonne ist ja so im Recht. Ach du. Keiner will dein Geschick wenden. Zähle dich nicht zu den Elenden, die Gewalt leiden, und nicht zu den Armen, die seufzen — aber du seufzt ja, aber dir wird keiner beistehen noch aufstehen und du hast keine Macht über den Tag des Todes. Du sollst nicht einem Schuldigen Beistand leisten. Dann wirst du rufen, aber wer wird dir antworten.

Wenn du schreist, wer wird sagen: hier bin ich. Ringe danach, daß du still bist. Frage nach den früheren Zeiten. Du lebst, doch nun nicht du, aber wer. ABER du hast Angst vor der Angst. ABER bei deinem asthenischen Habitus. ABER du bist schuld, sowieso an allem. ABER du stirbst. ABER deine Familie stirbt. ABER der Teilnehmer Rubin stirbt, ehe die Störstelle dich warnen kann, Störstelle du, und der Gestörte stirbt auf deine Rechnung. Das geht alles auf deine Kosten. Du mußt mal ohne Tadel sein. Du mußt. Du mußt unsträflich mitten unter einem verderbten und verkehrten Geschlecht sein. Dieses Geschlecht, die Bewohner, sie gehen dich gar nichts an, dies ist nicht deine Familie, halt dich da raus. Du mußt an die richtigen Leute denken. Du darfst nicht dauernd. Du darfst dauernd, sofern du tust, was du darfst. Du darfst mal Lust haben, ein Osterei zu essen. Du darfst mal das schöne Jammerkonzert der Staubmaschine anhören, indem du nämlich Staub wegsaugen darfst. Du darfst dich in die Altersheim-Angelegenheit dieser alten Frau gar nicht einmischen, du bist nicht verwandt mit Rubins Mutter, du hast in dieser alten unüberschaubaren Familie gar nichts zu suchen, weil du dort gar nichts verloren hast, du hast dich an einen verkehrten Platz verirrt. Du darfst nicht, wenn du die Verhältnisse nicht kennst. Du weißt überhaupt nicht, ob diese Älteste des Clans, der dich nichts angehen darf, wirklich so unappetitlich ist, wie die Schwiegertochter Martha und ihre älteste Tochter behaupten. Eine alte Frau wird erst in unappetitlicher Reflexion und anschließend unappetitlichem Gezänk unappetitlich. Die Zungenfertigkeit der Schwiegertochter wird immer unappetitlicher, sie quasselt sich ein, ihre Stimme wird immer unappetitlicher und mit ihr die Unterwäsche der alten Frau. Friedrich Nietzsche kam der Appetit oft erst nach der Mahlzeit. Das unappetitliche Gezüngel verbreitet die Unappetitlichkeit im ganzen unüberschaubaren, in 4 Wohnungen aufgeteilten Haus des Clans, es leckt die letzten Winkel mit der Unappetitlichkeit aus und macht die Winkel unappetitlich, es speichelt die Gegenstände der Wohnungen ein und macht die Gegenstände unappetitlich. Was geht dich das an. Was hat dich da verstört. Was suchst du unter den Bewohnern zu retten. Sie kennen sich seit Jahrzehnten aus mit der Niederlage, der kein Widerstand gegen die Unappetitlichkeit voraufging. Die Unappetitlichkeit, hergestellt durch Denken und Sprechen, ist ihre wohlbekannte Erbkrankheit. Was erschreckt dich die angeschwärzte alte Bewohnerin. Was ist das für ein in- und ausländischer Irrsinn, was für eine interkontinentale Agonie, was für eine Küstenvorlandschaft, was für eine alpenländische Urangst, was für eine Mittelgebirgsübelkeit, was befällt dich, weil die alte Bewohnerin aus ihrem vorletzten Zimmer in ihr letztes Zimmer umquartiert werden soll, was soll denn ihr Privates ohne kritischen Inhalt, sie wird ja auch im Altersheim, was sie ist, aber sie ist ja schon, sie fängt ja schon zu enden an. Ein schrecklich schlechtes Handeln kann eine erschreckend gute Sache sein: der Clan atmet nämlich jetzt auf, wozu er so selten Gelegenheit hat, und die von Reflexion und Ausplaudern verunreinigte Familienälteste atmet nicht mehr allzu lang. Du darfst nicht ständig neue Spielarten bodenloser Verwirrung erfinden, du darfst nicht so viel bezweifeln und befürchten, du darfst nicht. Du darfst Abwehrpositionen ausprobieren: gegenüber dem Wahnsinn in deinem Hinterkopf, gegenüber dem Absterben in deinem Gesicht, gegenüber der Verzweiflung in deinen verstörten Gliedmaßen, gegenüber der Verweigerung deines Körpers. Du befindest dich in der Daseinslüge. Du befindest dich in der Gewissenshaft, denn du hast gewissenhaft leben wollen, ein »S« macht hier den Unterschied. Deine Gewissenhaftigkeit wird nämlich vom BGB als Ungewissenhaftigkeit bloßgestellt. Dein Leben ist nun mal dein ganz bequemes Gefängnis, es ist deine lebenslängliche, überwiegend erfreuliche Strafe, und du sitzt und gehst und atmest, liegst und stehst die Strafe Leben ab bis. Richte dich doch noch behaglicher ein in deiner Zelle. Was hast du denn da für einen ausbleichend beigen Fleck am Hals. Wer hat denn da herumgesaugt. Um zu verhindern, daß der Fleck eines Tages verschwindet, wollen wir ihn als bleibendes Andenken mittels Tätowierung ins Zeitlose hineinretten. Wer soll denn deine Korruption verantworten. ABER: Ja zur Versöhnung. ABER: Ja zur Beinprothese für den Pinguin. ABER: wie kindlich sind deine Methoden, das WC zu reinigen. ABER: Nein zum Verzicht. ABER: Ja zur Zyklon B-Vergasung von 6000 Wellensittichen, denn sie waren krank, also Ja zur Verbrennung der vergasten Wellensittiche, überwiegend Jungbrut. Ja, aber ja: zum Altersheim, es gibt ganz nette, öde, desensibilisierende, dorthin schafft man geschickt und schonend die Unappetitlichkeit der alten Bewohner und raus aus dem Kreis der erschöpften jüngeren Bewohner, welche die Unappetitlichkeit erstellt haben. Das sind die Zahnprothesen. Das sind die Hühneraugen. Sag nicht Clavus, denn damit vergäbest du dir die Chance, mit einem Wort etwas Wertfreies negativ zu bewerten. Das sind die alten Bewohner. Das ist die Hinfälligkeit. Das ist der Mensch überhaupt, den das Denken entweder verunreinigt oder in Ruhe oder im Stich läßt. Du darfst nicht mit der Waffe gegen Zahnweh vorgehen. Denn du weißt nicht, was du tust, denn du tust nicht, was du willst. Du darfst dir nicht vor lauter Zahnweh mit einem Flobertgewehr schräg von unten in die Backe schießen. Denn was du haßt, das tust du. So starr doch mal die durchaus entbehrliche Kirschblüte an, so ernte doch mal das durchaus entbehrliche wurmstichige Zeug, so kau und schluck und verdau doch mal das an Vitalstoffen und Maden reiche, fröhliche Kirschblütenresultat. Hast du denn wollen? Rubin geht, Glück gehabt, aufgewacht in der paradoxen Traumphase, mit kühner Hand gegen die Unzumutbarkeit der entbehrenden Gegenwart an. Es dauert einige Minuten. Abgesehen von der Sehnsucht spielt auch die Besorgnis um die Aufrechterhaltung seiner männlichen Organteile eine Rolle als Motiv. Er hat das, als er es vor ungefähr 10 Jahren schon einmal damit probierte, noch nicht so ergiebig und kognitiv gefunden. Er sieht das jetzt als einen Akt der Verständigung mit der entbehrten Person. Das Gute, das du vielleicht willst, das tust du nicht, sondern das Böse, das du vielleicht nicht willst, das tust du. ABER hier gibt es auch wieder schöne nichtssagende Ansichtskarten. ABER in jeder Stadt hast du dich mit schönen nichtssagenden Ansichtskarten eingedeckt, desgleichen mit Krawatten und weiteren Bestechungsgeschenken. ABER Schreckneurosen treten beispielsweise nach einem Schiffbruch auf. ABER beantworte doch diesen radikalen Terror erst gar nicht, denn du kennst die Zustände dort gar nicht, die alte Bewohnerin gar nicht, die Anrechte auf Beleidigungen gar nicht, die Genehmigungen zum Widerspruch gar nicht; verkläre doch diesen gar nicht erkannten Terror gar nicht, unterlaß doch dein unerlaubt ästhetisches, humanitäres Gewinsel. Fällst du häufiger in die Löcher der Wirklichkeit? Deine Wirklichkeit ist ja gar nicht erst glaubhaft, also kann das Ungeheuerliche sie gar nicht erst zertrümmern. Deine Wirklichkeit kämpft mit einem Fliegengewicht. So kommt sie gegen die verbosen Neologismen Marthas gar nicht erst an. Martha und die älteste Tochter zeihen die alte Schwiegermutter und Großmutter gröbster Unappetitlichkeit, sie werden zwischen falschen Tönen, ihren echten Tönen, dreister, sie werden derber, sie offenbaren die Verkehrtheiten des Menschenverstandes, Martha verhehlt nicht ihre unwiderstehlich abstoßenden Brünstigkeiten, sie erwartet den biologischen Ruck Rubins, der ihre Ehe ruckhaft biologisiert und als Ehe bestehen läßt, aber jetzt sagt er endlich nun auch ihr, daß er es von nun an allein macht. Bezichtige nicht ihr Planen, noch ihr Wunschniveau, du weißt überhaupt nicht, ob es Terror ist, und wenn du dort warst, hat sie dir manchmal etwas sehr Gutes gekocht.

Dein Kopf ist nicht in der Minzsauce gelandet, vielmehr haben deine Hände mitten im Ochsenfleisch samt Drumherum, Messer und Gabel knapp beherrschend, einigermaßen Ordnung geschaffen und die österlichen Fressalien zwischen deine geängstigten Kiefer bugsiert. Na also. Endlich wird aus Wasser Wein. Endlich kommt die rechte Stunde. Endlich wirst du sein, was du bist, weil du es sein sollst. Endlich wird deine Hilflosigkeit unendlich. Weg von da — hin zur neuen mythischen ganzheitlichen Existenz: McLuhan. Hin zur Emanzipation vermittels der eigenen Fantasie: Brock. Endlich bleibt nicht ewig aus: J. Ch. Günther. Endlich raus aus der Privatzone des vorletzten Zimmers und endlich ins letzte Zimmer mit der Familienältesten: die kann ja ihre ganzen alten Fotos mitnehmen. Die will doch keiner im Clan mit seinem Ekel vor der selbst hergestellten Unappetitlichkeit mal irgendwann aus- und anziehen und waschen und pflegen und überhaupt. Unternimmt man keine Anstrengungen, dann wird man in Metaphysik und Idealismus abgleiten: Mao. Masturbation ist das geeignetere Wort, fand der Sexualforscher und sagt nicht Onanie, bei der Rubin absolut metaphysisch und idealistisch abgleitet und sich hinaufsteigert, denn er kümmert sich nicht um Mao. Eine alte Frau ist ein Warnzeichen für kommende Belastungen innerhalb der Familie, wo bereits die Urenkel heranwachsen und mehr Spaß machen als die Urahnin — also Anstrengungen unternehmen und uns Altersheim mit ihr. Sei doch du nicht stellvertretend idealistisch für die Familienmitglieder, die sich auskennen und die ausharren, während du dich immer wieder per Fernschnellzügen aus dem Staub machst. Seit Rubin es nun allein kann, besteht wirklich Aussicht, daß er nicht nur mit Tränen seine Farben flüssig macht. Er wird es mal mit einem gesäten Bild versuchen. Aus einem Funken kann ein Steppenbrand entstehen: Mao. ABER du bist nicht vor den Augen deiner Familie gestorben. ABER nach Berlin solltest du in regelmäßigen Abständen fahren. ABER in die heimliche Hauptstadt. ABER unheimlich regelmäßig. Du solltest. Du solltest in der Frontstadt mal. Was hattest du denn, bevor das hier mit dir losging? Na? Hattest du vom Schönen das Schönste, hattest du vom Guten das Beste, worauf das eine sich in das Schrecklichste und das andere sich in das Schlimmste verkehrte, womit zu rechnen war. Was ist denn das Beste überhaupt. Das Beste ist, man glaubt dir gar nichts mehr. Was ist denn das Heil überhaupt? Daß du es nicht erfahren wirst, das ist das Heil; sprich UNHEIL aus, du hast es angerichtet, also wird es dir zuteil. Du hast an Beschädigungen zwischen Menschen mitgewirkt, also bist du beschädigt. Und soeben wird der Kampf um die Renten zur Rentenneurose. Und soeben wird der Schiffbruch erlitten. Und soeben wird mit dem Ernst des Lebens Ernst gemacht, paß auf: tödlich. Soeben daher: ertauben, erblinden, erlahmen. Schluß mit den Konfusionen, den Chimären, den paranoiden Zuständen, mit der Trauer, mit der

Verödung, mit der Monotonie, mit den gestörten Reizen, mit den mißlungenen Kaschierungen, den unverdeckten und rohen Lügen, den unverdeckten und rohen Bezichtigungen, mit den jederzeit möglichen Beschimpfungen, den unheilbaren Undurchschaubarkeiten, mit dem Traktieren durch Telefonate und mit dem durch verhinderte Telefonate, mit dem Leugnen, mit den Bruchstücken der Geständnisse; Schluß mit dem Crescendo alles dessen, denn nun wird deine ausgedachte, abgefeimte Seele ruhig in dir, und sodann wird bei feinfühligem Aprilschnee gestorben. Eigentlich etwas bedauerlich, denn schneebedeckt wäre dir die saublöde Kirschblüte beinah recht gewesen. Endlich spricht der Tod: Genug. Es ist etwas zu kalt für die Jahreszeit: Dienst des Wetteramtes. ABER dann ist doch was, wenn es zu kalt ist, aber ist es denn?

Die schöne stumpfsinnige Karwoche und die schöne stumpfsinnige Osterzeit: soeben vorüber. Lerne du schön stumpfsinnig weiter, wie du wirst, was du bist, denn es könnte sich um Scheintod bei dir handeln und bald könnten die ganze stumpfsinnige ersehnte Atmerei und die nichtsnutzige hochgeschätzte Pulsschlagerei wieder losgehen, du könntest erneut einschlafend aufwachen, es wäre noch nicht dein ENDLICH. Daher, diesen Fall gesetzt, lerne, wie du es wirst. Wir wissen längst, was du sein sollst. Was du bist, wissen wir bereits annähernd.

Nr. 606: noch 20 Minuten bis zum Kaffee.
Der Zustand meiner neulich nachts aus dem Bett gefallenen, von da an, ausgenommen Anfälle der Depression (Geheul, Gezeter, Lamentieren), apathischen Schwägerin hat sich wieder verschlechtert. Sie lehnt es ab aufzustehen. Schleift man sie vom Bett zum Sofa oder auf einen vom Bethseda zur Verfügung gestellten Nachtstuhl, so weigert sie sich dort, Strümpfe, Wäsche, Kleider anzuziehen. Sie frisiert sich nicht. Hartnäckig behauptet sie, nicht gehen zu können. Ich betrete ihr Zimmer in der Notwohnung heimlich, denn mein Mann sorgt für meine Ruhe. In meinem Widerstand gegen Helene und gegen meinen Mann bin ich gereizt. Ich ziehe meine Hand gleich wieder aus Helenes Hand. Aber warum willst du denn schon wieder fort/ Ich muß jetzt weg / Du kannst noch einen Moment bleiben / Wer so viel zu tun hat wie ich / Ach was mir passiert ist ich erzähl dirs mal komm / Ich muß weg ich muß nebenan mit den andern Kuchen essen ich habe zu tun ich muß mit den andern über dich schweigen / Komm her ich bin nämlich aus dem Bett gefallen / Hat sie schon wieder eine Pfütze auf dem Boden / Ist es nicht furchtbar / Es riecht nicht gut in diesem Zimmer / Sie ist regressiv / Das ist der Krank-

heitsgewinn/ Der Krankheitsgewinn verteilt sich nicht gerecht auf alle Familienmitglieder/ Sie stellt sich nebenbeibemerkt auch an / Ich weiß ja längst was passiert ist / Wann wird es denn besser / Gib dir mal Mühe / Bleib doch noch da / Laß dich nicht gehen probieren geht über studieren / Ich muß mich zwingen was zu essen / Du bist dick genug du bist viel zu dick / Warum willst du denn schon weg wo gehst du denn hin/ Ich habe so viel zu tun warum bist du unfrisiert nimm dich doch zusammen / Waren damals wirklich 42 Grad Hitze in Rom (ich stehe schon an der Tür, ich lege meine Hand schon auf die Klinke, schon drücke ich die Klinke) Ist das Ersatzteil für deine Heizung jetzt da (gegenüber der Tür ein Spiegel, in dem gefällt mir mein Gesicht nicht) Ist der Hauptbremszylinder jetzt da regnet es immer noch bei dir rein / Jetzt ruft man nach mir hörst du das nicht ich muß also weg / Komm bitte bleib / Bei diesem Geheul erst recht nicht / Ich kann doch nicht / Man muß sich anstrengen nimm den Stock und mach Gehversuche / Mein Rücken und meine Beine ich kann es nicht / Ich weiß gut daß du es kannst du bist doch neugierig also lauf rum sonst entgeht dir was / Ich bin nicht mal mehr neugierig ich habe keinen Hunger / Das ist gut / Bleib doch bitte komm her wann wird es besser / Ja wir zwei wissen wie viel an dem allen dran ist / Es wird nicht mehr anders / Ich habe so viel zu tun ich habe Wichtiges zu tun — Mit ernstem Arbeitsgesicht: Adieu, Schwägerin, Adieu, ehe dein Irrsinn, ehe dein Elend mich wirklich angreifen, ehe womöglich irgendwas wirklich passiert, ehe mich womöglich wirklich irgendwas bewegt, ehe mir womöglich jede Ausrede im Hals stecken bleibt und ich bleiben muß, ehe alles herauskommt, — alles erledigt ja meine an alles gewöhnte Familie, während ich mich verdrücke. Ich gehe also und du flennst wimmerst vergißt / Du bist talentierter als ich ich vergesse es nicht ich gehe satt vom Kuchen / Ich habe so viel zu tun Spaziergänge / Es ist so schön schwül im Wald / Es ist so schön feucht im Wald / So hoch war der Farn schon lang nicht mehr / Wir müssen dich jetzt mal schleunigst vergessen / Der Farn begünstigt / Das Grün begünstigt — Früher war auch Helene mal im Wald. Am Abend sehe ich das weinfarbene Gesicht Helenes, ich sehe Helene weinfarben in meinem Weinglas, ich weine über etwas ganz anderes an diesem Abend, ich habe vergeblich auf etwas ganz anderes gewartet. Ich bin ganz woanders.

6 Uhr: Der 1. starke Kaffee. Ist Tee nicht durstlöschender? Ist Wasser nicht durstlöschender? Starker Kaffee macht sehr durstig.

6.05 h: Schw. Charla. Ich soll etwas tun, das wehtut: bald rechts, bald links auf der Seite liegen. Ich habe Durst. Zum Nachtstuhl sagt Schw. Christel ROLLS ROYCE.

Es ist nur ein Schritt zwischen mir und dem Tode.
Was hast du dir denn bloß dabei gedacht? Was hat dir denn zustoßen sollen? Indem du den Schlüssel abzogst, hast du deine Rettung vorbereitet, denn mit abgezogenem Schlüssel warst du nicht unabänderlich eingesperrt. Ein handwerklich begabter Mensch findet sich auch in der Nacht. Ein Mensch, der eine versperrte Tür öffnen kann, sofern der Schlüssel nicht im Schlüsselloch verblieb, ist immer in der Nähe. Du warst auch nicht ausreichend vergiftet. Du hast Zeit verschwendet.
Ich glaube, wir befinden uns in jenem Haus, über das wir uns am Nachmittag lustig gemacht haben. Wir haben uns über seinen schmiede-eisernen Zierat lustig gemacht, über ein schmiede-eisernes Emblem für den Arztberuf, und uns ist die Bezeichnung dafür nicht eingefallen. Uns ist ein bestimmtes Wort nicht eingefallen. Fiele mir doch endlich das bestimmte Wort ein. Die Gastgeberin ist großzügig mit den Getränken. Sätze mit dem Verb BETRÜBEN und mit dem Adjektiv BETRÜBT: Der König war betrübt. Schöne Kleider für einen betrübten Geist. Esau ward über die Maßen betrübt. Meine Tochter, wie betrübst du mich.
Es ist nur ein Schritt zwischen mir und dem Tode.
Es hat dir wohl nichts Endgültiges zustoßen sollen, denn du hast den Schlüssel aus dem Schlüsselloch gezogen und auf den Kachelboden geworfen. Dort lagst du, auffindbar, dort lag Selbsterhaltungstendenz vor. Außerdem hast du, ehe du den geselligen Kreis, die Gastgeberin und die Getränke verließest, jeden wissen lassen, wohin du zu gehen beabsichtigtest. Diese verlorene Zeit geht auf deine Rechnung. Was ist denn das für ein Geräusch? Das ist die luxemburgische Müllabfuhr. Und dann sind wir schon wieder zurück und zu Hause. Unsere Geschichte ist in weiter Ferne. Jemand geht an den Mülleimer. Man hat uns wieder bei der letzten Leerung den verkehrten Mülleimer zugeteilt. Unser gut ausgetrockneter und reinlicher Mülleimer wird jetzt wieder von einem Nachbarn versaut. Was ist das für eine Sauerei. Wir müssen auf unsern Müll-eimer eine Elf malen. Weiter mit den Sätzen. Ein betrübter Mut vertrocknet das Gebein. Hanna war von Herzen betrübt. David war betrübt. Jeder darf sein was er ist. Dicke wollen Essen sehen. Einsiedlerkrebse verstecken ihren weichen Hinterleib in einem leeren Schneckenhaus. Jetzt geht schon wieder jemand an den Mülleimer. Die Tür, an deren Innenseite der

Mülleimer aufgehängt ist, öffnet sich mit einem Geheul. Jetzt wird etwas Gläsernes in den Mülleimer geworfen und trifft dort auf Blech. Jetzt wird kein unnötiges Theater gemacht, sondern derjenige, der etwas Gläsernes auf Blech warf, wirft weiter, er wirft zuerst den Zinkdeckel des Mülleimers auf den Mülleimer, er wirft danach die schwere eiserne Tür zu und das Geheul verläuft rückwärts. Es ist nur ein Schritt zwischen unserem Schlafzimmer und den vier Mülleimern, die in einem architektonisch vertretbaren Gehäuse aus Beton hinter grauangestrichenen eisernen Türen untergebracht sind.

Es ist nur ein Schritt zwischen mir und dem Tode.

Seine Gedanken betrüben ihn. Der König ward sehr betrübt. Darum wird das Land betrübt sein. Was für ein netter Abend, wahrscheinlich im Innern jenes Hauses, über dessen Äußeres wir uns nachmittags lustig gemacht haben. Da könnte man sich doch ausnahmsweise einmal nicht vorbeibenehmen. Willst du eine Person schwer beleidigen? Das ist einfach. Dazu brauchst du nur deinen Fuß. Dein Fuß in deinem Schuh sucht oder trifft unter dem Tisch einen andern Fuß in seinem Schuh. Rede nun nicht von Zufall, denn damit vergäbest du dir die Chance, eine Person schwer zu beleidigen. Bittet für die, so euch beleidigen. Wir sind sozusagen sicher, daß dieses luxemburgische Müllabfuhrauto ein altmodisches Modell ist. Es verfügt vermutlich nicht einmal über eine Mülltonnenkippvorrichtung. Es macht einen ungeheuerlichen Lärm. Es ist nicht mit einem staubfreien Umleersystem ausgestattet. Es wird überhaupt nur noch auf dem Land eingesetzt. In den engen Straßen der Hauptstadt wäre der ungeheuerliche Lärm überhaupt nicht zu ertragen. Pflanzensoziologisch gehört das Großherzogtum zum Vegetationsgebiet des Eichen- und Hainbuchen-, beziehungsweise Rotbuchenwaldes. Charakterpflanzen des nördlichen Großherzogtums sind Adlerfarn, Besenginster, Calluna vulgaris und womöglich weitere Kalkflüchter. Wir verstehen gar nichts von Pflanzen. Wir machen uns kaum etwas aus Pflanzen. Uns sind Pflanzen weitgehend egal. Wir setzen diesen Busch bloß als Sichtschutz um.

Er betrübt wohl — und erbarmt sich wieder. Die Jungfrauen sehen jämmerlich, und sie ist betrübt. Es ist nur ein Schritt zwischen mir und dem Tode. Hier fließt die Alzette. Die Primarschule ist obligatorisch. In der jüngeren Generation des Großherzogtums mehren sich die vielfach begabten Lyriker. Die neuere Mundartdichtung hingegen hat an Gestaltungskraft abgenommen. Von besonderer Bedeutung ist die große Station Radio Luxemburg. Jetzt geht schon wieder jemand zu einem der vier Mülleimer. Diese Person, die soeben das Geheul verursacht hat und anschließend beinah geräuschlos den

Mülleimerdeckel hob, wirft keinen Gegenstand in den Mülleimer. Wir können uns daher denken, wer die Person ist. Diese Person überprüft regelmäßig die Inhalte aller vier Mülleimer.

Hat dir denn überhaupt etwas zustoßen sollen? Hast du dir überhaupt etwas dabei gedacht? Wo befinden wir uns eigentlich? Hat nicht dein halber Schritt in Richtung Tod das Gastrecht gebrochen? Die Gastgeberin ist praktisch veranlagt und kann jederzeit entweder die Polizei anrufen oder einen handwerklich talentierten Menschen auftreiben, die verschlossene Tür kann jederzeit geöffnet werden, denn du hast den Schlüssel abgezogen. Wie heißt denn bloß das Wort für dieses bestimmte Emblem? Wärst du doch da, denn du weißt das Wort jedesmal auf Anhieb. Das Flußnetz des Großherzogtums gehört, außer der Korn, die zur Maas entwässert, zum System des Rheins. Nur die Mosel ist für größere Fahrzeuge schiffbar. Hier in Ahn bekommen wir Friture so viel wir wollen. Diese Fische ißt man mitsamt Gräten. Wie heißen denn diese Fische überhaupt? Warum heißen denn diese Fische überhaupt Rotaugen? Warum fängt denn hier in Mondorf überhaupt nichts an? Häufig sind Rebhuhn, Hase und Wildschwein.

Es ist nur ein Schritt zwischen mir und dem Tode.

Du hast den Schritt nicht zu Ende ausgeführt. Du hast nicht Maß genommen. Du hast nicht gewußt, wie groß der Schritt ist. Du hast nicht wissen wollen, wie groß der Schritt ist. Du hast vielleicht gar nichts gewollt. Jener stirbt mit betrübter Seele. Das Leben den betrübten Herzen. Am allermeisten betrübt über das Wort. Fiele mir doch das Wort ein. Du kannst es mir immer auf Anhieb sagen. Es sieht im Innern dieses Hauses wirklich ganz so aus, als handele es sich um jenes Haus, über das wir uns nachmittags lustig gemacht haben. Die Einrichtung ist ganz so. Die Getränke sind ganz so. Die Häppchen sind ganz so. Die Gastgeberin ist ganz so. Sie ist übrigens nett. Es ist übrigens nett. Würde nur kaum etwas geredet. Beule um Beule. Du hast natürlich eine Beule am Hinterkopf, mit dem du auf den Kachelboden aufschlugst. Das ist das Gesetz über Beule, Ausschlag und Eiterweiß. Man sieht deine Beule nicht, denn sie befindet sich unter deinem Haar. Daß der Brief eine Weile euch betrübt hat. Daß ihr betrübt seid worden zur Reue. Schuhe, beziehungsweise Fußarbeit in Schuhen unter Tischen, genügen vollauf zur Herstellung des Tatbestandes grober Beleidigung und schwerer Körperverletzung. Rede dann bloß nicht von einem Versehen. Mach dann bloß nicht alles wieder gut. Kein Sportabzeichen für Sträflinge.

Es ist nur ein Schritt zwischen mir und dem Tode.

Die Bevölkerung des Großherzogtums ist zur Hauptsache

fränkischen Stammes. Auch in Belgien leben überwiegend Lyriker. Belgien hat dem Großherzogtum einen beinah 100 km langen Küstenstreifen voraus. Belgien ist außerdem Durchgangsland und Pufferstaat. Die Küste Belgiens eignet sich wenig für den Seeverkehr. Warum denkst du immer über das Meer nach? Warum kannst du das Alphabet so schlecht? K kommt vor L. Das Meer kommt vor dem Land. Jetzt nähern sich schon wieder Schritte in Richtung der in ein niedriges Betongehäuse eingelassenen Mülleimer, sie machen aber dort nicht halt. Wir können uns immer noch nicht aufraffen, wir liegen immer noch in dem schwarzen Schlafzimmer. Wir liegen in Untersuchungshaft. Das schwarze Schlafzimmer ist eine Zelle, die wir verlassen dürfen. Könnten wir uns nur aufraffen. Schöbe nur jemand den schwarzen Vorhang zur Seite. Wäre es nur kein Sonntag, kein Feiertag, kein Geburtstag, kein sonniger Tag, kein windiger Tag, kein Tag mit einer Verabredung. Warum hast du denn so eine Landkartenzunge. Warum hast du denn den Schlüssel abgezogen. Warum hast du zuerst mit dem Schritt zwischen dir und dem Tode angefangen, warum bist du dann stehengeblieben und warum bist du den zu kurzen Schritt zurückgekommen. Hattest du ein negatives Erwartungsgefühl, sind dir Sinnesreize bedrohlich erschienen, kamen Vorstellungen mit dem Charakter der Unbestimmtheit und der Unheimlichkeit in Frage — hattest du Angst? Angst, Charles-Albert, ist ein schweizerischer Bildhauer. Angstreis ist Wasserreis. In Mondorf ist es windstill. Der Meeresboden ist löchrig. Das Meer ist jodhaltig. Die mittlere Tiefe des Meeres beträgt 3800 m. Das Meer ist vorhanden.

Es ist nur ein Schritt zwischen mir und dem Tode.

Das Wort SAPHIR kommt neunmal vor. Unter seinen Füßen war es wie ein schöner Saphir. Der andere Grund war ein Saphir. Den gleichnamigen TEE-Zug betone ich auf der ersten Silbe. Muß es denn unbedingt ein Trans-Europa-Expreß sein, der SAPHIR, mit dem du reist? Was sind das für erkenntnisarme Vorwürfe. Was ist das für eine unbrauchbare Situation. Warum schaffst du dauernd Beispiele für die Unbrauchbarkeit. Was ist das für ein Zustand, an den die Selbstzerstörung grenzt. Woher wissen die Nesseltiere, daß ihr Krebs umzieht? Woher wissen die Sterbenden, wie groß der Schritt ist? Wer sein eigen Haus betrübt. Meine Rede bleibt noch betrübt. Es gibt auch Sätze mit der Interjektion HUI. Hui, hui, fliehet aus dem Mitternachtslande: Hui, Zion, die du wohnest bei der Tochter Babel, entrinne! Es gibt nur einen Satz mit dem Wort HUF und einen Satz mit dem Plural des Wortes HUF. Fiele mir doch das bestimmte Wort ein. Wärst du, dem das be-

stimmte Wort jederzeit zur Verfügung steht, doch hier. Hier ist es gar nicht so übel. Das Wort HUNDERTMAL kommt nur zweimal vor. Angst ist ein althochdeutsches Wort. Angst ist ein gegenstandsloses qualvolles Gefühl. Furcht hat einen Gegenstand. Eine belgische lyrische Dame erklärt: L'angoisse est productive. Ein lothringischer lyrischer Herr fordert: Tapfer voranschreiten. Es gibt die Angst vor Angstanfällen, die Angst vor der Leere, die Angst vor dem Alleinsein und die vor dem Zusammensein, es gibt die Angst vor Abgründen, vor allen äußeren Vorgängen, vor dem Beischlaf, vor Diebstahl, vor geschlossenen Räumen, vor dem Harndrang, und es gibt die Angst vor dem Tode. Es ist nur ein Schritt zwischen mir und dem Tode. Der Schritt Horror. Der Schritt hieß Angst, als du den Schlüssel aus dem Schlüsselloch gezogen hast. Du brauchst keine Angst zu haben, denn diesen ungeheuerlichen Lärm verursacht ein veraltetes Müllauto, das in den engen Straßen der Hauptstadt gar nicht mehr eingesetzt wird, weil dort durch noch viel ungeheuerlicheren Lärm in dir ein qualvolles Gefühl entstände. Dieses Gefühl wäre aber nicht gegenstandslos und somit nicht Angst. Das Wort Angst kommt oft vor. Denn Angst ist nahe. Sie zappelt und ist in Ängsten. Des andern Fleisch fressen in der Angst. Er wird durchs Meer der Angst gehen. Wer will uns scheiden, Trübsal oder Angst. Aus Angst hast du den Schlüssel abgezogen. Aus Angst hast du dich zuvor eingeschlossen. Aus Angst hast du dich nicht ausreichend vergiftet. Aus Angst hast du angefangen, dich zu vergiften. Über diese geringe Entfernung zwischen dir und dem Tode denkst du nach aus Angst. Diese geringe Entfernung zwischen dir und dem Tode legst du aus Angst nicht zurück. Es ist dieser eine Schritt. Die Angst verlängert den Schritt. Die Angst erinnert dich an den Schritt.
Ehe erneut Nachbarn zu ihren Mülleimern gehen, verlassen wir lieber das schwarze Schlafzimmer. Alle Nachbarn haben ihre Mittagessen schon beinah fertig und kommen bald mit den leeren Dosen und Einmachgläsern zu den Mülleimern. Wir machen jetzt lieber mal Gebrauch von der Großzügigkeit, die uns in dieser Untersuchungshaft gestattet ist. Wir schneiden dir lieber mal die Haare. Wir behandeln lieber mal deine Landkartenzunge mit Pyralvex, Kaliumpermanganat oder, um weder zu schaden noch zu nützen, mit Kamille. Es ist nur ein Schritt zwischen mir und dem Tode. Ein Schritt, den jede Person tun kann. Hebe deine Schritte auf.

Sieht der Patient sein Wundsekret, so weiß er doch, woran er ist. Die Wasserleitungen sind gefüllt. Ich drehe den Hahn auf.

Wasser sieht schön aus. Mit dem Wasser darf ich mich nicht nur waschen, ich darf mit dem schönen Wasser auch einmal meinen Mund ausspülen. Dazu reicht ein Schluck aus. Für die Erfrischung Ihrer Mundhöhle sollten Sie ruhig mal dankbar sein. Sie müssen immer bedenken, wie schlimm Sie erst ohne die kleinen, gut kalkulierten Vergünstigungen dran wären. Heute hat nach zweieinhalb Tagen Balkonferien in der Niemannstraße, wo sie eine Eigentumswohnung nach ihrem auswechselbaren, betulichen und das Äußerste an gängiger Vollgestopftheit anstrebenden Kaufhausgeschmack eingerichtet hat, die vermutlich sudetendt. Schw. Flora wieder Dienst. Ach, was waren das für herrliche Balkonferien, nur wieder viel zu kurz, wie alle viel zu kurzen Ferien. Was nie viel zu kurz, was überhaupt nicht zu kurz ist, das ist die Arbeitszeit. Sie wickelt und windelt an mir herum, dies jetzt ist Arbeitszeit. Auch der Aufenthalt in Nr. 606 ist nie zu kurz. Noch scheint die Sonne nicht, die sich Schw. Christel so dringend für ihre 2 Tage Ferien gewünscht hat. Auch ihre zwei freien Tage werden wieder viel zu kurz sein. Auf dem Gang wird Frühstück gefahren. Die Geräusche hören sich nach den Getränken an. Ich bin so weit heruntergekommen, daß ich mir Lippen, Mundinnenräume und Zähne mit dem kaum näßlichen Klebzeug vollspatele. 7.35 h: Du bist selber dran schuld, wenn du nicht an Wunder glaubst. Du verzweifelst viel zu früh. Vor dir steht ein Kännchen Tee. Wieder der heißgeliebte, hochgeschätzte säuerliche Tee deiner Leidenszeit. Leih dir den Satz des französischen Lyrikers aus, dessen Meersucht du dir zu Haus an die Wand geklebt hast, sage ihm nach: Wenn mir nichts wehtut in einer Pause zwischen 2 Leiden, dann lebe ich, als lebte ich nicht. So lebst du jetzt beinah nicht, denn du genießt deinen Tee, du folgst, wenigstens am Anfang, dem Rat der Schw. Flora nicht, du trinkst nicht schön schluckweise, sondern du nimmst 3 gierige Züge, um bald, mitten im 2. Leiden, wieder zu leben. Hüte dich davor, deinen kurzfristigen Genuß genau kennenzulernen. Du müßtest dich sonst erinnern. Dein Durst ist unlöschbar, man hält dich nur hin, du aber bist auf Exzeß aus. Sie haben doch alle längst dein Verdursten geplant. Du sollst es bis zuletzt nicht wissen. Du möchtest nicht trinken, du möchtest Kannen, Kübel, Fässer leersaufen, saufen und saufen möchtest du. Du möchtest dich bis zu einem unausdenkbaren Aufatmen volltanken. Kein Sterbefall kommt dir zu Hilfe. Dein Vater lebt ja nicht mehr. Du wirst nie erfahren, ob sein Tod deinen Durst löschen würde.
Ich starre das Kännchen an, ich starre es an.

Ja das ist schon ein prickelndes Ereignis dieses Rom, dieser Band V Rom und Latium, diese Bearbeitung von A. H., diese ganze Historie.

Rom, italienisch Roma, ist mit über zwei Millionen Einwohnern die größte Stadt des Mittelmeerraums und eines der interessantesten Zentren Europas. Das hat sich eingeprägt. Im Jahr 510 wurden aus Rom die Könige vertrieben. Wer will denn hier wieder weg? Wo denn hin? Es war Herbst, kaum Winter, es war Frühjahr, es ist Sommer, es ist selbstverständlich immer grün, jetzt kommt die Hitze doch noch, es ist Rom, das der Tiber seit dem Mittelalter nicht mehr mit Hochwasser bedroht. Unter dem Boden Roms befinden sich vermutlich immer noch zahlreiche archäologische Wunder. War es ein Gewinn? Haben Sie auch nicht mit Kochplatten geheizt und Tischbeine verkürzt? Waren Sie darum bemüht, Freundschaften fürs Leben zu schließen? Werden Sie von nun an etwas urbaner, etwas menschlicher, etwas historisch-bewußter, insgesamt reifer malen, sofern Sie nicht schreiben, falls Sie sich nicht auf einem anderen künstlerischen Gebiet betätigen. Welche Verbesserungsvorschläge können Sie vorbringen? Kritik muß aufbauen helfen. Der Mai ist gekommen, die Großmütter sind da, das Baby lallt schon, die etwas älteren Kinder überschreiten am liebsten vor dem Atelier Nr. 7, dem gemütlichsten von allen, die obere Hörschwelle, der Arzt sagt, wie viele deutsche Touristen im Sommer auf den Friedhöfen landen, falls es sich bei den Touristen um Pilger handelt, erscheint so ein Abschluß einer Rom-Reise allerdings doch noch sinnvoll. Es ist nicht sinnvoll, aber normal, daß kleine Kinder morgens früh aufwachen. Laute Stimmen sind bei kleinen Kindern normal.

8.25 h: Wie gehts, fragt Schw. Charla. Ich wüßte gern, ob diese Horrorgeschichte spannend ist, wenn man keinen Durst hat, sage ich. Dazu fällt Schw. Charla auch nichts Verbindliches ein. Leider fehlt ihr jedenfalls immer die Zeit für die Horrorgeschichten. Und wenn es bei ihr endlich das ist, was sich bei ihr ABEND nennt, kann sie sich nur noch mit aufheiternder Lektüre abgeben, wenn überhaupt Lektüre. Oft stehen auch noch private Dinge an, Kontakt mit den Verwandten und Bekannten, etwas private Wäsche, Strümpfe, Ausbesserungsarbeiten. Ich habe Bauchweh. Das ist fahrplanmäßig. Wie lang muß der Tee reichen? Bis ungefähr 11 Uhr. Heute zieht eine hübsche, gelb-grün-rot gekleidete Griechin den Schmierseifengeruch über den Fußboden. Ich bin auf den Fußboden neidisch. Der Fußboden ist feucht. Die Feuchtigkeit taut ganz langsam ab.

Alle Sachen mit Codein verstopfen sowieso und zwar erheblich, sagt Linda Berry.

Auch Calciumpräparate, Reactivan und sowas, sagt Eudora.

Bernie-Boy klatscht munter in die Hände, die schwach abgewandelten, etwas amerikanisierten, aber ähnlich empfindsamen Hände meines Schwiegervaters und meines Mannes, die der jedoch nie zum Klatschen bewegt: auch beim Applaus nach Konzerten oder Theateraufführungen, auch wenn er den Applaus für verdient hält, legt er nur leicht und mehrmals die Fingerkuppen aneinander und simuliert Beifall, während Kitty ihm zuzischt: Klatsch doch mal laut, richtig!

Das vergeht, ruft Bernie-Boy, morgen ist sie wieder munter, brave little Thelma. Sie möchte sich ganz darauf konzentrieren, erzählt Eudora. Weniger kompliziert, wenn das Haus dazu leer ist.

I hope she will enjoy it, sagt Ben, der nur am Schluß zugehört hat und das Thema der Unterhaltung nicht kennt.

Linda kann sowieso nichts Peinliches daran finden. Mit oder ohne Ben im Haus — sie steht das durch, ihre Verdauung muß täglich stimmen, egal, was für Zeitverluste sich daraus ergeben; daß sie dies ordnet, und zwar morgens, hat ihr Bewußtsein längst geordnet. Eudora ist 1 m 50 groß. Mit 63 ist sie 5 Jahre älter als Thelma, die 1 m 56 groß ist. Beide sehen auf die amerikanische Version jünger aus und bilden, wenn sie den 1 m 53 großen Bernie-Boy, 65, in die Mitte nehmen, mit ihren kleinen ähnlich frisierten Köpfen eine Treppe, die Stufen Fahlblond, Schlohweiß, Fahlblond. Ein Mann mit 60 hat 3 Jahre seines Lebens mit Essen zugebracht. Ein Mann mit 60 hat, sofern er seine Mahlzeiten aus der dt. Küche bezog und Nietzsche glaubt, betrübte Eingeweide. Ein Mann mit 60 stirbt, sofern er sich an die Spielregeln hielt und 60 ist in seiner Todesstunde, im wahren Alter von 40. Auch Rubin ist, sofern er mit Moses Herzog übereinstimmt, geboren, um Waise zu werden und Waisen zu hinterlassen. Auch Rubin gibt das Bild eines schwermütigen infantilen Mannes ab, der versucht, seine Würde zu wahren. Über unsere Würde wissen wir selber vielleicht noch am ehesten Bescheid oder wir nähern uns der hoffnungsvollen Vorstellung von ihr mutmaßend, anmaßend, skeptisch, eigensinnig. Auch ich muß, wie Clov, immer noch besser zu leiden lernen, damit man es satt kriegt, mich zu strafen. Auch ich werde, wie Clov, wenn ich falle, vor Glück weinen. Daran glaubst du selber nicht. Du willst überhaupt nicht fallen. Vom Weinen vor Glück verstehst du erst recht nichts. Außerdem spielt da keiner mit, du bist nicht Clov, also spricht dir keiner Hams Text, also sagt keiner: Das nennen wir abtreten. Wann sagt jemand: Ich entlasse dich. Rubin sagt: Du wirst nicht fallen, du wirst kaum etwas weinen, du mußt dich selbst entlassen. Mein Mann hat gesagt: Du mußt selber wissen, was du willst, und danach mußt du es tun. Ich habe nicht gewußt, was ich wollte, ich weiß nicht, was ich will, ich habe es danach getan, ich tue es. Ich verstehe nichts von Personen, die sich nach Entscheidungen mit dem Gefühl der Befreiung belohnt finden. Meine Freiheit ist ein gut möblierter Käfig.

Rubin bleibt an der Brüstung stehen. Mit ihm blicke ich nach Westen. Nebel versteckt dort in knapp 40 Meilen Entfernung den Pacific. Gestern war ich mit den Füßen im Pacific, erzähle ich Rubin, der damit fortfährt, dran zu denken und dies zu wollen und sich anzustrengen, den Faden nicht zu verlieren. Warum er sich so schlecht hält, weiß kein Mensch. Er möchte, daß alle merken, woran er denkt und daß er an was anderes und Unerlaubtes denkt, an eine Gelegenheit für uns beide, und daß er im Bungalow der Berrys nicht bei der Sache ist. Er wünscht sich, Martha, seine hier anwesende Frau, werde auf ihn und seine absichtliche Gedankenverlorenheit aufmerksam, dann böse. Seine ehefeindliche Gedankenverlorenheit soll Martha blamieren und zu Angriffen hinreißen. Dies zu wünschen, lenkt ihn unnötig von mir ab. Von den andern erwartet er kaum was. Mit nichts auf der Welt treibt er sich Martha aus. Sie würde mich lieber umarmen, als Rubin hergeben. So ungern würde sie mich überhaupt gar nicht umarmen. So ungern spielt sie gar nicht mit. Sie hat die Quälereien in sämtlichen Himmelsrichtungen studiert. Zwar dreht sie sich jetzt um, nervös nur dem Anschein nach. Sie hat Rubin nicht gesucht. Sie ist neugierig auf Lindas Lunch, von dem sie kleine Schönheitsfehler erhofft. Rubin hätte es leichter, wenn er mir ins Haar greifen würde oder etwas von der Art. Wie hat es dir denn bei den Berrys gefallen? Linda hat mich herzlich begrüßt, mit so angedeuteten Küssen links und rechts, Schläfengegend, amerikanisch-römisch. Deutliche Schminke überall im Gesicht: hat auch gepaßt. Sie hat gleich alle gefragt, wie uns ihre neue Perücke gefalle, der blonde Haarturm. Eudora, mit geringfügigem Fahlblond über der Schädeldecke, aber gekräuselt, hat ihren eingeschnurrten Mund, dessen Oberlippe eine bleifarbene kleine Warze markiert, etwas verkniffen, hat mit dem ihr zugedachten Mund gemacht, was bei ihr Lächeln ist, und sich über die stabilen Schiffsaufbauten der Perücke nicht weiter geäußert, während Linda, auf kein weibliches Urteil wirklich erpicht, längst die Komplimente der männlichen Gäste aufsammelte. Bernie-Boy ist um sie herumgehüpft und hat alles gelobt, was sich in Reich- und Sichtweite dieses Moments befand, daher notgedrungen alles, was zu dieser leider nur für

Schickliches bestimmten Tagesstunde an Linda zu sehen war: Oberbekleidung, Schmuck, Teint und worauf er immer größten Wert legt: THE CONDITION. You're looking tremendously young, younger than anytime I remember. Ben ist hager und schweigsam und er hat mir sofort beide Badezimmer zu den darin möglichen Benutzungen angeboten. Diese beiden Paradiese aus Kitsch und Hygiene sind der wesentlichste Stolz Bens, der als Innenarchitekt für die gesamte Einrichtung des Hauses verantwortlich zeichnet, aber nicht für dessen Äußeres, das sich, als Mitglied einer Serie, dem Gesetz der Serie anzupassen hatte. Die Siedlung zieht sich den Hang hinauf und wird von einer Wohnungsgesellschaft vermietet. Ich stelle es mir schwierig vor, jeweils die eigene Haustür zu finden, sage ich, aber Ben hatte nie Ärger mit so was. Ich stelle es mir schwierig vor, bis 11 auf den Tee zu warten, aber Schw. Charla sieht darin kein unlösbares Problem. Ben fände sein Schatzkästchen im Schlaf und mit verbundenen Augen. Es riecht jedoch weiter nicht, es riecht überall gleich, vielleicht nach Pflanzen. Leider rutschen die Grundstücke ab, sagte Ben, und wir verließen das 2. Badezimmer, rosa wie das 1. Badezimmer, wo wir, Ben ohne Kommentar noch Betretenheit, bei offener Tür und eben beendetem Vorgang irgendeiner unbedeutenden Entleerung, Miß Häfflinger überrascht, aber nicht aufgeschreckt hatten. Rubin draußen auf der Terrasse will immer noch dran denken. Es ist seine Absicht, unmäßig zu trinken. Diese durchgeführte Absicht wird uns später, sofern wir eine Gelegenheit finden, bei Absichten zwischen uns am Durchführen dieser Absichten halbwegs hindern. Rubin wird sich das vorwerfen und er wird sich damit entschuldigen. Er hält, um sich bei seinem schlechten Benehmen erwischen zu lassen, nach Zeugen Ausschau. Aber so haben ihn ja alle schrecklich gern, so ungebärdig. Martha wäre ihm als Entdeckerin am liebsten, und dazu ein gehöriger Krach. Raus endlich mit der Wahrheit, ruhig vor allen diesen verdammten vergnügten Blödköpfen. Martha steht in seiner Nähe, hat ihn aber aus alter Gewohnheit vergessen, denn er ist ja vorhanden. Daß er zu viel trinkt, weiß sie sowieso. Sie braucht nicht hinzusehen, um sich seines unmöglichen Betragens zu vergewissern. Sie hat kaum was gegen diesen Moment, aber Hunger. Allmählich reichts ihr mit der Warterei. In früheren Zeiten, denkt Rubin, hätte er sich wahrscheinlich flüchtig, aber bemerkenswert an die Hausfrau herangemacht. Martha bleibt keine Wahl, sie muß sich durch diese Warterei schwätzen. Es macht ihr nicht das mindeste aus, mich mit ihrer unermüdlichen Zunge zu beschlagnahmen, oder, beliebig anderswohin, richtet sie ihr freundliches Gequassel an die Adressen Linda, Ben, Miß Häfflinger, wie es sich ergibt. Hauptsache: reden. Wäre sie nur in der passenden Stimmung, dann würde sie ohne weiteres auch weinen, Rubin anklagen, aber sie hat jetzt vor allem mal Appetit. Von Linda ist erst recht nicht zu erwarten, daß sie Rubin heute für ungewöhnlich eigenartig hält, eigenartig benimmt er sich immer, man würde was vermissen, wenn er gebügelt, gelenkig, geölt, hygienisch, poliert, à la carte mitmachte. Linda erinnert sich ihrer gastgeberischen Pflichten, damit die Sache ihren Fortgang nimmt. Linda und Martha sehen gleich nett aus, sehen aus, wie sie mal ausgesehen haben, entsetzlich unausstehlich nett, Rubin könnte keine von beiden etwas netter finden, ist aber mit Martha verheiratet. Das nennt er doch gar nicht mehr Ehe, heult Martha, wenn die Zeit für so was da ist. Das ist doch keine Ehe mehr, sagt Rubin beliebig. Da findet nichts mehr statt. Ich mache mich darüber lustig. Ihr mit eurer bettlägerigen Ehe, sage ich. Eben nicht, sagt Rubin, vorbei, alles vorbei. Das hört sich nach Bedauern an, sage ich, und ich hätte nie geglaubt, daß Frauen in Marthas Alter noch so pektorale Bedürfnisse haben. Rubin ist von vornherein beleidigt, schon bevor ich gesagt habe: pektoral heißt brünstig. Inzwischen fotografiert Martha uns alle heiß und innig, und im Bewußtsein, daß die ganze liebe Clique mal wieder »großartige Martha« denkt, gruppiert sie nun sogar Rubin und mich. Leg ruhig den Arm um sie, wir wissen ja allesamt Bescheid, ruft sie ihrem Mann zu, aber jetzt besteht immerhin die Chance, daß sie demnächst doch losheult.

Mit Rubin hat das Urteil nichts zu tun, das die Familie über mich fällen wird, wenn ich nach Haus komme. Rubin hält sich da heraus. Die neuen Fenster der Thomaskirche haben uns vertrieben, hier war es nur für die spirituelle Version der Kirchenschändungsversionen nicht zu hell, also haben wir unsere gotteslästerlichen, familienbandesprengenden Gebete gedacht, und gedacht, wenn es den schwierigen lieben Gott überhaupt gibt, müssen gerade diese Gebete ihm gefallen und es wäre ihm noch lieber, wenn wir uns in einer dunklen Kirche befänden, wo wir weitermachen könnten mit dem, was wir in hundert Hotelzimmern angefangen haben, wieder anfangen, weitermachen — Raus aus der einfallslosen Thomaskirche, in der uns nicht genug eingefallen ist. Deutschen Kaffee trinken wir nicht, also keine Cafés. Also wie heißts, habe ich gesagt, heißt es nicht womöglich: Ich trinke meinen Café in einem Kaffee; vor dem Kaffee, in dem ich meinen Café trinke, parkiere ich meinen Wagen. Ich habe rauf zu Rubins rechtem Profil gelacht. Er hat hergesagt: Es heißt nicht Wagen, man sagt Auto.

Es heißt nicht: ich trinke Café, es heißt: ich trinke Kaffee. Das war dann die Ägidienkirche. In dieser für ihre Fußballmannschaft berühmten Stadt hätten mich die Abbildungen der erfolgreichsten Fußballer auf den Kirchenfenstern nicht überrascht. Diese Abschiede und Abschiede, ich bin kein Sportler, ich kann diesen Bahnhofssport, diese Traurigkeitsgymnastik auf den Perrons nicht länger aushalten, Rubin. Ich habe es wahrscheinlich aber nicht gesagt. Mir sind die vielen Kirchen eingefallen, in denen ich versucht habe, weniger zerstreut zu sein und einen Funken Wirklichkeit in Rubins Unterstellung, mein Gewissen sei calvinistisch verängstigt, zu entdecken; und die vielen Blicke zu Altar und Seitenaltären mit der Anstrengung, das Unbestimmte mitzukriegen, das die richtig Frommen als Bestimmtes aus Kirchen wegtragen. Vielleicht haben sie eben alles das schon rausgeschleppt, immer wenn ich eintrete und dann nichts mehr davon abbekomme. Kirchen, in denen ich drauf gewartet habe, daß meine ungenaue Vorfreude sich zu erkennen gäbe — Vorfreude, worauf denn bloß. Gewartet auf dies angedeutete, vermutlich scheinheilige Versprechen, auf dies mit ungeputzten Ohren schlecht gehörte und doch zweifelnd angenommene Versprechen — gewartet in einer der mittleren Bankreihen links oder rechts im Schiff, besser ohne Rubin. Albernstes Hoffen, das allerbeste. Der nächste Moment schon wird das schöne blödsinnige Versprechen einlösen, verpaß den Moment nicht schon wieder. Das Versprechen, das Gerücht, über das mein Schwiegervater etwas besser informiert war, über das mein Mann mit mir nicht gesprochen hat, über das der Nachfolger allzu gut informiert ist, so daß ich es, Versprechen mit Hand und Fuß, aus seiner Hand von der Hand weisen und mit dem Fuß wegstoßen muß. Woran der Nachfolger glaubt, habe ich keine Lust zu glauben. Rubin will endlich mal in einem gründlichen, neue Wege aufzeigenden Essay die Nichtexistenz Gottes beweisen. Rubin sagt, das muß auf jeden Fall mit Gott zu tun haben, was mit uns beiden passiert. Jeder unvorhergesehene Lichtstrahl im Chor ein Fingerzeig, vornehmlich an trüben Tagen, und ich verstehe keinen und alles besser ohne Rubin, denn seine Knie neben mir in der Bankreihe lenken mich ab. Die Stunde ist da, aufzustehen vom Schlaf — reiß die Zitate nicht aus dem Zusammenhang, sagen die Informierten. Lehre mich tun nach seinem Wohlgefallen — also tu das. Ich hoffe, daß ich in keinem Stück zuschanden werde, sondern frei und offen — Frei und offen: für diese Vokabeln unter vielen andern positiven Vokabeln hast du Sprechverbot. Zuschanden bist du bereits, zuschanden hast du gemacht. Seid nicht traurig wie die andern, die keine Hoffnung haben — daraufhin werde ich von Rubin umarmt.

Sein Kopf findet es in meiner Schlüsselbeinhöhle bequem. Seine Hand erkundigt sich nach Körpergegenden. Schmuck statt Asche, Freudenöl statt Trauerkleid, Lobgesang statt eines betrübten Geistes, der sowieso für die nächste halbe, bei Glück dreiviertel Stunde auf unbetrübte Trübung schalten darf. Ich sprach, als es mir gut ging: ich werde nimmermehr wanken. Rubin wird dann wieder mit tatgeständiger Verzierung seiner Oberbekleidung herumlaufen. Die roten Kennzeichen seiner Reinigungsfirma zwackt Martha ihm nicht ab, weil es sich bis zum nächsten Mal doch nicht lohnt. Wer ist eine gute Ehefrau? Eine gute Ehefrau ist eine mißtrauische Ehefrau. Der 1. Blick einer guten Ehefrau, die ihren Mann nach Abwesenheit empfängt, fällt stets auf dessen Hosenmittelpunkt, den Hosenschlitz, sofern es sich bei dem Ehemann um einen dieser nachlässigen und spontanen Typen handelt, die vor der Liebe nicht an den Hosenspanner denken. Diesen ersten Lokalaugenschein unternimmt der Blick nicht, um eine besonders beliebte Gegend vorweg zu begrüßen, vielmehr will der 1. Blick ein Fehlverhalten aufspüren. Mit dem ist bei Rubin seit frühen Ehejahren zu rechnen. Die Liebe einer guten Ehefrau heißt Ordnungsliebe, heißt auch Beharrlichkeit. Untreue kann man nicht verzeihen, aber ertragen, Trennung kann man nicht dulden, weil man sie nicht ertragen möchte. Eine gute Ehefrau möchte nicht erst ausprobieren, wie es ist, eine geschiedene ehemalige gute Ehefrau zu sein, denn hat sie nicht Jahr um Jahr einen Betrug nach dem andern in gut ehelicher zänkischer Methode über sich ergehen lassen, hat sie nicht mit größter himmlischer Ungeduld dabei zugesehen, wie ihr eheliches moralisches Wrack, der skrupellose Partner, so allmählich vor die Hunde ging und geht, und achtet sie nicht mit praktischer Vernunft auf seinen Untergang, muß sie nicht rechnen mit ihrem aufgespeicherten Gekeife, wenn er schließlich ganz absäuft? Gute Ehefrauen haben überwiegend Pech und unzuverlässige Männer geheiratet. Findet der 1. Blick oder findet er nicht, was bewiesen und wessen überführt werden soll, so beweist und überführt die gute Ehefrau den halbseidenen Ehemann dennoch und ohnehin, denn sie will nichts versäumen. 3 bis 4 Verdächtigungen zu viel sind besser als eine Verdächtigung zu wenig. Der gelegentlich Unschuldige steht so oder so in der Dauerschuld seiner dauernd unschuldigen Ehefrau. Für ihre Schuld gibt es keinen gesetzlichen Paragraphen. Ist es später als du denkst, fragen die beiden Frauen von der Zeitschrift ERWACHET, die ich trotz Schneetreiben in der offenen Haustür stehen lasse. Es wird Lebensmittelknappheiten an einem Ort nach dem andern geben: Matth. 24, 7. An einem Ort nach dem andern Seuchen geben: Luk. 21, 11. Na bitte. Erdbeben:

Matth. 24, 7. Zunehmende Gesetzlosigkeit: schon wieder der schlaue Matthäus. Den Eltern ungehorsam. Geldliebend: 2. Tim. 3, 2. Mehr die Vergnügungen lieben als Gott: 2. Tim. 3, 4. Rubin hat zu viel Alkohol getrunken, aber er probiert es nochmal. Der bemerkenswerte Umfang seiner Liebe verrät sich trotz Alkohol nun auch formal. Frieden zwischen Mensch und Tier, versprechen die ERWACHET-Frauen. Die Erde wird zu einem gesegneten Paradies. Das Problem der Wohnungsnot gelöst. Jetzt unser Haupt zuversichtlich emporheben. Keine berechtigten Gründe zum Zweifeln. Erwachet, los schon! Was es dich kostet. Wende Zeit und Mühe auf. Tun wir ja, Rubin und ich, ohne dabei die Vergnügungen, Gott, ewiges Leben, was es uns kostet, den Himmel und das ganze Drum und Dran auseinanderzuhalten. Schöne Zeit, schöne Mühe, schöne Aufwendungen. Laß dich nicht durch Schwierigkeiten abhalten, sagt ERWACHET-Redakteur X. Schwierigkeiten mit den Hotels, mit den Bahnsteigen, wir lassen uns nicht abhalten. Schwierigkeiten mit dem calvinistischen Gewissen. Laß dich trotzdem von den blöden ERWACHET-Leuten nicht einfach mit DU anreden. Sichere dir eine schöne Zukunft, raten sie mir im Stil ihrer Zeitschrift, der die schöne ungenaue Transzendenz mit der schönen schnöden Weltlichkeit zum nützlichen Brei verrührt. Auf meinen Mann hat man sich aber wenigstens immer verlassen können, sage ich Rubin, der mir schon wieder diese abgedroschene, unreinliche, höchst signifikante, überaus substantielle Liaison nacherzählt, das Verjährte, sagt er, zu seiner Zeit aber einfach die Logik der Sache. Ich sage nicht: arme Martha. Ich bin eine Nummer in der Ahnengalerie deiner Betten, sage ich auch nicht. Ich bin auch den Ankunftssport am Zielbahnhof leid. Aber wieso eigentlich. Geschiedene Frauen reagieren eigentlich nicht so. Das steht in irgendwelchen Akten, also gut. Ich will mich nicht abholen lassen, ich will mich abholen lassen, ich will mal von meinem von mir geschiedenen Mann am Bahnsteig hören: wie gut du aussiehst, ausgeschlafen, hast du sogar etwas zugenommen? Ich will mal auf meiner Reise allein gewesen sein. Also liebst du ihn gar nicht, mit dem du in einer Unternehmung kollaborierst, die nach allgemeinem Sprachgebrauch Ehebruch heißt? Ich antworte nicht, weil mich keiner fragt. Ich könnte aufzählen, wen ich liebe, es befände sich der Name meines Mannes in der Liste. In Kirchen denke ich ungenau an alle, an Rubin auch, auch an ihn ungenau, es sei denn, er ist dabei und wir probieren unsere gesetzestreuen, gottgefälligen Schändungen. Schändungen gelingen uns so gut wie immer. Bei Schändungen versagen wir mit tödlicher Sicherheit nie.

Rubin ist sich über Martha im klaren. Martha ist sich im Wust ihrer Irrtümer und, nachdem die eine mögliche Weiche in ihrem Denken gestellt wurde, über Rbin im klaren. Die zwei machen sich nichts vor. Mit den paar Professoren und einiger unklarer, pathetischer Gefolgschaft ist Martha so ungefähr die einzige, die an Rubins Genie glaubt. Rubin hält nichts davon, Geständnisse zu unterdrücken. Sein Gewissen weint sich jeweils rein. Das war schon beim 1. Ehebruch überhaupt keine Frage für ihn: heraus damit. Das ganze wirre verteutelt herrliche Elend, das Leid, das Vergnügen, nur heraus, dann in die Einzelheiten, für die Martha sich ein süchtiges Gehör angewöhnt hat. Es entsteht bloß Gefahr für Rubins Seitenbocksprünge, wenn sie die Finanzlage des Haushalts angreifen. Telefonrechnungen, Hotelarrangements, Taxifahrten, überzogene Konten nimmt Martha übel, Leidenschaft nicht. Bereitwillig weint sie mit. Wenn es bei Rubin so weit ist, heult er einfach herum, heult ihr was vor, sie heult zurück, die Türen der Wohnung stehen offen, die streikende Tochter Ruth bewegt sich träge zwischen Türen, Angeln, Geheul der Bewohner. Martha kann ihr Geheul jederzeit auf den Kummer mit Ruth verlagern. Letzte Nacht kam sie erst gegen Mitternacht nach Haus.

Nr. 606. Die Infusion, unter der Assistenz von Schw. Charla, nimmt diesmal eine hellblonde Ärztin vor. Ihr Äußeres ist am Geschmack von Frauenzeitschriften orientiert. Der weiße steifgestärkte Kittel sieht wie das Ergebnis einer Modeberatung aus. Sie konnte nur Ärztin werden, weil ihr das samt Berufskleidung, Berufsattributen (Stethoskop, Blutdruckmeßgeräte und Hintergrund der Instrumententischchen, Reagenzgläser, der ganzen aufgeräumten Hygiene) so gut steht. Rubin hat den Brief an mich so gut wie fertig, aber für weitere Relevanzen muß er die Wohnung nach Schreibmaterial durchkämmen. Den nicht ganz auf den Grund gekommenen Brief so abzuschicken, wäre ihm zu amputiert. Sie werden nun die revolutionären, laxierenden Konsequenzen der Infusion tragen, auf zinnernem Nachtgeschirr, schön geheimgehalten unter Ihrer Bettdecke. In diesem Zustand könnte ich jederzeit Besuch empfangen. Meinem sehr vergnügten Mann kann ich mich heute ähnlich vergnügt demonstrieren. Hierbei hilft mir eisgekühlter Zitronensaft. Noch vor 4 Tagen hätte ich diesen Saftgenuß aus gewohnter Verachtung für Säfte abgelehnt. Wie vertragen sie sich zu Haus miteinander? Ich frage sogar nach Rock. Ich wünsche mir in der Notwohnung für sie alle einen Frieden vergleichbar dem, der in mir durch gelöschten, durch löschbaren Durst entsteht.

Martha blickt sich um, gefaßt darauf, daß sie Rubin bei irgendwas ertappt, egal bei was, möglicherweise bei nichts, ertappt so oder so, einfach als der vertrackte, irre, heißgeliebte, leidenschaftliche Rubin, vielleicht bei einem Satz von Christian Fürchtegott Gellert, bei einem Gedankengang über die Frau, das schwache Geschöpf, die bittere Medizin für den Mann. Gellert, der Junggeselle. Rubin, der Ehebrecher mit starkem Bedarf an Medizin, die nur im ehelichen Bereich bitter schmeckt. So kennen Martha und Rubin das seit x Jahren inundauswendig. Sie haben es gar nicht so ungern. Martha hebt auch eine ihrer Hände ans Haar. Die rötliche Haarfarbe hat Rubin mal gefallen, ihre kleinen Hände haben ihn gerührt, ihr kleines schäbiges Portemonnaie, das sie im Café, ihrem ersten Treffpunkt, aus dem Mantel zog, hat ihn auch gerührt, aus Rührung folgte er ihr gleich an ihrem ersten Tag ins Bett, oder was war das, aber dann mußten sie gleich heiraten. Sie waren knapp über die Minderjährigkeit hinaus. Martha schiebt das Haar am Hinterkopf an, um mit der doch wieder vergänglichen Bauschung ihrer am Morgen hergestellten Frisur eine bessere Hinterkopfwölbung vorzutäuschen. Das ist alles zu erwarten. Das ist alles ihre Art. Rubin nimmt sich seinen Roman im Sinn einer Entschädigungsurkunde für das vor, was er bekommen und nicht bekommen konnte. Schreiben als Racheakt. Aber immer: Wahrheit. Er akzeptiert das nicht: Leiden ist normal. Er denkt in aller selbstbewußten Seelenruhe, in seiner beharrlichen Seelenunruhe getrost weiter entschieden elitär. So, wie es die Gesellschaft will, will er es nicht. Selbstverwirklichung beansprucht Rubin für sich und eine jeweilige Person. Die andern braucht er dann jeweils nicht übertrieben zu bemitleiden, nicht zu berücksichtigen, es handelt sich jeweils um Alltagsmenschen, die sich immer abfinden können. Ich schwörs dir, keiner wird drauf gehen, keiner wird ins Gras beißen, aber die wahrhaft Ungeschonten, das sind wir. Dahin kommen, das normale Leiden anzunehmen, der Gesellschaft rechtzugeben, soll durch Rubin verhindert werden. Todesgedanken bedrückten den kränkelnden Professor Gellert, diesen witzigen Zuchtmeister törichter Vergehungen. Rubin ist alle 24 Stunden ein trauernder Hinterbliebener. Martha knöpft irgendwo an Rubin herum, Knöpfe sind da immer zu verschließen, und das ist alles wie es immer ist, bald ist kaum was, bald Erhebliches, bald gar nichts, bald das Entscheidendste dazu zu sagen, alles Marthas Art, die Rubin genau kennt, und die ihm egal ist, was er auch behauptet, sie ist ihm per Einübung vollkommen egal, ist ihm bisweilen recht. Martha ist brauchbar, wenn Kummer ihn zernagt, sogar brauchbar im Kummer durch Martha, im Ärger über sie, denn man kann sie gehörig anbrüllen, sie schafft das. Sie ist also auch auf diesem kalifornischen Schauplatz brauchbar, denn sie soll dringend auf den Kummer des Tages aufmerksam werden. Noch will er dran denken, woran er denken will, und das plant er auch für die Dauer des Lunch. In einen Sarg stecken werden sie ihn eines schönen rubinschen Todestags nicht. Wie die Mitglieder der Musilschen Familie wünscht er, als Asche zu enden und über irgendwelche Gegend verstreut zu werden. Rubin wird weniger Asche ergeben als die zusammengezählten Zigaretten seiner Biografie. Unsere Schuhe gegeneinanderzustellen, meine, seine, Beine gegeneinanderzureiben — das sind Sachen, für die dann gleich am Tisch ich zuständig bin. Rubins Denken willigt nachträglich ein. Er muß sich in den Alltagsnotwendigkeiten schon ganz auf mich verlassen, ihm fällt nichts ein. Gellert: er konnte lächelnd ernsthaft sein. Rubin regt sich noch immer über die Irrtümer auf, die ein Professor kürzlich in puncto Gellert von sich gab.

Auf nichts Deutlicheres bin ich auch in der St. Patroklikirche gekommen, auf nichts Geringeres als auf den Satz: BEHÜTE SIE. FÜRCHTE DICH NICHT, ABRAM. Fürchte dich nicht, Rock. Mein Trauspruch des melancholischen Jesaja fällt mir zum Glück ein: ERBARME DICH, DENN ... Gemeint ist die Familie. Mit Rubin haben meine Gebete nichts vor. Wir arrangieren uns so. Warum läßt Rubin sich denn nicht auch scheiden? Für dich war es doch ein richtiger Entschluß, er aber, er und seine Frau und seine Behauptung: das ist keine Ehe mehr — und ihr Résumé: so habe ich mir mein Leben nicht vorgestellt. Was also ist mit diesen Beiden? Wegen der Kinder? Hast du selber nicht auch einen Sohn? Martha will auf keinen Fall als geschiedene Frau herumlaufen, und sofern Rubin sich finanziell nur einigermaßen an die Spielregeln hält und die Haushaltskasse berücksichtigt, genießt er ja doch jegliche Freiheit. Martha bezahlt die Raten einer Geschirrspülmaschine ab. Martha hat den neuen Gebrauchtwagen Vollkasko versichern lassen. Martha gibt Geld aus für den Fortbestand. Reden wir nicht von meiner kaum geglaubten, beinah ungelebten, nicht zu Ende gedachten Ehescheidung. Ich werde Jahre brauchen, bis ich mich unverheiratet fühle. Ich werde dazu bis an mein letztes krebsiges Bett brauchen.
Ja, daß ein so hübsches Mädchen wie Ruth herumstromert, ja das ist zwar schlimm, aber einleuchtend. Mit 15 ist sie doch allerdings noch ein Kind. Nun, so denkt ihr älteren Leute. Aber ihre Freunde sind allesamt Stromer. Selbstmordversuche und so weiter, Spelunken, Prügeleien, Kaufhausdiebstähle. Martha

hält Rubin Gleichgültigkeit vor. Ruth, das Mädchen ohne Interessen und ohne Privatleben. Noch immer gab man ihr kein eigenes Zimmer und das Ehebett teilt sie mit der Mutter. Rubin soll sich der Ruth-Katastrophe mal annehmen, er ist schließlich der Vater, und was für ein schlechter, wenn auch Genie, aber hätte er nur, als es noch Zeit war, mal kurz und kräftig zugeschlagen. Rubin: jetzt mal für mindestens 2 Monate Schluß mit dem Rumzigeunern. Denk an deine Pläne. Du könntest gelegentlich etwas Geld verdienen mit einem deiner 100 Talente. Du darfst einmal pro Woche mit deiner Freundin telefonieren, ca. 20 Zeiteinheiten. Du und sie, ihr solltet eure Sache überhaupt besser einfach sublimieren. Ihr könnt euch jede Nacht im Traum begegnen. So was gibts. Bist du nicht ein Künstler? Hörst du nicht auf Lichtenbergs Rat, lieber gleich zu hassen, wenn die Liebe nicht produktiv macht? Wo bleiben denn deine großangelegten, weitausgreifenden, überall hin schweifenden Ehrgeizigkeiten stecken, wo bleiben die Resultate? Liebe, sagt Rubin, die sich im Kopf abspielt, schmeißt mich auf mein elendes grünes Unding, mein Lager, übrigens arbeite ich liegend, deshalb sieht es nicht so aus, und ich wehre mich, was die Tochter betrifft, gegen die erniedrigende Rolle des Klinkenwächters. Rubin leuchtet es überhaupt nicht ein, weswegen ausgerechnet das verstockte Kind Ruth ihn von seinen ganz monströsen, existentiellen Gehirnvorgängen abhalten solle. Gutwillig und tief beleidigt reicht Martha ihm, dem von Wut und Tränen Halberblindeten, die Malsachen, denn im Zustand seiner verheulten, geronnenen Verzweiflung käme außer dem Malen höchstens noch das Anhören von Musik in Frage, dies aber ist weitgehend bloß Trost und daher unproduktiv, während über den rauhen Blättern, zum Teil auf kostspieligem Japanpapier, doch immerhin was entsteht, wer weiß. Ein Galerist zeigt sogar ein gewisses Interesse. An Freunde wurde dies und das verkauft, unter Preis, meint Martha. Rubin, der liebe Idiot, verschenkt, paßt Martha nicht genau auf, Bilder und Bildchen, die womöglich was einbringen. Neulich war ihm eine junge Frau so sympathisch. Sie war auch so hungrig nach einem ganz bestimmten farbigen Blatt. Sie sagte: Farbiges Psychogramm. Sie begriff sogar Rubins Erläuterungen, sie fragte überhaupt nicht zurück, sie begriff das Wichtigste: das SYSTEM. Also weg mit dem Bildchen, dem Klecksogramm, weggeschenkt in die besten Hände. Rubin tröstet sich, pinselt, aber er muß zu oft unterbrechen, das viele Bier, er muß zu oft das WC im Zwischenstock aufsuchen. Immerhin spart er etwas Zeit, indem er die Hose schon gar nicht mehr zumacht, außer am Bund, und zweitens vertauscht er jetzt das entlegene WC mit dem Bidet im Badezimmer, wo er zumeist die Katze findet. Irgendwas hat diese Katze für dieses Bidet übrig, vornehmlich, wenn Rubin malt, Bier trinkt und in Eile ist. Wie können wir uns gegen die Frechheit unserer Mitmenschen wehren, fragt er die Katze, die aussieht, als wisse sie es. Was für ein gemeinplätziges Undenken setzt Martha in den Zustand der Unverschämtheit, mich wie eine Furie bei der Arbeit zu überfallen mit dem Zuruf ihrer Alltagsstimme: Und jetzt, du Genie, a tempo rüber in den Laden, denn es sind schon wieder keine Dies und Das und waswweißichwasfür Krimskrams für die miserable Küche mehr in diesem von Gott persönlich verdammten Haushalt. A TEMPO! Eine ordinäre Sprache löst sich aus einem ordinären Denken. Falls das überhaupt noch dem Denken blutsverwandt ist. In meinem Zorn hab ich dich geschlagen, aber in meiner Gnade erbarme ich mich. Rubin und Jesaja sind nicht blutsverwandt, aber immerhin miteinander in der Diskussion. Die Logik dieser Frau, meine Liebe, ist von bedeutender Nichtexistenz. Ich schwöre dir, in dieser Lebensverlogenheit bringe ich mich nicht in den geriatrischen Prozeß, bis an die Alterskante, auf die Martha mit meinem eigenen Geld wie wild losspart. Unerschrocken fühlt Rubin sich in hellsichtigen Momenten nicht, und er erschrickt um so mehr, wenn er dies wahrnimmt. Das große, pläne- und ränkeschmiedende, alternde Kind Rubin glaubt trotzdem weiter daran, daß er sich, wie seit Jahrzehnten halluziniert, EINES BALDIGEN TAGES endgültig absetzt. Er sagt so: absetzen. Er ist, wenn er es sagt, fest davon überzeugt. Aber er weint unmittelbar danach.

Noch immer auf der Terrasse der Berrys, obwohl längst gegessen werden soll. Wie sie es geübt hat im Verlauf ihrer holprigen Ehe, dreht Martha sich nach werweißwem um, vielleicht nach keinem, vielleicht nach Rubin, von dem sie sowieso alles, was sie sehen würde, erwartet. Empfindet Rubin aber nicht auch Mitleid für Martha? Eine lange Liste seines Mitleids. Habe ich ihr denn je Korpulenz vorgeworfen? Bin ich nicht immer wieder zurückgekehrt? Zum Beispiel, wenn wieder ein Kind ihren 9 Monate zuvor von mir aus nicht näher zu bestimmendem Anlaß verwöhnten Leib satt kriegte und heraus mußte. Warum habt ihr das denn überhaupt immer wieder miteinander gemacht? Sprichst du nicht von deinen der Ehe schon in ihren ersten Jahren entgegengesetzten erotischen, spirituellen, sexuellen, hochbedeutenden und nichtssagenden Konzepten? Aber dann nochmals sogar Ruth, 15. Wenn es später nicht mehr zu Kindern kam: Zufall. Ihr habt ja noch vor einigen Monaten den Bettlakenbereich innerhalb des Syndroms Ehe gemeinsam aufgesucht. Also bitte: schon wieder: Mitleid. Großherziger Rubin. Bis das einfach nicht mehr ging. Bis das Martha einfach einsehen mußte, auch einsah, und nun ist alles neutralisiert. Rubin sieht so aus, als verspüre er ein leichtes Bedauern. Schön: mitleidiger Rubin. Empfindest du Reue? Reue, die dein lebendiger Wille sein soll, fester Vorsatz. Ach, geh mir mit dem alten Platen, August von. Rubin hat da seine ganz genau durchdachte gegensätzliche Meinung, außerdem besteht er darauf, er habe nichts zu bereuen. Klage und Trauer über begangene Fehler, laut Platen zu nichts nütze, betreffen ihn auch nicht. Er hat Fehler begangen, das gibt er zu, Fehler in Massen, aber jeder einzelne war notwendige Konsequenz.

Schlechte Träume gehen ja schließlich doch bloß auf abendliche Ernährungsfehler zurück. Wer von Sublimation und Verdrängung nichts hält, hat Freud mißverstanden und stellt sich gegen die Zivilisation. Rubin, wir müssen uns auf die Gesellschaft einlassen. Wir laufen in der Zivilisation unzivilisiert herum, wir sind zu alte kleine Kinder, wir verirren uns zu oft. Rubin, für welches Elend sind wir eigentlich verantwortlich? Rubin, wen dürfen wir ruinieren? Ich darf nicht einmal mich selbst ruinieren. Ich bin gestorben. Rubin weint immer wieder, Rubin malt und weint, jetzt heult Rubin, aber er leidet am meisten. Mein Mann sieht blaß aus, in seinem Gesicht kann die Traurigkeit mit dem Beleidigtsein verwechselt werden, mein Mann sieht, knapp zwei Tage nach meinem Tod, ganz besonders nach niedrigem Blutdruck, Neuralgien aller Art und Halsweh aus, aber er leidet am meisten. Rock macht einen Witz, ich bin gerade gestorben, er versorgt die verwundete Taube mit Äther, die Taube stirbt schmerzlos, Rock betrinkt sich, Rubin hat sich betrunken, Rock macht einen Witz, aber er leidet am meisten. Kitty muß selbstverständlich aus dem nun einmal begonnenen, von Teigklumpen umzingelten Prozeß in der Küche das Weihnachtsgebäck herstellen, aber sie leidet am meisten. Helene heult, Rubin heult, Helene hat Hunger, aber sie leidet am meisten. Rubin, ich bin traurig. Ich suche mir nicht wirksamere, herzergreifendere Vokabeln aus dem Synonymenlexikon. Traurig genügt. Rubin, ich habe erörtert, was sich erörtern läßt, wenn ich mich an das Gebot der Verdrängung halte. In Ordnung kann nichts kommen. Rubin, ich kann nicht wie Martha, wenn sie Leiden kompensieren muß, mit Gallensteinen auftrumpfen. Ich bin so ziemlich gesund. Rubin, unser todernstes Stück, und die einigen Nervenlängen, um die sie alle dahinterherrennen. Haben sie uns eingeholt? Es endet und endet und endet nie, bis es endet. Sie sehen jetzt wieder viel besser aus, sagt Frau Heinrich. Ihre Rede ist ruhig und sicher, schreibt der Rezensent. Sie liest deutlich, blaß und halb unter Haaren verdeckt, sie distanziert sich, was hält sie denn von ihrem Publikum, warum will sie nicht eindeutiger die Welt verändern, was tut sie denn für die Menschheit, wie steht es denn bei ihr, die dauernd an allem herumkritisiert, mit der Ehrlichkeit. Sie antwortet freundlich und unverbindlich. Es scheint ihr ziemlich gut zu gehen. Dies sind ihre bösen Reden aus der Idylle. Von dort aus legt sie ihre Finger auf die kranken Stellen im Zusammenleben, sie drückt ganz schön fest zu, aber sie lächelt ja. Gellert, der deutsche Lafontaine, der lächelnd ernsthaft sein konnte. Aber da zeigen sich keine Parallelen. Eigentlich hat sie es immer nur um sich herum ruhig und friedlich haben wollen, wenn nicht anders möglich, dann wenigstens dem Anschein nach. Das ist im Grunde wirklich keine hochmoralische Haltung. Ihr Mann hat sich großartig benommen. Großartige Geduld. Heine hingegen tötete aus Eifersucht den Papagei seiner Geliebten. Auch Rubin schwänge sich zu so was nicht auf.

Und das Abschiedsfest für Schwester Phoebe ist nun auch vorüber. Der Nachfolger hat im Verlauf einer langen gefühlvollen Andacht und einer allerseits mit Freuden aufgegriffenen Zusammenkunft, betitelt GEMÜTLICHES BEISAMMENSEIN, exakt versäumt, die Verdienste des Vorgängers zu erwähnen. Anstelle seines Vorgängers hat der Veranstalter einen andern Pfarrer, der Anstalt als Gast und Gönner verbunden, zu Wort kommen lassen. Das Lob dieses Pfarrers hob Schw. Phoebes Verdienste weit über ihre Verdienste, und sie selbst hat das als peinlich empfunden. »Schw. Phoebe kam regelmäßig mit denen, die in dieser Anstalt treu dienten, zu uns in die Schloßkirche. Es war jene harte böse Zeit, in der Gott in seinem unerforschlichen Ratschluß es wollte, daß ein Mensch zum Dämon werde und Macht über seine Mitmenschen gewönne. Die schwere Zeit unter dem Joch dieses Rattenfängerdämons, zum Verderben unseres geliebten Volkes und Vaterlandes, soll hier aber nicht heraufbeschworen werden. Genug mit der düsteren Vergangenheit. Auch unsere Morgenwachen donnerstags, 6.45 Uhr, wurden von Schw. Phoebe mitgetragen, gefolgt von ihren Getreuen. Natürlich kamen zu solchen unwirtlichen Morgenstunden immer nur Wenige; Gläubige, Unerschütterliche, 12 bis 15, aber zu diesen stieß sie mit kleiner Schar, angeradelt auf dem geliebten Fahrrad, ihrem wahren Lebenskameraden. Wir hatten keine Orgel, aber, wenn sie da war, stets einen vollen Gesang. Ihr prachtvolles Organ stimmte jeden von uns munter. Und das Andere: sie hat unseren BCJ mit seinem Leitwort FROMM UND DEUTSCH UND WELTOFFEN — christlichere Anspielungen mußten wir damals vermeiden — sehr geliebt und gefördert. Der Bund hatte durch diese Frau dank manch schönem Malzkaffeestündchen in der Anstalt Bethseda wahrlich eine Heimat. Ja: Heimat.« Der Vorgänger hat im Verlauf dieser Ansprache die Augen geschlossen, als schlechter Einschläfer aber leider nicht geschlafen. Aus den Städt. Kliniken verlas Schw. Wilmuth ihr selbstverfaßtes, laut applaudiertes Gedicht: »Wer ist im Bethseda in der Früh / Am Kohlenherd eh noch der Kikeriki / Als Wecker läßt tönen sein Geschrei / Wer kocht den Kaffee, wer rührt den Brei / Wer füttert die Hühner, schließt die Tür / 's ist Oberin Phoebe, und die sitzt hier.« — »Wir danken ihr / Wir danken ihr!« jubelten die andern Schwestern im vorbereiteten Refrain.

Ich bin ja nicht mehr verheiratet, also keine Angst vor dem rosafarbenen Anmeldungsblock im Hotel. Rubin war es sowieso von jeher egal. Mir ist es wieder nicht egal. Rubin merkt wieder nicht, daß er mich neben mir am Schalter der Reception mit seiner LOGIK DER SACHE, mit seiner gedankenlosen Ruhe, mit seiner WAHRHEIT DES DINGS AN SICH, daß er mich nervös macht. Daß er mich ärgert. Daß sein Gepäck mich ärgert. Daß ich unruhig bin. Daß ich im Lift nicht will. Daß ich nicht gleich ins andere Zimmer will. Daß ich es saublöd finde, sich zu erkundigen: 227 und 289, liegt das auf dem gleichen Stockwerk? Daß er das Trinkgeld vergißt. Daß das Trinkgeld die Höhe einer Bestechungssumme hat. Daß alles so ist. Er braucht aber nicht zu fragen, was mit mir los ist, denn er hat ja nichts gemerkt und jetzt ist auch schon gar nichts mehr los, beziehungsweise, das, was jetzt mit mir los sein soll, hat sich, wie ich es gewußt habe, eingefunden. Ich bin dein, hilf mir: Psalm. Wir machen es ganz weltlich und biblisch. Aber während Rubin sich auf dem Bett ausruht und es genießt, daß ich am Tisch sitze und irgendwas auf Hotelbriefpapier schreibe, schreibe ich gegen ihn. Bitte, mir war seine Anwesenheit wirklich nicht erwünscht, glauben Sie mir, was soll ich machen, so und nicht anders kann er die Liebe verstehen, der Begriff des Verzichts besitzt für ihn keinen ethischen, keinen überhaupt der Reflexion würdigen Inhalt.

Rubin sind nicht mehr genügend Stationen der Northern Line eingefallen. Er mußte aber drauf kommen, dies war ein neuer Zweck seiner Anwesenheit an der Brüstung über einem kalifornischen Abgrund mit Abrutschgefahr, seines Ausharrens mit mir, über die er so bald wie möglich herfallen wollte, seines ersten Zugriffs sicher — aber jetzt zunächst mal wieder etwas Vertraulichkeit aus der Rückblende. Martha kennt das ja alles. Martha hat alles in Fotos und in niedergeschriebenen Träumen gewissenhaft, verquält, poetisierend und dem säuischen hochverehrten Genie nachlaufend fixiert. Es ermüdet Rubin nie, sein Leben zu erzählen. Es handelt sich bei diesen autobiografischen Fragmenten, in denen er nachdenklich herumschnüffelt — Zweck: Selbsterkennen — um Abweichungen von der pragmatischen, matschigen, ehelichen Häuslichkeit. Als Knabe war er sehr gehemmt und voller Angst. Er hat sich selbst nie angefaßt, doch dann, wenn es anders nicht mehr ging, dann doch, aber danach fühlte er sich tagelang wie ein Betäubter. Es macht dumm, hat seine Mutter gesagt. Du darfst das nicht. Er griff mit größter Sorge da hin, die Sorge nahm ihm Lustempfindungen, hinterher nahm ihm die Betäubung das Schuldgefühl. Seine 1. sexuelle Befriedigung mit dem 1., etwas älteren Mädchen — sie war scharf drauf, sie wollte es, sie war in mich verliebt — fand zwischen den Oberschenkeln des Mädchens statt. Das hatte gar nicht überwiegend mit Ungeschicklichkeit zu tun, denn das Mädchen zeigte ihm durchaus, wie es zu machen war. Was wurde in der Zwischenzeit aus Rubins damals so kompliziert synthetisierter Ehrfurcht vor den weiblichen Genitalbezugsquellen? Na ja, viel später, mit dem Mädchen aus Nordlondon — keine Sorge: passé, aber immerhin: ein gutes Gesicht und sie verstand was von Nietzsche, dem Buchsortiment und sanften Tonlagen — hat er sich frei von pubertären Rückstandsproblemen in Totteridge & Whetstone treffen wollen. Ich, sage ich, ich wäre dagewesen, zu pünktlich wie immer. Daraufhin werde ich natürlich schnell mal umarmt. Daraufhin muß Rubin schnell mal — kurz, pathetisch — sein nicht von dieser Welt stammendes Glück mit mir und sein von dieser Welt stammendes Pech des ohne mich und vor mir zu lang versäumten Lebens beklagen. Rubin kann sich, auf der schattenlosen Gebirgsterrasse der Berrys, Nebel vorm Pacific, Nebel in seinem Kopf, nicht vorstellen, daß es zwischen Tufnell Park und Highgate keine Station geben soll, wie sein störrisches Gedächtnis behauptet, und so verhält es sich auch nicht. He, Rubin, ich habe diesen Tick und immer einen Plan der Londoner Underground bei mir. Es gibt also die Station Archway. Ach, Liebchen, das ist ja nun schon Lichtjahre her, es zählt doch überhaupt nicht. Daß ich mich und dich damit beschäftige, hat einzig epische Gründe. Der ROMAN. Ich muß die Zusammenhänge herstellen. Mein Roman, und verlaß dich drauf, der wird geschrieben, gibt sich nur mit der äußersten Gründlichkeit ab. Im Unterschied zu dir werde ich nichts aussparen. Nichts hinzuerfinden. Keine Verfälschung aus formalen oder aus werweißwelchen Gründen, statt dessen: Wahrheit. Und sie werden es alle zu hören bekommen. Es wird das Ende der niederträchtigen Verleumdungen sein, denn ich, kein de Sade, ich will von der Wahrheit nicht ablenken. Sie halten mich für einen Fraueneinkäufer, für einen Sexualkonsumenten, für einen Don Juan, aber sie werden sich wundern. Es war, auch das Läppische, jeweils die innere Konsequenz. Highgate, East Finchley, Finchley Central, Westside — er verheddert sich schon wieder. Woodside Park. Da steht sie vielleicht noch immer. Rubin hat am Perron von Totteridge & Whetstone auf dieses auffallend hübsche Mädchen gewartet, er hat zu diesem Zeitpunkt sein absolutes Recht auf Emotion gespürt und sich beim besten Willen, ohne überhaupt einen Willen zu haben, kein hübscheres, vor allem kein wichtigeres Mädchen vorstellen können als dieses, während Zeit verstrich und sie in Woodside Park wartete, angeblich auf Grund eines Hörfehlers. Rubin hat keine Lust, sich in der Rolle eines Trottels zu begreifen und er gibt sich damit nicht ab. Natürlich lag dem Mädchen genau so viel wie ihm an dieser Verabredung, Ziel: Beischlaf. Göttlicher Beischlaf, höhere Begattung oder so ähnlich, Goethe. Das Mädchen, korrigiert er sich, war wahrscheinlich noch mehr als er darauf aus. Man kann aber nur als Tauber die Namen Woodside Park und Totteridge & Whetstone miteinander verwechseln, sagte ich, sage ich, aber vielleicht irre ich mich und habe nichts gesagt. Martha, Linda, Ben, Bernie-Boy, Eudora, Miß Häfflinger, Ruth und Schmiß, der etwas zu spät kam, kennen die Perrons beider Stationen nicht. Warum soll ich mich damit beschäftigen, Rubin? Ich bin nicht Martha. Natürlich gab es auch eine postpubertäre Zeit der homosexuellen Beziehungen, besser: Versuche, in Rubins Leben. Professoren, ein namhafter Musiker und ein Dichter befanden sich unter den Interessenten. Rubin hat aber nur passive Rollen angenommen, und einiges war durchaus erheblich, überdies geschah alles im Rahmen philosophischer, theologischer, germanistischer, literarischer, musikalischer Erhellungen, und gleichzeitig waren da Martha, deren erste, beinah abgelaufene Schwangerschaft, und Anne oder Änne, trotz Akne für Rubin ungemein erotisierend. Rubin, ich zelebriere deine Zerstreutheiten nicht. Dir bleibt Martha, dich tränenreich in die Höhe zu stilisieren, dich kupplerisch, verheult, mit dem Fotoapparat und dem Traumbuch auf-und-ab-zu apostrophieren. Sie sind alle verjährt, Episoden, sagt Rubin, amnesty international, und er legt, nicht verjährt, seinen verjährenden Arm um mich, alles im Zustand der Amnestie. Amnestie fordern für diesen Demonstranten der existentiellen, philosophisch-spirituell untermauerten Verworfenheiten. Alles um der Epik willen. Alles gegen diese Verallgemeinerungen, diese Egalisierer, diese Hominiden, alles für den ROMAN und für mich, das Ende der Geschichten, für mich, die Geschichte der Geschichten. Er erzählt deshalb für mich wieder vom Hotel in Boulogne, viel zu ausführlich, er weiß noch Einzelheiten, sogar Geldbeträge, und was wirklich daran gar nicht übel war, und was ihm wirklich längst vollkommen egal ist, ausgelöscht, aber dies muß einfürallemal geklärt werden. Das Mädchen hat ihn sehr gut behandelt. Es hat ihn mit einem winzigen Blumenstrauß am Bahnhof empfangen. Schon reichlich rührend. Ein ganz feiner lieber Kerl, und außerdem fast eine Zwergin. So was hast du noch nicht gesehen. Ich sehe nicht hin. Ich sehe es. Rubin will ja bloß beteuern, daß er aus purer, ja selbstloser Gefälligkeit die gewissenhafte Schmuddelei ins Hotel in Boulogne verlegte. Sein Körper hat aber gegen pure Hochherzigkeit gearbeitet und mitgespielt. Weiß mein Kopf nicht, was mein Unterleib tut? Eine konzentrierte Anstrengung des Bewußtseins, weiter war es nichts. Es war also: Gerechtigkeit. Mit dem Mädchen zu schlafen — im Jahre des Heils Soundso — gelang durch Rubins gutmütigen anstrengenden Bewußtseinstrick, der einer bestimmten Logik nach bewerkstelligt werden mußte, denn eine Reisekurzgeschichte war schließlich dieser nun nur noch altruistischen phallischen Gegenleistung vorausgegangen und hat derzeit, auf der Reise — in Marthas seekranker eifersüchtiger Gesellschaft — nicht verwirklicht werden können, und auf Verwirklichung hatte das Mädchen ein Recht. Immerhin war SIE ja nach wie vor stark verliebt, während Rubin inzwischen mit mir zusammengeraten war: Fügung der Transzendenz, sagt er in einer Umarmung und zwischen zwei Schlucken Bier. Sollte ich denn diese liebe arglose Zwergin mörderisch verletzen, indem ich — indem ich nicht — Ich habe das absolviert, fertig, arme Kleine, überdies gar nicht so gut dran mit einem in dieser Nacht Rubin geradezu diskreditierenden Phallus, er schwört es mir, er bietet zwei Erklärungen, zu beiden lacht er mehr oder weniger: Anpassung an die Zwergwüchsigkeit des Mädchens? Oder fast schon impotent deinetwegen, unseretwegen — und schnell die emphatische Erinnerung an unseren ersten Abend, Rubins und meinen. Aber nochmals episch: mit dieser Nacht mußte Rubin sich einfach anstandshalber für Unterstützungen in der fremden Stadt dankbar erweisen. Rubin kennt keine gerechtere Abart der Dankbarkeit, außerdem wurde diese Abart erwartet. Auch wußte er ja, zum Zeitpunkt vor Boulogne, dem Hotel vorausgehend, noch nichts von mir, der Geschichten Geschichte, die seine Geschichtensammlung abschließen sollte. Rubin findet, auf diese mir in einem österlichen, in einem Auferstehungssinn geschenkte Krönungsrolle solle ich etwas stolzer sein. Er beschwört mich, an das univer-

sale Glück zu glauben, es zu verwirklichen. Glück als Vorstellung von einigen Inhibitionen, Aussparungen, Verzichtleistungen, Glück, das nicht rigoros, auch selbstsüchtig verfolgt und wahrgemacht ist, das nicht aufs Ganze geht, das sich reuig verstockt und mit Vorsätzen entsagender Natur einengt, dieses Glück ist pervers und schädlich. Aber in der Boulogne-Nacht hast du mich schon gekannt, unser erster Abend lag schon Wochen zurück, zwei Tage vor der Boulogne-Nacht haben wir in einem Hotelbett irgendwo in Rheinland-Pfalz oder Nordrhein-Westfalen unsere beiden Todesinstinkte zusammengetan, wir haben gespürt, wie es ist, wenn man aufersteht, du hast wieder geistige und physische Ordnung in dein aggressives und passives Leben bringen wollen — zwei Tage davor; und während du in Boulogne mit deinem großherzigen Bewußtseinstrick Erfolg hattest, habe ich in Baden-Baden oder in der Schweiz geweint, dir geschrieben, meiner Familie geschrieben; ich habe wieder kein Synonymenlexikon und kein Fremdwörterbuch benutzt, ich habe gesagt: ich bin traurig. Ich habe gesagt: ich bin entzückt, ich bin krank, ich bin bis unter die Haut erschrocken. Rubin aber hat gerade das ganze Trauerspiel Boulogne, nämlich gerade weil ich bereits sein Leben definiert und verändert hatte für immer, als Gnade, als Abschluß aufgefaßt, als Retrospektive, arme gefällige Zwergin, die ein Anrecht auf Sexualerwartungen hatte; auch wurde doch gar nichts Richtiges daraus, zwergwüchsig in der Zwergin, auch hatte er zu viel getrunken (eigentlich, damit was draus würde, damit er den oder die Gnadenstöße überhaupt versetzen könnte), aber der Alkohol — also deshalb; aber ich, an die er doch nur noch dachte — also deshalb. Rubin erzählt. Unsere Bindung ist nicht von dieser Welt, sagt er zu mir, und am nächsten Morgen, das schwöre ich dir beim erbärmlichen Ende meines Fleisches, habe ich der Kleinen den flüchtigsten aller Küsse verabreicht. Rubin bedauert die Frauen sehr, die er verlassen hat, Martha, immer als Zuschauerin dabei, ausgenommen; er bedauert sie noch immer, diese Überholten, Überrannten, die, Spinoza richtig verstanden, verursacht vom Verlust Rubins nicht mehr leben können, weil sie es nicht mehr wünschen können zu leben. Erzählt wird nur, um diesen Nachweis zu erbringen.
Gefällt Ihnen etwa die Rolle der Vertrauten? Wird irgend jemand von irgend jemandem gefragt. Ich höre bei der Antwort nicht zu. Martha hätte sowieso JA gesagt. Ich habe NEIN gesagt.
Inzwischen steht fest, daß Marthas undeutliches Umherschauen der Tochter Ruth gegolten hat; RUTH ruft sie in der nur für Ruth erfundenen und reservierten Stimmlage, ärgerlich-

mütterlich-affig in der pädagogischen Mischung. Martha sieht weiterhin etwas gierig und etwas tückisch und anpassungs-fähig aus, insgesamt nett, und sie hat den Film leergeknipst. Wer vor 15 Jahren für Ruth den Namen Ruth vorgeschlagen hat, weiß keiner mehr, es handelt sich aber vermutlich um Übereinkunft. Rubin sprach, so lange die Sache mit dem eng-lischen Mädchen lief, den Namen seiner Tochter englisch aus, wenn er zu Haus war, allen gegenüber, es verhalf ihm zur geistigen Abwesenheit von zu Haus und zu Erinnerungen, und er findet es bis heute nicht geschmacklos, Martha eigent-lich auch nicht. Das Denken muß dem Sein entsprechen. Wahrheit, die Offenheit des Seins. Das Absolute, mein Lieb-chen, als Vernunft, Idee, Geist. Laß es so kosmisch zwischen uns zugehen, wie es beschlossen ist. Laß und das nicht ver-geuden.

Doch es ist so: wir wissen jetzt mehr. Wir brauchen uns über-haupt nicht mehr dauernd so kleinzumachen. Wir messen uns am besten mal ab und wissen dann Bescheid. Wir wachen wohlweislich morgens auf. Wir sind die Hinterlassenschaften von Träumen. Wir suchen uns da und dort. Schon setzen wir uns recht geschickt erneut zusammen. Wir wissen: Ostia, schwarzer Strand. Wir wissen: zu Krähenkämpfen im Schnee paßt uns Schubert. Wir wissen: unnachsichtige Milde in der Vorsicht des Menschen gegenüber dem Menschen, wir wissen: Rezeptpflichtgefühl auch affirmativer Apotheker. Wir wissen beispielsweise, wie man es sich wohl sein läßt. Das ist eine Errungenschaft, denn zu wissen, wie man es sich nicht wohl sein läßt, ist gar kein Wissen, sondern ist Erfahrung. Wir wis-sen das: vom Anfang tödlich getroffen, aber wohlweislich fressend, saufend, menschenunsinnig, unzurechnungsfähig, ortsansässig, jahreszeitlich angepaßt, in der Haft zwischen den Sätzen, lebenslänglich. Wir wissen jetzt auch etwas über das Lärmerlebnis. Wir wissen etwas über die Nützlichkeit von Dattelpalmen, sofern sie mit Salzwasser versorgt werden. Wir wissen etwas über das Gasthaus Zum deutschen Herd, über Pistolenschüsse auf Fische in der Ems, über die Schwierigkeit bei der ballistischen Berechnung und über Apportierhunde, die als Rettungsschwimmer erschossener Fische in der Ems ge-schickt sind. Wir wissen, was ständig nagend nach innen geht: Verzweiflung, wissen wir. Wir wissen es: Sakrileg ist das Ver-gehen gegen Heiliges. Wir wissen etwas über diesen bestimm-ten Friedhof, dessen Grabsteine aus Granit mit Schuhwichse gepflegt werden.
Doch, es ist überhaupt nicht zu leugnen: wir wissen schon fast

zu viel. Wir kennen das Ergebnis einer Umfrage und wissen: Gesundheit ist der dringendste Wunsch der meisten Deutschen. Wir wissen einen Kurort, in dem wir uns den dringendsten Wunsch der meisten Deutschen erfüllen können. Wir sterben so lang wir leben: wissen wir. Wir wissen: Katzen im Rauschzustand haben keine Lust mehr, Mäuse und Vögel zu morden. Wir wissen: im Hanfrausch, welcher der Zeit ihre normative Kraft entzieht, hätte Faust seinen schönen Augenblick nicht ums Verweilen bitten müssen. Wir wollen immer wieder weitermachen, weil wir nämlich wissen, daß wir uns dem Tod gegenüber argwöhnisch zu verhalten haben, denn über den Tod liegen trotz einer ins Unendliche gehenden Anzahl von Zeugen keine Erfahrungsberichte vor. Wir halten uns da heraus. Wir halten uns an unseren Kurort. Rechnen wir mal mit dem Anblick unseres Sees und mit seiner winterlichen Meerähnlichkeit, verlassen wir uns mal auf Nebel, damit wir so wenig wie möglich erkennen, vor allem: keine gegenüberliegenden Ufer. Beziehen wir schon mal in unsere dem Besserwissen abgerungene Kur den Stadtpark ein, den Kakteengarten, auch die besondere Kirche, auch das kaum besuchte Heimatmuseum, auch etwas Schneefall und das schöne Fehlen sämtlicher Kurkonzerte. In der besonderen Kirche treffen wir eine unbeirrbar lesende Nonne und eine Frau, die sehr weint. Sie schneuzt sich und weint weiter. Während wir kleine devotionale Albernheiten stehlen, weint die Frau seltener, sie wischt sich in größeren Abständen die Augen, sie putzt sich kaum noch die Nase und ist schließlich ganz ruhig. Also ist für sie etwas los mit dieser Kirche. Darüber wissen wir etwas weniger gut Bescheid. Wir erwarten uns bei einer fast beängstigend großen Zahl schöner langweiliger Ablenkungen während unserer Kur. Wir wissen, daß Briefeschreiben als Anstrengung schon genügt.

Doch, es nimmt beunruhigend zu, unser Wissen, etwa über Gewöhnung. Sie ist ein lebensdienliches Phänomen. Sie bedeutet Abschwächung der Reize. Sie bedeutet, daß auf Reize einsilbiger geantwortet wird. Gewöhnung ist also etwas sehr Gutes. Hingegen ist das Gegenteil des Phänomens Gewöhnung etwas sehr Waghalsiges, es ist nämlich Sensibilisierung, es ist etwas Saublödes, es ist dieses Ansteigen der Unlustgefühle, es ist diese saudumme, zunehmend negativ-emotionale Reizverarbeitung: wissen wir, Finger weg. In Mondnähe sieht die Erde aus wie ein Saphir: wissen wir, gut so. Den Mond finden Astronauten nicht sehr einladend. Der Mond ist so krebsig. Die Erde ist so ästhetisch. Die Erde verbessert sich mit anwachsender Entfernung. Der täuschende Eindruck inhäriert der Schönheit. Die Erde, der schönere Anblick, wird von Krebskranken bewohnt, und in den Gräbern der Erde vermehren die Krebstoten die krebsige Erde, aber der unbewohnte Mond sieht krebsig aus und die Erde sieht saphiren aus. Einfach mal Abstand gewinnen und siehe da. Wir wissen auch einiges über die Schwimmkünste des Delphins; wir wissen, nach 24 Lehrbriefen, das Wissenswerte über die Technik des Schreibens; über freies und angewandtes Zeichnen jedoch wissen wir erst nach 42 Lehrbriefen das Wissenswerte. Wir wissen, daß es die Spur der Heuschrecke gibt. Es gibt die Nester der Mauersegler nicht, es gibt das Schlafen der Mauersegler im Flug. Es gibt Geschlechtsplanung im elektrischen Feld. Es gibt das eigentümlich Beharrliche des Lärms. Es gibt die Nähe der Schmerzgrenze: dort wird jeder Schall sofort zum Lärm und dort werden wir geschädigt. Wir wissen immer mehr, in der Nähe welcher Grenzen wir geschädigt werden. Uns schädigt auch die absolute Abschirmung, daher also wissen wir: etwas Lärm stimuliert. Wir wissen, daß Wahrhaftigkeit Übereinstimmung der Rede mit dem Gedanken ist. Wir wissen den Mißbrauch dieser Übereinstimmung Lüge zu nennen. Wir wissen, wie man lügt. Reiben wir uns an der Realität, so wissen wir uns in unserem Widerspruchserlebnis. Wir wissen: Glatteis ist glatt, dünnes Eis bricht, Züge fahren ab. Wir brauchen uns bloß an die Akzidenzien zu halten. Wir brauchen sie bloß die Substanz inhärieren zu lassen. So stößt uns nichts Nennenswertes zu. Das Rundsein inhäriert den Kreis. Es gibt süße Sachen auf der Zunge. Es gibt überhaupt nur Todeskandidaten. Es gibt episodische Gewässer. Es gibt Löcher im Tiefseeboden und überhaupt Löcher und überhaupt massenhaft Gelegenheiten, in Löcher zu geraten, wir wissen: Reinfallen bei unvorsichtigem Verhalten. Wir wissen: mehr als man hat, kann man nicht ausgeben. Das weiß jeder, weil er es will: heute gut, aber morgen noch besser leben. Darum: mehr investieren, darum eine Gemeindefinanzreform für die Zukunft der Städte, der Wirtschaft, des Wohlstands, für uns.

Lärmschwerhörig sind wir auch nicht, am chronischen Lärmkonflikt leiden wir auch nicht, wir wissen, daß wir uns den Lärm nicht selbst auserwählt haben, wie wir von vielem andern wissen, das wir uns nicht selbst auserwählt haben. Wir sind ganz ansehnlich ausgesetzt. Wir kennen die Gesundheitsdefinition der Weltgesundheitsbehörde: Gesundheit ist völliges körperliches, psychisches und soziales Wohlbefinden, Gesundheit ist nicht nur das Fehlen von Krankheit und Schwäche. Das wird aber eine schöne Kur. Wie schön ähnlich kleinen schwarzen Bojen sind die kleinen schwarzen Bleßhühner in ihrer ausgeklügelten Verteilung über den See, wie schön vorsichtig blaß ist der See, wie schön langweilen uns die Vitrinen im Heimatmuseum. Wir wissen, wie man sich in der Öffentlichkeit nicht benimmt. Wir hören in der besonderen Kirche rechtzeitig mit der Kirchenschändung auf, somit: eine halbe Minute bevor jemand Zuständiges eintritt und die Dämmerung beleuchtet. Wir wissen, wie man den Plattenspieler nicht bedient, wir wissen, wie man bei Zittrigkeit die Pfoten nicht wegläßt vom Plattenspieler, wir wissen verkratzte Platten nicht zu schätzen. Wir wissen ungerechtfertigt hohe Telefongebühren nicht zu schätzen. Wir wissen Zank und Streit nicht zu schätzen. Wir wissen den mit unserer Geburt begonnenen Todeskampf gelegentlich unmäßig zu schätzen. Denn wir wissen, wie gut diese ganzen belgischen Biere schmecken. Denn wir wissen weitere todeskämpferische Annehmlichkeiten zu schätzen. Wir kennen den Namen unserer erdschweren Begleitung auf der Erde: Angst. Wir wissen was von der bodenständigen Angst auf und über der Erde, von der Angst vor der Angst, von der Angst vor dem Getue sonniger Tage und dem Geblödel schon wieder mal blühender Schafgarben, von der Angst vor den Aggressionen, vor den Spaziergängen, vor den Ressentiments, vor den Briefen und vor dem Heuschnupfen, wir wissen was von der Angst vor den Ideologien und vor den Orkanen, von der Angst vor der Beutelust und von der Angst vor der Unbezwingbarkeit der Fluchtaktionen — denn wir können nicht fliehen, denn die Erde bleibt bei uns, denn die Angst läßt uns nicht allein. Sie löst sich mit uns von der Erde. Sie leistet uns auch in Mondnähe Gesellschaft. Du wirst dich doch selber nicht los. Deine Angst ist sehr anhänglich. Man kann noch diese Nacht den Sarg vor deine Türe bringen, drum sei vor allen Dingen — aber was denn, wir kennen die Zeile, aber nur bis dahin. Unser Herz klopft vor Angst. Unsere Zellen sterben gehorsam vor sich hin. Unser Verfall schreitet gesetzmäßig fort. Es bleibt dabei, wissen wir, es bleibt so und wird bleiben auf der aus großer Entfernung schönen Erde. Wissen wir. Wir wissen meistens, was wir wollen. Wir wissen meistens, wie wir uns beherrschen sollten, weil wir meistens nicht das Angemessene wollen. Was uns erlaubt ist, wissen wir und wir wollen es überwiegend nicht. Wir wissen, wie man sich fürchtet. Wir wissen, wie man plötzlich abhaut. Wir verstehen uns drauf, einander zu treten, zu beißen, zu kratzen, zu beschimpfen, blutig zu schlagen, einander Hämatome zu drücken, einander mit blauen Flecken zu verzieren, einander zu lieben, wirklich: wir wissen genau, wie man sich fürchtet. Wir wissen trotzdem, wie man Sonn- und Feiertage übersteht, wir schaffen uns schöne angerissene Daumensehnen und einen schönen angebrochenen Fußknöchel und schönes einschläferndes Nasenblu-

ten an, also wissen wir: Sonn- und Feiertage gehen vorbei. Wie du auch aufs Beste weißt.
Wir wissen das Beste nicht.

Wann werden wir Zivilisierte sein? Wie lebt sichs denn heut morgen in der paradoxen Verfassung, im Zustand der Sublimation? Wann kommt denn der nächste im Kalender verzeichnete Moment JETZT, der Moment WAHRMACHEN, der die Sublimation entqualifiziert, der die Freuden der Verdrängung abwertet und widerlegt? Wem darf man den Anblick eines Couverts antun? Weil ich so gern lebe, denke ich, ich sollte sterben. Weil ich so gern vergnügt bin, bin ich so oft traurig.
Davon, wie Linda Berry die Hand auf den Kopf seiner Tochter legt, will Rubin nicht Notiz nehmen, nimmt aber Notiz davon und sieht die mit Ringen gespickte und trotzdem unfeierliche Hand auf blutsverwandtschaftlichem rötlichem Haar, eins der idiotypischen Merkmale dieser Tochter, für das er mitverantwortlich ist, sein Bindeglied zwischen seiner und ihrer Generation, während an einigen Gameten vielleicht er allein oder Martha allein schuld ist, niemand Greifbares aber an Ruths Augen, Augen von der Art, die in einem populären Gesundheitsnachschlagewerk den Verfasser des Artikels über das Phänomen WASSERKOPF an die untergehende Sonne erinnern. Ruth aber hat keinen Wasserkopf, ist wohlgeraten, ist so weit normal, wenn auch ungewöhnlich passiv und, im Sinne der gedankenlosesten, labilsten, ehrgeizärmsten Verantwortungslosigkeit, infantil. Lethargien hat sie vom Vater, Melancholien auch, asoziale Anfälligkeiten auch, auch den sehr frühen Geschmack am Geschlechtsverkehr, während aber Ruth einfach streunt, streunt Rubin mit Erkenntnisdrang und den Kopf voller Philosophie. Ruths Kniekehlen sind hübsch, werden sogar hübscher, fast kann man bei diesem Vorgang der Vollendung zusehen, aber defloriert wurde Ruth bereits, bevor die Kniekehlen hübsch waren wie sie jetzt sind. Ruth gegenüber empfindet Rubin nichts mehr von jenen inzestuösen Versuchungen, die ihn kurzfristig bei seiner 1. Tochter gequält haben.
Ich erkundige mich kurz nach ein paar Trümmern: Vergeudungen für meinen Sohn, für meinen Mann, auch nach denen, die man Martha antut. Ich erfahre, daß kein Mensch das Recht hat, einem andern Menschen einen andern Menschen zu verbieten. So ein hochpathetisches Verbot wird in meiner Familie nicht erteilt. Was aber mit dem andern Menschen verboten wird, das zeigt die Richtlinien, nach denen man sich verhalten muß. Kannst du dir einen Ehemann vorstellen, der zu seiner

Ehefrau sagt: Schön für dich, Liebes, schlaf dich zu deinem schönen Entzücken mit einem andern Mann aus, und bei deiner Rückkehr öffnen wir eine schöne Flasche kühlen Chalis' und wir essen schöne nordamerikanische Krabben aus der schönen Tiefkühltruhe, hören dabei deine und seine schöne Lieblingsmusik und du erinnerst dich schön. Du weißt doch selbst, daß es so banal nicht zwischen uns zugeht, sagt Rubin. Denk mal an Kant. Für ihn ist der autorisierte Gewissensrichter eine idealische Person, welche die Vernunft in sich selbst SCHAFFT! Bei Hegel oder Heidegger oder Wünsch oder der christlichen Ethik höre ich nicht mehr zu. Das Verbot inhäriert die Erlaubnis. Oder umgekehrt. Was weiß ich. Rubin nennt sich einen wahren Idioten. Idioten können nicht lügen. Ich habe Rubin viel mehr betrogen als er mich (mit der Zwergin in Boulogne), ich habe ihn eine Unzahl Tode sterben lassen, in einer bestimmten unvergeßlichen chimärischen Höllennacht, als ich ihn auf einer Party sitzen ließ und mit einem andern Mann ein paar Stunden durch Straßen spazierenging. Diese Nacht nur nie vergessen. So weiß man wenigstens im voraus, wie es ist, wenn man stirbt. Einen andern Menschen verbieten? Soll ich von meinem Mann erbitten, daß er Martha nacheifert und auch mir ca. für 20 Zeiteinheiten pro Woche Telefonate genehmigt? Soll ich dir Briefe schreiben, im gleichen Zimmer mit der Familie, schreiben und dann dort deine Briefe lesen? Was werden wir uns zu sagen haben: Wie ist das Wetter? Wer profitiert beim Anhören der Lucas-Passion von Penderecki? Was macht die künstlerische Produktion? Wer kriegt denn den Soundso-Preis? Was gabs im Fernsehen? Was hast du heute an? Ab wann werden wir Freud verstehen? Rubin war damals noch ein sehr junger Vater. Es ergab sich, daß er in einer bretonischen Pension mit der 1. Tochter das Schlafzimmer teilen mußte. Er hielt sich aber genaugenommen — um das weniger Relevante auszuscheiden — nur im Verlauf von einer, höchstens von 3 Nächten mit größter Willenskraft in seinem Bett zurück, allein leidend mit nennenswerter Erektion und der Grübelei, was denn eigentlich überhaupt schändlich daran wäre, wenn er seiner eigenen Tochter, ja, gerade der eigenen Tochter, kohabitierte. Er kam nicht dahinter, er kam bald dahinter und nicht dahinter, er befand sich abwechselnd in der Überzeugung, mit der eigenen Tochter, also einer auf diffizil-spezifische Weise geliebten Person, zu schlafen, stelle einen Gipfelpunkt der Liebe dar, und dann wieder in der Furcht, er könne sich irren oder schwer da wieder herausfinden. Unterdessen schlief die nichtsahnende Tochter, und er sah immer wieder hin, in höchster Not. Zur Haarfarbe der Tochter Ruth, vererbt, verschuldet von der göttlich-höllischen

Zufälligkeit einer Bettgewohnheit — nicht die mindeste Erinnerung an den Anlaß, einfach die übliche Biologie, der Gebrauchswert der Ehe, die Medizin, die mehr oder weniger erlösende Gepflogenheit — sagt Martha: möhrenfarben, denn sie ist Norddeutsche. Wenig übrig hat Rubin für Marthas Wortschatz, noch für ihre Sprechweise, nicht einmal für ihre vor Jahrzehnten doch ausgebildete Stimme, längst zur Alltagsstimme degradiert — dem gesamten Martha-Komplex gegenüber will und will Gewöhnung nicht mildernd eintreten, behauptet Rubin und es entspricht sogar bisweilen der Wahrheit.

Nun nimmt Rubin sich erneut vor, mir zuliebe dran zu denken. Erinnernd streicht seine etwas aufgeworfene Oberlippe, aber das ist furchtbar lang her, glattes blondes Haar abwärts; er beabsichtigte damals, vor Jahresfrist kein anderes Mädchen hübscher zu finden als jenes aus Barkingside, falls es nicht Barking war. Seine Absicht hat er nicht durchgeführt. Vor Jahresfrist war seine Oberlippe bereits anderweitig engagiert. Diese Oberlippe interpretiert sein sonst nur rechts erotisches Profil, gibt Auskunft über den erotischen Rubin. Sie tut es Neugierigen an. »Als waschechter Bergsteiger mit Seil, Pickel und Rucksack kam Oberin Phoebe auch in unsere bescheidene Gemeinde, sie machte Rast bei uns und holte ein kräftiges Bergsteigerfrühstück aus dem zünftigen Rucksack und trank einen stattlichen Schluck aus der Feldflasche«, erzählt Schwester Else Maurer in der Festschrift zum Lohn für lange Dienstzeit Schw. Phoebes, die außerdem die 70. Wiederkehr ihres Geburtstags gleichzeitig mit diesem Anlaß feiern kann, womit ihr über die Pensionsgrenze hinauseifernder Fleiß hinreichend erwiesen ist.

Ihre Tochter ist hübsch und groß geworden, hört Rubin nebenbei. Nebenbei erkennt er Lindas Stimme, die sich vermutlich an ihn gewendet hat, worauf er die Gelegenheit benutzt, seine allseits geschätzte Zerstreutheit zu demonstrieren. Auf diesem Szenarium befindet er sich in Wahrheit gar nicht, nicht auf dieser krautig gepflegt überwucherten Terrasse am Westhang hinter Ventura, nicht mit den andern auf diesem dem Abrutsch anheimgegebenen, dennoch schönen Grundstück, nur mit mir. Für dieses Grundstück muß die Maklerfirma den Berrys und den andern Anliegern Preisnachlaß gewähren. Das Nachbaranwesen wurde bereits von seinen Besitzern verlassen, denn das Fundament sank um mehrere Meter ab, und auch die Berrys überlegen, wie sie ihr Verfallproblem lösen, wobei Berry als Architekt allerdings geringere

Schwierigkeiten haben wird als seine Leidensgenossen ohne Sachverstand.

Aber wenn schon Ruth die Schule verlassen mußte, ein Jammer, aber wenn schon, aber warum dann nicht irgendein Praktikum? Eine kaufmännische Lehre? Krankenpflege? Etwas Musisches? Bei solchen Eltern, man sollte doch meinen. Sie streikt ja, sie probiert es mit irgendwas eine halbe Woche, dann bleibt sie einfach weg, verschläft. In der Haushaltsschule hat sie auch versagt. Sie hat einfach aufgehört, das Geschirr zu spülen. Die Tellerstapel waren ihr zu schwer. Der Putzlumpen hat ihr zu schlecht gerochen. Und bei jedem Versuch, Ruth an irgendwen zu verschachern, hat Martha zuvor die betreffenden Chefs und Ämter sozusagen auf den Knien anbetteln müssen. Ruth schläft halbe Tage, gegen Abend nimmt sie ein Bad. Das Badezimmer bleibt stundenlang blockiert, unangenehm für Rubin, der mit dem Aufsuchen des Bidet Zeit sparen will. Ruth macht sich schön für einen ihrer Rocker, dann sieht man sie so bald nicht wieder, Martha heult sich durch die durchwachten Nächte. Glaubt diese Tochter etwa, die Wirklichkeit werde sich nach ihren Launen richten? Kommt das etwa auf den Vater heraus? Rubins Untätigkeitsphasen sind jedoch denkerisch, zerfurcht, produktiv in Richtung auf ein DEMNÄCHST und DANN ABER. Rubin mit seinen allzu vielseitigen Begabungen, ach nein. Die 1. Tochter war von jeher tüchtig, eindeutig ein Kind Marthas, hat sich dann solide verheiratet, sorgt für einen stumpfsinnigen Langweiler, ihren Lebenspartner, für drei Kinder, die schon ihrerseits auf tüchtige Lebensläufe setzen lassen, betreut außerdem die Belastung des Haushalts, die Familienälteste. Wenn ein alter Mensch in der Familie zum Pflegefall wird, so scheut die Familie keine Mühe, den alten Menschen loszuwerden. Die Tochter denkt an die Zukunft Pflegefall und scheut schon jetzt keine Mühe. Hingegen Ruth, die sich planlos durch die Konsumwelt schleppt. Auf Fragen antwortet Rubin nun schon etwas alkoholisiert, mit schwerer Zunge und interpunktionslos. Natürlich liebt er sein Kind, durchaus, ohne Frage, wenn allerdings Martha ihn ständig als schlechten Vater im ganzen Universum herumdenunziert und sein unväterliches Verhalten überall durchdiskutiert, dann allerdings bekommt er so allmählich auch die Nase voll und im übrigen befaßt er sich mit seinen weitschweifigen, kosmischen, allumfassenden Plänen. Schlechter Vater Rubin. Eins weiß er: einer ganz bestimmten Fehlgeburt, deren Angedenken er nicht verjähren lassen will, wäre er der beste aller Väter gewesen. Er hat den winzigen toten Schädel in der Hand gehalten. Diese Erinnerung an sehr väterliche Gefühle rehabilitiert ihn.

Der törichte, schädigende Zeitverlust, Rubin von damals und das bemerkenswerte Mädchen von damals, beide auf verschiedenen Perrons der Northern Line, keine Station zwischen ihnen, eine der letzten Gelegenheiten überhaupt kurz vor Rubins Rückreise nach ziemlich vertanen Monaten als Austauschdozent in Oxford. Rubin hält nichts davon, wenig zu reden. Man könnte Rubin ziemlich viel ansehen, er denkt nämlich so ziemlich an alles auf einmal, ein kluges, gebildetes Kauderwelsch, ein herrisches Durcheinander, darin sein System mysteriöse algebraische Ordnungen herstellt, in allem, was ihm dauernd wichtig ist. Rubin hätte schon gar nicht mit Martha in dieser Nordlondoner Straße wohnen wollen, zweckmäßig für einige Wochenendbesuche bei dem Mädchen, das Martha kennengelernt hat — wie sie alle Mädchen und Frauen in Rubins Vita kennengelernt hat, warum auch nicht — das sie wie alle Freundinnen ihres abschweifenden, nach den wahren Ergiebigkeiten in tiefer Not suchenden Ehemannes ganz passabel fotografiert hat, das sie ihm halbwegs gönnte — es ging bei dieser Affaire nebenbei auch nicht besonders kostspielig zu — das sie ihm unter Tränen erlaubte, von dem sie träumte, was sie anschließend mit einer Spur von literarischem Ehrgeiz niederschrieb, weniger um ihretwillen als aus Überzeugung, der Nachwelt sämtliche Quellenvermerke, Rubin betreffend, schuldig zu sein. Das Mädchen, welches ihr, der Ehefrau, taktisches Gezeter und Mitspiel ins Familienleben hineinnahm — sie schickte regelmäßig Päckchen mit Konserven, Tempotaschentüchern und Familienfotos und Fotos ehemaliger Rubinscher Liebesgenossinnen — damit der unheilbare, durch die unbekannte Größe X dividierbare Rubin dem an die Zerrüttung gewöhnten Haushalt nicht verlorengehe; das Mädchen, das mir von einem der Fotos aus Marthas nasser Linse bekannt ist und von dem ich überhaupt nichts wissen will.

Kaum bewegen wir uns jetzt alle auf die offene Terrassentür zu. Ben Berry, ruft Martha zugleich mit einem Hauptsatz, den Linda an Schmiß richtet, noch immer oder schon wieder die Schmuckfinger auf Ruths Schädel. Das rötliche Blond der Haare seiner Tochter erinnert Rubin an das Vanilla-Fudge-Blond des Mädchens, auf dessen damaliger, nun verjährter, nun ausgelöschter — durch dich, durch dich, er hält mich im Arm — Unentbehrlichkeit er komme was wolle beharrt. Er wirft wenn irgendwo möglich die Zufälligkeiten, die Zeitverschwendungen, die Lappalien aus seinem Lebenslauf. Er denkt jetzt über eine Fehlinterpretation nach, die er einem ihm befreundeten Professor nachträgt: aus Hofmannsthals Daseinsbegriff machte dieser Konfusionsrat blindlings eine ganz und gar abwegige augenzwinkernde Treuherzigkeit, aus Hofmannsthal so etwa den alten Gellert, und Rubin lacht überlegen und rechts. Genauso halbseiden und ernsthaft, genauso verhudelt und moralisch steht es um die Beziehungen zu dem Boulogne-Hotel-Mädchen. Jeder Ehebruch eine tiefe philosophische diagnostische Notwendigkeit, eine erkenntnissüchtige Attacke gegen die Frechheiten, das ordinäre Denken, die Gemeinplätzigkeiten der Pseudolebendigen, unter denen sich zu Rubins Daseinsschaden auch Martha befindet. Kognitive Abtrünnigkeiten, Methodologie in fremden Betten, in außerehelichen Vaginen, Evolutionen über Evolutionen, und für jede der Konsens eines heimatlosen Erkundenden. Jedesmal eine affizierte Sauerei, Herumhuren in Richtung auf die Sensationen der Wahrheit, auf die Benutzung von Gegenwart. Rubins Umarmungen sind immer erfolgreich, und ich glaube ihm in meiner diese Vergangenheit strafenden Ablehnung deshalb jetzt jedes Wort. Ich ließ mich suchen von denen, die nicht nach mir fragten, ich ließ mich finden von denen, die mich nicht suchten. Jesaja, Rubin und ich, wir diskutieren, während Bier rumsteht, während ein Hotelzimmer seit unserer Beschlagnahme progressiv verkommt mittels Asche, zertrampelten Frottiertüchern und dem ganzen übrigen, das hunderttausendste Jubiläum der Verwirklichung feiernden Gegenteil von Verdrängung, Sublimation. Weiter mit dem Gequassel bei den Berrys, das uns nichts mehr angeht in einem der verkitschten Hygieneparadiese; umgeben vom Badezimmer in Rosa verständigen Rubin und ich, wiedermal Unzivilisierte, wir zwei niemanden jetzt schonenden Ungeschonten, uns aufs Unbequemste, Schönste, Gründlichste, niemals Abgeschlossene. Die wissenschaftliche Behauptung von der besten Erreichbarkeit der Klitoris, Aufrechtstehen der Partner, leuchtet uns wieder nicht ganz ein.

Der Lunch schmeckt gut. Rubin weiß wohl als einziger, wie man das macht, bei jedem Bissen Nahrung über die gesamte äußere Mundpartie zu verbreiten. Auf die Benutzung einer Serviette weist niemand ihn hin, denn er soll so bleiben, wie er ist, das ungeheuerliche liebenswerte schwierige Unikum. Ruth sagt überhaupt nichts. Fragen beantwortet sie, wenn schon, nach widerwilligem Kampf gegen den Protest ihrer Zunge mit einer sanften, nichts bedeutenden Interjektion.

Nach Haus kommen heißt, Neuigkeiten aus der Notwohnung anhören. Rock setzt wieder in der Schule aus, der Befund seiner Rachenmandeln: matschig. Er leidet außerdem unter einem sperrigen Magen, das hält der Arzt für psychogen. Dieser Arzt, der normalerweise homöopathische Mittel verachtet, hat sich diesmal zu homöopathischen Verordnungen herabgelassen, wahrscheinlich aus Verachtung für Rock, der nach seiner Ansicht sich jetzt endlich mal aufraffen könnte, gesund zu sein. Er hat eine Weltanschauung. Kranken wie Rock wäre am besten mit der Transplantation von Willenskraft geholfen. Vokabeln wie ZUSAMMENREISSEN sind Kranken von Rocks Beschaffenheit Fremdwörter, vermutlich sogar abgelehnte, die sie demnach gar nicht erst einüben wollen. Vegetative Dystonie ist die reizvollste aller Fehldiagnosen. Rock soll demnächst mal Magen- und Darmtrakt vollständig entleeren. Sodann wollen wir weitersehen. Immer diese blöden nervösen Befunde, die gar keine sind. Eine billige, dem verwöhnten Rock aber zu unbequeme Gelegenheit, innerhalb einer Gruppe Gleichaltriger nach England zu reisen, hat er im letzten Moment nicht wahrgenommen, was er im 1. Moment schon wußte und sich vornahm. Diese Unpäßlichkeiten ließ er die Oberhand behalten. Er läßt sich von seiner ahnungslosen Großmutter bedauern: mein armer kleiner kränklicher London-Fan, wie traurig, nun mußt du diese Chance verpassen. Er frühstückt morgens nicht, trinkt Espresso auf leeren Magen, dem später die dicken Brocken seiner scharfgewürzten Salami schaden. Seine Großmutter streicht geduldig und unvernünftig Schmalzbrote für Rock. Die wird er irgendwo in der Schule liegenlassen, vielleicht im Physiksaal, vielleicht in der Präparatur, wo sie zwischen Pinzetten und Reagenzgläsern austrocknen. Es kann sein, daß mir doch vielleicht keiner was übelnimmt. Vielleicht will niemand was über mich herausgefunden haben. Vielleicht hat Rock die Schule gar nicht versäumt. Vielleicht wird alles wiedermal ganz gut gegangen sein. Wie sind deine Veranstaltungen verlaufen? Hoffentlich erfolgreich, hoffentlich hast du dich nicht überanstrengt, hoffentlich hast du für genügend Schlaf gesorgt, hoffentlich hast du die Leute nicht erschreckt, hoffentlich hast du die Leute nicht ermutigt, hoffentlich warst du nicht zu bitter, hoffentlich warst du nicht zu heiter. Ich habe mich höchstens zweimal versprochen. »Daß du mir die Hölle auf Erden bereiten willst, konnt ich mirs nicht denken? Hier, bitte sehr. Dein Extrabesteck. Der Herr! Das ist nun mal mein Gehenna. Aber wofür mich strafen. Das möcht ich wissen. Mein Strafort, dies Gehenna, warum.« Dein Strafort, was soll das. Wer straft denn hier, und wer straft wen? Denkst du nicht verkehrt herum? Das fragen wir dich mit aller Vorsicht. Bei Verbrechern und auch harmloseren Delinquenten wird vielfach die Neigung zu Wehleidigkeit, Selbstmitleid und Schuldverlagerung

beobachtet. Übrigens, Geduld: leiden ist normal. Etwas leiden.
Aber ich rede ja gar nicht von mir, sage ich. Sie verstehen
mich allerdings besser.

Dieses weit verzweigte Gleissystem hat schließlich doch den
mickrigen Bahnhof ergeben, in dem der D 507 angestaunt
wird von den Kurzstreckenfahrern und Pendlern, die ihre Mo-
natskarten in Zellophanetuis aufbewahren; dieser Bahnhof,
dessen umfangreiches Anschlußangebot keiner der D 507-Pas-
sagiere ausnutzt, keiner bewegt sich auf den Kiosk zu, und
nach längerer vergeblicher Wartezeit bringt die Kioskfrau das
mit kindlicher vergeblicher Schönschrift unregelmäßig bemalte
Schild VERKAUF JETZT BAHNSTEIG 2 über Keksschachteln und
Schokoladetafeln an. Sie lehnt das Schild gegen die Scheibe
des kleinen Klappfensters im Kiosk, aber dies Arrangement
gefällt ihr nicht. Sie ist auf längere Sicht unzufrieden. Ihre
Kioskwelt ist ihre ordentliche Unordnung. Würde sie ihre
Lebenslüge gern mit einer anderen Lebenslüge vertauschen?
Bis zu unserer Abfahrt pusselt sie an der Anbringung des
Schildes herum, dazu ausersehen, mich mit ihrer griesgrämi-
gen unrealistischen Ausdauer zu peinigen. Wir sind durch
einen heimtückischen Fahrplan aneinandergeraten, mein Zu-
schauen und ihr Mißgeschick mit dem Schild. Es stand nicht
im Kursbuch, funktioniert aber.

Nach meiner Veranstaltung, so erzähle ich meinem Mann —
verheiratet, nicht verheiratet, beides, lebenslänglich alles beides, vorher oder nachher oder mittendrin und sowieso — nach
dem ganzen Drum und Dran, sage ich, bin ich wirklich gleich
in mein Hotel gegangen. Mein Mann findet meine jeweiligen
Reaktionen ohne seine Aufsicht unbesonnen und zu ungenau-
freundlich. Also nach dem Gerede und so weiter hat jemand
sich als weit entfernter Verwandter ausgegeben und kam ins
Hotelrestaurant mit. Er leistete mir beim Bier Gesellschaft und
beklagte sich über seine autoritären Eltern. Ein gutes Thema
für mich, ich faßte trotzdem schon beim Zuhören und obwohl
ich meine Abscheu gegen diese Eltern in die Anklagen mischte
den Vorsatz, es solle mir jeder Satz, den wir miteinander reden
würden, egal sein und bald wieder entfallen. Warum bist du
immer so schlecht gelaunt? Hast nicht gerade du die Verantwortung zuzuhören, teilzunehmen, ja ist so eine Gelegenheit
nicht gerade für dich eine Gelegenheit. Kennenlernen, herum-
hören, Material sammeln, Horizont erweitern. Meine Gegen-
frage lasse ich weg. Warum fragt keiner nach mir, frage ich
nicht, denn ich würde keinem antworten wollen. Vorbei an
Neustadt, vorbei an seiner Bahnhofsgaststätte. Dort bieten sie
sumpfige Brötchen an. Der Kaffee ist dort mehlig, säuerlich,
unbekömmlich. Neben dem vorschriftswidrig veralteten Kar-

toffelsalat, auf der Speisekarte mit sämtlichen gesundheits-schädlichen, den Gaststättenbesuchern unüberprüfbaren Konservierungsstoffen ausgezeichnet, legen sie eine nicht genügend erhitzte, Fleischgeschmack simulierende Bockwurst. Mir ist schon ganz sauschlecht. Mir ist, abgewandelter Kleist, auf Erden nicht zu helfen. Meinem Magen ist überhaupt nicht mehr zu helfen. Aber du bist in die Gaststätte ja nicht einmal eingetreten, du hast ihren trostlosen Fett- und Rauchdunst überhaupt nicht eingeatmet, du hast nirgendwo Platz genommen, nichts bestellt, und das alles ist womöglich weniger schwer verdaulich und erträglich, als du dir einbildest. Laß nur, laß mich nur Bescheid wissen. Laß mir nur speiübel sein von meinem todsicheren Vorurteil. Laß mich nur krepieren an meinen Verleumdungen, jetzt gleich, auf dem WC des D 507 angesichts der Reklameschrift: NICHT ÜBERALL RIECHT ES GUT . . . SAGROTAN!

Und der Beifall? Ganz gut, ordentlich. Wie viel Leute? Ich kann doch nicht schätzen. Also hier willst du dich um Genauigkeit nicht erst bemühen. Man kann das aber lernen. Auf diese Weise wird man niemals gesund. Hast du wenigstens ab und zu ins Publikum geschaut? Ja, gelegentlich, doch, auch das. Den Nelkenstrauß ließ ich dem weit entfernten Verwandten, Gruß an seine schreckliche Mutter. Diesem ungefähr 20jährigen Verwandten wuchsen an ganz dünnen Handgelenken, Hühnerknöchelgelenkchen, Wälder von schwarzen Haaren, im Gesicht war er unbewachsen und sah harmlos aus. Du warst doch hoffentlich nicht zu entgegenkommend zu ihm, hast du an deine Nachtruhe gedacht? Ich wollte so spät wie möglich in mein Zimmer 32 rauf, sagte ich nicht. Wie meistens: ein dummer Abend, ein saublöder Abend, so einer von denen, die sich nicht lohnen, welche aber lohnen sich, und es war auch ganz nett, das auch, für den Augenblick. Immer etwas schwierig, wenn Rubin nicht bei mir ist. Immer sehr schwierig, wenn Rubin bei mir ist. Das beginnt und das endet auf den Bahnsteigen und die Hotelreceptionen befinden sich mittendrin. Und alle Begleitpersonen immer um immer erheblichere Nervenlängen hinter dem ganzen todernsten Stück zurück. Ich spiele darin trotzdem weiter, von keinem gehindert. Den Gesang der Wale hört ja auch keiner. Forscher können nur mit Hilfe von Hydrophonen und zwar in Meerestiefen zwischen 600 und 1200 Metern diese hochkomplizierten Töne vernehmen, Strophen über 8 bis 9 Minuten Dauer; Vogelstrophen hingegen bringen es nur auf wenige Sekunden. Du bist allerdings kein Buckelwal, und wenn auch die Buckelwale nicht nur Quiek-, Pfeif- und Grunzlaute von sich geben können, wenn sie also auch singen können, so kann doch dein wie bei den Buckelwalen geordneter und über Hunderte von Kilometern ausgebreiteter Gesang sich verständlich machen, du bedarfst keiner speziell strukturierten Wasserschichten. Deine Verlautbarungen befinden sich nicht im Frequenzbereich von Ultra- bis Infraschall.

In der Neustädter Bahnhofsgaststätte mit ihren Mahlzeiten, bis zum letzten Senfstreifen von den Tellern geschabt, ist höchstens das Bier genießbar. Mich betrifft nur die Fahrkartenkontrolle des Zugführers und keineswegs die Burgruine auf dem Hügel, Ausflugsziel der sonntäglich gekleideten Neustädter, eine gute Verlegenheitslösung für Klassentreffen und unlustige Familienzusammenkünfte; so mancher Geburtstagsnachmittag hat schon durch Besichtigung der Ruine einen Akzent erhalten, den keiner so leicht vergessen wird und der wiedermal eins der zahllosen nutzlosen Zusammensein gegen den Vorwurf der Zeitverschwendung verteidigt. Obst, außer Äpfeln meist Zitrusfrüchte, in den Schaufenstern der vollgestopften, renovierten, erweiterten, erwerbssüchtigen Einzelhandelsgeschäfte, die sich mittleren Einkaufsgenossenschaften angeschlossen haben, deren Rabattmarken sie ausgeben an kleb- und sparglaubige Hausfrauen und die ich nie betreten muß, deren Inhabern ich nie meine Meinung über das Wetter sagen muß, deren Sparmarken ich nicht sammle. Die Ortseingänge mit den Tafeln, auf denen sich die Autohilfen und die Hotels ankündigen: weiter, vorbei.

Der Kulturreferent in der 1. Reihe, der sich bei der Eröffnung meines Abends auf das nun bald im hiermit eingeweihten Musiksaal der neuen Schule ertönende Dichterwort gefreut hat, regt die Hände, faltet sie, entfaltet sie, freut sich nicht bemerkenswert. Die ungefähr 6ojährige Vertreterin der Presse macht sich eine Notiz, sie sieht erleichtert und überrascht aus, während sie kritzelt: wahrscheinlich hat sie ihn, den 1. Satz, oder die Überschrift ist ihr eingefallen, oder überhaupt der ganze Aufhänger bis hin zum Fazit. Sie könnte jetzt eigentlich gehen. Am Flügel duckt sich der junge Musikerzieher, er schaut seine Feinde, die Tasten, an, dann richtet er den Blick starr aufs Notenbild des Stücks FRANZ ASTOR VON FRANZ SCHUBERT: er sieht die meisten Fehler voraus, die er machen wird, zumindest die unvermeidlichen, aber auch ein paar mögliche, er nimmt sich die Stellen vor, an denen er, pedalüberschwemmt, seine technischen Probleme überhudeln will.

Zu Haus wird meine Bemerkung Mißfallen erregen, RUBY TUESDAY oder sonst ein Song im Kopf habe mir über manches hinweggeholfen. Über was denn weggeholfen, lieber Himmel, worüber bloß. Rock zieht über das schöne veraltete Musikding her, aber nicht ohne Verständnis, wenn er sich auch über eine

Mutter beschwert, die der pop music sträflich und rein emotional hinterherhinkt. Er hätte ja viel Zeit für mich, er würde mich schon mal wieder so richtig gründlich auf den neuesten Stand bringen. Erübrige doch mal einen Nachmittag im mexikanisch erwärmten Vogelzimmer deines Sohnes. Meine Reise war doch wieder alles in allem erfreulich, warum siehst du so ein bißchen angeschlagen aus? Man muß beinah fürchten, die Leute seien immer etwas netter zu dir, als du es verdienst. Ich zitiere ungenau und bloß um Recht zu behalten — keine Ahnung, womit überhaupt — man brauche immer am meisten Nettigkeit, wenn man sie am wenigsten verdiene. Nettigkeit ist aber nicht das Wort aus dem Zitat, darin Liebe vorkommt und gemeint ist, und Nettigkeit ist das Wort, das ich nicht ausstehen kann, NETTIGKEIT nennt Rubin seinen Sexualbewußtseinstrick im Boulogne-Hotel, that funny feeling isn't love, it's sex — ach, das war ja noch nicht mal sex. Orgasmus for sale. Keine Spur von Orgasmus. Jedenfalls nicht bei Rubin. Die Zwergin wird schon was davon gehabt haben einfach zumindest aus Verliebtheit — und weil Rubin seinem Denken enttäuschte Frauen verbietet. Wie nett ist Rubin. Wie nett sind die Leute zu dir. Hinweghelfen! Etwa über den Anblick der angesiedelten, zementierten Seßhaftigkeiten längs der Route des D 507, etwa über die Bewunderung für Raubvögel oder Krähen, die dir etwas zu bewirken schienen gegen die erfolgreiche Bewirtschaftung von Grund und Boden der Landgemeinde Mosbach, was hast du gegen die Landgemeinde Mosbach — gar nichts. Was für Argumente kannst du vorbringen gegen die konkurrenzfähigen Kleinbetriebe, die tüchtigen abzahlenden Bausparer, die kalkulationskundigen Gasthausbesitzer, die den künftigen verunstaltenden Erweiterungsbau planen.

Warum hast du dich nicht über die Einladung jener kulturell aufgeschlossenen Dame gefreut? War das in Hamm oder war es in Itzehoe? Oder wo hast du dich mal wieder angestellt als ob. Alles, was du uns von dieser netten Dame, die freundlich zu dir war, erzählt hast, klingt doch einnehmend. Sie hat schon mit Gebäck und Tee auf dich gewartet und ICH BIN NUN MAL VON DER LITERATUR BESESSEN WENN AUCH LEIDER UNPRODUKTIV gesagt und DAS MUSS DOCH EINE GROSSE FREUDE SEIN? EINE ART GESCHENK WENN MAN SO SEIN VENTIL ÖFFNET, NICHT WAHR gefragt, sie hat dir deinen Mantel abgenommen und an ihrer kürzlich im größten Kaufhaus der kleinen Stadt erworbenen, etwas verspielten Garderobe aufgehängt. Ihr Mann, ein pensionierter liebenswürdiger Unterdrückter, sammelt die zweitklassigen Originale der Maler und Grafiker aus der Umgebung. Stolz auf seine Kollektion und scheu neben seiner Frau, hat

auch er dich äußerst freundlich empfangen. Deinetwegen hat die Gastgeberin, nach gewissenhaftem Überlegen und Herumprobieren, dieses moosgrüne schwarzgepunktete Tuch kurz bevor du kamst schräg latzartig vor den Halsausschnitt gebunden, sie hat deinetwegen und nach besorgter Prüfung, wenn auch nicht selbstkritisch genug, sich für dies graue, von einer einheimischen Schneiderin genähte Wollstoffetui entschieden, obwohl sie sich darin beengt fühlt und den Ehemann zum Öffnen und Schließen des Reißverschlusses braucht. Sie war betrübt, weil du die 3. Tasse Tee ausschlugst, weil du für die Kunstsammlung ihres Mannes keine Zeit mehr gefunden hast, weil du für den Abend bereits verabredet warst — das hat nicht gestimmt, aber sie hat dir geglaubt und sie hat dir auch dein Lob ihrer spießbürgerlichen, von ihrem Ehrgeiz fürs Schöne, Künstlerische kaum gestörten Wohnung geglaubt. Kaufe Wahrheit und verkaufe sie nicht. Die Wahrheit ist nicht in dir. Du kannst von dir nicht behaupten: weil ich die Wahrheit sage, so glaubet ihr mir nicht. Die ambionierte Gastgeberin hat die Wohnungseinrichtung im führenden Möbelgeschäft der größeren Nachbarstadt ohne Mitwirkung ihres Mannes so ziemlich auf einen Schlag beschafft. Sie war doch nett. Aus keinem andern Grund, sie war nämlich aufgeregt, hat sie den Tee beinah bis zur Ungenießbarkeit stark gemacht, von dir hat sie angenommen, der Tee könne dir überhaupt nicht stark genug sein. Und sie hat dich zum Essen ihrer Kekse genötigt, während hinter ihren wellenförmigen Stores ein Gewitter mit schwefligen Beleuchtungseffekten sich dieses Zimmers erbarmte. Es war vielleicht in Herford, es war in Soest. Sie hat dich ausgefragt, sie hat sich selber für mutig gehalten mit der Äußerung ihrer vielfach den deinen entgegengesetzten Ansichten, die du im Unterschied zu ihr nicht für unkonventionell, nicht für bemerkenswert gehalten hast. Du kannst dich über diese Reise, auch über diese Reise wiedermal, nicht beschweren. Jeder Veranstalter hat dich korrekt bezahlt, nach höchstens kurzem Gefeilsche um höchstens Pfennigbeträge oder höchstens gings um die gewisse Vergeßlichkeit, dein Reisen 1. Klasse betreffend. Da ist wieder diese und jene, dieser und jener, die ganz gern von nun an gelegentlich mit dir korrespondieren möchten. Vorbei an Gleisarbeitern, vorbei an einem Bahnsteig mit Schulkindern. Du bist gehässig. Du behauptest aus der Luft, daß die kulturell aufgeschlossene Dame zu mild würzt, daß sie beim Kaffeekochen versagt und ehemals im Bett mit ihrem Sammelmann auch kein Glück hatte, bzw. verschaffte — und du kannst das alles überhaupt nicht beweisen.
Du könntest Vorsätze fassen.

Woran denkst du denn? Denkst du an den idealen Schutz? Der ideale Schutz ist die organische Versorgung des modernen Versicherungsprogramms. Du könntest ausnahmsweise mal mit mir zufrieden sein, denn ausnahmsweise habe ich heute noch keine Gelegenheit wahrgenommen, vor dir herumzuwinseln. Es ist daher beispielsweise ganz still im Zimmer. Du sagst: Spazierengehen ist ein 1. Schritt, die Trägheit zu überwinden. Nachdem ich gesagt habe: Dein Schaden ist so groß wie das Meer, hast du gesagt: Am besten, man riefe gleich den Arzt. Doch ja, du bist im Recht, doch ja, auch ich könnte ausnahmsweise mal zum Beispiel Annäherungen an die Wahrheit riskieren. Denn Gegenseitigkeit schafft Vertrauen: also Vorsorgen wie Herr N. Ich dürfte auch ungestraft endlich mal deinen Rat annehmen und mich pro Tag mindestens einmal richtig entspannen. Mache ich jedoch auf diese Weise weiter, so ruiniere ich mir unter anderm mein Rückgrat lebenslänglich. Ich vergäbe mir auch nichts mit der Entscheidung für das richtige Schuhwerk. Die Sohlen des richtigen Schuhwerks sollten ungefähr 2 cm dick und sollten weich sein, andernfalls erschüttere ich bei jedem Schritt meinen Kopf. In meinem Kopf befindet sich hoffentlich nebenbei Denksubstanz. Ich sage: Der Mensch weiß aus sich selbst heraus nur eine Sache zu tun: zu weinen. Du sagst: Plinius, aber sicher ungenau zitiert und warum überhaupt. Warum sind unsere Sätze überhaupt nicht synonym. Es ist üblich, daß in einer Ehe die Ehefrau auf die synonymen Sätze achtet. Ich könnte Vorsätze fassen, denn es ist immer die Jahreszeit dazu. Sonst sitzen wir wieder in der Sylvesternacht herum und wieder wissen wir dann nicht, wie es weitergeht. Du hast dauernd recht. Du bist dauernd berechtigt. Du hast dein Anrecht. Vorrechte abzählen müssen nur diejenigen, die nicht im Recht sind. Das andauernde Recht hat dem befristeten Vorrecht gegenüber eine todsichere Chance. Du korrigierst ein Referat. Deine Fragen nach Doppel-s oder ß beantworte ich gar nicht. Von wo bis wo hast du mich denn gern? Von hier bis zur Piazza Bologna. Das ist weit. Ich dich: Bis zur Via Nazionale. Das ist weiter. Also ich dich: Bis zur Via Cavour. Das ist ungefähr gleich weit weg. So machen wir es mit Rom, mit uns und mit Rom in weiter Ferne.

Das war gerade noch Rom. Das war eben noch das Forsthaus Eisern Hand. Das war vorhin noch dies Angetroffene, dies Vorgefundene, zum Beispiel die belgische Küste. Das ist die Katzenschneise nun nicht mehr. Mein Sohn hat doch längst den Stein aus seinem Schuh entfernt und hat den Schuh wieder an und wir gehen schon längst nicht mehr weiter, denn wir sind schon da. Jetzt lesen wir schon längst nicht mehr den

Prospekt WOLLEN SIE WISSEN OB SIE TALENTIERT SIND. Das ist das Ende aber noch immer nicht. Wir schieben ein schönes Teestündchen ein. Wir fassen einen neuen Vorsatz. Die Gegenwart wird dauernd unterhöhlt. Wir wollen mal schön weitermachen mit dem Anreichern. Es kann noch kein Ende sein, denn noch beharrt unser Gedächtnis und noch widersteht unsere Hoffnung und meine Schwiegermutter sagt: Duinbergen hat sich sehr verändert und wollen wir nicht lieber wieder auf eine Insel? Wir alle sehen hinaus in unsere Zukunft aus Sätzen. Arbeitet denn unser Gedächtnis wirklich mit physikalischen Effekten und verstehst du das denn überhaupt? Ich erwache doch in einer Geschichte, deren Anfang ich nicht wußte und deren Ende ich nicht kenne, aber kennenlernen muß. Was bleibt denn übrig? Zum Beispiel bekritzeltes Papier, als ob du das nicht wüßtest, erwischtes Papier, ertappte Sätze. Und dann addieren wir die erinnerbaren Erlebnisse, wir sagen, weißt du noch. Das seichte Gewässer, das Hotelzimmer, das andere Hotelzimmer, die Wohnung von der Carla, die Telefonzelle — aber was mache ich mit dieser unfertigen Erinnerung, darin ich lebe. Möchtest du, daß wir es mit unseren addierten Erlebnissen zu einer hohen Summe bringen? Sollen wir ihnen Dauer verleihen, sollen wir Nachlebende sein, sollen sie Vergangenheit werden? Wie wir es nicht wissen, so also soll es sein.

Dir im Recht ist es nicht recht, daß ich DIE ABENTEUER DER KRANKEN SEELEN aus der Zeitung schneide. Weil ich nicht sein kann, was ich nicht sein darf. Die Grenze zum Normalen läuft verworren und der Grenzgänger verliert den Orientierungssinn. Von hier bis zur Porta Pia. Und schon im vorigen Jh. erkannte der Pfarrer Kneipp die Nachteile des überzivilisierten Lebens. Also entschied er sich für die Heilkraft des frischen Wassers. Müssen wir denn jeden Tag Bier oder Wein trinken? Eines Tages und dann aber. Die Gegenwart gibt es gar nicht. Du irrst dich, es gibt die Gegenwart doch, betrachte im Spiegel deine soeben rote Nase, diese Nase ist die Gegenwart. Außerdem hast du den Prospekt in der Hand, du liest, du liest jetzt nicht mehr die Informationen über die Kosten eines Todesfalls. Wie schreibt man denn TODERNST? Ich gebe dir die Auskunft, ich weiß es nämlich diesmal. Du könntest heute wirklich ausnahmsweise mal mit mir zufrieden sein, denn ich habe heute ausnahmsweise noch keine Gelegenheit wahrgenommen, euch mit einem Gesicht, einem Satz, einem meiner Atemzüge zu erschrecken. Und das Wetter nimmt sich Zeit. Und die Vögel versorgen Himmel und Erde mit Schwarz-Weiß-Effekten: Krähen in der Luft, Möwen auf dem Acker. Das ist alles vorbei, während es ist. Aber nein, verpaß doch

nicht, was vorübergehend ist. Aufwendungen für die Beerdigung eines Angehörigen werden als außergewöhnliche Belastung anerkannt. Zu den berücksichtigungsfähigen Aufwendungen gehören alle Kosten, die mit der Beerdigung zusammenhängen, z. B. Erwerb einer Grabstätte, Sarg, Blumen, Kränze, Trauerdrucksachen und so weiter. Die Kosten für die Anschaffung von Trauerkleidung stellen keine außergewöhnliche Belastung dar. Zu früh: die Zeit ist noch nicht da. Die Zeit ist die Gelegenheit. Zu spät: die Zeit und die Gelegenheit sind nicht mehr da. Dazwischen befindet sich der Moment JETZT. Jetzt ist Zeit und Gelegenheit unter anderem, den Artikel SCHWIMMHALLE IN DER UNFALLKLINIK zu lesen, das Auto waschen zu lassen, eine Verabredung zu treffen und zu gurgeln. Jetzt, das ist der Befehl: jetzt wahrzunehmen, zu ergreifen, zu benutzen, brauchbar zu machen. Mach mal. Warum ist es denn so selten JETZT? Haben wir nicht aufgepaßt? Haben wir den Befehl überhört? Ringsum die Überreste von verlorengegangenem JETZT: ein paar verheilende Bremsenstichnarben, ein bißchen Geröll, ein Taschentuch, darin die Feuchtigkeit verlorengegangener Gelegenheiten vertrocknet ist. Warum ist es beinah nie JETZT und beinah immer zu früh und zu spät. Das ist der Sorgecharakter des Daseins. Das ist dein Unvermögen, den Moment JETZT zu bemerken, um ihn zu verwenden. Es kommt die Zeit und ist schon jetzt. Es kommt die Stunde und ist schon jetzt. Sind wir Nachlebende? Das ist ein Endspiel ohne Spielcharakter. Ich habe mich an meinen linken Daumen gewöhnt. Ich muß mir meinen linken Daumen abgewöhnen, denn auf Grund einer Verletzung steht seine Amputation bevor. Du sagst: Gewöhne dir nicht so viel an, denn gewöhntest du dir nicht so viel an, dann brauchtest du es dir auch nicht wieder abzugewöhnen. Gleichgültigkeit erleichtert das Leben. Du darfst nicht so viel unbedingt wollen, es sei denn, es handelt sich um das Richtige, das du unbedingt willst. Es muß dir außer dem Richtigen weitgehend alles so ziemlich egal sein. Du mußt dir deine ganze Person abgewöhnen.
Rubin sagt: Es gibt nicht so viele Hähne die krähen, wie du lügst. Jemand schneidet jemandem Grimassen und sagt nichts, weil er traurig ist und aus demselben Grund will er jemanden, der ihm die Traurigkeit aufgeladen hat, gar nicht wirklich erwürgen. Du kommst zuerst und dein Recht hält an. Deine Gerechtigkeit wie Meereswelle. Das Meer spricht: Sie ist nicht bei mir. Rubin sagt: jemand ist unschuldig schuldig. Was ist denn die Schuld eines Unschuldigen? Was sagst du denn jetzt? 1 mal Sicherheit. 2 mal Sicherheit. Die 3 wird ohne weiteres übersprungen. Es kommt sofort 4 mal Sicherheit. Das ist die vierfache Summe bei Unfalltod. Wenig Sicherheit für dein

verwundetes Gaumensegel. Ich rufe, und es ist kein Recht da — aber nein, denn du bist immer da, wenn ich rufe. Unterdessen weinen die abgezählten, numerierten, hinter dem Recht anstehenden Bevorrechteten gemeinsam quasi-autobiografisch. Du bist immer da, zum Beispiel, wenn ich nicht weiß, wie man schläft. Jetzt suchen wir dir erstmal eine Zigarette. Jetzt haben wir sogar die Streichhölzer gefunden. Jetzt gibt es einen Aufschub. Wollen wir jetzt nicht doch eine Schallplatte anhören. Aber nein, denn Vorbeugen ist besser als heilen, wie bereits der Pfarrer Kneipp herausfand. Verloren bleibt verloren, auch bei verbotenem Glücksspiel. Auf den richtigen Wegen kommen Übertreter zu Fall. Jemand hat gesagt: Bedenke ich die kurze Zeit meines Lebens, aufgezehrt von der Ewigkeit vorher und nachher. Du hast gefragt: Wieso kurz? Wer weiß das und überhaupt: warum?

Unser Spielraum für Zeit und Gelegenheit verengt sich zunehmend, schon besteht unsere Zukunft aus unserer Vergangenheit. Der Abschied wird unaufhörlich gemacht. Wozu dient diese Vergeudung? Abgewöhnen, weil wir es uns angewöhnt haben. Bald ist das Leben zukunftslos und erdrückt von Vergangenem, das wir uns angewöhnt und abgewöhnt haben, von Verlorenem, an dem wir dennoch schleppen, und von da an geht es nicht weiter und von da an wird es sinnlos. Du sagst: hast du denn noch nie was davon gehört, daß sämtliche Zellen sich an sämtlichen Tagen von selbst erneuern — die absterbenden Gehirnzellen, die sich nicht erneuern, lassen wir mal weg. Ich sage: Verfall. Ich sage: Altersblödsinn. Du sagst: denk mal besser an die andern, an die positiven Zellen. Ich sage: die alten Leute sehen mir auch ganz so aus, die alten Leute sehen ganz nach massenhaft täglich erneuerten positiven Zellen aus.

Weitere Pluspunkte der organischen Versorgung: Ausbau der Altersunterstützung. Sie stellen sich auf sicheren Grund. Optionsrecht. Sie sind Teilhaber. Das Finanzamt hilft. Alle Überschüsse den Versicherten. Wie kann ein Mann rein sein vor dem, der ihn gemacht hat? Wissen Sie, was ein Kneippianer ist? SEX IS SO PERMANENT. Falls nicht körperliche Gebrechlichkeit oder schwere Krankheit das Allgemeinbefinden erheblich beeinträchtigen, besteht die Fähigkeit zur körperlichen Liebe bis in die Todesstunde hinein. Er reißt auch dich aus dem Rachen der Angst, wo keine Bedrängnis mehr ist. Das war eben noch jenes Schneetreiben. Das war vorhin noch die verschlossene Kirchentür. Das war gerade noch der kleine Aventin. Längst ist das nicht mehr die Kneipe auf der Strandpromenade, ich habe mein Trappistenbier längst ausgetrunken, es ist längst zu kalt und sogar hinter den Windschutzscheiben der Kneipe zu windig, aber das ist immer noch das belgische Meer, es ist jederzeit das belgische Meer, denn man kann zum Beispiel die Augen zumachen und sich das belgische Meer vorstellen. Denn man kann zum Beispiel hinfahren und sich davon überzeugen. Aber wir fahren schon längst nicht mehr von da weg, wir entfernen uns schon längst überhaupt nicht mehr von der belgischen Küste, von Rom, vom Schneetreiben, von der Katzenschneise, von der verschlossenen Kirchentür, denn wir sind längst von dort weg und sind da. Aber wo. Aber wo genau. Doch, wir haben jetzt begriffen, daß Zeit vergangen ist. Der 1. Himmel und die 1. Erde vergehen. Die Ernte ist vergangen. Eine Wolke vergeht. Ihr Trotz muß vergehen. Sie vergeht, wie eine Schnecke verschmachtet. Wie ein Traum vergeht. Unsere Frage WARUM DENN ist die höchste Mauer, die wir kennen und über die uns nichts hinwegbringt. Die Angst läßt unsere Existenz allmählich einfrieren. Die Angst vereinzelt das Dasein. Hör also auf mit der Angst, wenn du nicht begreifen kannst, was sie dir erschließt. Denk an den lebenslänglich gelähmten und beinah stummen Robert D., der sich, in jeder Hinsicht arm und geschädigt, so vieles wünschen müßte und der doch vor allem davon träumt, das Meer zu sehen. Der bedauernswerte Robert D. hat wenig Aussicht, daß ihm der Adventskalender für gute Herzen den Anblick des Meeres beschert. Man wird ihm vorsichtshalber ein paar ansprechende Jugendbücher und warme Wäsche und ein kleines Transistorgerät übersenden. Die bescheidenen Geldspenden werden ihm den Anblick des Meeres nicht verschaffen. Du aber siehst das Meer jederzeit, denn du hast es gesehen. Du kannst es unaufhörlich betrachten. Das gesehene Meer ist ringsum und in dir. Dein vergangenes Sehen wird dein Moment JETZT. Verlaß dich nicht auf Kalenderdaten. Du siehst das Schiff erneut, denn du hast es gesehen. Ich versuche, nicht unsanft zu sein. Damit helfe ich keinem. Ich kann nicht ringsum sanft sein. Das Meer sagt, was sein könnte. Das Meer sagt überhaupt nichts. Das Meer ist mir kein Schauplatz für Gymnastikübungen. Das Meer ist nicht zum Baden da. Ich spiele auch nicht mit, wenn ihr spielt. Ich fange auch den Ball nicht, den ihr mir zuwerft. Ich schwimme auch nicht mit, wenn ihr schwimmt. Ich gehe allein ins Meer und ohne jeden sportlichen Nebengedanken und wenn ich euch aus den Augen verloren habe. Alle Wasser laufen ins Meer, doch wird das Meer nicht voller. Ich frage dich, nachdem du mich gefragt hast, wie man ATEM schreibt, warum wird denn das Meer nicht voller, und du hast keine Sekunde verschwendet mit deiner Antwort: durch die Verdunstung. Die Frage nach dem Jodgehalt kannst du nicht so rasch beantworten, denn der Jodgehalt ist unterschiedlich. Wasser wird durch Licht zersetzt. Warum wird denn das Meerwasser nicht durch Licht zersetzt. Oder ist das die Verdunstung? Oder muß man es nicht unbedingt wissen? Der gelähmte und beinah stumme Robert D. studiert das unbekannte Meer. Das Meer hält sich aus der Vergänglichkeit raus. Das Meer übersetzt meine Irrtümer in andere Irrtümer, denn ich will mich lieber ein bißchen irren. Ich will es lieber nicht so ganz genau wissen. Ich wünsche mir mehr als. Ich will weiterfahren als. Ich will meine Ankunft nicht wissen.

Wir könnten uns dazu entschließen, künftig im Liegen zu essen, denn die Verdauung der alten Griechen und Römer funktionierte besser, denn sie aßen im Liegen. Das kalte Armbad nimmt man vorzugsweise um die frühe Nachmittagszeit. Dein Kurheftchen verrät dir die günstigsten Tageszeiten für die Anwendungen Unteraufschläger, Heusack, Lehmpflaster, Blitzguß, Unterleibsdampf, Kopfdampf, Nasses Hemd, Kurzwickel, brunnenfrische Ganzwaschung, Spanischer Mantel.

Von wo bis wo hast du denn Hunger? Von hier bis zur da Rosa. Und du? Bis zu Pier Luigi. Ist das weiter? Jemand hat gesagt: Da erschaudere ich und staune, daß ich hier und nicht dort bin, keinen Grund gibt es, weshalb ich gerade hier und nicht dort bin, weshalb jetzt und nicht dann. Falls Pascal nichts dagegen hat, mache ich weiter: Wer hat mich hier eingesetzt? Ich kann durchaus zufrieden sein, denn sämtliche Ausblicke sind schön. Denn Grün tut dem Auge wohl. Denn Grün beruhigt auch. Auch ohne materielle Sorgen empfiehlt es sich, die Druckstücke SEHEN SIE KLAR und DIE STEUERFIBEL zu erwerben.

Nein, ich steige in keinem Hafen aus, in dem ihr aussteigt. Nein, ich besichtige keine Stadt, die ihr besichtigt. Nein, ich lerne nichts dazu, wenn ihr dazulernt. Alle Schiffe im Meer fand man bei dir. Dreimal habe ich Schiffbruch erlitten, samt den Schiffsknechten und Meistern. Der lebenslänglich gelähmte und beinah stumme Robert D. besitzt kaum nennenswerte Chancen, den Anblick des Meeres kennenzulernen. Überweisen wir doch dem Adventskonto eine annehmbare Summe für den meersüchtigen Robert D., es braucht ja keine übertrieben hohe Summe zu sein, die Summe darf überhaupt nicht den für den Anblick des Meeres nötigen Betrag überschreiten, denn sonst würde die Mutter des Robert D. an eine größere und in ihren Augen nützlichere Anschaffung denken, eben an eine Anschaffung. Aber der Anblick des Meeres ist eine Anschaffung auf Lebenszeit, und vielleicht nur wir besitzen Verständnis für deren Notwendigkeit.

Ich gebe mich der Einfachheit halber als seekrank aus, weil es jetzt nicht gesund für mich ist, gesund zu sein. Es wäre ästhetischer, der Ärmlichkeit des Fleisches entgegenzuwirken. Angewöhnen: einen Entschluß gegen das ärmliche Fleisch. Was sollte mir Fleisch tun. Fleisch verschwindet. Du könntest, wenn du schon an Fleisch denkst, dich einmal deines normal hungrigen Lebenspartners erinnern und etwas Fleisch braten, denn dein Lebenspartner kommt vom Arbeitsplatz zurück. Du könntest dich beispielsweise im Verlauf einer Kur schlachtreif mästen lassen. Schafe schlachten, Fleisch essen. Ihr müßt euch alle bücken zur Schlachtung. Fleischlich gesinnt sein ist der Tod. Fleischlich gesinnt sein ist eine Feindschaft.

Ordnung machen in den Verfehlungen. Mittelgebirge über sich ergehen lassen. Sich von hier bis zur Via L. Ungarelli in aller Ruhe langweilen. Die Krankheit Mutismus nicht bekämpfen. Aber seit wann hast du etwas mit Mut vor, fragst du. Du kannst nicht einmal schwimmen. Mutus heißt aber stumm. Es ist eine psychogene Stummheit bei vorhandenem Sprechvermögen, es ist bei Kindern sogar freiwilliges Schweigen. Es ist eins der Abenteuer der kranken Seelen. Seit wann soll denn Stummheit ein Abenteuer sein, fragst du. Und jetzt willst du wissen, wie man THRON schreibt. Die Angst ängstigt sich vor sich selber, die Angst ist also sympathisch. Du fragst: Wie schreibt man DAS GANZE, groß? Ich sage: Es stimmt ja nicht, das Meer ist nicht geflohen, es ist vorhanden. In Gefahr auf dem Meer. Heute in den Streit gehen. Aber dahin will ich nicht. Rubin und Martha sagen: Der schöne schauerliche nützliche eheliche Streit. Ich sage: Das schöne schauerliche nützliche eheliche Schweigen. Die schöne Löchrigkeit der Wahrheit. Alles über Stunden, es bringt uns einander näher, und über Jahre, bis wir einander geradezu unheimlich nah sind. Das ist ein schleichender Vorgang, und sein Ende: diese geradezu unheimlich schöne Nähe, erzielt durch die ehelichen Wechselspiele Streit / Schweigen. Und schon kann man uns kaum noch auseinanderhalten. Man redet dich mit meinem und mich mit deinem Namen an. Wir können nur noch mittels Kleidung den Unterschied zeigen. Rubin sagt: Wir kommen aus demselben Wald, aber ich frage: und wohin gehen wir? Mein Mann sagt: In den Wald, Waldspaziergänge gehören dazu, denn 1) dienen sie der Gesundheit und 2) befriedigen sie dein Gemüt beispielsweise durch sehr ansprechendes Gehölz. Ich zähle die bei mir beobachteten Phänomene der Krankheit Amentia auf. Du greifst mir ins Gesicht, aber mit Prügelstrafe hat das noch lang nichts zu tun. Die Ursache dieser symptomatischen Psychose kann unter anderm dauernde Vergiftung sein. Eine Vergiftung, so andauernd wie dein Trennungen überlebendes Recht. Hinzu kommen exogene Reaktionstypen. Es zeigen sich Verwirrtheit, Ratlosigkeit, Benommenheit, motorische Unruhe, Sinnestäuschungen und Wahnbildungen. Dauer: Wochen bis Monate, auch Jahre. Die Amentia führt nicht zum Tode, wohin sowieso alles führt; dorthin führt jede Handbewegung, jeder Zeitaufwand für einen Satz, jeder Schritt und jeder Atemzug und jeder Spaziergang durch sehr ansprechendes Gehölz und jeder Ausblick auf sehr beruhigendes Grün. So wenig wie das nichtgeflohene Meer flieht der Tod, der uns abpaßt, und wir haben keine Ahnung, wie nah er sich schon an uns herangemacht hat. Du sagst: Dafür haben wir die regelmäßigen ärztlichen Kontrollen. Die Überlebenden behalten etwas zurück: Schwierigkeiten, die zudringlichen Übel und die gewalttätigen Erbschaften dessen, der verlorenging — Trauer also. Auch die Trauer wird bei der Addition der erinnerbaren Erlebnisse aufgeführt, und die organische Versorgung ist immerhin schon was.

Ein Mediziner kam zu dem Ergebnis: keine Erkältung durch Kälte. Rubin hat gesagt: Mein Hirn, in das ich senkrecht hinunterschaue. Dort aber steht: Guter Rat kostet nichts, 15 000 DM Erlebensfallsumme. 30 000 DM Todesfallsumme. 60 000 DM bei Unfalltod. Keinen Pfennig für den Freitod. Waren die Eltern des Sechsjährigen vorsichtig? Die Unfalltod-Vorsorge gäbe ihnen zwar ihren Sohn nicht zurück, aber 60 000 DM sind 60 000 DM. Die rostige Eisenkette hat den Unfalltod nicht verschuldet. Das war der Grabstein. Vom 2 Meter hohen Grabstein wurde der Sechsjährige erschlagen. Zwischen diesem Grabstein und einem andern, der nicht umfiel, probierte der Sechsjährige das Schaukeln auf der Eisenkette aus, wobei sich der genannte Steinblock aus seiner Verankerung löste und den Sechsjährigen begrub. Begraben von einem Grabstein für einen anderen, für einen bereits Toten. Von wo bis wo hast du denn den Wald gern. Von hier bis zur Via Ostiense. Das ist sehr weit. Die Via Ostiense führt geradewegs westlich und hört am Meer auf. Alle Natur der Meerwunder wird gezähmt. Du zerbrichst Schiffe im Meer. Es freut mich sehr, daß Schweigen kein Scheidungsgrund ist. Reden hingegen müßte ein Scheidungsgrund sein. Vor dem Reh da vorne kehren wir besser um. Warum läuft denn das Reh nicht weg. Sollen wir das Reh erschrecken? Wir wollen doch diesen Weg gehen, sollen wir denn auf das Reh zugehen, das Reh ist ja vielleicht tollwütig. Hat uns nicht schon einmal ein Rebhuhn angefallen? Sind jedoch fliegende Tiere nicht gefährlicher als Tiere, die nicht fliegen und daher uns nicht von oben angreifen können? Fest steht: ein Schäferhund jetzt wäre schlimmer. Ein Reh ist besser. Es ist jedoch sicherer umzukehren. Ich erhoffe mir vom ES GEHT — ES GEHT — Ruf eines Vogels Weissagung, aber welche denn und was soll sie denn sagen? Und schon wieder zu Haus. Wie behaglich warm. Ehe ihr in die Notwohnung getrieben werdet, ich in mein schönes Haus einziehe, kann man zum Beispiel umräumen. Die Herstellung eines neuen Wohngefühls wirkt ähnlich einem brunnenfrischen Armguß belebend. Woran starb Tut-Ench-Amon? Was ist denn das überhaupt für eine 3000 Jahre alte Mumie. Du liest mir längst sämtliche Kneipp-Sanatorien vor. Vielleicht läßt sich das Recht noch einmal retten. Es kommt eine solche Unruhe. Aber hier ist es ganz ruhig. Man hört fast nichts. Man hört fast nur das übliche Knacken in den Heizkörpern. Wir haben schon lang geschwiegen, hier liegt kein Scheidungsgrund vor, jetzt allerdings sagst du: Laaspe, Westfalen, aber der Kurort darf nicht zu klein und nicht nur Kurort sein.

Das waren soeben noch die beiden Pferde im Schnee. Vorhin war das noch unser abgelieferter Scheck für den meersüchtigen, gelähmten und beinah tauben Robert D. Das gerade abgeschlossene Telefonat liegt nun auch zurück und meine Schwiegermutter spricht nicht mehr mit mir. Hier: das ist ein Zuhause. Hier: das ist ein unausgepackter Koffer. Den mußt du auspacken, um mit dem Anschein eines Provisoriums Schluß zu machen, denn es ist keins. Es ist hier einfürallemal so. Hier: eine gute Regelung für dich. Hier: eine Ordnung. Hier: mein Bett, mein Tisch, meine einstige Entscheidung für immer. Immer: das ist weder zu früh noch zu spät, das ist verpaßte oder benutzte Zeit, das ist gar nicht, flüchtig oder genau wahrgenommene Gelegenheit. Hier: mein lebenslänglich geplantes Behagen. Hier: ein Tatort, an den du wie alle Verbrecher zurückkehren kannst, besser nachts. Hier ist dein dir verordneter Schauplatz deiner dir verordneten Vergänglichkeit. Es kann vor Abend anders werden, als es am Morgen mit mir war. Nur hier ist deine Mauer, nur hier ist deine Frage WARUM. Gib trotzdem die Kletterversuche auf, denn es wäre ungerecht gegenüber anderen Sportarten, nur dieser Mauer gegenüber sportlich gesinnt zu sein. Ein kleiner Schritt ist nur dahin, wo ich der Würmer Speise bin. Hier sind deine dir zugeteilten Todeskandidaten. In der Zukunft von hier erwarten dich deine Tränen über deine dir bemessenen potentiellen Krebs-, Herz- und Unfalltoten. Hier stehen sie dir zu, hier sind deine Tränen erlaubt, sind auch erwünscht und werden erwartet. Fremde Bewohner gehen dich nichts an. Das Recht ist der Inbegriff aller ethischen Werte. Unter anderm gibt das positiv genannte Recht an, was geschehen soll, wenn die Rechte mehrerer Personen in Widerstreit geraten sind. Hier ist nur ein Recht. In Widerstreit kannst du mit anderen Rechten gar nicht erst geraten, denn es gibt keine anderen Rechte. Die

Bevorrechteten hinter dir in ihrer durch Unrecht geschaffenen Reihenfolge sind ratlos, sind außerdem unabkömmlich und entfernt. Nur das Beste ist gut genug, ergab eine Umfrage unter einkaufenden Hausfrauen. Ich frage dich: Warum ist aber das Beste doch nie gut genug? Du sagst: Borkum. Ich sage: Da hätte ich das Meer. Du sagst: Zu kalt im Winter und sagst nichts weiter über Borkum, und ich will über das unzulängliche Beste schon gar nichts mehr wissen. Weiter das Schweigen proben. Hier wird immer mein Moment JETZT sein, hier hilft es nicht, einen Koffer erneut zu packen, denn hierher werde ich immer wieder zurückkehren. Hier kann ich das Meer erfinden. Hier kann ich mein verabredetes und festversprochenes Zuhause zur Abwechslung mal ein bißchen pflegen, sowie meine Fingernägel, meine Haut, meine Textilien, meine Familienbeziehungen, mein Verhältnis zur Außenwelt. Und weitere Vorsätze fassen. Keinen Gefallen finden am Tod des Sterbenden. Hör damit auf, und übrigens hat dir vorhin noch die heiße Fleischwurst geschmeckt. Hinter der heißen Fleischwurst steht der Tod auch. Aber von wo bis wo hat dir denn die heiße Fleischwurst geschmeckt? Von hier bis zur Viale A. Manzoni. Von hier bis zur Villa Abamelek. Und wieder die Vorsätze. Dann fallen wir diesmal nicht rein. Genauer überlegen. Genauer Bescheid wissen. Genauer Bescheid wissen lassen. Deutlicher schweigen. Deutlicher lieben. Du sagst: Bad Überkingen oder ist das ein Druckfehler? Hieße es Bad Überlingen, so wäre es klimatisch günstig.
Das Meer gab die Toten. Der Bodensee ist immerhin ein Gewässer. Das Meer ist nicht mehr. Es ist trotzdem, weil es war.

Sei ruhig ein wenig dankbarer in Zukunft. Es hat auch nicht jeder die Gelegenheit, den Vereinigten Staaten von Nordamerika einen Besuch abzustatten, wenn schon: nur für kurze Zeit, aber du erhieltest doch Eindrücke. Gegen Wilma, deine weniger begünstigte Kollegin, darfst du überhaupt keinen Vorwurf erheben, denn es wäre dir ohne sie nicht gelungen, so viel von New York zu sehen, an einem einzigen Tag. Sie wußte die richtige, die zeitsparende Route. 5th Avenue rechts rauf, links runter. Rockefeller Center. Sie hat gewußt, daß der Blick von der Rockefeller Center-Dachterrasse im Grunde viel aufschlußreicher ist als der unter Touristen üblichere vom Empire State Building runter. Du aber hast entweder ihr Flortuch mit den aufgestickten Sternchen lächerlich gefunden oder an deine kalifornische Verabredung mit Rubin gedacht. Oder du hast einfach Wilmas Gequassel, dem doch der Tiefsinn in keinem Satz fehlte, unerträglich gefunden. Es war dir einfach schlecht. Mit der Subway zur Südspitze Manhattans, die Fahrt auf der Fähre, zwanzig Minuten lang Hudson, also Wind, Staten Island, das Picknick an Bord. Wilma hatte doch an alles fürsorglich gedacht, bis hin zu den Packpapierbogen, auf die ihr euch gegebenenfalls, sofern irgendeine Bank oder eine Brüstung nicht sauber wäre, setzen könntet, ohne daß eure Kleidung Schaden nähme. Wall Street und Broadway verdankst du ihr auch, die Methodistenkirche auch, den Friedhof auch, sowie das Folklore Museum, die Zirkusausstellung, die Moderne Galerie — Wilma hat zu jedem Bild was zu sagen gewußt — die Show der Craftsmen. Keine Minute ohne Wilmas ortskundige gesprächige Touristikwut, und sie ist dir auch zum Check out ins Hotel gefolgt, aus dem du gar nicht gern ausgezogen bist, denn du bist ihrer Einladung, statt im Hotel bei ihr zu wohnen, gar nicht gern gefolgt, aber warum hast du denn dann eingewilligt? Was haben denn die Leute von deinen Verstellungen? Während du in deinem Hotelzimmer die Sachen zusammenpacktest, hat sich die erschöpfte Wilma auf dein Bett platschen lassen; du erfuhrst von ihr, daß sie eine sehr empfindliche Person ist, vom Migränekopf bis zu den Hühneraugenzehen. Sprechen konnte sie noch immer. Nett auch von Wilmas Mann, zu der Einladung in ihr Privatappartement ungefragt Ja zu sagen. Dann der Central Park, Wilma fühlte sich erfrischt, der kleine Zoo im Central Park, einer der Schauplätze, die Wilma mehrfach zu dieser und jener lyrischen Verlautbarung verleitet haben. Sie hat dir davon einiges frei zitiert, sie kann so ziemlich das meiste auswendig, sogar Stellen aus ihren Prosamanuskripten. Sie könnte sich, im Unterschied zu ihrem Mann, der könnte, aus der Ehe übrigens nie lösen. Wie dir dies gelungen sei? Na ja, eben so. Ich besuche die Familie regelmäßig, auch helfe ich, mit meiner eigenen Wäsche, bei der Wäsche der Familie in der großen schimmligen Waschküche des Bethseda, meine Schwiegermutter stellt die Waschmittel, das B. heißes Wasser samt Strom- und Gasverbrauch. Das ist günstig und kettet mich zugleich an die Familie, sie freuen sich auf die Waschtage. Schöne Zusammengehörigkeiten. Eine weitere Unternehmung, die uns zusammenführt: wir treffen uns an einem für alle, die dabei jeweils mitmachen wollen, geeigneten Platz, der Endstation der Linie 2, dem Wald gegenüber, zum Spaziergang. Wenn ich aussteige, stehen mir die jeweiligen Beteiligten schon vorsichtig lächelnd gegenüber. Ja, noch vorsichtig, aber das gibt sich, sie müssen ja erst meine Stimmung dieses Tages herauskriegen. Wird sie nervös sein? Wird sie sich zusammennehmen und uns allen zuliebe einfach so mit uns durch den Wald gehen, Tagesereignisse erzählen, anhören, einfach so. Sie wissen noch nicht, wie ich auf die Mitteilung reagieren werde: Rock sucht einen andern Zahnarzt auf, denn dieser Zahnarzt veranstaltet nicht so ein Theater wegen der Mißstände in Rocks Mund. Rock wird vielleicht auf die Werkkunstschule überwechseln, neues Berufsziel: Gebrauchsgrafik. Oder sie haben gar nichts über Rock zu berichten. Mein Mann bedauert es, aber es gibt nun einmal keine andere Möglichkeit im Kursbuch: du mußt leider 3mal umsteigen. Er hat übrigens gestern abend das Radio gewohnheitsmäßig angestellt und aus Versehen etwas Unerquickliches gehört, aber nicht abgeschaltet oder weitergedreht. Angekommen sein / Nicht am Ziel. Vom Anfang tödlich getroffen. Sich taufen lassen über den Toten. Von vornherein seinen Lippen vergeben. Ein Fragment sein nach dem Traum von dem Mann mit der bräunlichen Flüssigkeit, die aus dem Mund sickert. Lebenslauf. Sich erneut zusammensetzen. Im Central Park hoffentlich überfallen werden. Nach dem Kirchhof fragen. Ein Lächeln beantworten. Jemanden wiedersehen. Noch jemanden wiedersehen. Barfuß in der Schelfzone. Verspätet den verspäteten Zug wegen Zugverspätung erreichen. Keiner Ausrede bedürfen. Also schlechte Absicht nicht zugeben müssen. Überhaupt ohne Absicht sein. Überhaupt eine Statue sein: vorübergehend, gelegentlich, wenn es paßt, in ungleichmäßigen Abständen. Im Central Park hoffentlich gründlich untersucht werden. Im Central Park bargeldlos sein. Erneut: gefräßig, unmäßig durstig, leichtfertig, willensstark, untergewichtig, willensschwach, zur Sprechstunde bestellt sein. Jeweils so sein, wie man bezeichnet wird. Im Meer blutsverwandt. Allen die Ferien vermasselnd am Meer. In Trübsal sein um trösten zu können in der Trübsal. Menschen täuschen / Zweckreden / Tücken der Sprache anwenden. Keinen einzigen überleben wollen. Überleben. Über dem Kirchhof den Kinderspielplatz finden. Am Ende der lebendigen Sterberei immer noch nicht sein, dauernd am Ende. Am Meer blindlings / Allen voraus / Allen hinterher. Vollgelaufen, übelriechend, albern, todernst, viel zu schnell, warum-schon-wieder, unbesonnen, unpünktlich, viel zu pünktlich auf dem Bahnsteig von Lage sein. Auf dem Weg zu dem eigenen Grabstein / Allen voraus / Allen hinterher. Den enttäuschten Räuber im Central Park nach der erfolglosen Durchsuchung nicht davongehen lassen. Jemanden und noch jemanden nicht wiedersehen. Ein Lächeln nicht beantworten. Mittels Fuß-Spray, Achsel-Spray, Intim-Spray ohne Hemmungen den Räuber im Central Park um ausführliche Durchsuchung bitten. Den Räuber mit dem Angebot einen Scheck auszustellen dazu ermuntern. Mit zu viel Bier im Theater sein: I. Akt. Der Sprache mißtrauen / Sich vor der Sprache hüten / Kein Wort für frei halten / Über keinen Satz frei verfügen können. Anzweifeln, verunsichern, aufpassen weil. Jemanden, der nicht anwesend ist, mitnehmen in den Wald. Terrorsätze in unterschiedliche Zusammenhänge bringen. Ungemütliche Sachverhalte herstellen: sprechend. Gleichmachen: sprechend. Unklarlassen: sprechend. Beschimpfen: sprechend. Es für immer 11.40 h sein lassen: wortlos. Am Meer blindlings / Allen voraus / Allen hinterher. Einen Sachverhalt mittels Sprache immer nicht ganz stimmen lassen. Ohne Schaden an der Seele zu nehmen durch etwas hindurchkommen. Ohne den Verstand zu verlieren durch etwas hindurchkommen. Ohne an Körpergewicht zu verlieren durch etwas hindurchkommen. Indiehosemachen beim Durchsuchtwerden im Central Park. Einen Scheck über eine erhöhte Summe auszustellen versprechen. Den Kopf da liegenlassen in der Schelfzone. Den einen zu gern haben / Den andern zu gern haben / Keinen Ruin verhindern / Es allen verderben am Meer. Allen weit entkommen auf einer Stufe am Meer. Von dem Mann mit dem braunen Saft der übers Kinn läuft träumen. Jemanden, der nicht anwesend ist, mit in die Sparkasse nehmen. Ein schlafendes Gesicht betrauern. Einfach Angst haben / Einfach Angst haben / Einfach Angst haben. Einer Gegend ähnlich sehen / Einer Person eine andere Person ansehen. Minderjährige unanständig aufkitzeln. Retrospektiv aussehen. Nostalgisch aussehen. Eine Erinnerung übertreiben: beispielsweise an eine beliebige Bank, beispielsweise an einen beliebigen Regen, beispielsweise an 2 umgepflanzte Büsche im Garten, an den Kinderspielplatz über den abgesackten Toten. Entweder unterdrückt oder erotisiert sein, um an der Aprosexie leiden zu können. Im Meer blindlings / Alle hinterrücks / Es allen versaut haben / Weit voran mit dem Meer. Das Verlorene wieder suchen und das Verirrte wieder zurückbringen. Vielleicht wiedersehen, ein Lächeln vielleicht beantworten. Dillenburg, Lohr, die Pegnitz, den Main, Oberhessen nicht verwinden. Altersheime gut finden / Die Hinterlist der Sprache gebrauchen in der Verhandlung über Altersheime. Den aufsteigenden Mond betrachten, das aufsteigende Flugzeug betrachten: letztes Mal in Fiumicino. Vor dem Schäferhund Furcht haben / Einfach Angst haben / Einfach Angst haben / Einfach Angst haben. Zuhören dem Priester der dem andern Priester die Speisekarte der Molenkneipe vorliest. Aschenbecher stehlen / Überfressen / Angesoffen / Nachher im Auto randalieren / Nachher einfach platt neben dem WC-Deckel auf den Kacheln landen und somit im Verdacht bleiben. Sprechweisen den Ereignissen anpassen / Darstellungsweisen die Wirklichkeit terrorisieren lassen. Den Verstand verlieren und nicht durch etwas hindurchkommen. Schaden an der Seele nehmen und nicht durch etwas hindurchkommen. Körpergewicht vermehren und nicht durch etwas hindurchkommen. Normal sein / Wortbrüchig sein / Nicht das Richtige träumen / Gar nichts davon wissen / So tun / Vorsätzlich. Jemanden, der nicht anwesend ist, mit ins Roxy nehmen. Jemanden, der nicht anwesend ist, mit ins Kaufhaus nehmen. Jemandem, der nicht anwesend ist, zeigen, wie schön das alles ist. Allen den Rücken kehrend blindlings / Allen am Meer / Im Meer überlegen. Wasser im Wasser lassen. Fortschritte machen in einem Abschnitt der Schelfzonengeschichte / Einen lava del mare-Tisch kaufen / Das Meer ins Haus lassen. Alle reingelegt haben. Alles unbereut lassen. Aus zerfahrener Rede auf zerfahrene Denkmuster schließen und Böses als Wohlmeinen herzeigen: sprechend. Und für Güte ausgeben: sprechend. Ringsherum Wahrheit und Lüge mischen. Sein Verhängnis annehmen. Etwas sein das überwunden werden muß. Einfach Angst haben / Einfach Angst haben / Einfach Angst haben. Den Räuber im Central Park auf erogene Zonen verweisen und die Schecksumme raufschrauben. Zugverspätungen helfen lassen / Zugverspätungen stören lassen. Per Sprache beschädigen / Vermittels Wortgruppen verhindern. Verunmöglichen: sprechend. Entstellen: sprechend. Sätze zu Komplizen machen / Allen voraus / Über die Macht, das Sein und die Historie der Wörter verfügen. Anwenden, anwenden. Sätze, Redensarten, Redensunarten, denunzieren, umwandeln und selber gebrauchen. Eine Vermutung sein. Der Eindruck von etwas sein / Einen Anschein erwecken. Das trügerische Vorbild sein. Jemanden durch heuchlerisch sanftes Handeln für jemanden unbrauchbar machen. Heuchlerisch sanft sprechend jemanden von seiner Untauglichkeit für jemanden überzeugen. Nirgends aber mehr haltmachen können und wollen. Einfach Angst haben. Den 1. Grabstein setzen und eine Kühltruhe namens Gram anschaffen. Einen Friseur aufsuchen. Als Frau mit Herzschrittmacher Mutter werden. Als Spielverderber die Sommerferien allen verpatzen. Als Bär bei unerwartetem Schneefall aus dem Zoo fliehen. Als Fetischist von Unterwäsche erregt sein. Den Säugling vergewaltigen. Als Fotograf Paßbilder von Kühen anfertigen. Ein Schiff auf den Namen PAUL taufen. Anhänglich sein. Allen voraus / Als Nichtschwimmer um so weniger ertrinken / Unentwegt am Meer auch in Lauterbach, Nürnberg, Neuenmarkt, Cottenau. Als Schüler in eine Abhöraffäre verwickelt sein. Als geflohener Bär entdeckt und sofort getötet werden. Als Theaterbesucher gähnen. Als Passantin den durchsuchenden Räuber in den Central Park wünschen. Als Zirkusbesucher gegen den Stuhl der Frau mit dem hohen Hut treten. Als Kinobesucher gegen den Sessel des Mannes

mit dem Gequassel treten. Als Sprechender einen Sachverhalt verunreinigen. Als Besitzer eines Wortschatzes Scheinheiligkeiten, Intrigen, Idiotien, Verfälschungen nutzbar machen. Als Passant von der Polizei niedergeschlagen werden. Als Mörder davonkommen. Als Patient mit dem besseren Wartezimmer belohnt werden. Als Fahrgast 1. Klasse durch den ganzen Zug hindurchlaufen. Als Reisender durch Mainfranken unter Mainfranken leiden. Als Reisender durch Mainfranken unter Oberhessen leiden. Als Träumender schwer erschreckt werden. Zeitzünder unter die Idyllen legen. Einfach Angst haben / Einfach Angst haben / Einfach Angst haben. Das Leben auch rückwärts nicht verstehen. Das Leben auch vorwärts nicht leben. Verhältnisse in denen so und so geredet wird durchschauen und so und so agieren: sprechend. Methodisch, bewußt: sprechend. Hinterrücks alle / Am Meer blindlings / Auf der untersten Stufe der Treppe zum Meer / Es allen vermiesend. Nach den früheren Zeiten nicht fragend. Jemanden, der nicht anwesend ist, mit in den grünen Blick nehmen, mit ins betrübte Gehör nehmen, mitnehmen. Virtuelle Möglichkeiten der Wörter ausschöpfen. Anstiften: sprechend. Sich unentbehrlich machen: kitzelnd, kämmend, vorspiegelnd, zuredend, abratend, hoffnungweckend, Frühstückseier abschälend, ein weißes auf ein schwarzes Brot pappend, sprechend. Beim Überfall im Central Park auf seine Kosten kommen. Sich da mal ganz raushalten. Bloß nicht überleben. Weitermachen / Dem Schwachen gegen den Starken helfen / An den Rußnebel denken / An die Untugend des Geredes denken / An die geschwärzten Straßen denken / An die Schelfzonen denken / An die angeschwärzte Urgroßmutter denken — anschwärzen: sprechend. An die Mittagsruhe der geschwärzten Kneipen denken. Reisende mit Traglasten sein. Voneinander Gebrauch machen. So zärtlich sein um so einsilbig zu sein. Einander benutzen. So einsilbig sein um so zärtlich zu sein. In der Umgangssprache. Irgendwo blindlings / Irgendwo blind / Allen voraus / Allen hinterher / Alles verderbend.
Bei jemandem das erreichen was ein Bauer mit seinem Huhn erreichte: Trance. Irgendwohin / Von irgendwo weg / Nirgendwo genau. Einfach Angst haben / Einfach Angst haben / Einfach Angst haben. Neben sich herlaufen: Lebenslauf. Seinen Lebenslauf einen Kontext sein lassen. Der Inhaber eines Lebenslaufs sein. Gewesen sein / Dort gewesen sein / Ja gesagt haben. Nein gesagt haben. Es so oder so nicht deutlich gesagt haben. Allen voraus und hinterher blindlings / Hinterrücks / Im Hintertreffen für immer am Meer. Das Meer unaufhörlich / Ringsum das Meer / Jenseits von allen.
Und überhaupt nichts davon gehabt haben.

Eine Auskunft, mit der es wieder bei der fast reinen Wahrheit bleibt.

Gesprochen hast du aber gut. Wir gingen zu viert durch den Wald, beinah meistens auf der breiten Katzenschneise in einer Reihe, mein Mann, Kitty, Helene und ich. Der Wald war sehr schön, das versteht sich, wie immer, von selbst. Es hat ab und zu etwas geregnet. Wenn Kitty auf einem schmäleren Weg vorausging, sah sie, mit dem Schirm, dessen Stock sie gegen die rechte Schulter legte, wie ein Pilz aus. Wir haben gelacht. Es war schön. Uns ist eine Gruppe mit Kindern auf Ponys begegnet. Die meisten Kinder waren schon zu groß für die Ponys, und ihre angezogenen Beine hingen lang an den dicken Bäuchen der Ponys herunter, Schuhspitzen der Größten streiften durchs Laub. Ja, es war schön. Wie schön wäre es erst, wenn es so schön wie früher geblieben wäre. Lebenslauf? Doch nicht deiner. Ach, Unsinn. Ich zum Beispiel, ruft Kitty, der Pilz, zu uns, ohne sich umzudrehen, ich fands überhaupt nicht besonders deprimierend oder so oder weiter aufregend, es hat ja auch wirklich gar nichts mit dir zu tun gehabt.

Warum ist Rock wieder nicht mitgekommen, brauche ich überhaupt nicht zu fragen. Er hat zu viel Zank und Streit und Einsilbigkeiten und schwerwiegendes Schweigen im Gedächtnis. Er fürchtet sich vor seiner Mutter. Ich nehme mir vor, ihn bald zu einer gründlichen pop music-Aufklärung zu mir einzuladen. Er gehörte viel öfter an die frische Luft, meinen wir doch schließlich alle. Der Gebrauchsgrafikerkurs, falls was draus wird, zwingt ihn ja hoffentlich dazu, sein tropisches Zimmer, das ungelüftete Mexiko, in dem die Vögel umherschwirren, täglich zu verlassen. Schadet es eigentlich nicht auch den Nerven, beinah pausenlos in ziemlich großer Lautstärke Beat zu hören? Führt der rhythmische Lärm nicht auf die Dauer zu vasomotorischen Störungen? Ach, reden wir lieber über die bescheidenen kleinen ruhigen Pläne Kittys: sie will nächste Woche eine Cousine besuchen, die in der Nähe wohnt, aber für Kitty ist das schon eine Reise. Für diese Cousine interessiert Kitty sich jetzt, weil die es zu einem Fertighaus gebracht hat. Vielleicht kann sie ihrem Sohn dann endlich auch den Geschmack an so einem Fertighaus beibringen. Vielleicht eignet sich das Modell der Cousine auch für diese vier, aber vermutlich brauchen sie eine größere Ausgabe, schon wegen Helene, man muß ein wenig separiert von ihr leben können, gelegentlich. Vielleicht also wird es Kitty sein, die in die Geschichte der Befreiung aus der Notwohnung eingeht. Der Nachfolger behauptet allerdings, noch fehle jeglichem Emigrationsgelüst jegliches finanzielles Fundament. Hoffentlich engagiert sich die neue Oberin, Schw. Phoebes Nachfolgerin, ein bißchen für die

Vorgängerfamilie. Mein Mann nennt diese Nachfolgerin Oberin Florentine, er gönnt ihr den Titel, den er bei Phoebe für unangemessen hielt, er weiß auch jederzeit, warum und er könnte es auch jederzeit kaum erklären.

Und woran arbeiten denn Sie jetzt? Wilma Wächter findet nicht wirklich, sie habe nun lang genug ausschließlich selber und von sich geredet. Oder sprechen Sie ungern darüber? Ja, so ist es, ungern. Wilma hat das gar nicht bedauert, behauptete es aber und machte mit ihren eigenen Plänen weiter. Auf der Brandenburg-Party im 30. Stock, Central Park South, Hotel St. Moritz, habe ich ihr die hochwillkommene Gelegenheit verschaffen sollen, sie mit einigen außerordentlich wichtigen Leuten bekanntzumachen. Ich habe Budweiser getrunken, Rubin nicht getroffen, Wallace getroffen, es ist mir gelungen, Wilma auszuweichen, aber nur, weil sie sehr kurzsichtig ist und keine Brille trug, um die einflußreichen Leute, denen ich sie schnell vorgestellt hatte, auch von ihrer Physis zu überzeugen. Ich sah sie dauernd herumsuchen. Wilma, die sich den ganzen langen New Yorker Tag über ALS MENSCH OHNE JEGLICHEN APPETIT AUF NAHRUNGSMITTEL stilisiert hatte, sah ich am kalten Buffet unverhohlen gierig, sie stillte den verleugneten Hunger dieses Tages einer von der Polyphrasie befallenen Lyrikerin. Arme ausgehungerte Wilma mit ihrer unförmigen Plastikeinkaufstasche, mit der sie sich durch die Party wuchtete, auf den plumpen Sohlen ihres orthopädischen Schuhwerks, immer nur kurzfristig im Gespräch mit den ersehnten Personen, die sie durch ihr süchtiges Verlangen, kennenzulernen und kennengelernt zu werden, verscheuchte; arme Wilma, die es endlich begriff und dann nur noch nach mir suchend die Augen zusammenkniff, die mich dann auch erwischte, die einen Migräneanfall erfinden mußte, um mich von Budweiser und allem möglichen wegzulotsen, zunächst in ein Taxi zum Martinique Club, wo ich Rubin auch nicht fand, aber Stein und andere, wo ich bleiben wollte, wo Wilma auch diesen Personen auf die Nerven ging, viel mehr und viel länger als bis zum Zeitpunkt ihres Entschlusses, es zu bemerken und noch schlimmer unter der Migräne zu leiden: also strebte sie weg, nach Haus, nach Brooklyn. Sie bat mich: Kommen Sie nicht bitte jetzt endlich mit? Meine Schmerzen, und dann: mein Mann, er wartet — und wir können endlich in Ruhe über unsere Arbeit reden, ich möchte Ihnen auch gern etwas aus meiner derzeitigen Periode zeigen, bitte. Nein, es war bestimmt nicht freundlich von den Leuten an unserm Tisch, von irgendjemandem, der Wilma, ihrer Plastiktasche, ihrem

Knick- oder Senkfußschuhwerk, ihrer Suada und dem schlapprigen Kleid, schließlich zurief: Scheren Sie sich sofort zum Teufel, sehen Sie nicht, daß wir Sie keine Sekunde länger ertragen können!

Ehe Wilma weinend weglief, warnte sie mich aufheulend vor meinen Begleitern: Man sieht doch ganz deutlich, was die von Ihnen wollen! Haben Sie denn noch nicht genug von dieser schmutzigen Flirterei! Warum sind Sie so halsstarrig! Jemand von den Leuten, mit denen ich lieber ins SELECT weitergezogen wäre, hat meinen Koffer auf New Yorker Asphalt geschleudert, jemand, der was mit mir vorhatte, woran mir nichts lag, was ich in jenem Augenblick dennoch allen Aussichten mit Wilma vorgezogen und am nächsten Morgen, wenn nicht schon nachts, wenn nicht sofort beim Eintritt ins Hotelzimmer oder bereits im Lift bereut hätte; ich bin hinter Wilma über die Straße gelaufen, doch, ich nenne das Erbarmen, Erbarmen für Wilma trotz der Öde, auf die ich verzichtete, doch. Ich habe sie erst auf dem Perron der Subway station eingeholt, sie ist während der ungefähr halbstündigen Fahrt bis Brooklyn nicht zu trösten gewesen oder hat so getan, aber ihr Weinen gab dem Bedürfnis nach, die Stadt zu erklären: als der Zug über eine Hudsonbrücke fuhr und sie mich pflichtbewußt auf den Anblick Manhattans aufmerksam machte. Nicht abgelenkt hingegen hat sie der Anblick einer betrunkenen Greisin auf dem Sitz uns gegenüber. Diese Frau ist wahrscheinlich noch in der gleichen Nacht gestorben, ein Polizist hat sie aus dem Zug geholt, auf irgendeiner Polizeistation wird ihr die Kombination Alkohol / Kreislaufversagen das Ende gemacht haben.

Bob empfing uns träge und freundlich, gewöhnt an die Zustände seiner Frau. Tant de bruit pour une omelette. Wilma schluckte Medikamente und wollte nicht ins Bett. Jetzt gings doch erst richtig los mit der ganzen geistigen Auseinandersetzung. Sie zog die Schuhe aus. Sie murkste in der Küche herum. Sie pflanzte sich auf die Couch. Die meisten ihrer Fußzehen waren mit Gummipflastern gegen das harte Leder ihres Schuhwerks abgesichert. Ich hörte, während ich den Wein Marke Californian Flavour trank, die Geschichte ihrer verkorksten Verlobungszeit, ich erfuhr, ob wir, Bob und ich, wollten oder nicht, vom verweinten, aber unermüdlichen Sprechwerkzeug Wilmas, daß dieses Ehepaar seine gesamten Streitigkeiten numeriert und mit jeweiligen Titeln versehen hat, Wilmas Einfall. Sie erzählte Anekdoten zum Beweis ihrer Sensibilität. Auf der Couch lag sie fast schon übertrieben bequem. Aber der Tag war doch dank ihrer Fremdenführung gar nicht so übel, und Bob, schwitzend, halbärmelig und rosa, war doch auch gar nicht so übel, dieser vielleicht gar nicht von seinen wilma-freien Anfängen an so schweigsame Pathologe, der sein Los Wilma, seinen Kreuzstab Ehe ohne Aufwand trug, Bob mit nicht nennenswerter Coronarinsuffizienz, der uns am nächsten Morgen beim Frühstück allein ließ. Wilma las vor, während ich wußte, daß ihre Kaffeesorte mir schaden würde. Sie schob mir dauernd einzeilig betippte DIN A 4-Bogen über den Tisch und neben meinen Teller. Dieses Gedicht, man kann es ja genaugenommen gar nicht als Gedicht bezeichnen, oder was würden Sie sagen — nun wie auch immer, an ihm liegt mir besonders viel, es ist mir vielleicht das wichtigste — o Gott, mögen Sie etwa Eier? Sie müssen bedenken, ich übersehe so prosaische Dinge wie komplette Frühstückstische leider allzu leicht, nun tut ja auch Bob für seine Ernährung alles selber, deshalb bin ich auf diesem Gebiet nicht sehr beschlagen, da ich für mich weniger als die Luft brauche. Sie trug an diesem Morgen eine Kombination von Kleidungsstücken, die sie slacks und Windjacke nannte und in denen sie auch so verkleidet aussah wie in dem Kleid von gestern. Als das Telefon ihre Selbstinterpretationen und Manuskriptkommentare störte, bekam sie eine Art Anfall. Bob könne das nicht sein, garantiert nicht. Und mit keinem andern wolle sie jetzt sprechen. Für mich konnte es auch niemand sein, aber ich wollte den Hörer abnehmen. Sie rutschte vor mir herum. Wir lassen uns doch nicht das bißchen Zeit stehlen, das uns noch verbleibt? Ihr Gelächter hörte sich wie die hysterische Einleitung zu einem Weinkrampf an, und sie sah auch entsprechend aus. Ich nahm trotzdem den Hörer ab. Und dann war es doch Bob, der nur irgendwas mit dem Briefkastenschlüssel wollte, ich habe es vergessen, Wilma hat es nicht fassen können, hat geweint, hat sich gefaßt, um die wirklich letzten Minuten mit der Rezitation einer älteren Arbeit auszufüllen. Der weite Weg zur Haltestelle der Carey Limousine und Wilmas Vorträge über diesen nicht mehr jüdischen, diesen etwas proletarischen Bezirk Brooklyns, dazu eisiger Wind und mein Koffer, meine Hände ohne Handschuhe, und ich war es so leid, war es so leid. Und doch war dies mein weiter weiter Hinweg nach Kalifornien, der Hinweg auf die Berry Terrasse, zu Rubin, ins Badezimmer und was alles noch käme. Wilma, die bei Wegbiegungen entweder LINKS SCHWENKT oder RECHTS SCHWENKT sagte und zum Schutz ihrer fahrigen Frisur ein Nylonnetz trug. Aber du hast doch immer so viel übrig für die Angeschlagenen, Neurotischen, Pathologischen, für die Wracks und für die Amputierten und die Ungeordneten. Hat sie dich nicht zum Abschied sogar umarmt? Hat sie nicht sogar den Busfahrer angewiesen, er solle dir den Weg zum Gebäude der

United Airlines erklären, denn ich gedenke, mit dem Flug Nr. 363 nach Los Angeles zu fliegen, denn ich sei nicht von hier, denn ich — der Busfahrer hat gutmütig fast alles überhört und sein Radio nicht leiser gedreht, und Wilma war wiederum liebenswürdig: sie bezahlte meine Busfahrt, 1 $.

Alle Leute sind nett zu dir. Von meinem Mann gar nicht zu reden. Nach so viel Geduld kannst du ein 2. Mal suchen. Von betrogenen Ehefrauen gar nicht zu reden. Von einem im Stich gelassenen Sohn gar nicht zu reden. Von einer enttäuschten Schwiegermutter gar nicht zu reden. Nette Leute. Netter Rubin im Boulogne-Hotel. Auf Anhieb fallen mir gar keine Unterschiede mehr ein, sie sind alle so nett. Auch alle Beteiligten am Lunch der Berrys. Bernie und Ben möchten so bald wie möglich fachsimpeln. Sie sehen schon während des Essens nach ihren vorausgeplanten Monologen aus. Eine Glaswand mit eingelassener Tür — geriffeltes Glas, damit keiner sich den Kopf rennt — verbindet die Terrasse mit dem von der Firma Blackwood & Simmonds bezugsfertig eingerichteten Kombinationsraum, der weder Eßzimmer noch Küche genannt werden kann, obwohl er beide Bereiche vereint, und der überhaupt nicht an die Wohnküche der Notwohnung erinnert. Rubin hat sich als einziger natürlich doch die Stirn angerannt, wie nett von Rubin, sein eigenes Abbild in den Köpfen anderer nicht zu irritieren. Bei irgendwas hat er übrigens plötzlich doch aufpassen wollen, irgendeine Äußerung hat er mitkriegen wollen, und wie immer dann, wenn ihn etwas, das durchaus belanglos sein kann, unvermittelt aufweckt und sein Interesse beschlagnahmt, schnappt er ein paar Mal nach Luft, er reißt die merkwürdigen Augen auf, die Goldpunkte im merkwürdigen Braun seiner Augen treten deutlicher hervor, er streckt den Hals, er beugt den Kopf ein bißchen, sein Gesicht sieht anteilnehmend, aufgeregt und intelligent aus. Wie nett von irgendjemandem, Rubin für kurze Zeit plötzlich zu fesseln. Mein Rock war vorne aufknöpfbar, das ist entgegenkommend, das ist nett gegenüber allen möglichen Usancen. Linda war eine der Gastgeberinnen, die ihrer Sache absolut sicher sind, woraufhin, weil sie sich nicht aufregen, auch alles stimmt, oder zu stimmen scheint, denn keine Anzeichen von Nervosität oder Übereifer machen überhaupt erst argwöhnisch, und der Verdacht, daß etwas doch nicht stimmen könnte, kommt gar nicht erst auf. Somit schmeckt alles gut. Somit ist alles genau richtig. Rubin hat wie immer sozusagen nicht im Entferntesten gewußt, was er da auf seinem Teller zusammenraufte und in sich hineinschlapperte. Es war doch schön, es hätte doch, wie immer, noch schöner sein können als es bereits war, es hätte bereits schön sein können, während, wie immer, Zeit verschwendet wurde, alles wie immer. Auch für Eudora und Miß Häfflinger, die sich nach dem Lunch unter allen Umständen absondern wollten, war es schön, denn sie saßen gut nebeneinander, denn sie besuchen beide ungefähr gleich gern Museen aller Art. Wüßte ich die Altersgrenze, von der an lesbische Liebe nicht mehr ausgeübt werden kann — ich denke: aus ästhetischen Gründen, aber vielleicht kommt auch das Bedürfnis abhanden — so wäre ich mir über diese beiden Freundinnen im klaren. Eudora nahm eine Chance wahr und ließ Miß Häfflinger schon einen Blick auf Übungsproben aus dem Malkurs von Pete Meyer werfen: weibliche Aktstudien. Männliche Körper findet Eudora weniger inspirierend. Martha fand, als Amateurmaler sollte Rubin sich da ruhig mal ein bißchen einmischen, und Rubin fand es nicht. Miß Häfflinger hebt nun hungrig den Blick vom Quark mit Früchten und beäugt Eudoras nicht überall schraffierte Negerin. Diese Negerin war sehr inspirierend. Das Künstlerische an dem Blatt liegt in der ausgesparten Schraffierung. Miß H. muß, abends von neuzeitlichen Kunststoffinhibitionen befreit, eine Figur haben, die derjenigen des schraffierten Modells ähnlich ist, ungewiß angeschwollen, falls Eudora sich zeichnerisch nicht geirrt hat. Beim Übereinanderliegen, sofern diese Stellung bei ihnen vorkommt, dürfte die schmächtige Eudora nie zuunterst plaziert werden. Sie verfügt lediglich über einen kleinen Bauch, der enge Röcke ausbeult und eigentlich alle verblüfft und geniert, besonders, wenn sie Eudora eine Zeitlang nicht gesehen haben, denn diesen Bauch trägt man ihr nicht nach, man vergißt und vergibt ihn ihr von Fall zu Fall. Miß H. hat mit vorgeschobener Unterlippe den Gutachterausdruck erreicht und Eudoras Blätter zunächst beachtlich, aber dann doch noch unfertig gefunden. Das ergab insgesamt: förderungswürdig. Pete Meyer ist auf dem richtigen Weg mit dir, obwohl ich, Freundin Häfflinger, eher eine andere Methode anwenden würde. Damit will Rubin sich gänzlich überraschend kurz beschäftigen und er zitiert plötzlich Zeilen aus einem Gedicht von Frank O-Hara ... »Ich glaube, ich würde viel lieber ein Maler sein, aber ich bin es nicht ... Und eines Tages in einer Galerie sehe ich Mikes Bild, betitelt: SARDINEN.« Jetzt fällt Linda doch ein Mißstand am Tisch auf, denn ihr perfektes Lunch-Denken hat Sardinen vergessen. Und dies Rubin, dem Sardinen-Narr. Sardinen und etwas Zitrone drüber, das kriegt Rubin mit Freuden runter, wenn ihm sonst nichts mehr schmeckt. Ein Mensch ist immer das Opfer seiner Wahrheiten, sagt Rubin. Wie nett er sich plötzlich, wenn auch ohne jeden Zusammenhang mit der allgemeinen Unterhaltung, redend, ziemlich schwer verständlich beteiligt, aber es kann jederzeit vorübergehen. Woher hast du das schon wieder, fragt Martha, und Rubin ist wirklich nett genug, gerade noch mit quarkgerahmten Lippen »Albert Camus« zu zischeln. Eigentlich betrachtet er jetzt Ben Berrys rosa Unterarm und das beige halbärmelige Hemd, ein Fabrikat der Firma — das kann er aber unmöglich wissen, Rubin, er kennt den Namen so wenig wie den der Station Archway, den er nur jetzt nicht kennt, mal gekannt hat, jetzt kennen müßte, wieder kennen wird: wenn ich es ihm sage. Marthas Sorge für Rubins Unter- und Oberbekleidung ist die pure, okkasionssüchtige, ökonomische Schlamperei, und sie hat Glück mit Rubin, dem es völlig egal ist, was man ihm jeweils anzieht.

Du mußt dich verleugnen und alles verlassen, zitiert Rubin aus der Kantate Bachwerke Soundsoviel für den Sonntag nach Weihnachten. Das schaffen wir nicht. Die Vergangenheit ist niemals tot, hat auch mal irgend so ein Denker gesagt, sagt Rubin, also macht er weiter mit jener nordlondoner BED & BREAKFAST-Bleibe Nähe Tufnell Park Station, mit dem benutzten Bett im Zweibettzimmer, mit dem folgerichtig beschmutzten Bett, mit dem kobalt-blauen Badezimmer, dem Blick aus dem Fenster neben Vanilla Fudge-Haarsträhnen, Rubins Mund darauf in Bewegung: alles für mich — nahezu wertfrei — heraufgearbeitet aus seinem Gedächtnis, denn wenn ich den ganzen Rubin lieben will, muß ich den ganzen Rubin kennen. Im Garten zwischen Gefängnismauern aus Ziegelstein hat ihn das sinnlose Anstoßen der Schaukel gestört, der Blick auf den debilen Sohn der Vermieterin; dessen Augen haben Rubin, ganz so wie den Verfasser des Abschnitts über Hydrozephale im Gesundheitslexikon, an die untergehende Sonne erinnert, ihn, Rubin, zusätzlich an die Augen seiner Tochter Ruth, die jedoch Martha und ihm aus unbekannten Gründen zumindest physisch durchaus gelungen ist. Sorgenkinder Lieblingskinder, sagt man nicht so, sagte Linda und zwar wieder mit der Hand auf Ruths Haar. Wir alle haben gestern zum 1. Mal in unser aller Leben die auf Berghängen ausgestreutè Chaletsiedlung Knolls besichtigt. Die hübschen Kniekehlen seiner Tochter Ruth genügen Rubin für nichts Denkbares als Ausgleich. Es mag ja gerecht sein, falls Camus sich nicht irrt, daß der Mensch immer das Opfer SEINER Wahrheiten ist, sagt Rubin. Gut und schön, aber mach nicht andere zu den Opfern deiner Wahrheiten bis Unwahrheiten. Denk darüber nach. Du befindest dich an den Grenzen der Absurdität. Ich glaube nicht an die Absurdität, ich, Rubin, ich glaube an das, was davor und was dahinter ist. Ich möchte Kant und Platon und Spinoza aus ihren Gräbern holen, damit sie dein nirgendwo stimmendes System ausleuchten und zurechtbiegen. Aber wer von uns ist denn im Begriff, die beinah atavistische Bindung zu vernichten, wer von uns denn, Rubin. Rubin jedoch weiß sich im Besitz der äußersten Freiheit. So frei macht dich keine aktenkundige Freiheit. Martha ist rechtzeitig abends müde. Von wem hat denn Ruth diese hübschen Kniekehlen überhaupt? Rubin will sich das keinen Moment länger überlegen, es ist ihm ganz egal, es beschäftigt ihn kaum, lenkt aber ab. Aber wovon denn? Aber woran will er denn denken. Für die gedankliche Vorarbeit am Roman WAHRHEIT ist er fast immer in der geeigneten Stimmung. Er hat übrigens ein Professorenehepaar kennengelernt, das ihn schon, im gläubigen Vorschuß auf dieses rigorose literarische Monstrum, als Dichter feiert, erzählt Martha, der dieser Professor nicht gefällt, weil ihm beim Dozieren Speichel über die Mundwinkel tritt. Die Frau des Professors säugt bei jeder Gelegenheit und an jedem Schauplatz ihre verschiedenen kleinen Kinder, ganz archaisch, Rubin hat gar nichts dagegen und sieht hin, besonders, wenn das älteste Kind an der Reihe ist.

Jetzt entsteht, schon ist sie entstanden, eine etwas alberne Unruhe, die sozusagen allen gar keinen Spaß macht, es wird gelacht; Gegenstand dieser etwas gezwungenen Heiterkeit: Rubin. Er hat nämlich nicht zugehört, als jemand, er tippt auf Eudora, obwohl er sich da gar nicht weiter einlassen möchte, als jemand ihn anredete, wobei es um Malerei ging, und Rubin, der es leicht gehabt hätte mit einer unverständlichen Auskunft über seine systematisierten Abstraktionen, statt dessen Fontanes »ehrenvollen Frieden zwischen Sehnsucht und Wirklichkeit« abtat, wahrscheinlich für mich. Stört ihn bloß nicht, wenn ihm Zeug im Kopf herumgeht, sagte Martha, und neulich war er sogar durch so was Stures wie die maschinelle Datenverarbeitung abgelenkt, mittendrin. Rubin widersprach noch immer dem stummen Fontane und wollte ihm die größte Eigenschaft des menschlichen Herzens nicht abnehmen: seine Gebrechlichkeit und seine wetterwendische Schwäche. Und dieser schäumende Professor, sagte Martha, findet diese Zerstreutheiten einfach wundervoll. Übrigens wenn er nichts gegen seinen Speichelfluß unternimmt, dann prophezeie ich ihm für die nächste Zukunft genau deine komischen Mundwinkelinfektionen, Rubin. Angulus infectiosus oris, Faulecke, Perlèche, Mundwinkelrhagaden, vielfältige Ursachen. Rubin spricht zwar trocken, aber trotzdem akzeptiert Martha keine seriöse Herkunft seines gelegentlich auftretenden Leidens, ihr kann er nicht mit Eisenmangelanämie oder mit Vitamin B-Mangel kommen; sie freute sich lebhaft über die Zustimmung des Zahnarztes Schmiß: Durchaus, eine schlecht sitzende und ungepflegte Prothese ist häufig an der Faulecke schuld. Was ist denn das bloß, Datenverarbeitung, fragte mit ungewöhnlich reizloser Lautstärke und entsprechendem Mienenspiel Miß Häfflinger. Sie rückte zu nah an Rubin heran und bedrohte ihn mit jener beuge- und streckfähigen Phalanx aus Knochen, Sehnen, Fettpolstern und Haut, die seit schätzungsweise 67 Jahren ihr rechter Zeigefinger ist, im Verlauf dieser Zeit sich jedoch verändert hat, ihre Funktion aber im wesentlichen behielt und trotz gichtiger Modifikationen immer noch zum Malen und Zeichnen herhält. Auch heute noch wird mit ihrer Hilfe Druck ausgeübt, ob beim Kratzen, Schreiben, Bohren, Rühren, Umblättern, bei der Herstellung Häfflingerscher Kunstwerke mittels Pinsel, Stift, Kreide. Miß Häfflinger: zugleich freischaffende Malerin und angestellte krankenversicherte Malkurs-Leiterin in Burbank, Calif., 91508. Rubin hat eine ganze Zeit lang vergessen, daß er immer noch dran denken will. Die Droge, Erinnerungen zu verhindern, gibt es schon. Mit ihrer Gabe kann man dem Menschen immer mehr zumuten, der Mensch wird Erniedrigungen vergessen, während er sie noch erleidet, womit dies vielleicht kein Erleiden mehr ist.

Nr. 606. Ich weiß nicht genau, wozu der Professor mich beglückwünscht. Ich weiß nicht genau, wofür ich mich bedanke. Wir bleiben bei dem Spiel LÄCHELN. Eigentlich schade: nun haben wir die nette riskante Affäre hinter uns. Eigentlich bedauerlich: ich darf sogar ganz bald schon auf dem Balkon liegen.
Die Wissenschaftler John M. Darley, New York University, und Bibb Latané, Columbia University, testeten Hilfsbereitschaft und ermittelten: Hilfsbereit sind nur Einzelgänger. Verunglückt jemand auf der Straße, so ist die Wahrscheinlichkeit, daß man ihm hilft, weniger gering, wenn jemand allein zufällig des Wegs kommt. Je mehr Menschen um einen Hilfsbedürftigen herumstehen, desto weniger Hilfsbereitschaft, denn in der Gruppe ist die Verantwortlichkeit unklar. Ich werde mich für das atypische Verhalten der Operationsgruppe bedanken. Kennt allerdings jemand aus der Gruppe den Hilfsbedürftigen, so vermag er in der Regel die Barriere der Zurückhaltung zu überwinden.

Meine Sätze mit mir, meine bösen Sätze zum Guten.
Ist etwa ein Unglück in der Stadt, das der Herr nicht tut?
Dies ist einfach wiedermal nur Nürnberg. Genau so mußte der Turm sein, von dem die Frau aus 25 m Höhe absprang. Meine Beschäftigung mit dem Turm und Absprung findet mein Mann

gesundheitsschädlich, daß er dies findet, findet Rubin gesundheitsschädlich. So umsorgen sie mich. Die Gruppe benimmt
sich mir gegenüber testwidrig. Wer aus der Gruppe kennt
mich? Die Frau sprang in das tödliche Gelände. Es war hinter
grauen kaiserlichen Mauern aus mit ihr. Und schon befindest
du dich anderswo, so ist es immer, du bist weiter, dein Abteil
ist zu gut geheizt, dein schönes Krankenzimmer ist zu warm.
Hör mal auf mich und Hugo von Hofmannsthal: MANCHE
WORTE GIBTS, DIE TREFFEN WIE KEULEN. DOCH MANCHE SCHLUCKST
DU WIE ANGELN UND SCHWIMMST WEITER UND WEISST ES NOCH
NICHT. Laß die Finger von den gangränösen Schüttelkrampf-
beziehungen zwischen Rubin und Martha. Du hast keinen
Anspruch auf Mitbesitz, wenn sie ihn dir auch aufdrängen.
Laß dich doch nicht zum Klysma machen. Sei dir doch zu
schade für den Gebrauchswert als bigamistisches, psychisch-
physisch-metaphysisches Klistier. Zwischen deinen Verhältnissen und denen dort besteht nicht einmal Übereinstimmung
zweier unabhängig voneinander ablaufender Vorgänge, ge-
rate doch nicht in die Paralogie dieser Zustände unter den Bewohnern, in den Fehlschluß, den biologischen und mentalen
Irrtum, rede doch nicht mit ihnen im Chor dauernd an den
Entsprechungen vorbei. Es gibt das sittliche, das logische und
das ästhetische Gewissen und sicher noch einige mehr. Empfinde mit Schmerz und Beschämung die Verletzungen der
Pflicht.
Ist etwa ein Unglück in der Stadt, das der Herr nicht tut? Die
grauen Mauern umzingeln das Selbstmordgebiet. Ist etwa ein
Unrecht in der Wohnung, das die Bewohner nicht tun? Die
dicht mit Kleidungsstücken, zusammenhanglos gruppierten
Möbeln, überfüllten Haken und Nägeln mit Schürzen, Lap-
pen, Tüchern, Bildern besiedelten Wände der Wohnung umzingeln aber kein Selbstmordgebiet. Martha hat nun schon so
lang überlebt. Rubin hat nun schon so lang überlebt. Die mit
der Waffe TRÄGHEIT widerspenstige Tochter Ruth hat nun schon
den 2. Selbstmordversuch überlebt, genau wie ihr Anstifter-
Liebhaber. Schw. Christel sagt SO JETZT ESSEN WIR UNSER
SÜPPCHEN, aber sie ißt nicht mit. Rubin kritzelt mit der Notiz
MALLARMÉ ERFINDER DER NARZISSHAFTEN HERODIAS die Notiz
PERMANENTE LYRISCHE HOCHSPANNUNG beinah ganz aus der
unlesbaren Welt seines Merkbuchs, es bleiben übrig: HE-
RODIAS, DIE DAS »EITLE GEHEIMNIS IHRES SEINS« FÜR SICH BE-
HÄLT und: MARTHAS EVOKATIVER MENSCHENUNSINN: BEWEIS: SIE
NÖRGELT MIR EINEN BRANDFLECK VOR. ERWACHT AUS SERAPHI-
SCHEM TRAUM. IDOLISIERTER SCHWACHSINN. Rubin will das alles
sehr bald — aber erst nach einem durch Psychopharmazeutika
gefütterten Schläfchen — für mich ins Entzifferbare retten,

dann absenden; um dies vorzubereiten, veranlaßt er bereits eine Suche der Bewohner: Papier, doppelformatiges Couvert — es wird sich vermutlich um eine Monsterabhandlung handeln — mehrere Briefmarken, wie sie für einen Doppelbrief per Eilboten gebraucht werden. Sein Denken bereitet den Schlaf vor. Er möchte nicht einfach wegsacken, er möchte in der Paradoxie aufwachen; fast erregt ihn die Erinnerung an die erhebliche Errungenschaft von neulich schon ausreichend. Jetzt bewährt es sich — bei wachsender Bewunderung für diese stringenten Erektionsvorbereitungen da unten faßt er mal vorsichtig hin — eigentlich gar nicht, daß er ein Medikament eingenommen hat. Er wird es versäumen, stumpfsinnig verschlafen. Er möchte das dumme Dreckzeug so schr.ell wie möglich wieder rauskotzen. Martha, einen Löffel. Martha, es geht mir hundeelend, hilf mir mal überm Waschbecken, ich möchte mich übergeben. Ich muß unter allen Umständen und Qualen des Brechreizes dieses verdammte mönchisierende Schlafzeug loswerden. Hätte er sich nur nicht wegen des blödsinnigen Brandflecks soeben noch mit Martha auf Lebenszeit — circa 2 Stunden — höllisch-irdisch-existentiell zerstritten. Rubin, die rechte Hand in der Kehle, die linke Hand tief in der Hosentasche: Gleichzeitigkeitsetüden. Er reibt sich in Richtung physisch-spiritueller Liebesverständigung mit der entbehrten Person nicht in die richtige Kondition. Er gibt auf, wird auch bereits müde, das Erbrechen kommt nirgendwo zustande außer in seiner ungetrösteten Seele. Voller Todesangst um diese Seele und um diese verpaßte genitale Erhellung schläft er nicht einmal richtig ein, aber beim Aufstehen ist er entschieden zu schwach für den Brief an mich und für alles. Er nimmt etwas Whisky, etwas Bier, etwas Novalis. Daraufhin gelingt es ihm immerhin, ein ausführliches Ferngespräch mit jenem Professorenehepaar zu führen, das ihn auf unbegrenzten Vorschuß bewundert und für den Abend einlädt, womit der Abend gerettet ist, möglicherweise auch die Nacht, falls es zum Besäufnis kommt inmitten der Diskussionen, und er ins Gastzimmer eingeladen wird.

Hat denn ein Erdstoß alle diese Laufgänge, Mauertürme, Rundtürme, alle diese Wäschestücke, dies Mobiliar, diese Fotos, diese metaphysischen Aktenstöße umeinandergewirbelt? Wer hat denn die ganze Verwirrung angerichtet? Der tödliche, fest umschlossene Bereich sieht so unaufgeräumt aus. Mittelalterliche und kaufhausgenormte Szenerie jeweils deformiert und in chaotischer Verwahrlosung, da wie dort. Hier und da hast du keine Wahl, deine Geschichte erkennst du mühsam, vor dir liegt das Trümmergelände, aus Stein, aus Inventar, aus Historie, aus Geheul und Flehen, vor dir der Schaden, den deine Geschichte angerichtet hat. Rubin und Martha leben lieber mit dem Schaden als ohne ihn.

Von hier aus erreichst du keinen Zug mehr, sofern du nicht augenblicklich aufbrichst, du gehst vor die Hunde, ein Zustand, in dem die Bewohner sich wie in der schlechten Angewohnheit, dem Leiden, schlecht, aber auf Raten herunterexistierbar eingerichtet haben. Es ist zu Ende mit Reisen, Bahnhöfen, unrühmlichen Kalendervermerken, beargwöhnten, in Schande gebrachten Hotelzimmern; hier ist keiner barmherzig und ist kein Erbarmer. Du sitzt ganz schön bequem auf deinem Eckplatz. Sage ruhig Hinweg zur jeweiligen Rückreise.

Rubin, der schon wiedermal werweißwen oder z. B. Kant aus dem Grab holt, der dich selber zum autorisierten Gewissensrichter machen will, also zur idealischen Person; die bist du so wenig wie er, also schafft ihr euch die Vernunft nicht selber. Deine Schleimhäute bedeckt die gelbliche warzige Candida albicans. Gegen deine äußerste Schwäche könntest du mit Moronal einiges unternehmen. Was ist das für ein Fluß? Warte auf den Namen des nächsten Rasthauses am Ufer. Das Gasthaus schmückt sich mit dem Namen des Flusses. Unser Zimmer geht auf den Fluß. Wenn wir nachts aufwachen, freuen wir uns am Regengeräusch, wir glauben daran, daß es regnet, aber was wir hören, ist der Fluß. Machen wir also mitten im Flußregen weiter mit dem ergründenden Glossar, dem Geschlechtsverkehr.

Es war ja nur Nürnberg, die zweitgrößte bayrische Stadt im mittelfränkischen Becken, beidseitig der Pegnitz gelegen in einer Ebene, 309 m über dem Meeresspiegel. Um den Meeresspiegel zu erreichen, mußt du von Nürnberg aus Stunden und Stunden reisen. Unter dir das Gelände, unter dir die Berliner Straße, wo sie die Gelegenheit, den Meeresspiegel in ein paar Stunden zu erreichen, nicht wahrnehmen, unter dir die Erwartung von Personen in zerschmettertem Zustand. Hier weißt du nicht, an wen du glaubst. Die übrigen Straßen machen ebenfalls einen unheilbaren Eindruck. Die festumspannte Frau in deinem Abteil sieht das aber ganz anders. Sie zitiert einen Nürnberg feiernden Spruch: Wer Deutschland kennen und lieben will, der muß — und dann weiß sie nicht weiter, aber dann kommt auf jeden Fall in der Zeile, die ihrem Gedächtnis fehlt, das Wort Nürnberg. Wenn du schwach bist, so bist du stark. Die Candida albicans wird überwiegend bei Säuglingen und Greisen beobachtet, ausgenommen den Zustand der Kachexie. Nicht alle Wellensittichmännchen haben blaue Nasen. Nicht die Hyänen waren die Diebe. Dem Dieb wurden die diebischen Hände wieder angenäht. So genau nehmen die Mediziner ihren Hippokrates. Der Dieb aber, der sich von seinen schuldigen Händen per Verstümmelung hatte selbst befreien wollen, wurde vom Glück unglückseliger Komplikationen begünstigt und von der Verführung an seinen Gliedmaßen erneut befreit. Ich mische meinen Trank mit Weinen. Rubin mischt seine Farben mit dem Funktionieren seines Tränenapparats. Mische deinen Gram darunter.

Ist etwa ein Unglück in der Stadt, das der Herr nicht tut? Diese Stadt, diese Straße, diese Wohnung, diese Bewohner will er nicht beschirmen. Die Kachexie ist jenes Stadium äußerster Hinfälligkeit, welche dem Todeskampf vorausgeht. Die Furcht ist der Weisheit Anfang. Fang mal an. Daniel hatte in seinem Obergemach offene Fenster. Ich habe in meinem Gepäck Geschenke für die Familie. Trübsal bringt Geduld. Dir nicht? Also bist du nicht weise, also hast du dich zuvor nicht gefürchtet. Es ist alles so ziemlich kachektisch. Die Frau im Abteil, deren Kleid am Abend beim Ausziehen zerstört werden muß, trägt insgesamt vier Ringe und drei Armbänder. Was hat das für einen Sinn, daß du hier im Abteil deinem Sohn Rock eine Ansichtskarte bekritzelst? Du willst nur wieder ein Gewissen haben wollen, um eigentlich sein zu können. Du willst, daß dir ein Gefühl deines Wertes Geltung verschafft. Ich war auf dem Bahnhof, ich war auf Conrad Ferdinand Meyer neidisch und bedacht auf tödliche Mengen seiner Zeile GENUG IST NIE GENUG. Ich kann auch, auf Bahnsteigen, von Waggon zu Waggon tödliche Mengen eines Städtenamens zu mir nehmen. Daran stirbst du nicht. Plötzlich müssen die Leute sterben. Du hast dich vor dem Tod deiner Eltern gedrückt, denn du warst zu klein für Kummer. So fing es an mit deinen Erfolgschancen. Wer die Strafe haßt, der muß sterben. Abraham ist gestorben. Lazarus ist gestorben. Wir sterben doch morgen. Noch immer habe ich keine richtige Frisur, aber meine Stirn kann sichtbar werden, entweder bei Gegenwind oder wenn jemand das will und seine Hand benutzt. Du besuchst nie die richtigen Friedhöfe, immer nur die andern; so weinen, wie du weinen würdest, willst du gar nicht weinen. Du wählst den Umweg, die weitere, aber verträglichere Strecke. Du hast es bequem. Das ist ein bequemer Eckplatz. Schokolade, welche die Frau gegenüber sozusagen geräuschlos ißt, paßt wider Erwarten noch in das Kleid. Die Frau beschäftigt sich jetzt mit einem Kreuzworträtsel, sie will den Schreibstift ansetzen, aber es kommt immer wieder nicht dazu.

Ist etwa ein Unglück in der Stadt, das der Herr nicht tut? Beim 2. Mal trat ich in die Hugenottenkirche ein. Ich habe auch in der Hugenottenstraße nichts verstanden vom Kummer, der speckig macht, also habe ich wieder Hessens Hausfrauen nicht verstanden, denn ich habe ihre Antworten auf Fragen zur Gesundheitspolitik nicht verstanden. Wer in dieser Stadt bleibt, wird sterben.

Du kannst im einen oder im andern WC des Wagens 1. Klasse, dort eingesperrt, den ganzen memorierenden Papierkram zerreißen und ihn, indem du den Fußhebel bedienst, durch Wasserspülung beseitigen, du kannst deine ganze Geschichte auf der Strecke dieses D-Zugs lassen, deine Geschichte ist ein rasch unkenntliches, weggeschmissenes, aufgeweichtes Papier-Wrack. Es gibt nicht mehr den Anschein. Es gibt die äußerste Hinfälligkeit, vorerst der Schleimhäute. Würdest du dich nur aufraffen. Würdest du nur beispielsweise auf die Ratschläge deiner Margarinefabrik hören. Das Kochbuch der Gesundheit kostet fast nichts und enthält doch 80 vernünftige, kerngesunde, langweilige Rezepte mit Pflanzenmargarine. Täglich begehen wir große und kleine Verbrechen. Die Reformhäuser interessieren sich nur für die Verbrechen an deiner Gesundheit. Goethe hätte mit der tragischen Lösung des Werther die Leute nicht im Weltschmerz sitzen lassen dürfen, meint ein Arzt mit schöngeistigen Interessen. Zwei weitere Passagiere stimmen der nicht von Christo verpackten Frau zu: Ganz einmalige Werte, gewiß, besitzt Nürnberg. Die Frau, der die Trümmer des lindgrünen Kleides, entstanden durch Herausplatzen aus dem Kleid, zu einer umändernden Handarbeit gereichen werden, die Frau hat mit Neapel eine große Enttäuschung erlebt. Sie weiß wieder einen entsprechenden Slogan, der ihren Eindrücken aber nicht entspricht, weiß ihn diesmal bis zum Schluß: Neapel sehen und sterben. Sie hat gesehen und blieb am Leben, sie hat überwiegend Schmutz und Bettelei gesehen. Das ist ja überhaupt so eine Sache mit Italien. Aber die Farben sind schön. Aber die Heimat der Frau, das schöne Schlesien, ist schön. Aber die Frau würde sich ewigen Sonnenschein wünschen. Gäbe es den in der schönen Provinzhauptstadt Breslau, dann — jedoch: verloren. Die andern im Abteil kennen bedauerlicherweise Schlesiens Schönheit nur von schönen Abbildungen. Alle finden es so traurig: die Leute reisen nach Afrika, die engere Heimat vergessen sie. Alle trauern nun eine kurze Zeit sehr. Ein schnaufender Mann opfert sich, verzichtet nämlich und schnauft nicht, dem Satz zuliebe: Die haben es wirklich verstanden, uns die Heimat zu entfremden, und denken wir bloß nicht an die Jugend, herrgottnochmal, aber die Altersgrenze rückt immer mehr rauf.

Ist etwa ein Unglück in der Stadt, das der Herr nicht tut? Dies aber ist einfach nur Nürnberg. Dort aber ist einfach nur Rubin, von einer Auswahl an Unglücksfällen verschont, obwohl er nie darauf bedacht war, das Schlimmste zu verpassen, indem er dem Schönsten auf der Fährte blieb. Was macht denn Rubins hoher Blutdruck? Was macht denn sein konstruktivistischer Kopf, die Leber, die Teleangiektasie — alles übersteht er fortdauernd leidend. Zusammengerütteltes Gebiet, hier heißt es Burg, hier heißt es Nr. Soundsoviel, Berliner Straße, dies ist überall die Unordnung, die deine Geschichte angerichtet hat, wir aber in der aufgeräumten Notwohnung verzeihen dir, wenn du auch vor Beschädigungen herumlungerst, die auf dich zurückgehen. Dieser bestimmte Turm verdient es so wenig wie dieser bestimmte Zielbahnhof, daß man ihn dramatisiert. Der Turm ist einfach ein Turm. Hinter dem Zielbahnhof liegt einfach eine nicht besonders charakteristische Stadt. Weder dieser noch jener Bereich ist unter allen Umständen tödlich. Es gibt zum Beispiel den kulturhistorischen Belang. Historisches Bewußtsein ist ein Stimulans. Du sähest zumindest hier kein Chaos, du sähest mittelalterliche Geschichte, dir würde manches klar, dir wäre der passende Kaisername längst eingefallen, hochbefriedigt liefest du hier herum — und dann auf und davon. Halt! Deine Chronik ist abgebrochen. Rubin wird sich nie und nimmer in seinem Kopf und in der Wohnung zusammensuchen. Für Martha wird sich nie und nimmer ein Anlaß finden, dich nicht zu bitten, Rubin zu lieben. Da, da: das sehen wir gern. Da, da! Das wollten wir. Die über mich schreien: da, da! Mein Freund ist mir ein Büschel Myrrhen. Ein Ende machen, denn es ist das Ende. Es ist das Ende der Gegenbilder. Laß genug mal genug sein. Dann ist es schon wieder der D 337 Passau—Hagen. Jetzt sind es die Generäle in deinem Abteil. Wiederum sitzt du bequem. Die Arbeitstagung der Generäle war ein voller Erfolg, daher ihre glänzende Laune, denn sie haben mit vielen ehemaligen Offizieren Kontakt gefunden. Du verantwortest dich mit einem Wort. Verkümmerte Sensibilität: die Generäle lesen das ja gar nicht. Die Zeit verfälscht und verfälscht. Bald wirst du deine Geschichte nicht mehr erkennen, verfälscht wird sie zu einer anderen Geschichte, und du willst plötzlich nichts mehr mit ihr zu tun haben. Die Frau aus dem vorigen Abteil hat übrigens ein Kleid getragen, das eigentlich Martha gehört. Martha hat das Kleid kürzlich gekauft, eine Okkasion. Stolz hat sie sich darin Rubin gezeigt, der nicht hinsah. Das Kleid war ihm sowieso bekannt. Er hat gleichzeitig gar nicht gewußt, was er selber in diesem Augenblick auf dem unbekümmerten tragischen visionären Leib trug. Auch die Generäle finden es schlimm, daß es den Menschen heut so gut geht. Sie könnten sich leicht mit den Mitreisenden deines vorhergehenden Zugabteils verständigen. Die schönen Übereinkünfte, die schönen schrecklichen Zusammengehörigkeiten. Die Generäle vermissen Einsatzbereitschaft. Die Generäle vermissen die tüchtige Liebe zur Arbeit. Die Generäle schütteln die Köpfe über die Jugend. Die Generäle werden sich hüten, von ihren Idealen abzulassen.

Welches Unglück geschieht nicht? Es ist dir nichts geschehen. Du bist nicht abgesprungen. Andere sagen die Wahrheit, du aber läßt immer was weg. Das verzerrt die Perspektive. Um deinen Kräfteverfall kümmern die von Candida albicans betroffenen Schleimhäute sich an deiner Stelle. Du hältst dich da und da heraus, auch wenn es nach Einmischung aussieht. Natürlich, du behauptest, deine Irrtümer, deine Leiden, deine Beteiligungen seien Stationen auf dem Weg zur Wahrheit, aber deine Wahrheit ist bestenfalls die Neugier, du begaffst, in Sicherheit, Rubins meschuggene elegische Unrast, die marode Laxheit einer Ehe, du mit deinem versteinerten Verhalten; deinen gewundenen Wegen kann man nachgehen wie den Mäanderlinien prähistorischer Würmer, es sind deine Fraßspuren im Tiefseeschlick. Auch deinen Zellen bleibt am Ende, wenn es kein anderes Ende sein soll, keine Wahl, und sie synthetisieren brav und fleißig Viren statt eigener Bausteine, quasi auf Befehl begehen sie Selbstmord. Zwar betrachtest du dich in jedem Spiegel, aber noch immer ziehst du keine Konsequenz daraus. Wir werden demnächst alle Spiegel zuhängen. Denk an Lebensmittelbestellungen, denke erdschwer, denk an deinen Sohn und Haarpflege. Denke an Kröten. Denke an die Sonnenorientierung der Kröten. Hormonbehandlung allerdings macht Kröten paarungsbereit und unsicher. Im Territorium von Rubins Seele geht es unruhig zu. Hiob hat bei Rubin recht: ... vom Weibe geboren ... (aber über Rubin und Weiber wäre mehr zu sagen) ... lebt kurze Zeit ... (allerdings merkwürdig lang bei dauerndem Raubbau) ... und ist voll Unruhe. Unheilvolle Getriebenheit, in der er sichs gleichwohl gemütlich gemacht hat, sofern man seine Wohnverhältnisse mit seinen blinden Augen sieht. Unwirsch, unvernünftig, philosophisch, metaphysisch, systematisierend und zerfahren verirrt sich seine gepeinigte Psyche in die subjektiven Kaldaunen. Ein psychotischer Geisterseher mit orphischer Kryptographie und Äolsharfe, eines Geistes mit Martha im Flagellantismus. Es ist kein Unglück in der Stadt und in der Wohnung, das der Herr nicht tut. Martha und Rubin beherrschen die Geißelung als Mittel zur Triebbefriedigung. Nürnberg, die Stadt, in der kein Unglück fehlt, ist die Lieblingsstadt der guten deutschen Patrioten und der lindgrün eingeschlossenen Frau. Sie trägt eines von den verwechselbaren Kleidern, in denen Martha sich für kurze Zeit wohl fühlt, sich für kurze Zeit etwas schlanker findet als in den vorangegangenen Kleidern, in denen sie sich für kurze Zeit etwas schlanker fand. Es ist nicht erwiesen, ob gefärbten Hühnerküken die Selbstwahrnehmung noch gelingt, wenn sie länger als 8 Tage ihre Körper betrachten. Rubin trauert flüchtig und heftig beim Rasieren, denn so nah er sein schaumiges wüstes Gesicht auch dem Spiegel bringt, erkennen kann er sich nur mit großer Anstrengung. Natürlich unter anderm, weil er mit seinem leidenschaftlichen, verzweifelten und verwirrten Schnaufen die Spiegelfläche bis zu Stumpfheit beschlägt. Nikotintau seines denkerischen Atems. Rastlose Getriebenheit bei schwerfälligster Gehweise; macht er so weiter, dann führt das noch zur Gehunfähigkeit überhaupt, aber ein Glück für ihn: er muß Kartoffeln einkaufen, er muß sich neue Zigaretten und billigen Wein besorgen, er muß dich irgendwo treffen. Nicht alle Hamster hamstern. Martha hält nichts von Vorräten in Küche und Keller. Flaschenbier wird flaschenweise in der Einkaufstasche besorgt, denn ein Bierkasten wäre ihr vor Rubins spiritualisierter Verschwendungssucht zu unsicher. Es gibt eine Schimpansin, die Umwege mit Zwischenzielen überblickt. Es gibt genug Aufschluß. Martha überblickt. Es gibt die Gesellschaftsordnung von Weidekühen. Es gibt die Schelfzonen. Es gibt das Licht für die Mühseligen. Es gibt die Selbstmordgipfel: Herbst und Frühling. Es gibt einen gewissen Geist. Es gibt die Küste. Es gibt die Hoheitsgewässer. Es gibt eine sehr schöne Geduld. Es gibt sehr schöne Gewässer, sehr schöne Zwischenziele, desgleichen Parks. Es gibt die unheimlichen Schätze nicht. Ozeane werden letztlich selber mit dem Öl fertig. Ozeanisch wird Rubin letztlich selber mit seinem schneeverwehten, geröllreichen Fußmarsch zum Grab fertig. Er braucht gar nicht unter seinen Qualen wegzutauchen. Er sucht gar nicht die Erfahrung der Stille, er will gar nicht den ganzen Alltag entkrampfen; selbst bei stundenlanger, unbequemer Lage auf dem Sofa — denn er lehnt den Kopf nicht an — handelt es sich nicht um Meditation, er spürt gar nichts von den Schuttabladeplätzen psychischer Konflikte, von Verdrängungen erst recht nichts, denn er verdrängt nichts. Er steht gar nicht in feindseligem oder ängstlichem Verhältnis zu Sexus und Sterblichkeit, also bedarf er keines Schutzes vor meditativen Sinkübungen, aber er unterläßt sie, wozu brauchte er, begabt für Glorifizierungen des eigenen psychischen und physischen Mülls und für Weinkrämpfe (in der Praxis und in der Veranlassung: Martha ist allzeit bereit), gottlose Erleuchtungen der Zen-Meister, heiligen Hesychasmus am Berg Athos. Er sucht nicht nach dem verlorenen Selbst, geht dennoch auf ausgetre-

tenem Pfad den Weg in die Seelenmitte, kennt sich aus mit magischen Entrückungszuständen, fühlt sich hundsmiserabel und ganz wohl. Über den menschlich-kosmischen Knotenpunkt unterhalb der Gürtellinie weiß er jederzeit Bescheid.
Es gibt kaum ein Unglück, das sich als Einzelfall hochspielen kann. Es gibt kaum ein Unglück, das der Herr nicht tut. Es gibt keine Ähnlichkeit zwischen Werthers Leiden und den Bremer Stadtmusikanten. Die Gegenwart ist schwach. Das ist nichts weiter als Nürnberg, etwas heruntergekommen, jedoch sonst Nürnberg. Du hast deine Sätze ausgesprochen, ehe du es genau wußtest, und nun bewahrheiten sich die Sätze. Wer tut mir den Gefallen nicht? Wer tilgt nicht für mich die kleinen Kreisstädte längs der Strecke des D 337, wer entdeckte Brasilien? Warum wird Kranksein teurer? Warum nicht warten, warum jetzt handeln? Warum soll meine linke Hand nichts wissen? Warum finde ich nicht Ausgang noch den Eingang? Warum ist es hier schädlich? Wann kommt meine Verantwortung? Rubin argumentiert mit Kant über dessen Asexualität, sonst sind die beiden so einigermaßen einig. Rubin grollt Hegel, bei überwiegender Übereinstimmung, denn die Sätze, die Rubin ausspricht, sagen immer was sie meinen: was Rubin meint, damit verschont er so leicht keinen. Jesus wollte gar nicht Gott sein und wurde es trotzdem. Rubin wollte gar nicht Rubin sein und wurde es trotzdem, aber seit er es wurde, fand er sich, wütend, fröhlich, berauscht, verweint, damit ab, dies vielversprechende Säugetier zu sein.
Wer sich in der Welt ernähren will, der kann es nur mit Milch. Ohne Milch wären Sie beispielsweise nicht in der Lage, heute diese Zeilen zu lesen. Milch sowie Blut: zwei ganz besondere Säfte. Genug ist nie genug: das paßt am allerbesten auf die Milch, denn dieser geschieht zumeist Unrecht. Die Milch ist viel zu vielseitig. Rubin ist viel zu vielseitig. Allerdings wird er einseitig, wenn es um irgendein mönchisches Gefasel über irgendein abstraktes, blödsinniges verlogenes Glück jenseits der Sinne geht.
Meine Geschichte verläuft rückwärts, sie liegt abgeschlagen und verkorkst an den ihr verordneten geografischen Punkten herum — du liegst nicht dabei. Du hältst dich anderswo auf. Du versuchst es nochmal, vielleicht anderswo. Man kann nichts dazutun noch wegtun. Ein verkehrtes Herz findet nichts Gutes. Wer seine Ehefrau findet, der findet etwas Gutes. Die Verständige findet Gutes. Denke daher vor der Fassade der Augenklinik an die vielversprechende Methode der Lichtkoagulation. Die Augenmedizin hat einen großen Schritt nach vorne getan. Der Knall im Auge darf Augenkranke zuversichtlich stimmen. Den Knall im Auge hört, je nach Größe der kleinen

Explosion, der koagulierende Operateur. Du kannst daher auch die Frage WER WIRD DES ELENDEN SACHE FÜHREN einsparen, denn darauf gibt es z. B. diese Antwort der Mediziner, kranke Augen beruhigend. Sage daher: EUCH, DIE IHR EINE KLEINE ZEIT LEIDET. Eine kleine Zeit vermag jeder zu leiden. Kümmere dich um alles, was du unter RECHT und RECHTENS findest: DIE SCHLÄGE DES LIEBHABERS MEINENS RECHT GUT. Denk an die kath. Landjugend einer fränkischen Diözese. Sie will mit ihrer Aktion FRIEDENSSCHWEIN ihren moralischen Beitrag leisten. Die von der kath. Landjugend optimal gemästeten Schweine gelangen entweder zum Verkauf im Metzgereieinzelhandel oder zur Versteigerung auf die amerikanische Art. Die dicke, in ein lindgrünes Etui aus Marthas Kleiderschrank gesperrte Frau ist jetzt am Zielort. Das Abendessen soll ihr schmecken, hat sie vor. Sie entschlösse sich vielleicht doch zu einem gewissen Gewichtsverlust, wäre es ihrem Mann nicht so egal. Rubin ist Marthas Körpergewicht so egal wie sein eigenes. Mit dem Erlös durch Schlachten der gemästeten Schweine erwirbt die kath. Landjugend sich einen guten Ruf an der Elfenbeinküste. An der Elfenbeinküste werden die Friedensschweine ein Schulungszentrum erbauen. Das Gute wird getan, sogar von Haustieren. Hühner, die jeden Tag ein Ei legen und deren Ende als wohlschmeckende Nahrung wiederum dem Menschen nützt, sind sowieso jedem Einsichtigen als Beispiel für das Gute, das getan wird, bekannt. Du aber redest lieber Böses als Gutes. Du meinst es doch gar nicht so. Du tust es aber. Es handelt sich vermutlich um Bequemlichkeit.

Mein Zweibettzimmer verändert sich. In der letzten Nacht war es nach vorne an den Gang geschoben, die Möbel standen dicht beieinander, das ganze Zimmer war zusammengedrückt, mein Bett befand sich in Türnähe, zugleich auch näher an der dem Fußende gegenüberliegenden Wand. Das Aquarell, dessen Titel BALKON ich mittlerweile kenne, ist am Tag unverfänglich, ist eine harmlose, ohne Harm und Anfechtung — von keinem Rubin also — aufgepinselte Illustration; bei Dämmerung verwandelt es sich. Eine Metamorphose der farbigen Belanglosigkeit, und ich erblicke das Gesicht einer krebsigen Greisin. Hautkrebs. Bunte Metastasen. Die 2 aquamarinfarbenen Wolkenkleckse über dem mattgrünen See des Tagesbildes sind in der Dunkelheit die Augen der Greisin; ein tagsüber zerfasernd beiger Fensterrahmen ist nachts ihr Nasenbogen, die Blumenvase ist das Carcinom-Charisma, ist der Höhepunkt ihrer Krankheit, ist das Geflecht TODESURTEIL auf dem Gesicht der Greisin. In der Morgendämmerung macht sich

die Greisin davon. Der neue Augenschein: eine Jugendstil-
dekoration. Das Zimmer wird größer. Die Möbel rücken auseinander.

In Nr. 606 habe ich Glück: heute verpasse ich einen Feiertag,
gestern habe ich die Beteiligung an einem Sonntag eingespart.
Ich kann also hier etwas genießen: Unzugehörigkeiten. Es
geht mich nichts an: die Balkonwand, ihr grauer, einmal geris-
sener Mörtelputz, das rostige Gestänge der Markise, die
Trennwand aus Drahtglas zum Nachbarbalkon. Nur die Bal-
kone der Augapfelprivatstation haben solche Trennwände und
haben Doppeltüren. Neue Maßeinheit für Streß: die Schwanz-
sträubezeit der Spitzmäuse. Der Mensch — ein Unternehmen,
das Zeit, Notwendigkeit, Glück und was nicht alles gegen sich
hat; ich habe es vergessen, ich erfahre es ja aber sowieso.

Im Haus der Berrys gibt es auch nach Tisch kein lästiges Hin
und Her, weil alles so praktisch ist und weil alles Störende,
Überflüssige sofort in der riesigen Geschirrspülmaschine verschwindet; so geht man rasch über zur Entspannung bei Pfeifen, Zigaretten, Pfefferminzdragees als Digestifs, denn die er-
setzen hier auf gesundheitsfördernde Weise den Alkohol, der
bei den Berrys nicht ausgeschenkt wird.
Das macht doch nichts, wirklich, es macht nichts, sagt Linda
entweder zu Rubin oder zu Martha, es geht um etwas, das ihr
was ausmacht. Rubin sieht ohne es zu wissen überrascht und
engagiert aus, während Miß Häfflinger ausgerechnet mit ihm
und zwar als Abschluß einer von ihm überhörten Bemerkung
sehr unschön sehr nett lächelt. Sie starrt ihn länger an, als er
sich mit ihr abgibt. Der Bruder von Schmiß trifft verspätet ein
und gibt allen die von vornherein feuchte Hand. Ruth ist
gegen den Geschmack von Rubin so erzogen — eigentlich seine
einzige pädagogische Tat überhaupt, und auch dieses Exemplar
wieder also eine Untat — daß sie keinen Knicks macht. Martha
ärgert sich darüber, denn gerade einem schwierigen Kind sollte
man alles Niedliche und Aufhellende zur Abmilderung des
Gesamteindrucks empfehlen, und sie weiß schon ihren Satz
für Rubin, während sie die störrisch-stupide Begrüßung ihrer
Tochter beobachtet. Eudora sagt zu Schmiß: Heut in einer
Woche werde ich mit sperrangelweit geöffnetem Mund ¹nter
Ihnen liegen. Im Chor wird mehr oder weniger gelacht, gar
nicht beteiligt ist Miß Häfflinger. Diese amerikanischen Grei-
sinnen findet Bernie-Boy auf die verjüngendste Weise kokett.
Nicht nur er, auch andere Gäste denken wiedereinmal, Eudora
sei doch eine originelle Person, wie so oft die Unverheirateten,
die späten Zöglinge lebensbejahender und auch psychothera-

peutisch geschulter Malkursleiter, höchst originell, ziemlich originell, ganz leidlich originell, enervierend originell und überhaupt nicht und nichts. Schmiß sieht sich in eine zahnmedizinische Unterhaltung verwickelt. Dauernd ahnt er dabei etwas vom spezifischen Geruch der Mundhöhle Eudoras. Ich habe zum Glück doch an Rock gedacht, an meinen Mann gedacht, an die Familie gedacht, obwohl ich neben Rubin saß, obwohl wir so weit waren, unsere Schuhe nebeneinander und die Knöchel aufwärts am Bein. Zumindest Karies, Weisheitszahn, Wurzelresektion und Paradentose sind die Stichworte, die jetzt ohne Anstrengung jedem einfallen können. Eudora allerdings wird imstande sein, viel weiter zu gehen.
Wir sitzen alle so, wie Linda es sich schon seit zwei Wochen, als sie dies plante, bevor sie es als Fertigprodukt ganz wieder abschob ins Vergessen, ausgedacht hat. Über eckige, ovale, runde Tische kann man sich auf lange Sicht unterhalten. Man wird sich nie ganz einig sein; Geschmacksfragen, Fragen der Vorzüge und der Nachteile, das geht lang hin und her, zusammen mit dem Problem der geeigneten Tischdecken. Schön sind ja auch die immer beliebteren, unpraktischen Sets, sofern es sich um schöne Tischplatten handelt. Rubin sitzt zwischen Miß Häfflinger und mir, neben mir Ben Berry, der lieber wenigstens auf einer Seite seinen Arbeitsplatzkollegen Bernie-Boy hätte, aber diese andere Seite blockiert Martha, die sich ungefähr gleich gern mit allen unterhält, sie verteilt ihre Redesucht auf Ben und den Nachbarn links, Schmiß; es folgen Linda, Bernie-Boy, Eudora, Schmiß-Bruder und Ruth, mit der sich, dicht bei Miß Häfflinger, das Oval schließt, und nun ist man doch so weit, da alle auf alle einen guten Ausblick genießen, Oval zumindest als geselligkeitsfördernd einzustufen. Diesmal werde ich vielleicht schreien, das wäre nicht ausgeschlossen, kündigt Eudora Schmiß an und meint mit Nebengedanken ihr Verhalten im Verlauf der bevorstehenden Zahnbehandlung, und Schmiß würde dies Schreien Eudoras mit Stolz erfüllen, hätte er gern geantwortet, nähme er sich nicht gerade von der Kuchenschale. Da Linda die Scheiben verschieden dick geschnitten hat, ist Schmiß der Augenblick seines Zugreifens wichtig. Weil aber Eudoras Bemerkung ihm galt, kann er nicht gänzlich ungeniert sich gleich zwei Scheiben, auch noch umständlich nach Größe gewählt, auf den Teller gabeln, tut es jedoch, denn gute Versorgung wurde nun einmal zu seinem Prinzip, schon lang her. So ists recht, sagt Linda, die ihn beobachtet hatte, die Peinlichkeit nicht mildernd. Sie haben immer so einen gottbegnadeten Appetit, sagt Miß Häfflinger, die auch einen hat und es Schmiß, der dem seinen nachgibt, nicht angenehmer machen will als nötig. Ich

bin ganz sicher in bezug auf eine Zerstörung des Zahnhartge-
webes, sagt Eudora, unter Mitwirkung von Bakterien und Gä-
rungsstoffen, denn ich habe mich genauestens informiert und
rede jetzt von Zahn Nr. 27 und nur von diesem; unsere neue
Bibliotheksfiliale ist ausgezeichnet, auch auf dentistischem Sektor. Ich sehe, ich sehe, sagt Schmiß kuchengefüllt, die linke
Backentasche prall. Nur von Zahn Nr. 27, sagt Eudora, den ein
wie so oft unsichtbarer Belag von Schleim, Nahrungsbestand-
teilen und zahlreichen, diesen Nährboden bevorzugenden Bakterien angegriffen hat. Sie können mir da nichts vormachen,
Doktor.
Die gute sonnige Wetterlage stört einige Personen. Auch
Martha wird geblendet. Geblendet schlitzt sie den Blick in
Richtung Rubin / Verfehlung. Hat er etwa wieder diese blödsinnige eigensinnige Anwandlung, die er nicht wie jeder normal Empfindende LIEBESKUMMER nennt, denkt sie mehr als
flüchtig, obwohl leicht verärgert, aber neugierig auf bevorste-
hende Informationen, Tränen, Zank, unruhige Wohnverhältnisse, Geldausgaben, zweideutig feuchte Taschentücher noch
und noch und Ergiebigkeit. Schöpferischer Kummer. Die Malsachen her für den notleidenden Rubin. Leeres Papier her für
die Fixierung der in Träumen miterlittenen Qualen des ab-
trünnigen Partners. Ein unschlüssiges Genie hat es nicht
anders verdient. Wer das ganze Elend seiner Mitmenschen
ermessen will, braucht sich nur ihre Vergnügungen anzusehen, und so blickt gemeinsam mit George Eliot Martha auf
Rubins heilsuchende Martyrien.
Aber deine Kost, liebste Linda, sie ist doch im allgemeinen
wahrhaftig kariesfeindlich oder wie, ruft Eudora, Thelmas und
meine jedenfalls ist es, und dennoch. Z. B. Thelmas Maisbrot.
O ja, sagt Linda, sie ists und zwar bewußt. Quark steht oben-
an. Schmiß sagt: Meistens ist den Zähnen recht, was dem
übrigen corpus delicti billig ist. Er lacht beinah allein, aber so
laut, daß es ihm nicht auffällt. Schade, sagt Martha, er — sie
deutet auf Rubin, der vergessen hat, daß man seinen Mund
leerkaut und dann erst trinkt und daß man überhaupt TRINKT
und nicht SCHLÜRFT — er, als hätte ers nicht nötig, an so was
Triviales zu denken, läßt seine Prothese seelenruhig vor sich
hin vergilben und vergammeln. Hallo, Rubin, hörst du zu?
Wären diese beiden allein, dann würde sie ihm nun wahrscheinlich nicht wieder vorwerfen, er wolle seinen Geliebten
das Faktum PROTHESE verheimlichen und versäume deshalb
— so oft so oft: sein Lebenswandel — den Oberkiefer vor
außerehelichen Nächten in die erforderliche Lauge zu legen.
Es macht sich also gut, daß sie jetzt nicht allein sind. Rubin
kennt das ja schon. Ein Publikum, vielleicht sogar ein neues,

rüttelt in dieser Hinsicht viel mehr auf. Allerdings: an Rubin kann man rütteln und rütteln, er wacht aus seinen Strukturen, Strebezusammenhängen, Bestimmungsstücksystemen und allen übrigen gegen die Ontologien Marthas gerichteten Subjektivismen nicht auf und nicht hinein in ihren struggle of life.

Nr. 606, auf dessen Balkon ich heute liegen darf. Was fehlt denn dem Kind gegenüber auf dem Balkon des 1-Baus? Warum hat man denn sein Bett dorthin geschoben? Warum schiebt man kein weiteres Bett auf diesen Balkon? Ist das Kind zu ansteckend? Schw. Flora weicht aus. Sie sagt: Wie gut Sie sich bereits erholt haben. Warum trägt denn das Kind eine Haube, rufe ich nun zu der Schwester auf dem Balkon des 1-Baus hinüber. Diese Schwester kann mich selbstverständlich nicht hören. Schw. Flora ist beim nächsten Mal etwas strenger. Aber sie spricht es nicht aus. Während Sie sich hier auf dem Balkon der Privatstation zufriedenstellend erholen, nachdem Sie eine der üblichen Harmlosigkeiten überstanden haben, während Sie davongekommen sind nach Wunsch, Plan, Voraussage, geht es dem Kind schlechter. Es ist ein Mädchen. Die Haube verdeckt sein Haar. Kann sein, daß Sie sich beunruhigen, aber wo bleiben Ihre Taten? Sie sind noch anfällig genug, Sie würden sich rasch infizieren, Sie könnten ihr Aufstehverbot übertreten und das stark infiziöse Kind besuchen. Sofern Sie mit Ihrer Genesung nicht einverstanden sind, ist das ein todsicherer Weg.

Miß Häfflinger und Eudora trinken Ovaltine, Bernie probiert ein neues Getränk aus, CARACOL, es soll dem Geschmack nach der Ovaltine zum Verwechseln ähneln, sieht aber heller aus; Woopsie, ruft Bernie-Boy, das könnt ihr mir glauben, es schmeckt haargenau wie Ovaltine. Das wäre großartig, finden beinah alle übrigen. Ruth trinkt Milch, Martha leistet sich einen koffeinhaltigen Pulverkaffee, den zweiten gehäuften Löffel kommentiert sie mit Angriff und Verteidigung; Linda und Ben trinken Kaffee koffeinfrei mit Milch und ohne Zucker, nur bei der 2. Tasse gönnt Linda sich eine Masse Zucker; ich mache es wie Rubin, dessen mitgebrachte Schnapsflasche leer ist, und entscheide mich für chininhaltige Limonade. Gegessen wird von allen der gleiche Kuchen, mit dem unsere Verdauungstrakte nicht das gleiche anzufangen wissen werden. Schmiß trinkt übrigens gar nichts. Warum trinken Sie gar nichts, fragt Miß Häfflinger mit mehreren Anzeichen der Unzufriedenheit. Vielleicht kommt sie wieder einem dieser neuen

Gesundheitsschliche auf die Spur. Halten Sie das etwa für gesünder? Aber ganz entschieden, sagt Schmiß, muß dann einen Bissen Kuchen schlucken, wollte seinen Ausspruch ergänzen, kann aber nicht weiter, weil Bernie-Boy das gesamte Oval aufschreckt mit dem Hinweis auf die Wachteln. Look here, over there, the quails, those funny little quails. Er deutet, die Wachteln regen ihn auf, alle andern auch, sogar Rubin, und bis auf mich. Bei euch sieht man jedesmal interessante Vögel, stellt Miß Häfflinger streng und befriedigt fest, spült die Bemerkung mit einem Schluck Ovaltine schlundabwärts und setzt hinzu: mit »selten« meine ich — es blieb noch ein Rest Ovaltine in der Mundhöhle und auch der wird jetzt geschluckt — scheue Vögel, mein ich, schade, ich möchte gleich loslegen und die Viecher zeichnen, aber dann würde ich sie verscheuchen. Den meisten fällt kein 2. Garten ein, wo man noch derart scheue Vögel zu Gesicht kriegt. Die meisten bedauern den unvermeidlichen Verlust eines Wachtelkunstwerks aus Miß Häfflingers ingeniöser Hand. Miß H. lächelt nach ihrer eigenen Methode, die ihr so leicht keiner nachmachen will. Euer Gärtchen, wo Wachteln lustwandeln.

Der Kuchen schmeckt wahrhaftig fast nach nichts, möchte Rubin ganz gern zu Linda sagen, dies und eine Beschimpfung der blaukreuzlerischen Enthaltsamkeit dieses Haushalts wären übrigens die einzigen Beiträge zum Thema, mit denen er sich jetzt abgäbe. Ein richtig mißlungener, schauerlich gesunder Kuchen und kein verdammter, dringend erforderlicher Schluck Alkohol. Alles weder süß noch salzig noch sauer noch irgendwas außer: gesund. Ein miserabler Fraß. Dagegen raucht man am besten an. Teer mittenrein in die ganze höllische Gesundheit. Nun gib doch schon Antwort, drängt Martha und meint diesmal endlich ihn, und er weiß nicht worauf, aber er vergißt seine Wut und will, daß sie merkt, wie sehr er leidet und wie weit er von ihr und hier weg ist, daher gesteht er mit einer bei ihm ungewöhnlichen Lautstärke und Verstehbarkeit, er habe nicht zugehört. Nun erfährt er, daß Linda ihn SCHMECKTS gefragt hat. Wenn du uns nicht zuhören kannst, sagt Martha und erkennt leider schon wieder nicht die ganze Tragweite seiner spirituellen Passionsgeschichte, wenn du nicht aufpassen kannst, dann halte uns wenigstens einen Vortrag über Platen oder die elektronische Datenverarbeitung oder Hegel oder Paul Klee und was dir sonst im Kopf rumspukt. Falls du dich nicht überhaupt am liebsten verdrücken willst. Martha seufzt mit gewissem Profit. Ihr Kopf mit rötlich gerahmtem rundem Gesicht kreist, zeigt sich jedem am Tisch der Reihe nach, das gesellige Oval kommt diesem Vorgang entgegen. Martha, o ja, von dieser Martha kann man lernen.

Sie macht die Paradoxie einer gewissen Römerbriefstelle wahr: Gegen alle Hoffnung in der Hoffnung leben. Alle Achtung. Bei all seinen Abtrünnigkeiten — von Martha kommt Rubin doch nicht los. Das ist eine fast magische, oder mystische Beziehung — überlassen wir das bedeutungsvolle Adjektiv lieber dem schludrigen, treulosen, schwerkranken, prostitutiven, liebessüchtigen Rubin. Worum geht es denn, was ist los mit Rubin? Hat er denn in diesem Moment Liebeskummer? Sie, die doch jetzt bei ihm dran ist — nach lebenslänglicher Suche endlich die Richtige und Letzte, wie er behauptet und wie sogar Martha zugibt — sie sitzt doch neben ihm. Unsere Schuhe machen doch unterm Oval ihr kleines verfängliches Spiel. Liebeselend, will Rubin es nennen, mindestens so lang, bis er mich von der kosmischen Transzendenz und der höheren Wahrheit dieser Zusammengehörigkeit überzeugt hat. Nicht von dieser Welt. Auf einer solchen Ebene geht es nicht mehr um kleinliche Schonungen und Rücksichten. O ja, doch, er ist schlimm dran. Das ist ja gräß-gräß-gräßlich. »Mit deinen schönen Augen hast du mich gequält, so sehr. Du hast mich zugrunde gerichtet, mein Liebchen, was willst du mehr?« Mindestens 4 Personen (Rubin, Martha, mein Mann, ich) könnten dies Heine nachplappern, sei gerecht, Rubin. Betonen muß man: mein Liebchen. Dann wird es trauriger und lakonischer. Und überhaupt: dialektischer. Rubin, du mußt schon lernen, den ehrenvollen Frieden zu machen, du weißt ja: Sehnsucht und Wirklichkeit, don't argue with Mr. Fontane, lieber infantiler Philosoph des elitären Affirmativen. Ganz gräßlich, ja, finde ich auch, würde ich zu Martha sagen, ohne sagen zu können, wie gräßlich. Ich habe deine Tränen nie außer Acht gelassen, Martha, würde ich sagen, deine allerdings gewinnsüchtigen und ökonomisierenden Tränen, die für den Fortbestand des produktiven Ruins sorgen. Rubin muß lernen, kein intelligentes belesenes inspiriertes Kind mehr zu sein. Er hat die 50 hinter sich. Er nimmt an Körpergewicht zu. Er ist ein Familienvater, der sich väterlich nur um eine Fehlgeburt kümmert. Die zärtlichste Erziehung für das Verweste. Wenn du etwas mehr Zitrone drangegeben hättest, Linda, ich weiß nicht todsicher, ob dein Kuchen dann nicht doch noch gewonnen hätte, sagt Martha, Zitrone hebt an im Geschmack, meine Erfahrung, bringt zur Geltung, erhöht das Aroma. Pardon, aber unter uns Frauen... Leider sitzt Eudora nicht neben Miß Häfflinger. Mit Miß Häfflinger unterhält sie vielleicht noch immer jene nicht besonders übliche intime Beziehung, die bestimmt vor 30 Jahren ihr Lebensglück ausgemacht hat.
Rubin will Martha rumkriegen, sie fertigmachen dadurch, daß er sich quält und sich übermäßig freut und sich damit herum-

schlägt, fern von ihr — also liegt ihm noch immer, so lang er ihre Aufmerksamkeit so dringend beanspruchen will, an Martha, nicht fern von ihr. Soeben ermahnt Martha ihre Tochter Ruth, die geschmatzt hat und wieder schmatzen wird, denn ohne zu schmatzen ißt sie sozusagen überhaupt nicht und auf Tischsitten legt sie so wenig Wert wie ihr ehrenwerter Vater. Wozu Rubin eine Tochter hat, die nicht ohne weiteres in die menschliche Gesellschaftsordnung paßt, ist ihm bisher nicht klargeworden, es hat ihn nicht beschäftigt, er hat keine vererbte Duplizität der Fälle untersucht. Mitleid empfindet er mit sich selber schon genug, Ruth hat Platz in diesem geräumigen Selbstmitleid. Rubin will dran denken, nicht weiter, stehenbleiben mittendrin, nicht vom Fleck kommen, es nicht fortsetzen, aber einige Rückschlüsse ziehen, die Gräber der wichtigsten Denker ausräumen und mit Auferstandenen diskutieren, er will es wieder aufrollen, sein Dasein und dessen unsterbliches Ziel mit aller toten Philosophen Beistand durchhecheln.

Eudora und Miß Häfflinger haben sich endlich für eine spätere Stunde des Nachmittags verabreden können: gerettet. Um endlich ausführlich über Eudoras Fortschritte beim Aktzeichnen zu verhandeln oder was sonst. Miß H. wird natürlich methodisch streng sein und Eudora wird nichts Schöneres kennen als dies: Belehrung durch Miß H. dicht neben derselben, Akt für Akt. Was Rubin und Eudora verbindet: Ausgleich der physischen Verluste per Zeichnen und Malen. Eudora betreibt das Künstlerische allerdings viel zielstrebiger und ohne Flausen im Kopf, sie zeichnet sich keine Not von der Seele und keine Entbehrung vom Leib. Sie nimmt keine Rache an dem, was nicht sein kann. Das späte künstlerische Geschäft will viel heißen für so ein schmächtiges altes kleines Ding jenseits der Verhutzelungsgrenze, für so ein rühriges kleines positives Scheusal mit Bleiwarze auf der Unterlippe, nicht wahr, sagt keiner, und wer es denkt, schlägt sich kurz darauf mit Selbstvorwürfen gegen die Stirn, hinter der die Eigenmächtigkeiten keine Zurückhaltung üben. Alle am Tischoval sind nett, sind nett wie alle. Zu mir immer zu nett. Manchmal muß man auch annehmen, was man nicht verdient hat, sage ich zu meinem Mann, sage ich zu Rubin, ich bin gar nicht sicher, neben wem ich sitze oder wem gegenüber. Es wird aber doch wohl mein Mann sein, denn er hört mir zu, ich erstatte meinen Reisebericht wie es normal ist, es ist mein Mann, es ist Rubin, wir sind in meinem Haus, die Gartentür wird heute von keinem Familienmitglied bewegt, weder aufgestoßen noch zugeschlagen, denn sie besichtigen alle jenes Fertighaus der nur zu diesem Zweck verwandtschaftlich benutzten Cousine, niemand wird uns stören bei unserer Selbstsucht, Rubin hört aufmerksam zu, mein Mann hört aufmerksam zu, widersprochen wird mir sowieso, so oder so, realistisch oder kosmisch-weltfern, existentiell in jedem Fall. Rubin wird mir eine weitere Episode auftischen, diesmal fast eine Romanze, er hat doch vom 1. Jahr an mit Martha nie eine Verbotsehe geführt, wer hätte sich erlauben dürfen, Rubin das Recht auf abschweifende Emotionen abzusprechen, Martha zu allerletzt. Er sagt JA DANKE und bekommt eine neue Flasche Tonic Water, die zornige Sehnsucht beim Alkohol. Zu Bernie-Boy sagt jetzt Ben Berry, er freue sich schon ganz ordentlich aufs Fachsimpeln. Bens Mund öffnet sich, wird breiter und schräg über der regelmäßigen Kronenreihe, zugleich verkleinern seine Augen sich ganz erheblich, während sie an Feuchtigkeit, also an Glanz, zunehmen. Martha, Eudora, Miß Häfflinger waren sich schon oft darüber einig, das Sympathischste an Ben Berry sei nun mal sein Lachen, das beim Lächeln anfängt und mit ihm wieder abschließt. Ob Linda was Besseres weiß, bleibt im Dunkeln. Wer Bens freundliche Mimik nicht herrlich findet, der findet sie gütig, bezaubernd, sieht in ihr eines der Wunder der modernen Zahnmedizin, und Martha findet sie außerdem zwingend und so glaubwürdig. Rubin macht sich nicht viel und derzeit gar nichts aus Marthas Stimme, einer norddeutschen Stimme vom eingestrichenen c aufwärts. Über Entbindungen sprechen Martha und Linda erst recht nicht ungern. Linda wäre jederzeit dazu in der Lage, eine zeichnerische Darstellung des Wehenablaufs vorzuweisen, denn ihr behandelnder Arzt war ganz vorzüglich und an der Sache selbst interessiert. Marthas Niederkünfte hingegen ergeben eine Leidensgeschichte für sich. Jeweils hat Rubin sich um nichts gekümmert, sondern hat jeweils Hobbes, Smith, Stirner und werweißwen noch als Zeugen der Verteidigung herangezogen, um sein philosophisches Ich-Gefühl irgendwo abwesend zu größtmöglicher Vollendung zu bringen. Manche jammern, weil sie leben. He, Rubin, Komplize, erkennen wir nicht die Salbenspuren auf den Schrammen unserer Seelen, war uns, nachdem wir uns mit Bierdosen und Beleidigungen beschmissen hatten, denn irgendwas wichtiger als Jod aufzutragen, Jod, veilchenfarbig nach der Farbe seines Dampfes, Beschwichtigung, Rechtfertigung, Atomgewicht 126, 92; das Heil, das Element Nr. 53. Wie schön, wenn man beinah alles weiß. Wenn Rehabilitation nah ist. Aufpassen aber mit Jodakne, Jodekzem, Jodbasedow, mit Deformationen des Elends. Jod ist trotzdem ein wunderbares Mittel. Das Herz, trotz all seiner reaktionären An- und Hinfälligkeiten, in seiner wankelmütigen fahrigen Infirmität, ist trotzdem ein wunderbarer Muskel. Martha, Rubins Aidemémoire in der substantiellen Unverläßlichkeit seines Lebenslaufs, ist eine Multipara — 4 gelungene Kinder — die auch jenseits der Gefahrenzeit im menschlichen Leben, des Klimateriums, auf den nisus sexualis zwar nicht, aber auf dessen Abfindung mittels ehelicher Pflicht verzichten muß, denn Rubin, der erstaunliche erotomane Equilibrist, besteht darauf, den bitteren Kelch der erogenen Begriffsscheidungen zu leeren, wobei der Wirkungskreis kaum groß genug sein kann. Zum Abendessen gibt es was ganz anderes. Es schmeckt ganz genau so. Es ist ganz genau so gesund. Das Abendessen ist genau wie der Lunch. Über Rom und Italien allgemein können wir alle auch jederzeit reden. In Paestum muß man ebenfalls gewesen sein, vor allem da. Hier besonders packte Ben und Bernie architektonisches Entzücken. Miß Häfflinger hingegen wurde vom Historischen geradezu überwältigt und sieht nachträglich so aus, dumpf und verblödet starrt sie zurück auf den erhebenden langweiligen Tag mit Fußschmerzen und Picknicks auf altem steinigem Gebröckel. Orest ersticht Aigisthos, den Buhlen seiner Mutter Klytemnästra, mit einem langen Dolche, hitzig rennend sucht er Zuflucht im Königspalast, der durch eine einzige, von Miß H. schnell und mehrfach skizzierte Säule angedeutet ist. Auweia: Vergangenheit, die niemals tot ist. Linda erinnert sich an den Vorfall mit einer Herde schwarzer Büffel auf der Bahnstrecke Roma—Paestum. Ein Schnellzug früher, und es wäre ihrer gewesen, mit dem sie und Ben der Büffel wegen den Tod durch Entgleisung gefunden hätten. Welch ein Zufall, das Überleben. Leben überhaupt, rein zufällig, oder nicht? Martha spricht Paestum mit einem Trema auf dem E aus. Rubin, daß Goethe den Erlkönig vor der Italienreise schrieb, und Eudora hätte aufs Gegenteil gesetzt, denn in Italien könnte auch Goethe von italienischer Vaterliebe inspiriert worden sein. Rubin sehnt sich nach höherer Begattung im goetheschen Sinn. Das Kachelmuster auf den Böden des CALYPSO-Hotels ist maurisch. Mein Mann und ich, wir haben nicht gewußt, was das für ein Tier war, das in der Schelfzone lag. Ein Hund, ein Schwein, ein Krake im Pelz. Es war ein Schaf. Es war ein Kadaver. Es ist ein Kadaver, den Rubin aufs Zuverlässigste, aufs Liebevollste, utopisch, den erkennenden Tränen nah, erzieht, mitten im Wald, an einem knallschwarzen, knallgrünen Fleck, dem sein Denken sich in Zittern und Zagen dauernd kaum in die Nähe wagt. Den Heratempel schätzt irgendjemand am meisten, ohne ihn im mindesten zu überschätzen.

Rubin ist fest davon überzeugt, daß auch Swedenborg mein familiensinniges Verhalten verurteilen würde. Das schreibt er

jetzt mal auf. Im Krankenhaus bekommen die Leute gern Post. Er muß das nur zunächst einmal in seinem augenblicklich tükkisch gegen ihn arbeitenden Kopf richtig ordnen. Dann aber.
Das Kind auf dem Balkon des 1-Baus will eigentlich gar nicht mehr spielen. Es bewegt seine Hände heute langsamer als gestern, jetzt langsamer als vor einer Viertelstunde. Man kann dem Ausschleichen dieser langsamer werdenden Bewegung zusehen. Ich kann die Zeit messen. Ich kann eine Prognose stellen für das Ende der Bewegungen. Das Kind bekommt Besuch. Es läßt sich von Mutter und älterem Bruder aus vorschriftsmäßiger Entfernung betrachten. Sie sagen alle nichts. Die Verwandten befinden sich in Sicherheit vor dem Kind. Meine Sicherheit ist größer. Mein Heilprozeß wird sich nicht mit dem Verfallsprozeß des Kindes verzahnen. Ich trinke meinen Appetizer, aber ich habe sowieso Appetit. Ich vergesse das Phänomen DURST. Die Mutter und der Bruder sagen gar nichts. Das Kind sagt auch gar nichts. Die Atemverbindungen wären riskant. Kann das Kind überhaupt noch sprechen? Die Schwester sagt: Vorhin hat das Kind noch auf Fragen geantwortet. Die dicken Hände des Kindes stoßen Spielsachen um, wenn sie sich noch einmal zu Bewegungen aufraffen, die immer ungeschickteren und auch gleichgültigeren Hände auf dem Brett, das quer über dem Bett liegt, damit das Kind spielen kann, aber es schläft dauernd ein, dann nimmt es sich zusammen und dreht den Kopf in Richtung der Verwandten. Es erkennt doch die Mutter und den Bruder noch? Es strengt sich an diesen beiden zuliebe. Es verspürt einen unartikulierbaren Kummer, weil es der Mutter und dem Bruder artikulierbaren Kummer bereitet, und dieser Kummer ist ihm lästig, ist ihm ein Widerstand, der sich gegen sein Einschlafen richtet, der das Sterben verzögert und erschwert. Das Kind erkennt seinen Tod als Kummer in den Gesichtern der Verwandten. Die Schwester sagt auch gar nichts, sie sagt es nicht: Sehen Sie, das Kind will eigentlich nicht mehr leben, es ist schon zu anstrengend für das Kind zu leben — Sie aber wird man bald entlassen, Sie aber werden noch einen Tag zugeben, Ihre Rekonvaleszenz wird dann schon abgeschlossen sein. Werden Sie Ihren überflüssigen, rein luxuriösen Tag dazu benutzen, mit Ihren Gratulationssträußen dem 1-Bau einen Besuch abzustatten? Sie könnten auf dem Balkon des 1-Baus erscheinen, Sie brauchten die vorgeschriebene Grenze nicht einzuhalten, Sie würden die Gefahrenzone betreten, von niemandem gehindert, denn man wäre im 1-Bau über Ihre Absichten informiert, von niemandem beobachtet, denn schon morgen werden beim Kind auch keine Verwandten mehr vorgelassen.
Rubin, aus keinem Schlaf erwacht, weiß jetzt ganz genau, wie

der Brief sein soll, den er an mich schicken wird, Schwierigkeiten bestehen überhaupt nur noch in der Verwirklichung. Er braucht nie viel aufzuknöpfen, er sucht erkenntnisdurstig, er will es erfahren, anfassend, das ist im übertragenen Sinn gar nicht seine Hand. Da er sich bei scheuen und ergriffenen Lustempfindungen in Richtung einer entbehrten Person spiritualisiert, ist dies verwaiste Keuchen relevanter als die Übersetzung seines unlesbaren Konzepts für den Brief per Expreß. Nebenan — keine Tür in der Wohnung ist geschlossen — folgt Martha der neuen Sex-Aufklärungsfolge im Fernsehen; leider ging Ruth wieder ihre eigenständigen, aufklärerischen, längst aufgeklärten Wege, leider befindet auch Rubin sich, eifersüchtig auf die eigene Hand, inmitten produktiver Aufklärung, während Martha erfährt, daß der Vater sehr nah bei der Mutter liegen muß, damit sein Penis sich in ihre Vagina einführen kann. Rubins Penis fügt sich.

Fragt das Kleinkind nach der Herkunft, so antwortet die gute Mutter: Du kommst vom schönsten Platz, den es auf der ganzen Welt gibt, du kommst aus meinem Bauch. Marthas unermüdliche Vagina ermüdet schließlich doch, es ist ihre Schlafenszeit. Es gibt sowieso nur Oberkörper zu sehen. Trotzdem versucht sie es mal und ruft RUBIN DAS IST WAS FÜR DICH ins Nebenzimmer, WIE SAG ICHS MEINEM KINDE, RUBIN, KOMM. Soeben hat Rubin es seinem Kinde gesagt, wobei er keine Rücksicht auf seine Oberbekleidung nehmen konnte. STUFEN schreibt er seinem Kopf an mich: WICHTIGER BEGRIFF FÜR ALLES EVOLUTIONISTISCHE DENKEN, BEZEICHNET TEILSTRECKEN EINER (HÖHER-)ENTWICKLUNG, DIE DEUTLICH EINEN FORTSCHRITT, EINEN HÖHEREN GEGENÜBER DEM TIEFEREN ZUSTAND ERKENNEN LASSEN. (Phylogenie usw.) Nachlesen unter allem was mit der Silbe ». . . morph« zu tun hat. Nach einem Krankenhausaufenthalt kommt der Patient meistens zur Ruhe und zu sich selber. Sie muß mit sich selber identisch werden, beschließt Rubin. Heute wird er mir das alles nicht mehr schriftlich darlegen können, denn mittels seines Hinzugezogenseins (Entbehrtes, Selbsthilfe, Interesse — wer Interesse hat oder wem mit Aussicht auf Interesse etwas angeboten wird) mittels Ausübung, Nachwirkung (anschauender Natur, errungen, haifischmündig, schließlich etwas klebrig) und Marthas TV-Show, deren Schlußteil er doch noch mitbekam, mittels so vieler Relevanzen hat Rubin sich für die Verschriftlichung der Relevanzen verausgabt.

Nr. 606. Die Vorhänge sind nesquickfarben. Die Stores sind angegraut. Mir kann alles egal sein. Mir geht es schon so gut, daß sogar Rock einen Besuch riskiert. Draußen gibt es immer

Geräusche, die mich nichts angehen. Ich bin unverantwortlich. Wenn die Geräusche mich betreffen, brauche ich nichts dagegen zu haben. Zu den Stimmen der Vögel, zum Verkehrssummen, zu Rufen unten im Gelände zwischen den Klinikgebäuden, zum Babyplärren der erfreulichsten Stationszimmer brauche ich mich nicht zu verhalten. Ich soll zu schlafen versuchen, wie immer wenn es mir besser geht und nachdem jemand gesagt hat SO DA BEKOMMT SIE IHR SPRITZCHEN.

Rubin und Martha leiden ganz einfach an Parkinsonismus. Um ihren Schüttelkrämpfen abzuhelfen, benutzen sie, was die Regsamkeit ihrer Libido erklärt, das Mittel L-DOPA mit seiner stark aphrodisiakierenden Wirkung. In dramatischer Weise verändert sich ihr Zustand nicht. Nebenwirkungen: geistige Verwirrung, Nervosität, Depression, Alpträume, Halluzinationen und das schöne überstarke sexuelle Bedürfnis.

Und jetzt treten Sie gefälligst ganz nah an das ansteckende Bett heran. Atmen Sie tief ein im tödlichen Bereich. Das Kind schläft. Keiner achtet darauf, ob Sie die lebenserhaltenden Spielregeln wahren oder nicht. Sie haben den Passierschein. Man erlaubt es Ihnen zu sterben. Nah beim sterbenden Kind, ganz nah, das nenne ich Ernst machen, das sind ernste Absichten, das ist ernste Verwirklichung. Turnlehrer sollen den Gelähmten bei ihrer sportlichen Betätigung behilflich sein. Lebende sollen den Sterbenden bei der tödlichen Betätigung behilflich sein. Sie möchten doch, daß man es satt kriegt, Sie zu strafen. Wer die Strafe haßt, muß sterben. Also los. Es geht einwandfrei tödlich zu auf den Kissen des Kindes, unsere Köpfe unter den törichten Sträußen, die immer noch nicht aufhören, mein Leben zu feiern.

Und wir haben auch im Sinn der Hausordnung im Park der hochherzigen Schenkung nichts abgepflückt. Opposition: die Gegenüberstellung. Daumen gegen die anderen Finger. Der Unterschied. Hand und Fuß. Jeden Mittag hat eine Sirene die 12. Tagesstunde im Piazza Bologna-Bezirk der Stadt Rom signalisiert. Auch das wird später vermißt. Alarm bedeutet Beunruhigung, Lärm, Warnungszeichen. Es kam unter den Stipendiaten dieses Studienjahres weder zu Zwangsdenken, Zwangslachen, Zwangsgreifen. Alle Stipendiaten dieses Studienjahrs waren strafrechtlich verantwortlich, also zurechnungsfähig.

Rubin hat es gern, wenn Martha seinen erkenntnistheoretischen Lebenslauf anklagend, pedantisch erinnernd defloriert. Erkenntnisse beruhen auf Erfahrung, auf Sinneswahrnehmung, und Rubin braucht sich da keine Enthaltsamkeit vorzuwerfen. Jemand aber hat zum blaukreuzlerischen Abendessen der Berrys sogar eine Flasche Wein herbeigezaubert. Es handelt sich um Wilmas Marke, Californian Flavour. Rubin, anspruchslos, was Qualität betrifft — beim Alkohol, betont er sich — hält sich dran, damit der Alkoholspiegel im Blut sich auf einem ihm würdigen Niveau hält.

Es war schön, wars nicht ganz besonders schön, denn wann werden wir das nächste Mal so dicht und so viele Stunden zusammensitzen, es hätte, wäre das überhaupt möglich, schöner sein können: wie immer. Der Zeitverschleiß hat unentwegt gestört: wie immer. Ben und Bernie möchten bis an ihr fröhliches und in FOREST LAWN grün unterm Rasen verheimlichtes Lebensende fachsimpeln. Eudora wird von Miß Häfflinger Dora genannt und in ein anderes Zimmer geführt, erneut Aktstudien. Bernie weiß gar nicht mehr mit tödlicher Sicherheit, ob er CARACOL oder OVALTINE trinkt. Martha beobachtet systematisch jede einzelne Pflanze auf der Terrasse. In der Notwohnung lehrt Rock den Beo-Vogel das Wort VERDAMMT, der übrigen Familie bleibt, in die Enge getrieben, gar keine Wahl, sie müssen sich eine kritische Sendung über DAS WORT ZUM SONNTAG ansehen, wobei Helene stört. Rubin vergißt mit mir zusammen das erkenntnistheoretische Nordlondon, das auf Gegenleistung und Sinneswahrnehmung ausgerichtete Boulogne-Hotel, und zwar mittels Erfahrung, Anschauung, Erforschung, Evolution und im Glauben an die Unsterblichkeit der Seele in einem der rosigen Badezimmer, und nicht einmal aus dessen verschlossener Tür kann Martha ein fotografisches Denkmal machen, denn der Film ist verknipst, ein Jammer zum Schaden der Rubin'schen Nachwelt, Martha muß es also nachträumen, dann aufschreiben. Linda erläutert Schmiß die Geschirrspülmaschine, Ruth steht gähnend irgendwo — Thelmas Maisbrot liegt bei Grundrissen, Aufrissen, Pergamentbögen. Im Roman WAHRHEIT wird Rubin Schreiben als Denunziation verstehen und dem Gebrauch der Interjektion ACH zu neuen literarischen Ehren verhelfen. Ach, Narziß, Psychologe aus Emershausen. Rubin wird den inneren Widerspruch einer Behauptung nachweisen, er wird die Absurdität selber ad absurdum führen. Er wird seiner beobachtenden Außenwelt das additive Verfahren im Umgang mit seinen, Rubins, Amouren beweisführend untersagen, indem er den mißhandelten Freiheitsbegriff aus dem gemeinplätzigen Allerweltsbewußtsein vertreibt. Richtig verstandene Freiheit ist Rubins richtig wahrgenommene Möglichkeit, so zu handeln, wie er will. Rubins Willensfreiheit wird den Erblindeten die Scheuklappen wegreißen. Er wird die ontologisch heulende, buchführende, mitmischende, herumpfuschende, chronologisierend träumende Martha fertigmachen, anhand sämtlicher Fotos, die er archivieren wird. In einem der rosigen Badezimmer wissen Rubin und ich fast genau, woran wir sind, angekommen, wieder nicht am Ziel. Wir erleben den Vorgang der Anschauung als empirisches, nicht begriffliches, nichtrationales Ergreifen von Wirklichkeit. Wir sind längst ergriffen. Wir fühlen uns nicht selig, wenn Gott uns zurechtweist. Wir wollen nicht, daß er uns verbindet, weil wir gar nicht erst wollen, daß er uns verletzt. Wir sehnen uns nicht nach seiner heilenden Hand, denn wir möchten nicht, daß er zuerst zerschlägt. Wir alle wollen gar nicht erst zuschanden werden. Wir wollen gar nicht erst werden, was wir längst sind. Die Familie schwächt und schwächt mittels Gewöhnung die Not der Notwohnung ab. Martha bespricht sich mit Schmiß über den Nutzen vorbeugender Impfung gegen Grippe. Ruth wird den nächsten Versuch für ihre Zukunft mit irgendeinem nächsten Stromer und Tagdieb boykottieren. Wir alle haben unsere Unkenntnis davon, wie der Mensch beschaffen sein müßte, der ohne Schrecken seiner selbst bewußt sein könnte, wir alle wissen es manchmal, wir sind manchmal glücklich, sofern wir es nicht mit dem Denken aufnehmen. Wir alle befinden uns zufällig irgendwo, Meilen besagen nichts über unsere jederzeit nahen Gräber, zufällig jetzt alle hier an einem kalifornischen Abhang westlich Ventura, wir alle befinden uns in der freien Welt, alle auf dem Hinweg.

Mich umsteht die gesamte Gruppe. Das ist das Operationsteam. Das ist die Familie. Das sind die Veranstalter, die Zuhörer, die Geschäftsführerinnen, die Bewohner, die Amerikaner, das sind die Römer, die Stipendiaten, die Zugbegleiter, dies ist der interessierte gesellige kleine Kreis, das sind die Krankenschwestern, das ist die Gruppe der Putzfrauen. Die Gruppen verhalten sich nicht als Gruppe. Der Professor verhält sich einzelgängerisch wie jeder in der Gruppe. War es nicht im Grunde auch so verabredet, als wir noch miteinander lächelten und das Nette, leicht Anrüchige miteinander vorhatten? Die Gruppe umgibt mich geschlossen. Die Gruppe sieht meinem Sterben zu, bis ich sterbe. Ich sterbe, am Leben, immer weiter. Unverbindlich, unentschlossen. Sterbend enttäusche ich keine einzige Ansicht über mich.

PIPER

Gabriele Wohmann
»Das Salz, bitte!«
Ehegeschichten
Piper

In diesen 27 Alltagstragödien, bei denen Lachen durchaus auch einmal erlaubt ist, führt uns Gabriele Wohmann Ehe- und andere Paare vor, für die das alles andere als Theater ist, was da inszeniert wird – sondern unmittelbarste Wirklichkeit, und daher bedrängender, verstörender und natürlich viel banaler als alles, was an raffiniert ausgeheckten Verwicklungen auf die staatlichen und privaten Bühnen gebracht wird.
297 Seiten. Gebunden

Welch eine Welt, in der »alles kaum auszuhalten ist, keine Minute länger« – das ist die Welt, auf die Gabriele Wohmanns Kurzgeschichten den Blick des Lesers unliebenswürdig, unausweichlich und brillant stoßen. Gabriele Wohmanns Prosa läßt die Monster los, mit denen wir tagtäglich leben – und gut und zufrieden dazu.

»Im Bereich der Kurzgeschichte gibt es im gesamten deutschen Sprachraum nur sehr wenige Schriftsteller, die diese Autorin übertreffen oder ihr auch nur gleichkommen.«
Marcel Reich-Ranicki
Serie Piper 1480

Er: Das Stück war in Ordnung, doch.
Sie: Für ein Stück von einer Frau, doch wirklich.
Er: Ging es eigentlich an dieser Stelle dann noch los mit Sex oder was…?
Sie: Ich bezweifle, ob ich dir was ausplaudern sollte. Wie du weißt, kriegen wir das noch im Abo.

Gabriele Wohmanns bissige Gesellschaftskommödie, von Dürrenmattscher Schwärze, entlarvt die hohen Werte auf den Panieren der Zeitgenossen als Sammelsurium niedrigster Beweggründe.
Serie Piper 1051

PIPER

Ein Roman der Zeitenwende

HANNS-JOSEF ORTHEIL
ABSCHIED VON DEN KRIEGS TEILNEHMERN
ROMAN PIPER

Hanns-Josef Ortheils neues Buch ist ein eindrucksvoller Roman über die Macht der Vergangenheit und die Macht der Phantasie: Ein Sohn versucht, der Geschichte seines Vaters, die geprägt ist von deutscher Kriegs- und Nachkriegserfahrung, durch eine lange Flucht nach Amerika und in die Karibik, zu entrinnen. Erst nach seiner Rückkehr in das Europa des Sommers 1989, als der Eiserne Vorhang sich zu öffnen beginnt, sieht er eine neue Perspektive für die Zukunft, die die Gespenster der Vergangenheit vertreiben könnte.
412 Seiten. Gebunden

Weitere Romane
von Hanns-Josef Ortheil:

Agenten
324 Seiten. Gebunden

Fermer
313 Seiten. Serie Piper 1495

Schwerenöter
645 Seiten. Serie Piper 1207